CEDU(쎄듀)는 A **C**omprehensive **E**nglish e**DU**cation(종합적 영어교육)의 약자입니다.

온라인으로 주관식 집중 훈련

Mobile & PC 동시 학습이 가능한

쎄듀런 온라인 문법·서술형 트레이닝 서비스

학생용

❶ 주관식 1

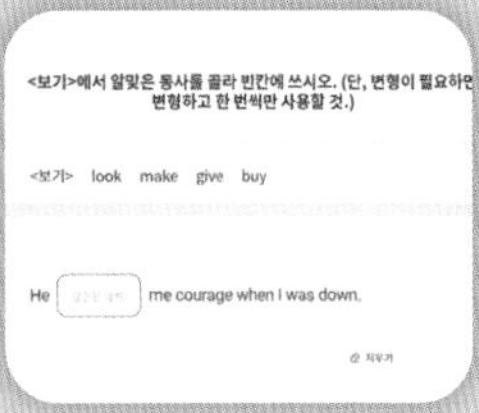

❷ 주관식 2

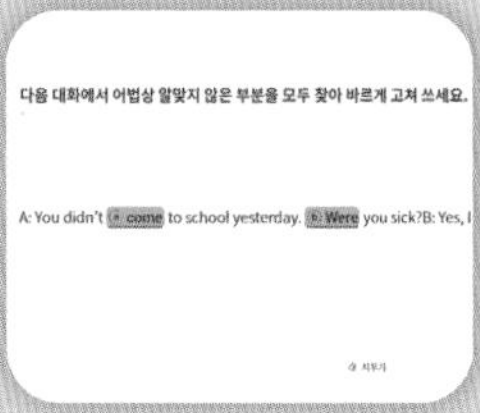

❸ 주관식 3

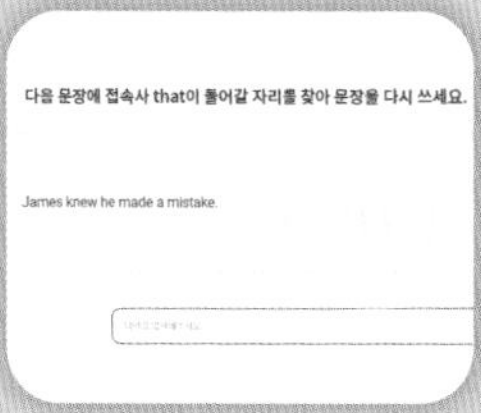

❹ 선택&주관식

❺ 객관식

RANK 77 고등 영어 서술형 온라인 학습 50% 할인 쿠폰

할인 쿠폰 번호 **LFKAUUMCME6E**
쿠폰 사용기간 **쿠폰 등록일로부터 90일**

PC 쿠폰 등록 방법

1 쎄듀런에 학생 아이디로 회원가입 후 로그인해 주세요.
2 [결제내역→쿠폰내역]에서 쿠폰 번호를 등록하여 주세요.
3 쿠폰 등록 후 홈페이지 최상단의 [상품소개→(학생전용) 쎄듀캠퍼스]에서 할인 쿠폰을 적용하여 상품을 결제해주세요.
4 [마이캠퍼스→쎄듀캠퍼스→올씀 3권 : 고등 서술형 RANK 77 (개정)]에서 학습을 시작해주세요.

유의사항

- 본 할인 쿠폰과 이용권은 학생 아이디로만 사용 가능합니다.
- 쎄듀캠퍼스 상품은 PC에서만 결제할 수 있습니다.
- 해당 서비스는 내부 사정으로 인해 조기 종료되거나 내용이 변경될 수 있습니다.

RANK 77 고등 영어 서술형 맛보기 클래스 무료 체험권 (RANK 1, 2)

무료 체험권 번호 **TGYGH32BRE25**
클래스 이용기간 **체험권 등록일로부터 30일**

Mobile 쿠폰 등록 방법

1 쎄듀런 앱을 다운로드해 주세요.
2 쎄듀런에 학생 아이디로 회원가입 후 로그인해 주세요.
3 [쿠폰등록]을 클릭하여 쿠폰 번호를 입력해주세요.
4 쿠폰 등록 후 [마이캠퍼스→쎄듀캠퍼스→<맛보기> 올씀 3권 : 고등 서술형 RANK 77 (개정)]에서 학습을 바로 시작해주세요.

쎄듀런 모바일앱 설치

GET IT ON Google Play

Download on the App Store

PC 쿠폰 등록 방법

1 쎄듀런에 학생 아이디로 회원가입 후 로그인해 주세요.
2 [결제내역→쿠폰내역]에서 쿠폰 번호를 등록하여 주세요.
3 쿠폰 등록 후 [마이캠퍼스→쎄듀캠퍼스→<맛보기> 올씀 3권 : 고등 서술형 RANK 77 (개정)]에서 학습을 바로 시작해주세요.

쎄듀런 홈페이지
www.cedulearn.com

쎄듀런 카페
cafe.naver.com/cedulearnteacher

쎄듀 쏨

RANK 77

고등 영어 서술형

서술형을 위한 77가지 빈출 개념 총정리

저자

김기훈 現 ㈜쎄듀 대표이사
現 메가스터디 영어영역 대표강사
前 서울특별시 교육청 외국어 교육정책자문위원회 위원
저서 천일문 / 천일문 문제집 / 천일문 GRAMMAR
첫단추 BASIC / Grammar Q / ALL씀 서술형 / Reading Relay
어휘끝 / 어법끝 / 쎄듀 본영어 / 절대평가 PLAN A
The 리딩플레이어 / 빈순삽함 / 첫단추
파워업 / 쎈쓰업 / 수능영어 절대유형 / 기출프리미엄 / 수능실감 등

쎄듀 영어교육연구센터
쎄듀 영어교육센터는 영어 콘텐츠에 대한 전문지식과 경험을 바탕으로
최고의 교육 콘텐츠를 만들고자 최선의 노력을 다하는 전문가 집단입니다.
한예희 책임연구원 • **이혜경** 전임연구원 • **이민영** 연구원 • **심승아** 연구원

교재 집필에 도움을 주신 분 **이혜진**

교재 개발에 도움을 주신 분들
강나겸 선생님(광주 스위치영어수학학원) | 강래령 선생님(대구 하이엔드영어학원) | 강민주 선생님(대구 최수학강영어) | 고은주 선생님(부산 지니영어) | 구수진 선생님(대구) | 권시현 선생님(대구 권시현 영어) | 김동갑 선생님(서울 프라임영어학원) | 김동욱 선생님(울산 Jk 영어 공부방) | 김미정 선생님(서울 아발론신내캠퍼스) | 김보경 선생님(충남 더시에나영어학원) | 김석중 선생님(전남 맥잉글리시 영어교습소) | 김성호 선생님(충남 j&k튜터 영어) | 김지연 선생님(인천 송도탑영어학원) | 김현미 선생님(대구) | 박고은 선생님(대구 스테듀입시학원) | 박상희 선생님(부산 크크리 영어 교습소) | 박선미 선생님(부산 박쌤 영어교실) | 박소현 선생님(대구 SKY English) | 박수진 선생님(서울 이은재 어학원) | 박인성 선생님(경기) | 박철형 선생님(인천 페이스 학원) | 방성모 선생님(대구 방성모 영어학원) | 송수아 선생님(충남 송수아 영어학원) | 신지혜 선생님(경기 제시의 행복한 영어교습소) | 양영혜 선생님(경기) | 유영목 선생님(전북 유영목 영어전문학원) | 윤선아 선생님(충북 청주 타임즈영어학원) | 윤현미 선생님(충남 비비안의 잉글리쉬 클래스) | 이경민 선생님(경남 KM ENGLISH) | 이주현 선생님(서울 샬롯영어) | 이형석 선생님(충남 한일학원) | 임예찬 선생님(서울 학습컨설턴트) | 장은영 선생님(경남 영쓰클래스) | 장환조 선생님(경기 덕소고등학교) | 전성희 선생님(대구) | 정다이 선생님(전남 더채움영어학원) | 정성봉 선생님(경기 김포한강 최선어학원) | 정지안 선생님(경기 쌤영어수학학원) | 채주현 선생님(경기 EST어학원) | 채지영 선생님(부산 리드앤톡영어도서관학원) | 최경주 선생님(경북 기린의 비상) | 한기윤 선생님(서울 수능영어의 神– Iris)

마케팅	콘텐츠 마케팅 사업본부	**제작**	정승호
영업	문병구	**인디자인 편집**	올댓에디팅
디자인	윤혜영	**영문교열**	James Clayton Sharp

펴낸이 김기훈 김진희
펴낸곳 ㈜쎄듀/서울시 강남구 논현로 305 (역삼동)
발행일 2024년 6월 12일 제1개정판 1쇄
내용 문의 www.cedubook.com
구입 문의 콘텐츠 마케팅 사업본부
Tel. 02-6241-2007
Fax. 02-2058-0209
등록번호 제22-2472호
ISBN 978-89-6806-386-2
978-89-6806-385-5(SET)

개정판을 내며

본 교재인 <RANK 77 고등 영어 서술형>은 그동안 꾸준히 사랑을 받아온 <ALL씀 고등 서술형 RANK 77>의 개정판으로서 개정률은 70%에 달합니다.

모든 학교에 적용되는 서술형 교재를 만들기 위해, 전국에 있는 253개 고교에서 출제된 문제를 연구했습니다. 초판에서 분석한 3,000여 문항에 더해, 최근 5년간 출제된 3,500여 개의 문항을 추가로 분석하여 기존의 장점은 적극 살리고 최신 경향에 맞도록 보완 및 개선했습니다. 또한, <RANK 77 고등 영어 서술형 실전문제 700제(별도판매)>를 함께 발간하여 학습 효과를 극대화할 수 있는 발판을 마련했습니다.

1 빈도순 목차 구성 유지

서술형에 자주 등장하는 포인트부터 빈도순 목차 구성을 유지하되, 최신 빈출 문제를 분석 및 반영하여 목차를 업데이트했습니다. 출제 빈도가 높은 포인트를 먼저 배우고, 진도가 나아감에 따라 앞에서 배운 내용을 다시 써보고 적용할 수 있도록 구성되어 있어 자연스러운 누적 학습이 가능합니다.

2 신설 및 개선된 사항

1. 최신 서술형 난이도 반영

교재에 수록된 문제 전체에 어려워진 최신 시험의 난이도를 반영했습니다. 또한 그중에서도 난이도가 높은 '고난도' 문제를 수록하여 변별력 높은 시험 문제에도 대응할 수 있습니다.

2. 답을 쓰는 전략을 학습하며 개념 확인 동시에 가능

각 출제 포인트마다 서술형 문제를 효과적으로 해결할 수 있는 단서와 프로세스를 제시하는 기존의 방식을 유지하되, 단순한 설명을 제시하기만 하는 것이 아니라 학생 스스로 빈칸을 채워보며 개념을 이해하고 답을 찾아갈 수 있도록 구성했습니다.

3. '서술형 대비 실전 모의고사' 문제 증대 및 누적식 구성

'서술형 대비 실전 모의고사'의 분량을 대폭 늘렸습니다. 또한 종합적인 개념 확인이 가능하도록 누적식으로 구성하여 앞에서 배운 개념을 반복해서 확인할 수 있도록 하였습니다.

4. 교과서, 수능, 모의, EBS 교재 변형 예문 업데이트

내신 문제는 교과서, 수능, 모의고사, EBS 교재에서 고루 출제되므로 이러한 출처를 적극 반영하는 방식은 유지하되, 최신 출처에서 알맞은 난이도의 문장을 엄선하여 수록했습니다.

5. '서술형 PLUS 표현' 수록

서술형 문제 풀이를 위해 알아야 할 기본적인 표현을 수록하였습니다. 제시된 표현을 암기한다면 서술형 답안 작성의 정확도와 속도를 높일 수 있습니다.

3 <RANK 77 고등 영어 서술형 실전문제 700제> (별도판매)

문제를 풀며 개념을 복습하고 실전 적용 훈련을 할 수 있는 충분한 양의 연습문제를 담은 교재를 함께 발간합니다. 본 교재와 같은 목차로 구성되어 있으므로 병행 학습을 추천드리며, 이를 통해 서술형 문제 풀이에 더욱 자신감을 가질 수 있을 것입니다.

단계적으로 서술형을 해결하기 위해 최적화된 구성으로 기획된 <올씀 서술형 시리즈>의 마지막 권인 본 3권에서는 고등 내신 서술형을 집중적으로 해결하기 위해, 실제 고교 내신 시험의 서술형 출제 경향을 완벽 분석하여 담아냈습니다. 영어 서술형 문제가 유독 어렵게 느껴진다면, '쓰기' 연습을 할 기회가 부족하기 때문입니다. 이는 영어로 문장을 쓰는 훈련을 반복하면 충분히 해결 가능합니다. 쎄듀의 <올씀 서술형 시리즈>가 여러분의 '영어 쓰기'에 자신감을 불어넣어 더 이상 서술형을 두려워하지 않도록 실력을 쌓는 밑거름이 되기를 바랍니다.

저자

기출 분석 253개 고교

지역	고교명
서울	강서고
부산	개성고
서울	개포고
경상	거제고
경상	거창대성고
서울	경기여고
경기	경기외고
부산	경남여고
경상	경남외고
경상	경산고
경기	경안고
대구	경원고
경상	경주고
경상	경주여고
경상	경해여고
경기	계원예고
광주	고려고
경기	고양동산고
인천	고잔고
경기	과천고
경기	과천여고
경기	과천외고
경기	광교고
서울	광남고
경기	광명북고
광주	광주광덕고
광주	광주대동고
광주	광주인성고
경기	광주중앙고
경상	구미여고
전라	군산여고
광주	금호고

지역	고교명
경상	김천고
경기	김포고
경기	김포외고
경상	김해고
경상	김해여고
경상	김해중앙여고
제주	남녕고
인천	남동고
대전	노은고
충청	논산대건고
인천	논현고
경기	늘푸른고
대구	능인고
서울	단대부고
서울	대광고
대구	대구경신고
대구	대구남산고
대구	대구대건고
대구	대구여고
대전	대덕고
경상	대동고
부산	대동고
대구	대륜고
경상	대아고
부산	대연고
서울	대원외고
서울	대일고
서울	대일외고
대전	대전대성고
대전	대전둔산여고
대전	대전외고
대전	대전전민고

지역	고교명
서울	대진고
서울	대진여고
서울	덕원여고
세종	도담고
서울	동덕여고
경기	동두천외고
경기	동산고
광주	동신여고
부산	동아고
부산	동인고
경기	동패고
경기	동화고
경상	마산제일고
경상	마산중앙고
서울	명덕여고
서울	명덕외고
인천	명신여고
서울	명지고
서울	목동고
광주	문성고
서울	문영여고
광주	문정여고
대전	반석고
서울	반포고
경기	백석고
경기	백영고
경기	병점고
서울	보성고
경기	보정고
충청	복자여고
부산	부산강서고
부산	부산국제외고

지역	고교명
부산	부산장안고
부산	부산중앙여고
경기	부천고
경기	부천여고
경기	부흥고
강원	북원여고
충청	북일여고
경기	분당고
경기	분당대진고
서울	불암고
경기	사우고
부산	사직여고
충청	산남고
경상	삼방고
서울	상문고
경기	상일고
대전	서대전고
서울	서라벌고
충청	서령고
서울	서울고
서울	서울외고
서울	서초고
경기	서현고
광주	석산고
서울	선일여고
경기	성남외고
경상	성민여고
경기	성복고
울산	성신고
경상	성지여고
충청	세광고
경기	세원고

지역	고교명
인천	세일고
세종	세종고
서울	세화고
서울	세화여고
경기	소래고
경기	소명여고
인천	송도고
경기	수내고
서울	수도여고
경기	수리고
경기	수성고
경기	수원외고
경기	수지고
서울	숙명여고
전라	순천매산고
전라	순천효천고
광주	숭덕고
서울	숭의여고
서울	신목고
경기	신성고
제주	신성여고
경상	안동여고
경기	안법고
경기	안산고
경기	안산동산고
서울	압구정고
울산	약사고
경기	양서고
서울	양재고
충청	양청고
서울	언남고
서울	여의도고

지역	고교명
서울	여의도여고
인천	연수고
인천	연수여고
대구	영남고
경기	영덕여고
서울	영동고
서울	영동일고
서울	영신고
서울	영신여고
경상	영일고
전라	영흥고
서울	예일여고
충청	오송고
제주	오현고
전라	완산고
서울	용산고
부산	용인고
전라	원광여고
강원	원주고
강원	원주여고
대전	유성고
대전	유성여고
경기	유신고
강원	육민관고
서울	은광여고
경기	은행고
경기	의정부고
경기	의정부여고
전라	이리고
경기	이매고
경기	이의고
서울	이화여고

지역	고교명
서울	이화여자외고
인천	인일여고
인천	인천국제고
인천	인천외고
경기	일산대진고
서울	잠신고
서울	잠실여고
부산	장안제일고
서울	장훈고
전라	전주고
전라	전주기전여고
전라	전주한일고
서울	정신여고
대구	정화여고
경상	제일여고
제주	제주사대부고
제주	제주제일고
서울	중대부고
서울	중동고
서울	중산고
대전	지족고
서울	진명여고
서울	진선여고
경기	진성고
광주	진흥고
서울	창덕여고
경상	창신고
경상	창원남고
경기	창현고
충청	천안고
충청	천안중앙고
서울	청담고

지역	고교명
충청	청석고
충청	청원고
강원	춘천고
강원	춘천여고
대전	충남고
충청	충주여고
경기	태장고
경기	평택고
경상	포항고
경상	포항여고
경상	포항영신고
경상	포항중앙여고
경기	풍덕고
경상	풍산고
인천	학익여고
서울	한가람고
경기	한광여고
충청	한국교원대부설고
경기	한국디지털미디어고
서울	한국삼육고
서울	한영고
서울	한영외고
인천	해송고
서울	현대고
서울	혜성여고
대구	혜화여고
경기	호원고
경기	효원고
서울	휘문고

이 책의 구성과 특징

1 준비편: 서술형 유형 한눈에 보기

전국 253개 고교에서 출제된 서술형 문제 유형을 총정리합니다.
실제 내신 시험에 서술형은 어떤 유형으로 출제되고 중요한 유형은 무엇인지 확인해 봅시다.

2 서술형 PLUS 표현

서술형에서 자주 쓰이는 구문과 혼동을 주는 어휘를 학습할 수 있습니다.
본 교재에서 다루는 어법 포인트들과 관련지어 학습할 수 있는 표현들을 포함하여,
영작의 정확도와 속도를 높일 수 있는 다양한 표현들로 구성되어 있습니다.

서술형 PLUS 표현

+ 수동태 표현 Rank 03, 04

형태	의미
be absorbed in	~에 몰두하다
be charged with	~의 책임을 맡다; ~으로 기소되다; ~으로 가득 차 있다
be composed of	~로 이루어져 있다
be concerned about	~에 대해서 염려하다
be concerned with	~와 관련이 있다
be convinced of	~에 확신하다
be covered with	~으로 덮여 있다
be devoted to	~에 헌신하다
be disappointed at/with/by	~에 실망하다
be engaged in	~에 종사하다
be exposed to	~에 노출되다
be faced with	~에 직면하다
be filled with	~로 가득 차다
be interested in	~에 흥미[관심]가 있다
be involved in	~에 개입되다[관계되다]
be known as	~으로 알려져 있다 (명칭, 별칭 등)
be known for	~으로 유명하다
be known to	~에게 알려져 있다
be obsessed with	~에 사로잡히다[집착하다]

+ 구동사 표현 Rank 04

형태	의미
account for	~을 설명하다; (특정 비율을) 차지하다
adapt to	~에 적응하다
adhere to	~을 고수하다[충실히 지키다]
bring about	~을 유발하다, ~을 초래하다
carry out	~을 수행[이행]하다; ~을 완수하다
cope with	~을 다루다; ~에 대처[대응]하다
count on	~을 믿다, ~에 의지하다
deal with	~을 다루다[대하다]; ~을 해결하다
depend on	~에 달려 있다; ~에 의존하다
derive from	~에서 유래되다, ~에서 기인하다
die out	멸종되다, 자취를 감추다
figure out	파악하다[알아내다]; 해결하다[생각해 내다]
keep up with	(뉴스, 유행 등에 대해) 알게 되다[알다]; ~을 따라잡다
rely on	~에 의지하다; ~을 신뢰하다
run out of	~을 다 써버리다
settle down	정착하다; 편안히 앉다; 진정되다
stand for	~을 나타내다; ~을 지지하다
stick to	~에 달라붙다; ~을 고수하다
struggle with	~로 고심하다; ~와 싸우다

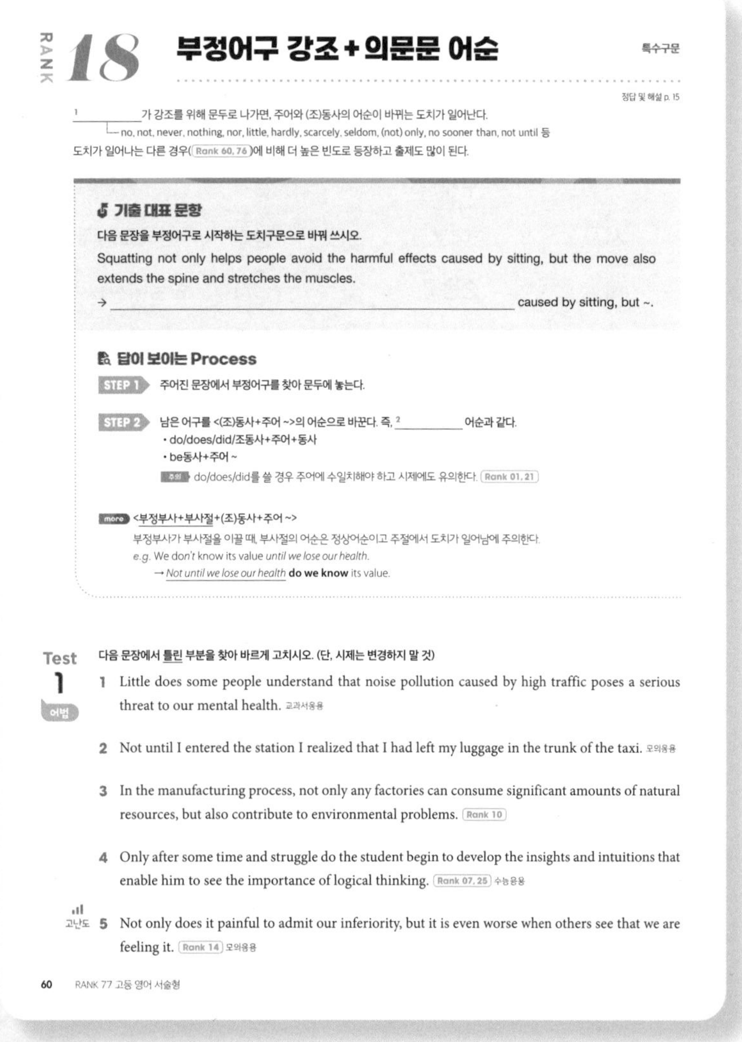

RANK 18 부정어구 강조+의문문 어순 특수구문

정답 및 해설 p. 15

1 ________가 강조를 위해 문두로 나가면, 주어와 (조)동사의 어순이 바뀌는 도치가 일어난다.
└ no, not, never, nothing, nor, little, hardly, scarcely, seldom, (not) only, no sooner than, not until 등
도치가 일어나는 다른 경우(Rank 60, 76)에 비해 더 높은 빈도로 등장하고 출제도 많이 된다.

기출 대표 문항

다음 문장을 부정어구로 시작하는 도치구문으로 바꿔 쓰시오.

Squatting not only helps people avoid the harmful effects caused by sitting, but the move also extends the spine and stretches the muscles.

→ ________________________ caused by sitting, but ~.

답이 보이는 Process

STEP 1 주어진 문장에서 부정어구를 찾아 문두에 놓는다.

STEP 2 남은 어구를 <(조)동사+주어 ~>의 어순으로 바꾼다. 즉, 2 ________ 어순과 같다.
- do/does/did/조동사+주어+동사
- be동사+주어 ~

주의 do/does/did를 쓸 경우 주어에 수일치해야 하고 시제에도 유의한다. Rank 01, 21

more <부정부사+부사절+(조)동사+주어 ~>
부정부사가 부사절을 이끌 때, 부사절의 어순은 정상어순이고 주절에서 도치가 일어남에 주의한다.
e.g. We don't know its value *until we lose our health.*
→ *Not until we lose our health* **do we know** its value.

Test 1 어법 **다음 문장에서 틀린 부분을 찾아 바르게 고치시오. (단, 시제는 변경하지 말 것)**

1 Little does some people understand that noise pollution caused by high traffic poses a serious threat to our mental health. 교과서응용

2 Not until I entered the station I realized that I had left my luggage in the trunk of the taxi. 모의응용

3 In the manufacturing process, not only any factories can consume significant amounts of natural resources, but also contribute to environmental problems. Rank 10

4 Only after some time and struggle do the student begin to develop the insights and intuitions that enable him to see the importance of logical thinking. Rank 07, 25 수능응용

고난도 5 Not only does it painful to admit our inferiority, but it is even worse when others see that we are feeling it. Rank 14 모의응용

60 RANK 77 고등 영어 서술형

3 기출 대표 문항 & 답이 보이는 Clues/Process

Rank별 고등 내신 시험에 출제된 기출 대표 문항과
문제를 쉽게 해결하기 위한 Clues 및 Process를 배웁니다.
또한 사이사이의 빈칸을 채워보며 빈출 포인트를 더욱 능동적으로
학습할 수 있습니다.

주의	실수를 주의해야 할 내용
Tip	문제를 전략적으로 푸는 팁
more	추가로 알아야 할 내용
Rank 00	연계된 Rank 안내

4 Test

각 Rank마다 꼭 출제되는 서술형 유형별 Test를 풀어봅니다.
실제 시험 문제와 가장 유사한 교과서, 모의, 수능, EBS 교재에서
발췌된 다양한 문장을 응용하여 실전 적용력을 높일 수 있습니다.

고난도	고난도 문항 표시
모의응용	모의/모의응용/수능/수능응용/교과서응용 등 학평, 모평, 수능, 교과서, EBS에서 발췌하여 그대로 사용하거나 일부 변형한 문장 또는 지문

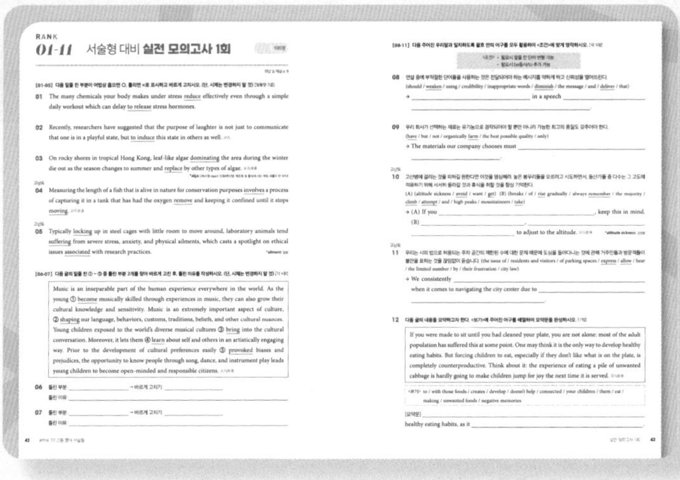

5 서술형 대비 실전 모의고사 7회

11개 Rank마다 각 4페이지로 구성된 <서술형 대비 실전 모의고사> 총 7회를 수록했습니다.
앞 Rank에서 배운 내용을 적용하는 누적식 실전 모의고사를 통해 실력을 점검하고, 내신에 나오는 독해형 서술형 문제와 문제별 배점 및 부분 점수에 따른 채점으로 실제 시험을 미리 경험해 볼 수 있습니다.

고난도 고난도 문항 표시

6 부록: Appendix

전치사 한눈에 보기, 시험에 나오는 주요 어구, 틀리기 쉬운 스펠링 등 기본적이지만 중요한 표현들을 Appendix에 수록했습니다.

교재 학습 효과 Up

1 부가 학습 자료와 쎄듀런

무료 부가서비스

www.cedubook.com
어휘리스트/어휘테스트와 교재의 문장 문제에 대한 **영작연습지/해석연습지**를 무료로 다운로드하실 수 있습니다.

쎄듀런 학습하기 유료

www.cedulearn.com
쎄듀런 웹사이트와 앱을 통해 온라인으로 풍부한 서술형 문항을 학습하실 수 있습니다.

쎄듀런

학생
- 학습 TR(Training) 제공
- 실력향상 TEST 제공

선생님
- 온라인 TR/TEST 및 학사관리 제공
- 학교 및 학원용 TEST 인쇄 서비스 제공

2 <RANK 77 고등 영어 서술형 실전문제 700제> (별도 판매: 정가 15,000원)

각 Rank별 충분한 문제 풀이를 통해
본 교재인 <RANK 77 고등 영어 서술형>에서
학습한 개념을 복습하고 적용해 보는 훈련을 반복하여
서술형 시험에 완벽 대비할 수 있습니다.

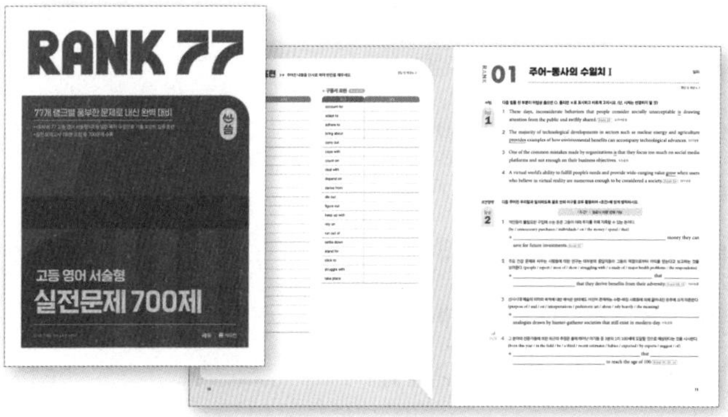

CONTENTS 빈도순 목차

CONTENTS 문법별 목차

준비편:

서술형 유형 한눈에 보기

I 전체 유형 미리 보기

1. 어법/어휘

유형	실제 기출 지시문 예시
① 어법	• 글의 내용상 빈칸에 적절한 form의 형태를 쓰시오. • 다음 해석에 맞게 밑줄 친 (A), (B), (C)를 어법에 맞게 고치시오. • 다음 글의 빈칸에 각각 3단어를 사용하여 주어진 단어를 올바른 준동사 형태로 완성하시오. • 다음 글에서 어법상 옳지 않은 문장을 찾아 그 번호를 쓰고 틀린 부분을 찾아 바르게 고치시오. • 다음 글의 밑줄 친 문장을 어법에 맞게 고쳐 쓰시오. (완전한 문장으로 작성할 것) • 다음 글의 ⓐ~ⓔ 중 어법상 어색한 부분 4개를 찾아 그 기호를 쓰고 바르게 고치시오. • 다음 글의 밑줄 친 부분에서 어법상 틀린 부분을 찾아 고쳐 쓰고, 그 이유를 우리말로 설명하시오. (단, 고쳐 쓰기만 하면 점수 없음)
② 어휘	• 다음 글의 밑줄 친 부분 중 문맥상 낱말의 쓰임이 적절하지 않은 것을 3개 골라 번호를 쓰고 바르게 고치시오. • 다음 영영풀이에 해당하는 단어를 윗글에서 찾아서 쓰시오. • 다음 빈칸에 들어갈 단어를 보기에서 찾아 의미에 맞게 그대로 찾아 쓰시오.

2. 영작

유형	실제 기출 지시문 예시
③ 기본 영작	• 다음 글의 ( ) 안의 우리말을 영어로 쓰시오. (단, 주어진 알파벳으로 시작하는 단어를 쓸 것) • Translate the following Korean sentences into English. • 다음 문장이 밑줄 친 (B)의 우리말과 같은 뜻이 되도록 빈칸에 각각 알맞은 단어를 쓰시오.
④ 배열 영작	• 다음 글을 읽고, <보기>의 어구를 어법과 문맥에 맞게 사용하여 문장을 완성하시오. (단, 어구를 변형 없이 그대로 사용할 것, 단어 추가 불가) • 윗글의 빈칸에 문맥과 어법에 맞게 다음 단어들을 알맞게 배열하여 쓰시오. • 주어진 우리말과 같은 뜻이 되도록 <보기>의 단어를 모두 사용하여 문장을 완성하시오.
⑤ 조건 영작	• 다음 글의 빈칸에 들어갈 내용을 아래의 <조건>에 맞게 영작하시오. • 밑줄 친 (A)를 보기의 단어들을 바르게 사용하여 완성하시오. (단, 알맞은 한 단어를 추가하여 완성하시오.) • 주어진 단어를 이용하여 해석에 맞는 가정법 문장을 완성하시오. • 다음 우리말을 참고하여 영작하시오. (단, 주어진 It으로 시작하여 20단어 이내로 쓰시오.) • 주어진 우리말의 (A)~(C)를 분사구문으로 쓰시오.
⑥ 문장 전환	• 다음 글의 밑줄 친 부분과 같은 의미가 되도록 빈칸에 적절한 단어를 쓰시오. • 다음 문장을 수동태로 전환하려고 한다. 밑줄 친 부분에 적합한 어구를 완성하여 쓰시오. • 밑줄 친 부사절을 분사구문으로 바꾸시오. (단, 문장의 의미 변화가 없어야 함.) • Fill in the blanks so that the two sentences may have the same meaning.
⑦ 자유 서술	• 지문 내용: 사무실 책상의 모습만 봐도 그 사람의 성격을 알 수 있다. 1. Describe your own personality related to the main idea. 2. Describe the state of your desk. 3. What is the main idea of the passage above? 4. Do you agree with the main idea? And why?

3. 독해형

유형		실제 기출 지시문 예시
⑧ 대의 파악		• 다음 글의 요지를 주어진 <조건>에 맞게 영어로 쓰시오. • 윗글의 적절한 제목을 주어진 철자의 단어로 채워 완성하시오. • 다음 글을 주제를 다음과 같이 나타낼 때 빈칸 ⓐ~ⓒ에 들어갈 말을 본문에서 찾아 쓰시오. • 다음 글에서 필자가 주장하는 내용을 한 문장으로(영어로) 쓰시오.
빈칸	⑨ 요약문 빈칸	• 다음 글의 내용을 한 문장으로 요약하고자 한다. 빈칸 (A)와 (B)에 들어갈 말로 가장 적절한 것을 본문에서 찾아서 작성하시오. • 다음을 읽고 아래와 같이 내용을 정리할 때, 빈칸에 들어갈 알맞은 말을 제시된 <조건>에 맞게 쓰시오. • 윗글의 요약문을 <보기>의 단어 9개 중 8개를 활용하여 완성하시오.
빈칸	⑩ 본문 빈칸	• 다음 글의 빈칸에 들어갈 가장 적절한 말을 <보기>를 참고하여, 철자 e로 시작하는 단어를 쓰시오. • 다음 글을 읽고, 문맥상 빈칸 (A), (B), (C)에 각각 들어갈 가장 적절한 한 단어를 쓰시오. • 윗글의 빈칸에 들어갈 말을 본문에서 찾아 쓰시오. (3단어 이내로 쓰시오. 필요하면 형태를 바꿀 수 있음)
⑪ 세부내용 서술		• 다음 글에서 밑줄 친 social force의 예로 언급된 것을 모두 찾아 명사(구)로 쓰시오. • 다음 글에서 밑줄 친 ⓐ the offer가 가리키는 내용을 본문에서 찾아 그 영어 문장을 쓰시오. (철자에 주의하여 완전한 문장으로 쓸 것) • 다음 글에서 지구가 둥글다는 근거 세 가지를 찾아 한글로 서술하시오. • Find two things that made a monster look very natural on the screen in the text below. Answer in English.
⑫ 지칭내용 서술		• 윗글의 밑줄 친 This의 의미를 주어진 <조건>을 참고하여 영어로 서술하시오. (10단어 이내로 쓸 것) • 다음 글의 밑줄 친 부분이 가리키는 내용 두 가지를 찾아서 아래에 주어진 주어로 시작하여 문장을 완성하시오. • 다음 글의 밑줄 친 (A), (B), (C)가 가리키는 말을 본문에서 찾아 영어로 쓰시오. • 다음 글의 밑줄 친 Their strategy의 내용을 우리말로 쓰시오.
⑬ 순서 배열		• 주어진 글 다음에 이어질 문장들을 글의 흐름에 맞게 가장 적절한 순서로 나열하시오.
⑭ 우리말 해석		• 다음 밑줄 친 부분을 한국어로 해석하시오.
⑮ 자료 활용		• 도서관에서 두 학생이 대화하고 있다. 아래 그림 속 (A), (B)에 들어갈 적절한 말을 윗글의 내용과 다음 조건에 맞춰 영어로 쓰시오. • 다음 밑줄 친 부분 중 도표의 내용과 일치하지 않는 부분을 찾아 그 기호를 쓰고, 밑줄 친 부분을 내용에 맞게 바르게 고치시오.

*이 책에서는 위 유형들 중 높은 비율로 출제되는 **진짜 서술형 유형**만을 선별하여 분석 및 수록하였습니다.

Ⅱ 주요 유형 자세히 보기

1 어법 (27%)

◆◆ **형태** 주로 밑줄 친 부분 중 어법상 틀린 것을 찾아 고쳐 쓰라는 형태로 출제된다.

◆◆ **고난도** 1) 틀린 이유도 같이 서술하는 것
2) 밑줄 없이 글 전체에서 틀린 부분을 모두 찾아 고쳐 쓰는 것 (틀린 부분의 개수를 알려주지 않는 것이 최고난도이다.)

대표 문항

[B고 1-2 기말] 다음 글의 밑줄 친 부분을 어법에 맞게 고쳐 쓰시오.

When presenting, speak clearly and loudly. Make certain you speak slowly enough to ⓐ understand. Many people have a tendency to rush nervously through a speech or to speak in a monotone, ⓑ make it difficult to engage the listener.

답: ⓐ be understood ⓑ making

[C고 2-2 기말] 다음 빈칸에 적절한 대명사를 쓰시오.

The price of the silk skirt is much higher than ________ of the cotton skirt.

답: that

[K고 1-1 기말] 다음 글의 밑줄 친 부분 중 어법상 틀린 것을 모두 찾아 바르게 고쳐 쓰시오. (단, 시제는 변경하지 말 것)

He spent a great deal of time on all the drawings he submitted, but when the reply came from Walt Disney Studios, he ① had rejected once again. After this, Sparky decided ② to make a cartoon of his own life. He described his childhood self — a little loser boy who rarely ③ succeeded at anything. Sparky, the boy who had such a lack of success in school and ④ which work was rejected again and again was Charles Schulz, the famous cartoonist. He created the Peanuts comic strip and the little cartoon character who never succeeded in ⑤ kick a football: Charlie Brown.

답: ① had rejected → had been rejected, ④ which → whose, ⑤ kick → kicking

고난도

[K고 1-1 기말] 다음 글에서 어법상 어색한 두 가지를 찾아 쓰고 바르게 고친 뒤, 고쳐야 하는 이유를 구체적으로 쓰시오.

Hangeul is capable of expressing many sounds due to its scientific design. Also, it is very easy for children or speakers of other languages to learn because its simplicity and small number of characters. In 2009, a tribe called the Cia-Cia in Indonesia started to teach their children to read and write their native language in Hangeul. The tribe saw Hangeul as a way to record and preserve their language. It is interesting that Hangeul can be used to prevent a minority language from disappear.

답: because → because of / 뒤에 명사구가 나오므로, 전치사가 적절하다.
disappear → disappearing / 전치사의 목적어로 동명사가 와야 한다.

최고난도

[J고 1-1 중간] 다음 글에서 어법상 틀린 부분을 모두 찾아 바르게 고쳐 쓰시오.

We saw rocks with all kinds of strange shapes, including one that looked just like a woman's head and neck. A friendly tour guide explained to us that this particular rock is known as the "Queen's Head." He said the shape was forming over thousands of years by water, wind, and sand. Unfortunately, the neck has become very thin and some people are worried it might break in the near future. I'm glad we got to see it before that happened.

답: forming → formed, happened → happens

2 영작 (35%)

1. 배열 영작 (40%)

◆◆ **형태** 주로 우리말에 맞게 주어진 단어를 변형 없이 모두 배열하라는 형태로 출제된다.

◆◆ **고난도** 1) 우리말을 주지 않고 문맥에 알맞게 배열하는 것
2) 필요시 단어 중복 사용이 가능한 것
3) 주어진 단어 중 일부만을 골라 배열하는 것

대표 문항

[K고 2-1 중간] 다음 우리말과 일치하도록 <보기>에 주어진 단어를 순서대로 배열하시오.

It ______________________, expressed things, and made sense of the world as a writer.

(내가 사물을 보고, 표현하고, 작가로서 세계를 이해하는 방법을 형성하도록 도왔던 것은 바로 그 언어이다.)

<보기> that / helped / saw / is / the language / shape / I / the way / things

답: is the language that helped shape the way I saw things

[J고 1-2 기말] 다음 우리말과 일치하도록 <보기> 안에 주어진 단어를 모두 사용하여 배열하시오. (단어 추가 불가)

Throughout history, bread ______ ______ ______ ______ ______ ______ ______ ______ ______ in each region and culture.

(역사를 통해서 빵은 담백하거나 달콤하게 만들어져 왔고, 각각의 지역과 문화에서 다르게 제공되어져 왔다.)

<보기> made / has been / served / or / plain / sweet / differently / and

답: has been made plain or sweet and served differently

고난도

[Y고 1-2 중간] 다음 글의 빈칸에 들어갈 말을 <보기>에 주어진 단어를 모두 사용하여 배열하시오.

Yehliu Geopark is known for its interesting rock formations. I could tell the park attracted many visitors because the surfaces of the rocks were covered with graffiti left by tourists from around the world. I also wanted to write my name, but my father firmly told me that ______________________.

<보기> a / damage / is / it / like / natural / that / to / wonder / wrong

답: it is wrong to damage a natural wonder like that

고난도

[K고 2-1 중간] 다음 우리말과 일치하도록 <보기>에 주어진 단어 중 8개만 사용하여 순서대로 배열하시오.

우리는 파티에 오는 누구든지 환영할 것이다.

<보기> party / whoever / comes / to / will / we / welcome / the / whomever

답: We will welcome whoever comes to the party.

2. 조건 영작 (51%)

◆◆ **형태** 특정한 문법 요소를 이용하여 영작하는 등의 조건이 제시된다.

◆◆ **고난도** 1) 조건이 두 개 이상인 것

2) 우리말이 주어지지 않는 것

대표 문항

[U고 2-1 중간] 다음 밑줄 친 우리말과 일치하도록 <보기>에 주어진 단어를 활용하여 <조건>에 맞게 영작하시오.

How you view the world is mainly a matter of perspective. Wyner Dyer said, "만약 네가 사물을 보는 방식을 바꾼다면, the things you look at change."

<보기> the / change / things / if / look at / you / way

<조건> 1. <보기>에 주어진 단어만을 사용할 것 2. 어형 변화 없음 3. 필요시 단어 중복 사용 가능

답: If you change the way you look at things

[H고 1-1 중간] 다음 우리말과 일치하도록 <보기>에 주어진 단어를 활용하여 <조건>에 맞게 영작하시오.

나는 그렇게 멋진 사람을 본 적이 없다.

<보기> a / seen / I / have / such / person / great / never

<조건> 1. 부정어 도치구문으로 작성할 것 2. <보기>의 단어를 전부 사용할 것

답: Never have I seen such a great person.

고난도

[M여고 1-2 기말] 다음 글의 빈칸에 들어갈 말을 <보기>에 주어진 단어를 활용하여 <조건>에 맞게 영작하시오.

______________________ the problem around the world. Authorities are putting up pet waste signs in public places, which say "Clean up after your pet. It is not just good manners but the law." Some parks now have pet toilets, and others have "doggy bag" dispensers. In Singapore, you can be fined up to $600 if you do not clean up after your pet.

<보기> solve / efforts / make / be / to

<조건> 1. <보기>에 주어진 단어 외에 필요한 단어를 추가하여 6개의 단어로 적을 것 2. 필요시 어형 변화 가능 3. 반드시 수동 진행형으로 적을 것

답: Efforts are being made to solve

3. 기타 다양한 영작 (9%) - 문장 전환, 자유 서술 등

3 독해형 (38%)

◆◆ **형태** 주로 지문을 읽고 요약문을 완성하거나, 지문의 빈칸에 문맥상 적절한 말을 영작하는 유형이 출제된다.

◆◆ **고난도** 1) 조건이 두 개 이상인 것
2) 지문에서 필요한 단어를 찾아 쓰는 것

대표 문항

[Y고 2-1 중간] 다음 글의 요약문을 완성하도록 빈칸 (A), (B)에 들어갈 가장 적절한 단어를 본문에서 찾아 쓰시오. (단, 필요하면 형태를 바꾸어 쓸 것)

Although instances occur in which partners start their relationship by revealing everything about themselves to each other, such instances are rare. In most cases, the amount of disclosure increases over time. We begin relationships by revealing relatively little about ourselves; then if our first bits of self-disclosure are well received and bring on similar responses from the other person, we're reluctant to reveal more. This principle is important to remember. It would usually be a mistake to assume that the way to build a strong relationship would be to reveal the most private details about yourself when first making contact with another person. Unless the circumstances are unique, such revealing of your soul would be likely to scare potential partners away rather than bring them closer.

[요약문] ____(A)____ everything about yourself at the initial stage of relationship would be a mistake, since your potential partners would be likely to be ____(B)____ away.

답: (A) Revealing[Disclosing] (B) scared

고난도

[D고 2-1 중간] 다음 글의 내용을 요약하고자 한다. 주어진 <조건>에 맞도록 빈칸을 알맞게 영작하시오.

Would you expect the physical expression of pride to be biologically based or culturally specific? The psychologist Jessica Tracy has found that young children can recognize when a person feels pride. Moreover, she found that isolated populations with minimal Western contact also accurately identify the physical signs. These signs include a smiling face, raised arms, an expanded chest, and a pushed-out torso. Tracy and David Matsumoto examined pride responses among people competing in judo matches in the 2004 Olympic and Paralympic Games. Sighted and blind athletes from 37 nations competed. After victory, the behaviors displayed by sighted and blind athletes were very similar.

<보기> inherent / coherent / conflicting / not / to / display / isolate / acquire / reveal / pride

<조건> 1. <보기>의 단어 중에서 알맞은 것을 선택할 것 2. 어형 변화 가능 3. 중복 사용 불가, 단어 추가 불가

[요약문] Physical responses ________ ________ ________ are ________ ________ but ________, ________ ________ behavior patterns.

답: Physical responses to reveal pride are not acquired but inherent, displaying coherent behavior patterns

01 Rank 11

서술형 PLUS 표현

+ 수동태 표현 Rank 03, 04

형태	의미
be absorbed in	~에 몰두하다
be charged with	~의 책임을 맡다; ~으로 기소되다; ~으로 가득 차 있다
be composed of	~로 이루어져 있다
be concerned about	~에 대해서 염려하다
be concerned with	~와 관련이 있다
be convinced of	~에 확신하다
be covered with	~으로 덮여 있다
be devoted to	~에 헌신하다
be disappointed at/with/by	~에 실망하다
be engaged in	~에 종사하다
be exposed to	~에 노출되다
be faced with	~에 직면하다
be filled with	~로 가득 차다
be interested in	~에 흥미[관심]가 있다
be involved in	~에 개입되다[관계되다]
be known as	~으로 알려져 있다 ((명칭, 별칭 등))
be known for	~으로 유명하다
be known to	~에게 알려져 있다
be obsessed with	~에 사로잡히다[집착하다]
be pleased with	~에 기뻐하다
be prepared for	~에 대비하다
be regarded as	~로 간주되다
be satisfied with	~에 만족하다
be surprised at[by]	~에 놀라다
be tired of	~에 싫증 나다

+ 구동사 표현 Rank 04

형태	의미
account for	~을 설명하다; (특정 비율을) 차지하다
adapt to	~에 적응하다
adhere to	~을 고수하다[충실히 지키다]
bring about	~을 유발하다, ~을 초래하다
carry out	~을 수행[이행]하다; ~을 완수하다
cope with	~을 다루다; ~에 대처[대응]하다
count on	~을 믿다, ~에 의지하다
deal with	~을 다루다[대하다]; ~을 해결하다
depend on	~에 달려 있다; ~에 의존하다
derive from	~에서 유래되다, ~에서 기인하다
die out	멸종되다, 자취를 감추다
figure out	파악하다[알아내다]; 해결하다[생각해 내다]
keep up with	(뉴스, 유행 등에 대해) 알게 되다[알다]; ~을 따라잡다
rely on	~에 의지하다; ~을 신뢰하다
run out of	~을 다 써버리다
settle down	정착하다; 편안히 앉다; 진정되다
stand for	~을 나타내다; ~을 지지하다
stick to	~에 달라붙다; ~을 고수하다
struggle with	~로 고심하다; ~와 싸우다
take place	~이 발생하다

01 주어-동사의 수일치 Ⅰ

정답 및 해설 p. 2

단수주어는 단수동사, 복수주어는 복수동사로 일치시킬 때 아래 경우에 주의한다.

♪ 기출 대표 문항

다음 문장에서 **틀린** 부분을 찾아 바르게 고치시오. (단, 시제는 변경하지 말 것)

1 Leaders of groups who consistently project negative emotional states of mind tends to have fewer followers.

2 Most of the water in the canals evaporate during the hot summer months, causing concerns for water availability in the country.

*canal: 운하, 수로

🔍 답이 보이는 Clues

전명구, to부정사구, 분사구, 형용사구, 관계사절

1 <주어(S)+수식어구+동사(V)~>: 수식어구 내의 명사에 수일치하지 않도록 주의한다.
수식어구가 여러 개 겹쳐 와서 주어와 동사의 사이가 많이 떨어져 있을 수도 있다.

Leaders (of groups) [who ~ states of mind] ¹_____ to have fewer followers.
S V

▶ 관계사절의 주어 수식 (Rank 25, 27, 30, 56)

most, some, part, all, percent(%), half, the majority, the rest, 분수 등

2 <부분표현 of>: of 뒤의 명사에 동사의 수를 일치시킨다. 명사와 동사 사이에 수식어구가 올 수도 있다.

부분표현 of +	단수명사 (수식어구)+² _____ 동사
	복수명사 (수식어구)+³ _____ 동사

Most of **the water** (in the canals) ⁴_____ during the hot summer months, ~.

주의 ▶ <one of +the 복수명사>+⁵_____ 동사
e.g. **One** of the most well-known greetings in the world **is** "hello."

Test

1

어법

다음 밑줄 친 부분이 어법상 옳으면 ○, 틀리면 ✕로 표시하고 바르게 고치시오. (단, 시제는 변경하지 말 것)

1 Some of the furniture in the stores that I visited <u>was</u> made of high-quality materials.

2 The rest of the planets in the solar system also <u>has</u> their own unique characteristics.

3 Although rewards for academic success which may involve material incentives or external recognition <u>sound</u> positive, they can take away from the pleasure of learning. (Rank 36) 모의응용

4 Mental activities like reading a newspaper, solving math problems, or writing a report <u>is</u> concerned with both the body and the brain. (Rank 09) 모의응용

5 In one strange contest, the child whose behaviors are the worst in the world <u>wins</u> a prize. Rank 56
모의응용

6 All of the information that we obtained from reliable sources <u>support</u> our findings, leaving no room for uncertainty. Rank 27
*findings: 조사[연구] 결과들

고난도 **7** From multiple physiological studies, we know that encounters with members of other ethnic-racial categories, even in a relatively safe environment, <u>triggers</u> stress responses. 모의응용

Test 2 조건 영작

다음 주어진 우리말과 일치하도록 괄호 안의 어구를 모두 활용하여 <조건>에 맞게 영작하시오.

<조건> • 필요시 어형 변화 가능

1 선택할 기회들은 일반적으로 나이와 경험에 따라 증가한다.
(a choice / to make / typically increase / opportunities)
→ ________________________________ with age and experience. Rank 52
EBS응용

2 수공학에 대한 그의 첫 번째 공헌 중 하나는 화재 방지를 위해 건물에서 현재 널리 쓰이는 스프링클러 시스템의 발명이었다.
(to / be / water engineering / one / his first contributions / of / the invention)
→ ________________________________
of the sprinkler system now widely used in buildings for fire protection. 모의

3 해수온이 섭씨 1도 상승했을 때 웨스턴오스트레일리아의 한 지역의 산호초 약 35퍼센트가 소실되었다.
(be / of / of Western Australia / lost / in a region / 35 percent / coral reefs)
→ About ________________________________
when ocean temperatures rose by 1 degree Celsius. Rank 03 모의응용

4 아이들이 또래들과 공유하는 세상은 그들의 행동을 형성하고, 그들의 타고난 특성을 바꾸며, 따라서 그들의 미래를 결정한다.
(their innate traits / modify / their futures / share / their behavior / peers / children / determine / the world / with / that / shape)
→ ________________________________, ________________
________________, and thus ________________________. Rank 09, 27
모의응용

고난도 **5** 때때로, 많은 똑같은 동물이나 식물을 생산하는 복제로 이어지는 유전공학은 자연의 다양성에 대한 위협으로 이어진다.
(followed by / identical / many / to produce / genetic engineering / lead / cloning / to a threat / animals or plants)
→ Sometimes, ________________________________
________________________________ to the diversity of nature. Rank 05, 46 모의
*genetic engineering: 유전공학 **cloning: (생물) 복제

주어-동사의 수일치 II

정답 및 해설 p. 2

기출 대표 문항

다음 문장에서 틀린 부분을 찾아 바르게 고치시오. (단, 시제는 변경하지 말 것)

1 Working in groups are never easy but can yield results beyond your imagination.

2 Whether the stock prices go up or down these days depend on a complex interplay of various factors.

3 I believe every action taken within those organizations have been consistently right.

4 The number of people who purchase stuff through e-commerce platforms reflect the great convenience and accessibility that online shopping offers.

*e-commerce: 전자상거래

답이 보이는 Clues

주어	동사	
명사구(v-ing구, to-v구)	1 ________ 동사	
명사절(whether절, 의문사절, 관계대명사 what절 등)	2 ________ 동사	
every[each] ~	3 ________ 동사	*cf.* both (~)+4 ________ 동사
the number of ~(~의 수)	5 ________ 동사	*cf.* a number of(많은)+복수명사+6 ________ 동사

1 **Working in groups** 7 ________ never easy but can yield results beyond your imagination.

2 **Whether the stock prices go up or down these days** 8 ________ on a complex interplay of various factors.

3 I believe // **every action** (taken within those organizations) 9 ________ been consistently right.
cf. **Both the students and the teacher** are excited about the upcoming field trip.

4 **The number** of people [who purchase stuff through e-commerce platforms] 10 ________ ~.
cf. A number of **people** have volunteered to help organize the annual food donation event for the homeless.

more 아래 명사들은 형태로 인해 수를 착각하기 쉬우므로 주의한다.

-s로 끝나는 단수명사	mathematics(수학), economics(경제학), politics(정치학) 등의 학문명, the United States 등의 국가/단체명, news 등
<the+형용사> 형태의 복수명사	the poor, the rich, the young, the old(가난한[부자인, 어린, 나이 든] 사람들) 등

Test 1 어법

다음 밑줄 친 부분이 어법상 옳으면 O, 틀리면 ×로 표시하고 바르게 고치시오. (단, 시제는 변경하지 말 것)

1 What the headline of the newspaper articles implies often <u>shape</u> the readers' initial perception of the story. Rank 26

2 Each person going about their daily lives <u>have</u> a story to tell, and making a movie is an effective way to tell it. Rank 05 EBS응용

3 Being forced to inhale second-hand tobacco smoke indoors <u>is</u> more harmful than many people realize. Rank 15, 39 수능응용

4 During the Great Depression in the 1930s, the unemployed on sudden layoff <u>was</u> facing serious financial challenges in the harsh realities of an economic downturn.

*the Great Depression: 대공황(뉴욕 증권시장의 주가 대폭락을 계기로 1930년대에 닥친 세계적 불황)

Test 2 조건 영작

다음 주어진 우리말과 일치하도록 괄호 안의 어구를 모두 활용하여 <조건>에 맞게 영작하시오.

<조건> • 필요시 어형 변화 가능

1 매일 섭취하는 열량의 수치는 체중 조절과 전반적인 건강에 엄청난 영향을 끼친다.
(on / overall health / your weight control / a profound impact / have / and)
→ The number of calories that you consume on a daily basis ______________________
______________________. Rank 27

2 네 살 미만의 어린이들은 그들 주변의 모든 사람이 정확하게 자신들이 아는 것을 안다고 생각한다.
(under / that / know / around them / think / children / the age of four / everyone)
→ ______________________
exactly what they know. Rank 01, 23 모의응용

3 발목 골절의 통증에도 불구하고, 그가 어떻게 마라톤을 성공적으로 완주해 낼 수 있었는지는 우리 모두에게 여전히 미스터리로 남아있다. (he / remain / how / successfully complete / a mystery / the marathon / managed to)
→ ______________________, despite the pain of a broken ankle, ______________________ to us all. Rank 11, 17, 38

고난도 **4** 어떤 사람들은 다른 사람들에게 의존하지 않고 자신을 돌볼 수 있는 능력을 갖는 것이 성공을 위한 필수 요인이라고 말한다.
(oneself / to take / depending on / having / others / care / without / of / be / the ability)
→ Some people say that ______________________
______________________ a necessary factor for success. Rank 15, 52 모의응용

03 능동 vs. 수동_단순시제 I

정답 및 해설 p. 3

동사의 태는 주어가 동사의 동작을 하면 1 ___________, 동작을 받으면 2 ___________으로 표현해야 한다.
각각의 절에서 주어와 동사의 의미 관계에 따라 올바른 태를 판단하면 된다.
수동태는 <be+p.p.>로 표현하는데, 조동사가 있을 때는 <조동사+be+p.p.>이다.

기출 대표 문항

다음 밑줄 친 부분이 어법상 옳으면 O, 틀리면 ×로 표시하고 바르게 고치시오. (단, 시제는 변경하지 말 것)

1 The advice from many experts on improving appetites <u>involves</u> adding a variety of colorful and nutritious foods to your diet.

2 We all have a natural rhythm in our bodies that <u>creates</u> by the beating of our hearts.

3 The chef prepared a delicious meal and <u>praised</u> by the diners at the restaurant.

답이 보이는 Clues

1 <주어(S)+(수식어구)+V~> 형태에서, 수식어구 내의 명사를 3 ___________로 착각하지 말아야 한다.

The advice (from many experts) (on improving appetites) 4 _______________ adding ~.

▶ 조언이 여러 다채롭고 영양가가 높은 음식을 식단에 더하는 것을 포함하는 것

2 관계대명사가 주어인 절에서는 5 ___________와 동사의 의미 관계로 태를 판단한다. Rank 25

We all have **a natural rhythm** (in our bodies) [that 6 _______________ by the beating ~].

▶ 자연 리듬은 심장 박동에 의해 만들어지는 것
▶ 수동태일 경우 주어와 be동사의 수일치 및 시제에도 주의한다.

3 문장의 동사들은 서로 태가 다를 수 있으므로 주어와 동사의 의미 관계를 확인하여 판단한다.

The chef(S) prepared(V_1) a delicious meal [and] 7 _______________(V_2) by the diners at the restaurant.

▶ 요리사가 손님들에게 칭찬받는 것

Test 1 어법

다음 문장에서 <u>틀린</u> 부분을 찾아 바르게 고치시오. (단, 시제는 변경하지 말 것)

1 The antique clock that my family inherited for generations had an ornate exterior with delicate engravings and crafted with intricate gears. Rank 09 교과서응용

*ornate: 화려하게 장식된

2 From the perspective of many psychologists, including early behaviorists, the maintenance of social groups cannot establish without first controlling selfish human nature.

3 When a recipe is basic, chefs can easily turn it into a culinary experiment that is inspired them to use their creativity and imagination. Rank 07, 25 교과서응용

4 Whether you sell your artwork directly to a buyer at a local art fair or market it through an art gallery, your prices should not be affecting. EBS응용

5 Due to their strong and durable characteristics, oak trees in England employ for construction throughout Europe. 교과서응용

Test 2 조건 영작

다음 주어진 우리말과 일치하도록 괄호 안의 어구를 모두 활용하여 <조건>에 맞게 영작하시오.

<조건> • 필요시 밑줄 친 단어 변형 가능
• 필요시 be동사 추가 가능

1 줄거리가 미리 알려지면 소설은 종종 그것의 흥미를 많이 잃는다.
(know / much of / often lose / a novel / the plot / its interest)
→ ______________________ when ______________________ beforehand. Rank 35 모의응용

2 음식의 맛에 대한 판단은 그것의 외관에 근거하는 예측에 의해 영향을 받는다.
(by / of food / the flavor / judgments / influence / predictions / about)
→ ______________________ on the basis of its appearance. Rank 01 모의응용

고난도 3 하나보다 더 많은 언어가 말해지는 가정은 아기가 언어를 배우는 데 들이는 시간을 증가시킬지도 모른다.
(more than / speak / where / might / the time / a family / one language / increase)
→ ______________________ a baby spends learning languages. Rank 30 EBS응용

4 'Goedzak'은 그렇지 않으면 버려질지도 모를 그들 지역 사회의 중고 물품들을 사람들이 재사용할 수 있게 하는 지속 가능한 네덜란드의 방법이다. (items / discard / might / in their local community / second-hand / to reuse / that)
→ *Goedzak* is a sustainable Dutch method of enabling people ______________________, otherwise. Rank 07, 25 교과서응용

*discard: 버리다, 폐기하다

고난도 5 우리 뇌 속에 있는 천억 개의 뉴런 각각은 다른 것들과 협력하도록 짜이고, 그 결과 신경 연결의 복잡한 망을 만들어 낸다.
(an intricate web / the hundred billion neurons / create / each of / our brains / in / program)
→ ______________________ to collaborate with others and, as a result, ______________________ of neural connections. Rank 02, 09 모의응용

능동 vs. 수동_단순시제 II

정답 및 해설 p. 4

능동과 수동을 구별하는 데 주의해야 할 사항과 동사를 수동태로 변형할 때 주의해야 하는 경우에 대해 알아본다.

기출 대표 문항

다음 중 밑줄 친 부분이 틀린 문장 2개를 찾아 바르게 고치시오.

1 In ancient times, people were reproduced maps by hand, often relying on craftsmanship and years of dedicated practice.

2 Alternative energies to commonly used fuels will emerge soon for a cleaner environment.

3 He reviewed all the job applications carefully, ensuring that the qualifications and experience of each candidate were looked at in detail.

4 In North America, the task of sewing clothes for the family was associated women, which reflected historical gender norms and household duties.

① 틀린 문장: ________ / 바르게 고치기: ________

② 틀린 문장: ________ / 바르게 고치기: ________

답이 보이는 Clues

1 <by ~>만 보고 수동으로 판단하지 않도록 한다. 태는 [1] ________ 와 [2] ________ 의 의미 관계에 따라 판단해야 한다.

In ancient times, people [3] ________ maps *by hand*, ~. ▶ 사람들이 지도를 복사했음

occur, happen, take place, arise, rise, appear, disappear, emerge, show up, remain, consist (of), result (in[from]) 등

2 자동사는 목적어를 취하지 않으므로 [4] ________ 로 표현할 수 없다.

Alternative energies to commonly used fuels will [5] ________ soon ~.

look at, look for, deal with, look up to, approve of, laugh at, pay attention to 등

3 구동사는 수동태에서도 한 덩어리로 표현한다.

~, ~ the qualifications and experience of each candidate [6] ________ in detail.

associate A with B / think of[view, see, regard] A as B / remind A of B / attribute A to B / provide A with B / blame[criticize] A for B 등

4 전명구와 같이 쓰인 동사는 수동태에서도 전명구를 그대로 써야 한다. (<동사+목적어+전명구> → <be p.p.+전명구>)

In North America, the task of sewing clothes for the family [7] ________ women, ~.

Test 1 어법

다음 괄호 안에 주어진 어구를 어법상 알맞은 형태로 빈칸에 쓰시오.

1 His hypothesis about a groundbreaking discovery ________ by fellow scientists at first, but further research confirmed the validity of his findings. (laugh at)

*validity: 타당성, 유효성

2 A lot of linguists expect that at least half of the world's 6,000 languages existing now will ________________ within 50 years. (disappear)

3 Today, generally, health ________________ an individual characteristic, which begins with inherited conditions and evolves over time as a function of environmental conditions and medical care. (regard, as)

4 While both mammals and birds commonly ________________ their presence by sound, few mammals can match the range of meaningful sounds that birds may give voice to. (indicate) 모의응용

Test 2 조건 영작

다음 주어진 우리말과 일치하도록 괄호 안의 어구를 모두 활용하여 <조건>에 맞게 영작하시오.

> <조건> • 필요시 어형 변화 가능
> • 필요시 be동사 추가 가능

1 비록 그 제품이 몇 가지 결점들로 비난받지만, 그것은 여전히 베스트셀러 중 하나이다.
(of / remain / criticize / the best sellers / the product / one / for some drawbacks)
→ Although ________________, it still ________________
________________. Rank 36, 38, 43

2 그 최고의 기업인은 업무 문화를 현대화하는 데 평생 동안 헌신했기 때문에 존경받았다.
(the work culture / to / his lifelong commitment / due to / modernizing / look up to)
→ The top business leader ________________
________________. Rank 72

3 그 두 나라 사이의 협상은 평화로운 논의와 외교적 해결을 가능하게 하기 위해 중립 장소에서 개최될 것이다.
(take place / will / between / the negotiations / in a neutral location / the two countries)
→ ________________
to facilitate peaceful discussions and diplomatic resolutions.

4 많은 것들이 잘못될 수 있고 예측할 수 없는 방식들로 변할 수 있다. 그러한 일들이 일어날 때, 당신의 비전은 새로운 현실에 맞도록 재검토되어야 한다. (your vision / to fit / should / occur / such things / review)
→ Plenty of things can go wrong and change in unpredictable ways. When ________________
________________, ________________ the new reality. Rank 13, 35
모의응용

고난도 **5** 우리는 자신에 대해 비교적 거의 드러내지 않음으로써 관계를 시작한다. 만약 처음에 털어놓은 이야기가 긍정적으로 받아들여지면, 우리는 기꺼이 더 많은 것을 드러낸다.
(our initial self-disclosure / revealing relatively little / by / begin / about / receive / relationships / ourselves)
→ We ________________. If ________________
________________ positively, we're willing to reveal more. Rank 35, 72 모의응용

*self-disclosure: 자기 노출(상대에게 속마음을 이야기하는 것)

RANK **05** # 현재분사 vs. 과거분사_명사 수식

정답 및 해설 p. 4

분사(v-ing, p.p.)의 가장 기본적인 역할은 명사를 앞뒤에서 수식하는 것이다.
수식하는 명사와의 의미 관계에 따라 v-ing 또는 p.p. 형태를 쓴다.

기출 대표 문항 1

다음 문장에서 괄호 안의 단어를 어법에 맞는 분사 형태로 고치시오.

1 If you eat one small bar of chocolate, your daily sugar intake already exceeds the (recommend) amount.

2 Local residents have always longed for a tunnel directly (connect) downtown and the suburbs because of commute time.

답이 보이는 Clues

1-2 분사가 수식하는 명사와의 의미 관계가 능동이면 [1] ________, 수동이면 [2] ________이다.
분사 단독으로는 보통 명사 앞에서 수식하고, 분사에 딸린 어구가 있을 때는 명사 뒤에서 수식한다.

v-ing / p.p. → 명사 ← v-ing ~ / p.p. ~

~, your daily sugar intake already exceeds the [3] ________ **amount**.
▶ 양(amount)이 권장됨

Local residents have always longed for **a tunnel** directly [4] ________ downtown and the suburbs ~.
▶ 터널(a tunnel)이 두 지역을 연결함

Test 1 어법

다음 문장에서 틀린 부분을 찾아 바르게 고치시오. (한 단어로 고칠 것, 옳은 문장이면 O로 표시할 것)

1 Your preferring sleeping position can have a significant impact on sleep-related issues and the overall quality of your sleep.

2 Since the Industrial Revolution, technological advances have changed the nature of skills needed in the workplace in response to the evolving demands of the modern world. 모의응용

3 When we express words conveyed positive thoughts or feelings, our brains are activated to release chemicals making us feel pleasure.

4 Only individuals endowed with the fittest adaptations to the changing environment will survive, and that is how species continue to evolve. 교과서응용

기출 대표 문항 2

다음 괄호 안의 어구를 모두 활용하여 주어진 우리말을 영작하시오. (필요시 밑줄 친 단어 변형 가능)

노숙자들에게 이익을 주기 위해서 사용되는 기부금이 자선 단체에 주어진다.

(be / donations / the homeless / to a charity / use / give / to benefit)

→ ______________________________.

답이 보이는 Process

STEP 1 우리말의 명사(주어, 목적어, 보어)와 수식어구를 하나의 의미 단위로 끊는다.
수식어구에 괄호 표시하여 수식 관계를 정확히 표시하는 것이 좋다.

(노숙자들에게 이익을 주기 위해서 사용되는) 기부금이 / 자선 단체에 주어진다.
S

STEP 2 의미 단위별로 영작한다. 수식받는 명사와 분사의 의미 관계에 따라 분사 형태를 결정한다.

(노숙자들에게 이익을 주기 위해서 사용되는): ([5] __________ to benefit the homeless)

기부금이: Donations

자선 단체에 주어진다: [6] __________ to a charity

STEP 3 분사(구)의 위치에 주의하여 순서대로 알맞게 배열한다. 분사는 명사 앞, 분사구는 명사 뒤이다.

Test 2 조건 영작

다음 주어진 우리말과 일치하도록 괄호 안의 어구를 모두 활용하여 <조건>에 맞게 영작하시오.

<조건> • 필요시 밑줄 친 단어 변형 가능

1 참석한 자원봉사자들은 할당된 일을 시작하기 전에 자원봉사 진행자에 의해 운영되는 이틀간의 훈련 시간에 참여할 것이다.
(run / participate / a two-day training session / by the volunteer coordinator / volunteers / the attend / in / will)

→ ______________________________

______________________________ before beginning the assignment. 모의

2 소매업체에 의해 시행되는 모든 마케팅 전략의 성공은 구매 결정을 함에 있어 큰 역할을 하는 소비자에 달려 있다.
(a large role / by a retail business / implement / consumers / of / purchase decisions / any marketing strategy / play / in making / the success)

→ ______________________________ depends on

______________________________. Rank 72

고난도 **3** 그들 중 몇 명은 정기적인 급여를 받고 고용주에 의해 제공되는 의료 서비스와 퇴직 연금 적립 제도 같은 혜택을 누리는 고용된 노동자들이었다. (benefits like / some of / were / workers / by their employers / healthcare and retirement plans / provide / them / employ / enjoyed)

→ ______________________________ who received regular paychecks and __________

______________________________.

*retirement plan: 퇴직 연금 적립 제도

RANK **06** # 분사구문

정답 및 해설 p. 5

주로 부사절을 분사(v-ing/p.p.)를 사용하여 간략하게 표현한 것을 분사구문이라 한다.

- 부사절의 접속사와 주어를 없애고, 동사를 1 __________ 형태로 고친 것이다. 주절 앞, 뒤 또는 주어와 동사 사이에 온다.
  분사 ~, 주어+동사... / 주어+동사..., 분사 ~ / 주어, 분사 ~, 동사...
- 이때, 분사의 동작을 하거나 받는 의미상의 주어와 주절의 주어는 2 __________. (다른 경우: Rank 20)
- 의미: 대부분 부대상황(~하면서)을 의미하며, 시간, 원인, 조건 등을 의미하기도 한다.

기출 대표 문항

다음 문장에서 밑줄 친 부분을 어법에 맞게 고치시오. (단, 한 단어로 고칠 것)

Hundreds of fish tails were flashing and catching the light from the Sun, <u>created</u> a dazzling scene.

답이 보이는 Process

STEP 1 콤마(,)를 기점으로 밑줄이 없는 부분에 주어, 동사 등이 갖춰진 완전한 형태의 절이 있는지 확인한다.

<u>Hundreds of fish tails</u>(S) <u>were flashing</u>(V_1) and <u>(were) catching</u>(V_2) <u>the light from the Sun</u>(O_2), ~.

▶ 완전한 형태의 절이 있고, 두 절을 잇는 접속사가 없으므로 밑줄 친 부분은 **동사가 아닌** 다른 형태여야 한다.

STEP 2 밑줄 친 동사(또는 분사)의 의미상의 주어와 주절의 주어가 일치하는지 확인한다.
또한, 해당 부분을 분사로 고쳤을 때 분사구문의 의미(~하면서, ~할 때 등)에 해당해야 한다.

Hundreds of fish tails **created** a dazzling scene.

▶ 밑줄 친 동사의 의미상의 주어는 주절의 주어인 Hundreds of fish tails

STEP 3 주절의 주어와 밑줄 친 동사(또는 분사)의 의미 관계에 따라 알맞은 형태인지 확인한다.
의미상의 주어와 분사의 의미 관계가 3 __________이면 v-ing, 4 __________이면 (being) p.p. 형태여야 한다.

Hundreds of fish tails **were created** a dazzling scene. (×)

Test 1 어법

다음 밑줄 친 부분이 어법상 옳으면 O, 틀리면 ×로 표시하고 바르게 고치시오. (단, 한 단어로 고칠 것)

1 Job satisfaction increases productivity because happy employees work harder, <u>allowed</u> them to produce more at a lower cost. Rank 07 모의

2 <u>Driven</u> by societal pressures and expectations, we easily follow what others want us to do and do not pursue what truly aligns with our individual selves.

고난도 3 <u>Seeing</u> from Earth, the Moon seems to glow; but <u>seeing</u> from space, it is not nearly so bright. EBS응용

4 HUBO, a walking humanoid robot, was able to drive a vehicle fast and, <u>encountered</u> a barrier, it was able to turn the vehicle smoothly to avoid it. Rank 09

*humanoid: 휴머노이드((인간과 비슷한 기계[존재]))

고난도 **5** When a drought occurs, the first result is that farmers cannot use as much water, producing less of the crops that we need to eat. Rank 23 교과서응용

Test 2 조건 영작

다음 주어진 우리말과 일치하도록 괄호 안의 어구를 모두 활용하여 <조건>에 맞게 영작하시오.

<조건> • 필요시 어형 변화 가능
• 단어 추가 불가

1 우리에게 익숙하지 않은 문제에 직면할 때, 우리는 항상 열린 마음을 가져야 하고 모든 관련 있는 정보를 고려해야 한다.
(unfamiliar to / a problem / is / us / that / face)
→ ____________________, we should always have an open mind and should consider all relevant information. Rank 25 모의응용

2 우리들 대부분은 우리의 욕구를 주장하지 않기로 결정하면서, 그렇게 함으로써 발생할지도 모르는 죄책감을 예방한다.
(of / that / guilt / might / prevent / doing so / arise from / feelings)
→ Most of us choose not to assert our needs, ____________________
____________________. Rank 25 모의응용

3 그것들의 크기와 높이, 아름다움으로 알려져 있어서, 히말라야산맥은 '세계의 지붕'이라 불린다.
(their size / for / beauty / and / know / height)
→ ____________________, the Himalayas are called the "Roof of the World." 교과서응용

고난도 **4** 지방과 설탕을 포함한 과식은 소화하는 데 14시간까지 걸릴 수 있어, 여러분의 몸이 밤과 아침의 이른 시간 동안 일하도록 강요한다. (during / force / early hours / your body / of the morning / and / to work / the night)
→ Heavy meals with fat and sugar can take up to 14 hours to digest, ____________________
____________________. Rank 07 EBS응용

5 칭찬은 분명 아이의 자존감에 중요하지만, 너무 사소한 성취나 노력에 주어지면, 그것이 가져야 할 효과를 잃을지도 모른다.
(effort / too little accomplishment / for / or / give)
→ Praise is certainly critical to a child's sense of self-esteem, but ____________________
____________________, it may lose the impact that it should have. 모의응용

RANK **07**

동사+목적어+보어 I

정답 및 해설 p. 6

목적어를 보충 설명하는 목적격보어의 형태 중에 to-v나 v는 '동사'에 따라 무엇을 쓸지 결정된다.
목적어와 (to-)v의 관계가 주어-술어 관계임을 반드시 확인해야 한다.

기출 대표 문항 1

다음 문장에서 틀린 부분을 찾아 바르게 고치시오.

1 Your past experiences are the thief of today's dreams only when you allow them control you.

2 When we speak, hurrying makes our words to seem less important.

답이 보이는 Clues

1 동사+목적어+[1] ________ : 'O가 v하도록 ~하다'를 의미한다.

allow, permit(허락하다)	enable(가능하게 하다)	cause, lead(초래하다)	tell(말하다) / warn(경고하다)
ask, require(요구[요청]하다)	order(명령하다)	encourage, inspire(격려하다)	get(~하게 하다)
persuade(설득하다)	want(원하다)	expect(예상하다)	force(강요하다)

Your past experiences are the thief of today's dreams only when you **allow** *them* [2] ________ you.

▶ them = your past experiences

2 동사+목적어+[3] ________

사역동사	make, have, let	O가 v하도록 만들다[시키다]
지각동사	see, notice, watch, look at, observe, feel, hear, listen to 등	O가 v하는 것을 보다/느끼다/듣다

주의 동사 help는 목적격보어로 to-v와 v 둘 다 취할 수 있다.

When we speak, hurrying **makes** *our words* [4] ________ less important.

Test 1 어법

다음 문장에서 틀린 부분을 찾아 바르게 고치시오. (옳은 문장이면 O로 표시할 것)

1 They wanted some plants to start a small herb garden on their balcony, but they weren't able to get most herbs to grow successfully due to a lack of sunlight. Rank 13

2 Isaac Newton didn't just see an apple fall from a tree. From that observation, he could figure out why it fell. 모의응용

3 In preparation for a class presentation, the teacher had her students to stop working individually and provided guidance on how to collaborate effectively in pairs.

4 A printing press could copy information thousands of times faster than handwriting, and it permitted knowledge spread far more quickly, with full fidelity, than ever before. 수능응용

*fidelity: 정확함

기출 대표 문항 2

다음 괄호 안의 어구를 모두 알맞게 배열하여 주어진 우리말을 영작하시오.

몇몇 어른들은 심지어 의식적으로 아이들이 자신들의 한계와 무력함을 느끼도록 만든다.

(helplessness / children / their / and / feel / make / limitations)

→ Some adults even consciously ______________________________.

답이 보이는 Process

STEP 1 우리말을 의미 단위로 묶고, 주어-동사와 목적어-목적격보어의 구조를 분석한다.

몇몇 어른들은(S) / 심지어 의식적으로 / 아이들이(O) 자신들의 한계와 무력함을 느끼도록(C) / 만든다(V).

STEP 2 동사에 따른 목적격보어 형태에 주의하여 영작한다.

Some adults(S) / even consciously / 5 __________(V) / 6 __________(O) 7 ____________________(C).

▶ make는 목적어와 목적격보어의 관계가 능동일 때, 목적격보어로 원형부정사를 쓴다.

Test 2 조건 영작

다음 주어진 우리말과 일치하도록 괄호 안의 어구를 모두 활용하여 <조건>에 맞게 영작하시오.

<조건> • 주어진 어구 중복 사용 가능
• 필요시 to 추가 가능

1 광고는 잠재적인 고객들이 자신들의 상품이나 서비스를 구매하도록 설득한다.
(potential / commercials / purchase / customers / their products or services / persuade)
→ ____. 교과서응용

2 상어는 단지 우연히 인간을 공격하는 것임에도 불구하고, 상어에 대한 잘못된 정보가 사람들이 그것들을 두려워하도록 이끈다.
(afraid of / about / them / sharks / misinformation / be / people / leads)
→ ______________________________________, even though sharks only attack humans by accident.

3 망원경이 우리가 우주 멀리까지 볼 수 있게 하는 것처럼, 현미경은 우리가 생물의 아주 작은 구성체까지 깊이 들여다볼 수 있게 도와준다. (let / help / microscopes / see / telescopes / us)
→ Just as ____________________ further into space, so ____________________ ____________________ further into the tiny building blocks of living creatures. 모의응용

고난도 **4** 스마트 시계는 주로 앉아서 지내는 사람들이 운동을 시작하도록 격려해 왔고 별로 활동적이지 않은 사람들이 더 지속적으로 운동하도록 격려해 왔다. (take up / sedentary / very active / have inspired / who / encouraged / aren't / people / exercise)
→ Smartwatches ______________________________ and ____________ ______________________________ more consistently.

Rank 09, 21, 25 모의응용 *sedentary: 주로 앉아서 지내는

동사+목적어+보어 Ⅱ

정답 및 해설 p. 6

지각동사의 목적격보어는 v 외에 v-ing도 가능하다.
일부 동사들은 목적어가 목적격보어의 동작을 받을 때 목적격보어로 p.p.를 쓴다.

기출 대표 문항

다음 문장에서 틀린 부분을 찾아 바르게 고치시오. (옳은 문장이면 O로 표시할 것)

1 In the middle of the game, I heard the lifeguard screaming, "Get out of the water!"

2 We need to make people involving in protecting endangered species through education and awareness campaigns.

답이 보이는 Clues

1 동사+목적어+[1] ________ : 목적어의 동작이 진행 중임을 강조한다.
목적격보어로 v-ing를 취할 수 있는 동사는 지각동사 외에 아래와 같은 동사들이 있다. 반드시 의미와 함께 알아두자.

keep(O가 계속 v하게 하다)	get(O가 v하는 것을 시작하게 하다)	leave(O가 v하고 있는 채로 두다)
find(O가 v하고 있는 것을 알다[발견하다]	have(O가 계속 v하게 하다)	

In the middle of the game, I **heard** the lifeguard [2] ________, "Get out of the water!"
▶ The lifeguard was **screaming**.

2 동사+목적어+[3] ________ : 목적어가 목적격보어의 동작을 받는 것(수동)이다.
목적격보어로 p.p.를 취할 수 있는 동사에는 사역동사, 지각동사 외에 keep, get, leave, find, want 등이 있다.
└ let은 목적격보어로 be p.p.를 쓴다.

keep(O가 ~된 상태로 계속 있게 하다)	get(O가 ~되도록 하다)	leave(O가 ~된 채로 두다)
find(O가 ~되어 있는 것을 알게 되다)	want(O가 ~되기를 원하다)	

We need to **make** people [4] ________ in protecting endangered species through ~.
▶ People are **involved** in ~.

Test 1 어법

다음 문장에서 틀린 부분을 찾아 바르게 고치시오. (옳은 문장이면 O로 표시할 것)

1 Your negative emotions can leave your positive emotions buried and eventually drag you down. 수능응용

2 While rafting downstream, Sophia kept herself fixing firmly in the boat, paying attention to the waves crashing against the rocks. 모의응용

3 Two boys were playing on a beach and found themselves walking through little sea animals that covered the beach like a blanket. 모의응용

4 They were standing without a word and watching the fish struggled to navigate through the strong current. 수능응용

5 Some fad diets might have you running a caloric deficit, and while this might encourage weight loss, it could actually result in a loss of muscle mass. 모의응용

*fad: (일시적인) 유행

Test 2 조건 영작

다음 주어진 우리말과 일치하도록 괄호 안의 어구를 모두 활용하여 <조건>에 맞게 영작하시오.

<조건> • 필요시 어형 변화 가능
• 목적격보어를 반드시 포함할 것

1 사고를 막기 위해서, 시 의회에서는 가능한 한 빨리 도로가 수리되도록 해야 한다.
(should / repair / have / the city council / the road)
→ In order to prevent accidents, ______________________________ as soon as possible.

2 그 회의 기획자들은 회의의 요약본이 적합성과 학문적 이점을 위해 철저히 검토되기를 원한다.
(want / for the meeting / the abstracts / review / the conference organizers)
→ ______________________________ thoroughly for relevance and academic merit.

*abstract: 요약본

3 여러분의 심장이 고동치는 것이나 여러분의 호흡이 빨라지는 것을 느낄 때, 여러분의 몸이 여러분에게 더 많은 힘을 주려고 하고 있음을 깨달아라. (or / you / quicken / your heart / feel / your breath / beat)
→ When ______________________________, realize that your body is trying to give you more energy. Rank 09, 35 모의응용

4 우주선 통신 시스템의 예기치 않은 오작동은 그 임무의 상황을 위험에 빠지도록 만들었다. (in the spacecraft's / jeopardize / the unexpected malfunction / of the mission / communication system / the status / made)
→ ______________________________
______________________________.

*jeopardize: 위험에 빠뜨리다

고난도 **5** 해 질 녘에 도시의 스카이라인을 관찰하면서, 나는 불빛들이 건물들을 비추는 것을 알아차렸는데, 그것은 그림 같은 저녁 풍경을 만들어 내고 있었다. (illuminate / the lights / observing / the buildings / the city skyline / noticed)
→ ______________________________ at dusk, I ______________________________
______________________________, which was creating a picturesque evening scene. Rank 06

*picturesque: 그림 같은

RANK **09**

등위접속사의 병렬구조

정답 및 해설 p. 7

<A and[or/but] B> 형태를 병렬구조라 한다. 이 구조에서 A와 B는 문법적으로 대등한 형태여야 한다.
즉, 「절+절」, 「동사+동사」, 「v-ing+v-ing」, 「to-v+(to-)v」, 「형용사+형용사」, 「명사+명사」, 「전명구+전명구」 등의 형태로 연결한다.

기출 대표 문항

다음 밑줄 친 부분이 어법상 옳으면 O, 틀리면 ×로 표시하고 바르게 고치시오.

Last week, the UN warned that biofuels could have dangerous side effects and emphasize the need to prevent environmental damage from land converted for biofuel production.

*biofuel: 바이오 연료(식물이나 해조류 등으로 만든 연료)

답이 보이는 Process

STEP 1 and, or, but 뒤에 밑줄 어구가 나오면 [1] ________ 구조를 묻는 것인지 판단한다. Rank 10
단, 등위접속사와 밑줄 어구 사이에 수식어가 있을 수도 있다. *e.g.* ~ and *strongly* emphasize ~

STEP 2 and, or, but 앞에서 의미와 구조상 자연스럽게 연결되는 것을 찾는다.

STEP 3 연결되는 것과 밑줄 단어가 문법적으로 대등한 형태가 되도록 한다.

~, the UN warned that biofuels could have dangerous side effects and [2] ____________ the need to prevent environmental damage ~.

▶ emphasize는 동사이므로 앞에 나온 동사와 준동사가 모두 확인 대상이다.
emphasize의 주체는 biofuels가 아니라 the UN이므로 warned와 연결된다.

주의1 and, or, but 뒤의 어구가 동사인 경우 수, 시제, 태에 주의해야 한다.

주의2 병렬되는 A와 B는 멀리 떨어져 있을 수도 있으므로 그 사이에 오는 다른 단어를 A로 착각하면 안 된다.
병렬 문제는 문장 전체 구조와 의미를 정확히 파악한 후 답해야 한다.
e.g. One composer admired his playing and **hiring(→ hired)** him to perform his compositions.
▶ 문맥상 playing이 아닌 동사 admired와 병렬을 이룬다.

Test 1 어법

다음 밑줄 친 부분이 어법상 옳으면 O, 틀리면 ×로 표시하고 바르게 고치시오.

1 There are many products which benefit from being touched or experienced in some way before being purchased. Rank 39, 72 모의

2 Up until about 6,000 years ago, many lived in different places throughout the year to hunt for food and move their livestock to areas with enough food to feed on. Rank 13 모의응용

3 Researchers showed college students a video of football players running across a stadium but stopping the video when they began to concentrate on the players' movement. Rank 05

4 Our future commitment to innovation entails creating models that achieve significantly faster speeds but costs considerably less energy than the current model.

5 All over the world, public service advertising has proven to be an effective way to foster energy saving or decreasing car crashes by promoting the use of seat belts. Rank 52 모의응용

Test 2 조건 영작

다음 주어진 우리말과 일치하도록 괄호 안의 어구를 모두 활용하여 <조건>에 맞게 영작하시오.

<조건> • 필요시 밑줄 친 단어 변형 가능
• 단어 추가 불가

1 언어 되살리기는 소수의 사람들에 의해 말해지는 어떤 언어의 쇠퇴를 멈추거나 소멸한 것을 되살리려는 시도이다.
(or / an extinct one / of / by a minority / to revive / a language / an attempt / speak / the decline / to halt)
→ Language revitalization is ______________________________
______________________________. Rank 05, 52 EBS응용

2 여러 시대에 걸쳐, 많은 사람들은 사물들을 다르게 관찰하고 따라서 독창적인 생각들을 떠올림으로써 인류 역사를 바꿔 왔다.
(come up with / and thus / observe / original / ideas / by / that / things differently / were)
→ Throughout the ages, many people have changed human history ______________________________
______________________________. Rank 25, 72 교과서응용

3 어떤 단백질은 환경에 안전한 일종의 화학 물질을 만들어 내고 바이오 연료를 만드는 데 사용된다.
(be / a type of chemical / the environment / used / safe / to create / for / biofuels / that / make / and / be)
→ Some proteins ______________________________
______________________________. Rank 25, 49

4 이 근섬유들은 장기적 활동 동안 반복되는 수축을 견딜 수는 있지만 신속한 힘을 많이 만들지는 않는 근육 세포들이다.
(can / don't generate / be / that / quick power / repeated contractions / muscle cells / sustain / but / a lot of)
→ These muscle fibers ______________________________ during prolonged activity ______________________________. Rank 25 수능

고난도 5 성공과 실패에 대해 걱정하지 않거나 사회에서의 자신의 지위에 대해 염려하지 않고 사는 사람들은 나머지 우리보다 훨씬 더 행복할 수 있다. (worry about / in society / their position / about / without / or / success and failure / be concerned)
→ People who live ______________________________
______________________________ can be far happier than the rest of us.
Rank 25, 72

RANK

10 상관접속사의 병렬구조

접속사

정답 및 해설 p. 8

상관접속사란 and, or, but이 다른 어구와 짝을 이루는 것을 말한다.
이때의 and, or, but도 문법적으로 대등한 형태의 A와 B를 연결한다.

기출 대표 문항

다음 괄호 안의 어구를 모두 활용하여 주어진 우리말을 영작하시오. (필요시 밑줄 친 단어 변형 가능)

실험실에서, 그 과학자는 비슷한 연구를 하는 동료들과 긴밀히 일할 뿐만 아니라, 비판적인 생각을 기여하는 학생들과 협력도 한다.

(who / similar research / critical ideas / not only / are engaged / who / in / collaborate with / work closely / but also / students / contribute / with colleagues)

→ In the lab, the scientist ______________________________,
______________________________.

답이 보이는 Process

not only[just/merely] A but (also) B	A뿐만 아니라 B도 (= B as well as A)
both A and B	A와 B 둘 다
not A but B	A가 아니라 B
either A or B	A 또는 B
neither A nor B	A도 B도 아닌

STEP 1 우리말을 통해 병렬 연결되는 대상 A, B와 적절한 상관접속사를 판단한다.

~ 비슷한 연구를 하는 동료들과 긴밀히 일할 뿐만 아니라, 비판적인 생각을 기여하는 학생들과 협력도 한다.
(not only A / but also B)

STEP 2 A와 B가 문법적으로 대등하도록 영작한다. 동사일 경우 수, 시제, 태 등에도 주의한다.

more 상관접속사로 연결된 주어일 때 동사는 B에 수일치시킨다. B의 위치가 동사에 더 가깝기 때문이다.
단, B as well as A의 경우는 의미상 B를 강조하는 것이므로 동사는 B에 수일치시킨다.

e.g. Either lunch (A) or the entrance fees (to the museum) (B(복수명사)) **are** (복수동사) included in the price.

e.g. His photographs (B(복수명사)) as well as his story (A) **have** (복수동사) been published in newspapers across the world.

Test 1 어법

다음 밑줄 친 부분이 어법상 옳으면 O, 틀리면 ×로 표시하고 바르게 고치시오.

1 Either the director or the producers in the theater company has the final say in casting decisions.

2 The famous architect, Frank Lloyd Wright, is remembered both for his revolutionary approach to architecture and for his following the principle, "Form follows function."

3 Testing allows us not merely to confirm our theories but weeds out those that do not fit the evidence. Rank 07 수능

Test 2 조건 영작

다음 주어진 우리말과 일치하도록 괄호 안의 어구를 모두 활용하여 <조건>에 맞게 영작하시오.

> <조건> • 필요시 밑줄 친 단어 변형 가능
> • 다음 상관접속사 중 하나를 골라 사용할 것
> 「both A and B」, 「not A but B」, 「either A or B」, 「neither A nor B」, 「B as well as A」

1 문제는 그 보고서에 제시된 정보가 타당성이 확인되거나 외부 전문가에 의해 확인되지 않았다는 것이다.
(validity / by / check for / external experts / confirm)
→ The problem is that information presented in the report was ____________________
____________________. Rank 03

2 자신의 신체를 위한 균형 잡힌 운동뿐만 아니라 감정의 다양한 발산 수단들도 행복에 필수적이다.
(a balanced workout / be / for emotions / various / for one's body / outlets)
→ ____________________
essential for well-being. 교과서응용

*outlet: (감정, 생각, 에너지의 바람직한) 발산[배출] 수단

3 학생들의 수행에 대한 서술적 피드백은 아이들의 배우고자 하는 자기 동기 부여를 촉진하는 것과 교과 내용에 대한 더 깊은 이해를 발전시키는 것 둘 다에 있어서 성적보다 더 나을 수 있다.
(to learn / of / develop / kids' self-motivation / the subject matter / a deeper understanding / promote)
→ Narrative feedback on students' performance can be better than grades at ____________________
____
____________________. Rank 72 모의응용

고난도 **4** 대다수의 과학자들이 창의적이지 않은 단순한 이유는 그들이 어떻게 생각해야 하는지를 모르기 때문이 아니라, 그들이 어떻게 생각을 멈추고 새로운 또는 예상 밖의 가능성에 대해 열려 있을지를 모르기 때문이다.
(think / they / they / unlikely possibilities / stop / because / or / how to / remain / thinking / to / open / new / how to / and / don't know / don't know / because)
→ The simple reason why the majority of scientists are not creative is ____________________
____________________, ____________________
____________________. Rank 38, 64, 65 모의응용

고난도 **5** 과학적 설명은 모든 관찰을 포함하는 가장 적은 수의 원리를 찾음으로써 또는 개별 현상으로부터 도출된 일반적인 패턴을 발견함으로써 이루어질 수 있다. (covering / seek / general patterns / by / drawn from / the least number of / find / by / all observations / principles / individual phenomena)
→ Scientific explanations can be made ____________________
____________________. Rank 05, 72 수능

동사의 목적어가 되는 to-v, v-ing

부정사, 동명사

정답 및 해설 p. 8

to부정사(to-v)와 동명사(v-ing)는 명사로 쓰일 수 있으므로 동사의 목적어가 될 수 있다.
그런데 동사에 따라 to부정사와 동명사 중 어느 하나만을 취하기도 하므로 잘 알아두어야 한다.
또한, 둘 다 취하는 동사지만 의미 차이가 나는 것들도 잘 구분할 수 있도록 하자.

기출 대표 문항

다음 밑줄 친 부분이 어법상 옳으면 O, 틀리면 ×로 표시하고 바르게 고치시오.

1. When people act collectively, we usually choose <u>imitating</u> what others do.
2. The real route to happiness involves <u>developing</u> a thankful attitude.
3. I regretted not <u>to do</u> my best on the English project. The final score affected my average.

답이 보이는 Clues

1-2 목적어로 to-v와 v-ing 중 하나만 취하는 동사

형태	동사+1 ________	동사+2 ________
의미	주로 '(미래에) v할 것을[v하기를] ~하다'를 의미한다.	주로 '(현재/과거에) v하는[v했던] 것을 ~하다'를 의미한다.
종류	want, agree, expect, choose, offer, tend, afford, need, pretend, learn, manage, decide, decline, determine, fail, hesitate, attempt 등	enjoy, involve, mind, finish, stop, quit, give up, admit, deny, avoid, consider, delay(= put off), mind, suggest, imagine, forgive, keep 등

When people act collectively, we usually **choose** 3 ________ what others do.

The real route to happiness **involves** 4 ________ a thankful attitude.

3 목적어로 둘 다 취하지만 의미 차이가 있는 동사

to-v (미래에 할 일, 아직 하지 않은 일)	v-ing (과거에 한 일, 현재 하고 있는 일)
forget to-v: (미래에) v할 것을 잊다	forget v-ing: (과거에) v했던 것을 잊다
remember to-v: (미래에) v할 것을 기억하다	remember v-ing: (과거에) v했던 것을 기억하다
try to-v: v하려고 노력하다[애쓰다]	try v-ing: 시험 삼아[그냥] 한번 v해보다
regret to-v: v하게 되어 유감이다	regret v-ing: (과거에) v했던 것을 후회하다
*stop to-v: v하려고 (하던 일을) 멈추다	stop v-ing: v하는 것을 멈추다

* stop 뒤의 to-v는 목적어가 아니라 '목적(v하기 위해)'을 나타내는 부사적 역할이다.
* 의미 차이 없이 둘 다 취할 수 있는 동사: 'v하기를 ~하다'란 의미로, 좋고 싫음, 시작, 계속을 뜻하는 동사들
like, love, hate, prefer, start, begin, continue 등

I **regretted** not 5 ________ my best on the English project. The final score affected my average.

▶ '최선을 다하지 않은 것을 후회한다'는 의미가 되어야 적절하다.

Test 1 어법

다음 밑줄 친 부분이 어법과 문맥상 옳으면 O, 틀리면 ×로 표시하고 바르게 고치시오.

1 Some health experts suggest not eating too much for breakfast to focus on your work or studies.

2 When we establish some self-confidence in something, it feels good. We want staying there and hold on to that feeling. 모의

3 We all cherish certain memories of our childhoods. But can you remember to be born? No, in fact, nobody can. Rank 39 모의응용

4 Studies have shown that brains continue to mature and develop throughout adolescence and well into early adulthood.

5 Ventilators could save many lives, but not all those whose hearts kept to beat ever recovered any other significant functions. Rank 56 모의

*ventilator: 산소 호흡기

Test 2 조건 영작

다음 주어진 우리말과 일치하도록 괄호 안의 어구를 모두 활용하여 <조건>에 맞게 영작하시오.

<조건> • 필요시 어형 변화 가능
• 필요시 to 추가 가능

1 계몽주의 시대와 과학적 방법의 발명 이래로 줄곧, 우리는 우리가 매년 파괴해 온 것보다 아주 조금 더 많은 것을 간신히 만들어 냈다. (a tiny bit more / have managed / we / create)

→ Ever since the Enlightenment and the invention of the scientific method, ______________ ______________________________ than we've destroyed each year. Rank 41 모의

*the Enlightenment: (18세기의) 계몽주의 시대

2 직원들에게 그들이 바꿔야 할 인격적 특성에 대해 제안하는 것을 피하라. 대신에 더 용인되는 수행 방법을 제안하라.
(personal / avoid / to / about / employees / make / traits / suggestions)

→ ______________________________ they should change; instead suggest more acceptable ways of performing. 모의

3 감사의 말은 없었고, 심지어 편지의 처음 부분에서 그는 내가 그의 질문 중 하나에 대한 대답을 하는 것을 잊었다는 것을 나에게 상기시켜 주었다. (one / to / I / his questions / give / of / an answer / forgot)

→ There was no word of thanks, and even at the beginning of the letter, he reminded me that ______________________________. 모의응용

고난도 **4** 어떤 사람들은 일반적으로 늦는 경향이 있다. 늦는 것을 멈추기 원하는 사람들은 모든 상황에서 시간 엄수를 우선시해야 한다.
(late / be / punctuality / be / should prioritize / late / stop / want / those who / tend)

→ Some people ______________ as a general rule. ______________ ______________________________ in all circumstances. Rank 25 모의응용

RANK

01-11 서술형 대비 **실전 모의고사 1회**

100점

정답 및 해설 p. 9

[01-05] 다음 밑줄 친 부분이 어법상 옳으면 O, 틀리면 ×로 표시하고 바르게 고치시오. (단, 시제는 변경하지 말 것) [밑줄당 2점]

01 The many chemicals your body makes under stress reduce effectively even through a simple daily workout which can delay to release stress hormones.

02 Recently, researchers have suggested that the purpose of laughter is not just to communicate that one is in a playful state, but to induce this state in others as well. 모의

03 On rocky shores in tropical Hong Kong, leaf-like algae dominating the area during the winter die out as the season changes to summer and replace by other types of algae. 모의응용

*alga: ((복수형 algae)) 조류((바닷말, 해조류 등 물속에 사는 하등 식물의 한 무리))

고난도
04 Measuring the length of a fish that is alive in nature for conservation purposes involves a process of capturing it in a tank that has had the oxygen remove and keeping it confined until it stops moving. 모의응용

고난도
05 Typically locking up in steel cages with little room to move around, laboratory animals tend suffering from severe stress, anxiety, and physical ailments, which casts a spotlight on ethical issues associated with research practices.

*ailment: 질병

[06-07] 다음 글의 밑줄 친 ①~⑤ 중 틀린 부분 2개를 찾아 바르게 고친 후, 틀린 이유를 작성하시오. (단, 시제는 변경하지 말 것) [각 4점]

Music is an inseparable part of the human experience everywhere in the world. As the young ① become musically skilled through experiences in music, they can also grow their cultural knowledge and sensitivity. Music is an extremely important aspect of culture, ② shaping our language, behaviors, customs, traditions, beliefs, and other cultural nuances. Young children exposed to the world's diverse musical cultures ③ bring into the cultural conversation. Moreover, it lets them ④ learn about self and others in an artistically engaging way. Prior to the development of cultural preferences easily ⑤ provoked biases and prejudices, the opportunity to know people through song, dance, and instrument play leads young children to become open-minded and responsible citizens. 모의응용

06 틀린 부분: ____________ → 바르게 고치기: ____________
틀린 이유: ____________

07 틀린 부분: ____________ → 바르게 고치기: ____________
틀린 이유: ____________

[08-11] 다음 주어진 우리말과 일치하도록 괄호 안의 어구를 모두 활용하여 <조건>에 맞게 영작하시오. [각 5점]

<조건> • 필요시 밑줄 친 단어 변형 가능
• 필요시 be동사/to 추가 가능

08 연설 중에 부적절한 단어들을 사용하는 것은 전달되어야 하는 메시지를 약하게 하고 신뢰성을 떨어뜨린다.

(should / weaken / using / credibility / inappropriate words / diminish / the message / and / deliver / that)

→ ______________________ in a speech ______________________

______________________.

09 우리 회사가 선택하는 재료는 유기농으로 경작되어야 할 뿐만 아니라 가능한 최고의 품질도 갖추어야 한다.

(have / but / not / organically farm / the best possible quality / only)

→ The materials our company chooses must ______________________

______________________.

고난도

10 고산병에 걸리는 것을 피하길 원한다면 이것을 명심해라. 높은 봉우리들을 오르려고 시도하면서, 등산가들 중 다수는 그 고도에 적응하기 위해 서서히 올라갈 것과 휴식을 취할 것을 항상 기억한다.

(A) (altitude sickness / avoid / want / get) (B) (breaks / of / rise gradually / always remember / the majority / climb / attempt / and / high peaks / mountaineers / take)

→ (A) If you ______________________, keep this in mind.

(B) ______________________, ______________________

______________________ to adjust to the altitude. 모의응용 *altitude sickness: 고산병

고난도

11 우리는 시의 법으로 허용되는 주차 공간의 제한된 수에 대한 문제 때문에 도심을 돌아다니는 것에 관해 거주민들과 방문객들이 불만을 표하는 것을 끊임없이 듣습니다. (the issue of / residents and visitors / of parking spaces / express / allow / hear / the limited number / by / their frustration / city law)

→ We consistently ______________________

when it comes to navigating the city center due to ______________________

______________________.

12 **다음 글의 내용을 요약하고자 한다. <보기>에 주어진 어구를 배열하여 요약문을 완성하시오.** [7점]

If you were made to sit until you had cleaned your plate, you are not alone: most of the adult population has suffered this at some point. One may think it is the only way to develop healthy eating habits. But forcing children to eat, especially if they don't like what is on the plate, is completely counterproductive. Think about it: the experience of eating a pile of unwanted cabbage is hardly going to make children jump for joy the next time it is served. 모의응용

<보기> to / with those foods / creates / develop / doesn't help / connected / your children / them / eat / making / unwanted foods / negative memories

[요약문] ______________________

healthy eating habits, as it ______________________.

13 다음 글의 빈칸에 들어갈 가장 적절한 말을 <조건>에 맞게 완성하시오. [7점]

In response to human-like care robots, many experts charge that human-robot interactions create moral hazards for dementia patients. Just as children on the autism spectrum with robot companions might be easily fooled into thinking of robots as friends, older adults with cognitive deficits might be, too. One critic insists that robots should remain iconic or cartoonish. Their looks should ______________________ and shouldn't be able to ________________. Making robots clearly fake also avoids the so-called "uncanny valley," where robots are perceived as scary because they so closely resemble us, but not quite. 모의응용

*dementia: 치매 **autism spectrum: 자폐성 스펙트럼

<조건> 1. <보기>에 주어진 어구를 모두 한 번씩만 사용할 것
2. 필요시 밑줄 친 단어 변형 가능
3. 필요시 be동사 추가 가능

<보기> from / even by / <u>distinguish</u> / anybody / users / their appearance / <u>fool</u> / unsophisticated / by / real humans

→ Their looks should ______________________________
and shouldn't be able to ______________________________.

[14-15] 다음 글을 읽고 물음에 답하시오.

Back in the 19th century, trains were not so easy to stop. Engineers didn't just step on the brakes — instead, "brakemen" manually adjusted the speed with brake wheels on the roof of the cars. Working on top of a moving train took concentration: Cars rocked violently, the wind roared past, and brakemen had to jump from car to car at top speeds. Often they were so intensely focused that they forgot (A) <u>(watch)</u> ________ for upcoming tunnels or bridges. You can imagine what would (B) <u>(happen)</u> ________ when there was nothing to warn a brakeman about those things and he didn't duck. That's where "telltales" — a series of ropes (C) <u>(fix)</u> ________ over the tracks — came in. Hung from about 100 feet from tunnels and low-hanging bridges, the ropes would brush across the heads of brakemen to ______________________. 모의응용

14 윗글의 (A) ~ (C)의 괄호 안에 주어진 단어를 어법상 알맞은 형태로 바꿔 쓰시오. [각 2점]

(A) ________________ (B) ________________ (C) ________________

고난도

15 윗글의 빈칸에 들어갈 가장 적절한 말을 <조건>에 맞게 완성하시오. [8점]

<조건> 1. <보기>에 주어진 어구를 모두 한 번씩만 사용할 것
2. 본문에서 적절한 단어 2개를 찾아 추가할 것
3. 8단어로 쓸 것

<보기> right / the / to / time / at / them

→ ______________________________

[16-17] 다음 글을 읽고 물음에 답하시오.

Usually, the animal in a conflict between attacking a rival and fleeing initially (A) ________ sufficient information to enable it to make a decision straight away. If the rival is likely to win the fight, then the optimal decision would be to give up (B) ________ immediately and not risk getting injured. But if the rival is weak and easily defeatable, then there is considerable benefit in going ahead and (C) ________ the territory, females, food, or whatever is at stake. By taking a little extra time to collect information about the opponent, the animal is more likely to reach a decision that maximizes its chances of surviving or winning than if it makes a decision without such information. Now many signals (D) ________ as having this information gathering or "assessment" function, directly contributing to the mechanism of the decision-making process by supplying vital information about the likely outcomes of the various options. 모의응용

고난도

16 다음 <보기>에서 문맥상 알맞은 어구를 골라 (A) ~ (D)에 알맞은 형태로 바꿔 쓰시오. [각 3점]

<보기> obtain not have see compete

(A) ________________

(B) ________________

(C) ________________

(D) ________________

고난도

17 윗글의 내용을 요약하고자 한다. <조건>에 맞게 요약문을 완성하시오. [10점]

<조건> 1. <보기>에 주어진 어구를 모두 한 번씩만 사용할 것
2. 필요시 밑줄 친 단어 변형 가능

<보기> chances of / evade the challenge / animals in conflict / either / enable / confront it / the decision to / or / make / to / survival and victory / enhance

[요약문] The strategic assessment of opponents via signals ________________________________
____, thereby
________________________________.

12 Rank 22

서술형 PLUS 표현

+ 부정사 표현 (p. 217) Rank 13, 72

형태	의미
be about to-v	막 v하려는 참이다
be due to-v	v할 예정이다
be supposed to-v	v하기로 되어 있다
be unable to-v	v할 수 없다
be willing to-v	기꺼이 v하다
be likely to-v	v할 가능성이 있다
be unlikely to-v	v할 가능성이 낮다[거의 없다]
be ready to-v	v할 준비가 되어 있다
be free to-v	자유롭게 v하다
be bound to-v	반드시 v하게 되다, 틀림없이 v하다
be inclined to-v	v하는 경향이 있다; v하고 싶어지다
be entitled to-v	v할 자격이 있다
be obliged to-v	v할 의무가 있다
be pleased to-v	v해서 기쁘다
be eager[anxious] to-v	v하기를 갈망하다
be difficult to-v	v하기 어렵다
be reluctant to-v	v하기를 꺼리다
be certain[sure] to-v	반드시 v하다
can't wait to-v	몹시 v하고 싶다
come[get] to-v	v하게 되다
happen to-v	우연히 v하다
It takes ~ to-v	v하는 데 ~의 시간이 들다
It's time to-v	v할 시간이다
do nothing but v	단지 v하기만 하다
do anything but v	v말고는 다 하다

+ 동명사 표현 (p. 217) Rank 72

형태	의미
adjust to v-ing	v하는 것에 적응하다
be accustomed[used] to v-ing	v하는 것에 익숙하다
be busy v-ing	v하느라 바쁘다
be capable of v-ing	v할 수 있다
be committed to v-ing	v하는 데 헌신[전념]하다
be dedicated to v-ing	v하는 데 전념[헌신]하다
be devoted to v-ing	v하는 데 전념[몰두]하다
be good at v-ing	v하는 것을 잘하다
be worth v-ing (= It is worthwhile to-v)	v할 가치가 있다
contribute to v-ing	v하는 데 기여하다
far from v-ing	전혀 v하는 것이 아닌, v하기는커녕
feel like v-ing	v하고 싶은 생각이 들다
have difficulty[trouble, a hard time] (in) v-ing	v하는 데 어려움을 겪다
look forward to v-ing	v하기를 고대하다
object[oppose] to v-ing	v하는 것에 반대하다
on[upon] v-ing	v하자마자
spend[waste] A (on) v-ing	v하는 데 A(시간, 돈)를 쓰다[낭비하다]
There is no use v-ing	v해도 소용없다
There is no v-ing	v하는 것은 불가능하다
when it comes to v-ing	v하는 것에 관한 한

RANK 12 if + 가정법

정답 및 해설 p. 11

사실의 반대 또는 있을 법하지 않은 일을 가정, 상상, 소망할 때 가정법 시제를 사용한다.
사실을 사실대로 말할 때와 다른 시제를 사용하므로 이를 정확하게 파악하는 것이 중요하다.

기출 대표 문항

다음 괄호 안의 어구를 모두 활용하여 주어진 우리말에 맞춰 가정법을 포함한 문장을 완성하시오. (필요시 어형 변화 및 단어 추가 가능)

1 만약 우리로부터 오백 광년 이내에서 초신성의 폭발이 일어난다면, 우리는 순식간에 사라질 텐데.

If (A) ______________________________ within five hundred light-years of us, we (B) __________________ in a second. *supernova: 초신성

(disappear / happen / will / a supernova explosion)

2 만약 그가 우리를 도와주지 않았더라면, 우리는 호텔에 도착할 수 없었을 텐데.

If he (A) __________________ us, we (B) __________________ at the hotel.

(help / arrive / can)

3 만약 그가 집에서 신분증을 가져왔더라면, 그는 지금 운전 시험을 볼 수 있을 텐데.

If he (A) __________________ from home, he (B) __________ the driving test now.

(bring / take / can / his ID card)

답이 보이는 Process

If+S′+**동사의 과거형/were** ~, S+**would+v** ... (만약 ~라면, …일[할] 텐데)	현재[미래]를 가정 (가정법 과거)
If+S′+**had p.p.** ~, S+**would+have p.p.** ... (만약 (그때) ~했더라면, …했을 텐데)	과거를 가정 (가정법 과거완료)
If+S′+**had p.p.** ~, S+**would+v** ... (만약 (그때) ~했더라면, (지금) …일[할] 텐데)	과거/현재를 각각 가정 (혼합가정법)

* 주절의 조동사 과거형은 would 외에 might, could도 쓰인다.

STEP 1 우리말 혹은 문맥을 통해 if절과 주절이 나타내는 때를 파악한다.

1 ~ 초신성의 폭발이 일어**난다면**, 우리는 순식간에 사라**질 텐데** → 가정법 1 __________
(현재[미래])

2 ~ 그가 우리를 도와주지 않**았더라면**, 우리는 호텔에 도착할 수 없**었을 텐데** → 가정법 2 __________
(과거)

3 ~ 그가 ~ *(그때)* 가져**왔더라면**, 그는 지금 운전 시험을 볼 수 **있을 텐데** → 혼합가정법
3 __________ 4 __________

STEP 2 가정법 시제에 따라 동사를 알맞게 표현하고, <if절, 주절> 또는 <주절-if절>의 순서로 영작한다.

more <If+S′+should/were to V′ ~, S+조동사 과거형+v>
일어날 가능성이 매우 희박한 일을 나타낼 때 if절에 should나 were to를 쓰기도 한다.
e.g. If you **should win** the lottery, what would be the first thing you do?

Test 1 어법

다음 밑줄 친 부분이 어법과 문맥상 옳으면 O, 틀리면 ×로 표시하고 바르게 고치시오.

1 If great Renaissance artists like Michelangelo had been born only 50 years earlier, there wouldn't be the financial support for their remarkable achievements. 모의응용

2 The old bridge is truly a work of art. If it hadn't survived World War II, we wouldn't have seen it now.

3 If we had an ability to explore the ocean without any limits, our knowledge of its biology would expand to as much as the knowledge of terrestrial life that we now have.

Test 2 조건 영작

다음 주어진 우리말과 일치하도록 괄호 안의 어구를 모두 활용하여 <조건>에 맞게 영작하시오.

<조건>
- 가정법을 포함할 것
- 필요시 밑줄 친 단어 변형 가능
- 필요시 <보기>의 단어 추가 가능

<보기> not did have had

1 만약 그녀가 오로지 자신의 초기 가설에만 집중했다면, 그 연구원은 해결책을 발명할 수 없었을 것이다.
(focus solely / if / her initial hypothesis / she / on / can / the solution / invent)
→ The researcher ______________________________
______________________________.

2 만약 모든 문화가 접촉하여 모든 문화 항목을 교환한다면, 오늘날 세계에는 문화적 차이가 없을 것이다.
(exchange / be / and / contact / all cultural items / no cultural differences / will / come into)
→ If all cultures ______________________________, there ____________
______________________________ in the world today. Rank 09, 76 수능응용

3 만약 그녀가 최근의 세미나에서 효과적인 육아 기술을 배우지 않았다면, 그녀는 지금도 자신의 자녀들에게 효과적이지 못한 기술을 사용하고 있을 것이다. (learn / she / the effective parenting skills / ineffective techniques / be using / will)
→ If she ______________________________ in the latest seminars,
______________________________ with her own children even now. 모의응용

고난도 **4** 셰익스피어가 혹시라도 오늘날 런던에 나타난다면, 그는 우리의 어휘에 있는 매 9개 단어 중 5개 넘게 이해하지 못할 것이라는 추정이 있다.
(more than / in London / be to / every nine words / five / Shakespeare / out of / materialize / understand / will / if)
→ There is an estimation that ______________________________ today,
he ______________________________ in our vocabulary. 모의응용

*materialize: (갑자기) 나타나다; 실현되다

RANK **13** # to부정사의 부사적 역할

정답 및 해설 p. 11

to부정사가 부사처럼 쓰일 때의 여러 의미를 알아두어 영작에 활용할 수 있어야 한다.

기출 대표 문항 1

다음 괄호 안의 단어를 모두 활용하여 주어진 우리말을 영작하시오. (필요시 단어 추가 가능)

미루는 것을 막기 위해, 마구잡이로 휴식을 취하지 않는 데 전념해라. (procrastination, prevent)

→ ______________________________, commit to having no random breaks.

답이 보이는 Process

STEP 1 우리말을 통해 부사적 역할을 하는 to부정사가 쓰여야 함을 파악한다.
to부정사를 만드는 to가 주어진 어구에 없어 추가해야 하는 경우에 주의한다.

(in order[so as]) to-v	v하기 위해, v하도록 ((목적)) ✱이 의미의 to-v구는 문장 앞에 오는 경우도 많다.
감정을 뜻하는 어구+to-v	v해서 ~, v하다니 ~ ((감정의 원인))
판단·추측의 어구+to-v	v하다니, v하는 것을 보니 ((판단의 근거))
only to-v / never to-v	(그러나) 결국 v(할 뿐) / (그리고) 결코 v하지 못한 ((결과))

STEP 2 의미에 맞게 to부정사구를 쓰고, 조건에 맞춰 영작한다.

Test 1 조건 영작

다음 괄호 안의 어구를 모두 활용하여 주어진 우리말을 영작하시오. (필요시 to 추가 가능)

1 피아니스트로서 귀하의 명성은 잘 알려져 있으며, 모든 이가 귀하의 공연을 보게 되어서 매우 기뻐할 것입니다.
(be / see / performance / very happy / will / everyone / your)
→ Your reputation as a pianist is well known, and ______________________________
______________________________. 모의

2 속도를 높이는 것은 사실상 우리를 느리게 할 수 있다. 우리는 급히 집을 나서지만, 결국 부엌 식탁 위의 열쇠와 전화기를 잊었다는 것을 깨달을 뿐이다. (realize / on the kitchen table / forgot / we / only / our keys and phone / that)
→ Speeding up can actually slow us down. We rush out of the house ______________________________
______________________________. Rank 23 모의응용

3 문화와 성별은 갈등에 대한 인식에 영향을 미칠 수도 있다. 하지만 우리는 개인적인 차이를 고려하도록 주의해야 한다.
(individual / must / consider / we / be / differences / careful)
→ Culture and gender may influence perceptions of conflict; however, ______________________________
______________________________. 모의응용

4 비록 그것을 아직 들어보지는 못했지만, 그녀가 UN을 위해 했던 연설은 많은 관심을 끄는 것을 보니 고무적인 것이 틀림없다.
(a lot of / draw / inspiring / must / attention / be)
→ Her speech at the UN ______________________________ although I haven't heard it yet.

기출 대표 문항 2

다음 괄호 안의 어구를 모두 활용하여 주어진 우리말을 영작하시오. (필요시 to 추가 가능)

그 약은 몇 분 내에 그녀의 심각한 통증을 경감시킬 만큼 충분히 강력했다.

(powerful / alleviate / enough / her severe pain / was)

→ The medication ______________________________ within minutes.

*alleviate: 경감하다, 완화하다

답이 보이는 Clues

to부정사가 만드는 여러 주요 구문의 어순과 형태에 주의한다.

too 형용사[부사] (for A) to-v	너무 ~해서 (A가) v할 수 없는 / (A가) v하기에는 너무 ~한[하게]
형용사[부사] enough (for A) to-v	(A가) v할 만큼 충분히 ~한[하게] / (충분히) ~해서 (A가) v하는
so 형용사[부사] as to-v	v할 만큼 ~한[하게] / (매우) ~해서 v하는

Test 2 어법

다음 밑줄 친 부분이 어법상 옳으면 O, 틀리면 ×로 표시하고 바르게 고치시오.

1 The turkey vulture flies enough low to detect the gases produced by decaying animal bodies.

모의응용 *turkey vulture: 칠면조 독수리

2 The antique vase was to fragile and valuable too display openly in our home, so we carefully stored it in a secure cabinet to ensure its preservation.

3 The pilot's decision to fly in adverse weather conditions was so reckless as to endanger the lives of passengers and crew members.

Test 3 조건 영작

다음 괄호 안의 어구를 모두 활용하여 주어진 우리말을 영작하시오. (필요시 to 추가 가능)

1 그 소설가는 그 이야기의 결말을 너무 예상 밖으로 써서 독자들을 충격에 빠뜨렸다.

(readers / as / unexpectedly / in shock / leave / so)

→ The novelist wrote the ending of the story ______________________________.

2 그 토론은 양측 모두를 만족시킬 수 있는 공통 기반을 찾기에는 너무 격렬하게 논쟁되었고, 이는 해결에 도달하는 것을 불가능하게 했다. (common ground / too / find / both sides / intensely / could satisfy / that)

→ The debate was argued ______________________________

______________________________, which made it impossible to reach a resolution. Rank 25

고난도 3 인간은 다양한 음식을 먹을 만큼 충분히 융통성 있어야 하지만, 해로운 것들을 우발적으로 섭취하지 않을 만큼 충분히 조심스러워야 한다. (not / flexible / a variety of foods / enough / harmful ones / accidentally ingest / cautious / be / eat / enough)

→ Humans must ______________________________, but ______________

______________________________. 모의응용 *ingest: (음식 등을) 섭취하다

RANK 14

가주어-진주어(to부정사)

부정사

정답 및 해설 p. 12

to부정사(구)는 명사적 역할을 하여 문장 내에서 주어, 목적어, 보어가 될 수 있다.
to부정사구가 주어일 경우에는 대부분 가주어 it을 사용하고, to부정사구는 뒤로 보낸다.

기출 대표 문항

다음 괄호 안의 어구를 모두 알맞게 배열하여 주어진 우리말을 영작하시오.

소비자들이 구입하도록 부추기기 위해, 마케터들이 다양한 형태의 소통을 통해 그들과 접촉하는 것은 중요하다.

(marketers / them / communication / to / for / of / contact / it / various forms / through / is / important)

→ To encourage consumers to make purchases, ________________________________

________________________________.

답이 보이는 Process

STEP 1 우리말(v하는 것은[것이])과 주어진 어구를 통해 가주어 it과 to부정사를 사용해야 한다는 것을 확인한다.
때로는 가주어 it을 사용하라는 <조건>이 명시되기도 한다.

STEP 2 우리말 해석을 크게 주어 부분과 그 이하의 술어 부분으로 나눈다.

마케터들이 ~ 그들과 접촉하는 것은 (주어) / 중요하다 (술어)

STEP 3 <가주어 it+술어>를 먼저 쓰고 진주어를 to부정사구 형태로 뒤이어 배열한다.
to부정사의 의미상의 주어는 to부정사 앞에 <1 ________ +목적격>의 형태로 쓴다.

~, 2 ________________ (가주어 it+술어) / 3 ________________ (의미상의 주어) 4 ________________________________ (to부정사구(진주어)).

✽ <5 ________ +목적격>: to부정사 앞의 형용사가 사람에 대한 '칭찬'이나 '비난'을 의미할 때 쓰는 의미상 주어의 형태이다.
e.g. kind, wise, polite, careless, foolish, rude 등

주의 to부정사의 부정형은 <not[never]+to-v> 형태이다.

Test 1 어법

다음 문장에서 틀린 부분을 찾아 바르게 고치시오. (단, 「가주어-진주어(to부정사)」 구문을 반드시 포함할 것)

1 Sometimes, this is essential to lower our expectations and let our children do whatever they want.
Rank 09 교과서응용

2 During the period when color photography wasn't available, it was unnecessary use the adjective "black-and-white" before the term "photographs" as we do today. 모의응용

3 It is usually acceptable college students to use their laptop computers during lectures or class discussions.

Test 2 조건 영작

다음 주어진 우리말과 일치하도록 괄호 안의 어구를 모두 활용하여 <조건>에 맞게 영작하시오.

<조건> • 필요시 어형 변화 및 단어 추가 가능
• 「가주어-진주어(to부정사)」 구문을 사용할 것

1 비판적인 사고를 요구하는 수업에서, 그것이 상반되더라도 여러분의 의견을 표현하기를 주저하지 않는 것이 중요하다.
(hesitate / your opinions / not / crucial / express)
→ In classes requiring critical thinking, ______________________________
______________________ even if they are contrary. Rank 11 EBS응용

2 자신들의 주관적인 관점의 영향으로 인해 역사가들이 과거의 사건을 객관적으로 평가하고 해석하는 것은 불가능할지도 모른다.
(past events / interpret / historians / might / assess / impossible / be / and)
→ ______________________________ objectively
due to the influence of their subjective perspectives. Rank 09 교과서응용

3 누구든지 사소한 문제에 대한 격한 언쟁에 관여하는 것은 어리석은데, 그것이 생산적인 결과로 이어지는 것은 드물기 때문이다.
(anyone / over / a heated argument / foolish / engage in / trivial matters)
→ ______________________________, as it rarely
leads to productive outcomes.

4 광고주들은 아이들이 특정 제품을 소유하지 않으면 그들이 패배자라고 느끼도록 만드는 것이 쉽다는 사실을 이용한 것을 인정했다. (children / losers / make / they / easy / feel / are / that)
→ Advertisers have admitted to taking advantage of the fact that ______________________
______________________ if they do not own specific products. Rank 07, 23, 52 모의응용

5 생태학자들이 모든 다른 유기체들이 우리가 느끼는 방식으로 환경을 느낀다고 추정하는 것은 위험하다.
(all other organisms / dangerous / the environment / assume / ecologists / sense / that)
→ ______________________________
______________________ in the way we do. Rank 23 모의응용

고난도 6 사람들이 자신이 누구인지를 바꾸기는 어렵다. 그들이 행동하는 방식을 바꾸는 것이 훨씬 더 쉽다.
(them / act / people / they / difficult / are / who / change / change / much easier / they / how)
→ ______________________________; ______________________
______________________. Rank 17, 30 모의응용

RANK **15** # 주어로 쓰이는 동명사

동명사

정답 및 해설 p. 13

to부정사 주어는 가주어 it으로 대신하는 경우가 많지만(Rank 14), 동명사 주어는 보통 그 자리에 그대로 사용된다.
몇몇 어구는 동명사구 주어를 가주어 it으로 대신하여 쓴다(more 2).

기출 대표 문항

다음 괄호 안의 어구를 모두 활용하여 주어진 우리말을 영작하시오. (어형 변화 가능, 단어 추가 불가)

아이의 환경을 지나치게 구조화하는 것은 창의적 그리고 학문적 발달을 제한한다.

(development / overstructure / environment / creative / a child's / academic / limit / and)

→ ______________________________.

답이 보이는 Process

STEP 1 주어의 의미가 'v하는 것은[것이]'임을 확인하고, 우리말을 크게 주어 부분과 그 이하 부분으로 나눈다.

아이의 환경을 지나치게 구조화하는 것은 / 창의적 그리고 학문적 발달을 제한한다.
(S: 아이의 환경을 지나치게 구조화하는 것은)

STEP 2 주어 부분을 <동명사+딸린 어구> 형태로 쓰고 그 이하 부분을 연결한다.
동명사구 주어는 1 __________ 취급하므로 동사를 단수동사로 바꾼다. (Rank 02)

2 ______________________ / 3 ______________________.
S(동명사구) / V(단수) ~

주의 동명사의 부정형은 not이나 never를 동명사 4 __________에 쓴다. (<not[never]+v-ing>)

more 1 v-ing로 시작하는 여러 가지 문장 구조

- v-ing ~+동사: 동명사구 주어(v하는 것은) (v-ing ~ = S)
- v-ing+명사+동사: 명사 수식 현재분사(v하는 ~) (Rank 05) (명사 = S)
- v-ing ~, 주어+동사: 분사구문의 현재분사(v하면서, v할 때 등) (Rank 06)

more 2 가주어 it을 사용하는 동명사 관용 표현

it is no use v-ing v해도 소용없다 / it is worth v-ing v하는 것은 가치가 있다 /
it is nice v-ing v하는 것은 좋다 / it is fun v-ing v하는 것은 재미있다

Test 1 어법

다음 문장에서 틀린 부분을 찾아 바르게 고치시오. (단어 추가 불가, 시제는 변경하지 말 것)

1 Not challenge ourselves keeps us from facing new possibilities in life.

2 For many teenagers, practicing a song in groups foster feelings of joy, motivation, and the spirit of teamwork. (Rank 02) 교과서응용

3 Working parents has to recognize the importance of quality family time and make an effort to create lasting memories through shared activities and outings. (Rank 05)

4 In cultures that value silence, responding too quickly after speakers have finished their turns are considered as having devoted not enough attention and consideration to speakers' words and ideas. Rank 04 모의응용

Test 2 조건 영작

다음 주어진 우리말과 일치하도록 괄호 안의 어구를 모두 활용하여 <조건>에 맞게 영작하시오.

<조건> • 필요시 어형 변화 가능
• 단어 추가 불가

1 신화의 역사적인 기원을 탐구하는 것은 여러 면에서 아이들의 창의적인 능력을 향상시킨다.
(enhance / myths / the historical origins / explore / of)
→ ______________________________ children's imaginative abilities in many ways. 교과서응용

2 다양한 관심사와 배경을 가진 친구들을 두는 것은 당신의 삶을 흥미롭게 유지시킨다.
(exciting / diverse / friends / backgrounds / with / your life / and / have / keep / interests)
→ ______________________________.

3 사실, 규정과 명확한 조건을 설정하지 않는 것은 혼란을 초래할 것이다.
(and / conditions / regulations / set / clear / will bring / not / confusion / about)
→ In fact, ______________________________. 모의응용

4 당신의 강점과 약점을 인식하는 것은 적합한 직업을 결정하는 데 있어 핵심이다.
(to / a suitable career / weaknesses / your strengths / recognize / be / determining / the key / and)
→ ______________________________.
Rank 72 교과서응용

5 놓친 기회를 곱씹어도 소용없다. 대신에 당신을 기다리는 새로운 가능성과 그 경험으로부터 당신이 얻은 교훈에 집중하라.
(on / opportunities / dwell / it / use / missed / no / be)
→ ______________________________; instead, focus on the new possibilities that await you and the lessons you've gained from the experience.

6 덕이 있다는 것은 균형을 찾는 것을 의미한다. 미덕은 중간 지점인데, 너무 관대하지도 너무 인색하지도, 너무 두려워하지도 너무 무모하게 용감하지도 않은 곳이다. (find / be / mean / virtuous / a balance)
→ ______________________________. Virtue is the midpoint, where someone is neither too generous nor too stingy, neither too afraid nor recklessly brave. 모의응용 *stingy: 인색한

고난도 **7** 비록 마음가짐이 습관을 이기기는 어렵지만, 때로는 습관이 우리의 마음가짐에 의해 깨질 수도 있다는 것에 주목하는 것은 가치가 있다. (may be / be / that / break / it / note / our intentions / by / habits / worth)
→ Although it is difficult for intentions to overcome habits, ______________________________, sometimes. Rank 03 모의

RANK 16 진행·완료시제의 능동 vs. 수동

정답 및 해설 p. 13

앞서 살펴본 단순시제의 수동태(Rank 03, 04)에 비해 진행·완료시제의 수동태는 형태가 좀 더 복잡하므로 주의해야 한다.

기출 대표 문항

다음 문장에서 틀린 부분을 찾아 바르게 고치시오. (단, 시제는 변경하지 말 것)

1 In April, he posted a video on YouTube of the house while it was building, getting six million views in just four days.

2 Many renowned poets throughout history have been written about love in all its forms, exploring themes of passion, heartbreak, and enduring devotion.

답이 보이는 Clues

주어가 동사의 동작을 하면 능동, 동작을 받으면 수동이다. 각 시제에 따른 형태에 유의한다.

	능동태	수동태
진행형	be v-ing (v하고 있다[있었다])	1 ________________ (v되고 있다[있었다])
완료형	2 ________________ (v해 왔다 등)	have[has/had] been p.p. (v되어 왔다 등)
완료진행형	have[has/had] been v-ing (v해 오고 있다[있었다])	-

1 ~, he posted a video on YouTube of the house while *it* 3 ________________, ~.
▶ 집이 지어지고 있었음 (it = the house)

2 *Many renowned poets* (throughout history) 4 ________________ about love in all its forms, ~.
▶ 시인들이 (사랑에 대해) 써 왔음

Test 1 어법

다음 밑줄 친 부분이 어법상 옳으면 O, 틀리면 ×로 표시하고 바르게 고치시오. (단, 시제는 변경하지 말 것)

1 After a three-day blackout, electricity had finally restored by the service engineers on Thursday morning.

2 Tropical rainforests are being damaged with the aim of expanding cattle farming and corn cultivation. 교과서응용

3 Many of the bodies found in the ash in Pompeii revealed what the people had been doing at the moment of the volcano's eruption. Rank 17 교과서응용

4 In the old days, when stage plays were the main form of entertainment, audiences openly reacted (either with cheers or jeers) to a performance while it was presenting on stage. *jeer: 야유, 조롱

5 Hunting and gathering is a means of searching for wild food resources that has used for thousands of years. Rank 25

6 The introduction of robots into factories, while human workers are employing in smaller numbers, creates worry and fear. 수능

고난도 **7** Concerns have long been raised that cookies, which keep track of what we do on the Internet, may be violating our privacy. Rank 28, 52 모의응용 *cookie: 《컴퓨터》 쿠키《인터넷을 사용할 때 중앙 서버에 전송되는 정보 파일》

고난도 **8** When a day care center fined parents who arrived late to pick up their children, more parents started arriving late, believing that they were being paid for the center to look after their children after hours. Rank 06 모의응용

Test 2 조건 영작

다음 주어진 우리말과 일치하도록 괄호 안의 어구를 모두 활용하여 <조건>에 맞게 영작하시오.

<조건> • 필요시 어형 변화 가능
• 단어 추가 불가

1 수십 년간, 사람들은 칭찬이 행복하고 건강한 아이들을 위해 필수적이며 아이를 기르는 데 가장 중요한 일은 자존감을 길러주는 것이라고 들어 왔다. (praise / that / healthy / be / be / children / vital / tell / have / and / happy / for)

→ For decades, people ______________________________
______________________ and that the most important job in raising a child is nurturing his or her self-esteem. Rank 23, 44 모의

2 전기로 보조받는 배달용 세발자전거를 이용하는 서비스는 프랑스에서 이미 성공적으로 시행되어 왔고 소포와 음식 배달 같은 다양한 서비스를 위해 유럽 전역에서 점차 도입되고 있다.
(electrically assisted / be / have / using / be / services / be / delivery tricycles / adopt / implement)

→ ______________________________
successfully in France already and ______________________ gradually across Europe for services as varied as parcel and catering deliveries. Rank 05, 09 수능

*tricycle: 세발자전거 **implement: 시행하다; 도구

의문사가 이끄는 명사절의 어순

정답 및 해설 p. 14

의문사절이 문장의 주어나 목적어, 보어인 명사절의 역할을 하는 경우가 있다.
이런 문장은 간접적으로 물어보는 의문문이라 하여 간접의문문이라 한다. 특히 어순에 유의해야 한다.

기출 대표 문항

1 다음 괄호 안의 어구를 모두 알맞게 배열하여 주어진 우리말을 영작하시오.

Looking around, we can see 현대 기술이 어떻게 우리 삶을 더 편리하게 만들어 왔는지를.

(modern / how / made / more / our lives / has / convenient / technology)

→ ______________________________

2 다음 문장을 문법적으로 올바르게 고쳐 쓰시오.

Do you think what can be done with this old stuff in the attic?

→ ______________________________?

답이 보이는 Clues

1 의문사 뒤가 평서문처럼 <1 __________ +2 __________>의 어순이 되어야 한다.

~, we can see. + How has modern technology made our lives more convenient?

~, we can see 3 __________ (의문사(how)) 4 __________ (S′) 5 __________ (V′ ~).

의문사 뒤의 어순이 <주어+동사~>가 아닌 경우에 주의한다.

what, which, who+동사 ~ 의문사가 의문사절의 주어(S′)	e.g. What$^{S'}$ makes$^{V'}$ the artwork$^{O'}$ special$^{C'}$ has always been a subject of discussion among art enthusiasts.
what, which, whose+명사(+주어)+동사 ~ 뒤의 명사 수식	e.g. The packaging label clearly indicates which colors of crayons$^{S'}$ are$^{V'}$ inside the box$^{M'}$.
how+형/부+주어+동사 ~ (how가 형/부와 의미상 강하게 연결되는 경우)	e.g. I was surprised at how long$^{M'}$ the bowhead whale$^{S'}$ can live$^{V'}$. It can live for more than 200 years.

2 <do you think[believe, guess 등]>+의문사절: Yes/No 응답이 아니라 구체적인 정보를 구하는 것이므로 6 __________가 문장 맨 앞으로 간다.

Do you think? + **What** can be done with this old stuff in the attic?

→ 7 __________ 8 __________ 9 ______________________________?

Test 1 어법

다음 문장에서 <u>틀린</u> 부분을 찾아 바르게 고치시오. (옳은 문장이면 O로 표시할 것)

1 For many people, *ability* refers to intellectual competence, so they want everything they do to reflect how smart they are. Rank 07 모의응용

고난도 2 The most important thing to focus on when you're faced with difficulties is not who you should blame, but should what be done next. Rank 10

3 A prehistoric garbage dump is particularly fascinating because an archaeologist can learn a great deal about how did ancient people live from what they threw away.

4 Do you believe why behavioral psychology is so crucial for developing efficient AI algorithms?

Test 2 배열 영작

다음 괄호 안의 어구를 모두 알맞게 배열하여 주어진 우리말을 영작하시오.

1 무엇이 땅콩 알레르기가 젊은 연령층에 더 흔해지게 유발하는지는 과학자들이 답하려고 노력하고 있는 복잡한 질문이다.
(to become / is / peanut allergies / in younger age groups / causes / what / more common)
→ ______________________________
a complex question that scientists are working to answer. Rank 02, 07

2 여러분이 도움을 구할 때, 사서는 여러분에게 여러분이 원하는 책을 어디에서 찾을 수 있는지 알려줄 것이고, 만약 필요하다면 특정 구역으로 여러분을 안내해줄 것이다.
(the book / you want / can find / where / the librarian / you / you / will tell / that)
→ When you seek assistance, ______________________________
______________________________, and, if necessary, direct you to the specific section. Rank 27

3 모든 인간 상호 작용은 신호와 단서의 집합이며, 어떤 신호와 단서가 자신에게 가장 유리하게 작용하는지를 이해하는 과학이 있다.
(which / a science / cues / and / to understand / signals / work most)
→ All of human interaction is a set of signals and cues, and there is ______________________________
______________________________ in your favor. Rank 52, 76 모의응용

*in one's favor: ~에 유리하게

4 시차증을 극복하기 위해서 자신의 체내 시계를 얼마나 빨리 재설정할 수 있는지는 사람마다 다르며, 그 회복 속도는 또한 이동 방향에 달려 있다. (quickly / to overcome / they / how / jet lag / their biological clocks / can reset)
→ People differ in ______________________________,
and the speed of recovery also depends on the direction of travel. Rank 13 모의

고난도 5 경쟁적인 고용 시장에서 면접관은 "누가 이 직위에 가장 자격을 갖춘 지원자라고 생각합니까?" 또는 "무슨 구체적인 기술이 최고의 지원자를 구분 짓는다고 생각합니까?"라고 물을 수도 있다. (do / top candidates / you / you / this position / is / do / the most qualified candidate / differentiate / believe / who / specific skills / what / believe / for)
→ Job interviewers in a competitive job market may ask, "______________________________
______________________________?" or "______________________________
______________________________?"

RANK 18

부정어구 강조+의문문 어순

특수구문

정답 및 해설 p. 15

[1] ____________가 강조를 위해 문두로 나가면, 주어와 (조)동사의 어순이 바뀌는 도치가 일어난다.
└ no, not, never, nothing, nor, little, hardly, scarcely, seldom, (not) only, no sooner than, not until 등

도치가 일어나는 다른 경우(Rank 60, 76)에 비해 더 높은 빈도로 등장하고 출제도 많이 된다.

기출 대표 문항

다음 문장을 부정어구로 시작하는 도치구문으로 바꿔 쓰시오.

Squatting not only helps people avoid the harmful effects caused by sitting, but the move also extends the spine and stretches the muscles.

→ ______________________________ caused by sitting, but ~.

답이 보이는 Process

STEP 1 주어진 문장에서 부정어구를 찾아 문두에 놓는다.

STEP 2 남은 어구를 <(조)동사+주어 ~>의 어순으로 바꾼다. 즉, [2] ____________ 어순과 같다.

- do/does/did/조동사+주어+동사
- be동사+주어 ~

주의 do/does/did를 쓸 경우 주어에 수일치해야 하고 시제에도 유의한다. (Rank 01, 21)

more <부정부사+부사절+(조)동사+주어 ~>

부정부사가 부사절을 이끌 때, 부사절의 어순은 정상어순이고 주절에서 도치가 일어남에 주의한다.

e.g. We don't know its value *until we lose our health.*

→ *Not until we lose our health* **do we know** its value.

Test 1 어법

다음 문장에서 틀린 부분을 찾아 바르게 고치시오. (단, 시제는 변경하지 말 것)

1 Little does some people understand that noise pollution caused by high traffic poses a serious threat to our mental health. 교과서응용

2 Not until I entered the station I realized that I had left my luggage in the trunk of the taxi. 모의응용

3 In the manufacturing process, not only any factories can consume significant amounts of natural resources, but also contribute to environmental problems. (Rank 10)

4 Only after some time and struggle do the student begin to develop the insights and intuitions that enable him to see the importance of logical thinking. (Rank 07, 25) 수능응용

고난도 5 Not only does it painful to admit our inferiority, but it is even worse when others see that we are feeling it. (Rank 14) 모의응용

Test 2 문장 전환

다음 문장을 밑줄 친 부분을 강조하는 도치구문으로 바꿔 쓰시오.

1 Any other natural disaster has never done greater damage than this typhoon.

→ ______________________________ greater damage than this typhoon.

2 She did not photograph the beautiful scenery of Iceland until she figured out how to use the new camera.

→ ______________ how to use the new camera ______________ the beautiful scenery of Iceland. 교과서응용

3 Initial observations rarely exhibit explicit regularities, so it is a scientist's task to find the hidden order in nature from what they observe.

→ ______________________________ explicit regularities, ~. 모의응용

4 Science fiction movies can not only encourage students to identify scientific principles in scenes, but also develop their creativity and critical thinking.

→ ______________________________ scientific principles in scenes, but also ~. Rank 10 모의응용

Test 3 조건 영작

다음 주어진 우리말과 일치하도록 괄호 안의 어구를 모두 활용하여 <조건>에 맞게 영작하시오.

<조건> • 밑줄 친 부정어구를 강조하는 도치구문으로 쓸 것

1 당신이 자신의 강점과 자기 이해의 조합으로부터 움직일 때만 당신은 진정한, 그리고 지속되는 탁월함을 이룰 수 있다.

(achieve / your strengths / you / a combination of / only when / can / operate from / self-knowledge / and / you)

→ ______________________________

______________ true and lasting excellence. 모의응용

고난도 **2** 이산화탄소는 독성이 없을 뿐만 아니라, 이산화탄소 수치의 변화가 반드시 인간 활동을 반영하는 것도 아니다. 역사적으로 대기의 이산화탄소가 반드시 지구온난화의 계기였던 것도 아니다.

(nor / nonpoisonous / carbon dioxide / has / not only / necessarily been / atmospheric carbon dioxide / is)

→ ______________________________, but changes in carbon dioxide levels don't necessarily mirror human activity. ______________________________

______________ the trigger for global warming historically. Rank 10 모의응용

*atmospheric: 대기의

RANK 19 if절을 대신하는 여러 표현

정답 및 해설 p. 15

if 이외의 표현이 '조건'을 의미하여 가정법을 이끄는 경우를 알아본다.

기출 대표 문항

다음 문장이 같은 의미가 되도록 빈칸을 완성하시오. (단, 빈칸당 한 단어만 쓸 것)

Without electricity, the world would plunge into darkness.

→ If ________ ________ ________ ________ electricity, the world would plunge into darkness.

→ ________ ________ ________ ________ electricity, the world would plunge into darkness.

답이 보이는 Clues

	뜻	if를 사용한 표현	if 생략 도치 표현
without, but for	(지금) ~이 없다면 (가정법 과거)	1 ________________	were it not for
	(그때) ~이 없었다면 (가정법 과거완료)	if it had not been for	2 ________________

more if 생략 도치구문

if 조건절에서 if가 생략되고 주어와 (조)동사가 도치될 수 있다. (조)동사가 were, should, had일 때 도치가 자주 일어난다.

e.g. If I had arrived at the airport an hour early, I could have boarded the plane.

→ Had I arrived at the airport an hour early, I could ~.

Test 1 문장 전환

다음 문장이 같은 의미가 되도록 빈칸을 완성하시오. (단, 빈칸당 한 단어만 쓸 것)

1 But for my father's encouragement, I could not have finished such a long marathon race.

→ If ________ ________ ________ ________ ________ ________ ________ ________, I could not have finished ~.

→ Had ________ ________ ________ ________ ________ ________ ________, I could not have finished ~.

2 If it were not for the influence of minorities, we would have no innovation or social change.

→ Without ________ ________ ________ ________, we would have ~.

→ Were ________ ________ ________ ________ ________ ________ ________, we would have ~. 수능응용

*minority: (한 사회, 국가 내의) 소수 집단

3 Without refrigeration, food and vaccines would spoil, leading to economic disaster and numerous deaths.

→ If ________ ________ ________ ________ ________, food and vaccines would spoil, leading to ~.

→ Were ________ ________ ________ ________, food and vaccines would spoil, leading to ~. 모의응용

Test 2 배열 영작

다음 괄호 안의 어구를 모두 알맞게 배열하여 주어진 우리말을 영작하시오.

1 자원봉사자와 자선 단체의 지칠 줄 모르는 노력이 없다면, 사회적으로 혜택을 받지 못한 많은 공동체는 필수적인 사회 복지 사업과 지원에 대한 접근권이 없을 것이다. (the tireless efforts / lack / not / access to / were / would / for / it)

→ ________________ of volunteers and charitable organizations, many disadvantaged communities ____________ essential social services and support.

*social service: 사회 복지 사업

2 Smith 박사가 수행한 획기적인 연구가 없었다면, 20세기에 양자 역학에 대한 우리의 이해는 상당히 제한되었을 것이다. (been / been / it / the groundbreaking research / for / had / significantly limited / not / if / have / would)

→ ____________________ conducted by Dr. Smith, our understanding of quantum mechanics in the 20th century ____________ ____________.

*quantum mechanics: 《물리》 양자 역학

고난도 **3** 사회적 유대의 형성과 유지가 없었다면, 초기 인간들은 아마도 그들의 물리적 환경에 대처하거나 적응하지 못했을 것이다. (had / cope with / not / not / of social bonds / have / would / for / able to / been / their physical environments / it / or adapt to / the formation and maintenance / been)

→ ________________________, early human beings probably ________________________ ____________. Rank 09 모의응용

4 우리 중 많은 사람이 곤충을 해충으로 여기지만, 실제로는 그것들이 제공하는 수분 작용의 공헌이 없다면, 인류는 소멸할지도 모른다. (they provide / of pollination / might / humankind / to exist / cease / which / the service / without)

→ While many of us perceive insects as harmful pests, in reality, ____________ ____________, ________________. Rank 27 모의

*pollination: 수분 (작용)(식물의 꽃가루받이)

RANK **20** # 주의해야 할 분사구문

정답 및 해설 p. 16

Rank 06에서 학습한 분사구문의 기본 형태(v-ing ~, p.p. ~)에 이어, 주의해야 할 형태의 분사구문에 대해 알아본다.

기출 대표 문항

다음 중 틀린 문장을 모두 찾고, 틀린 부분을 바르게 고치시오.

1. Nick being late, I was anxious about missing the train.
2. When completed, the new bridge will significantly improve traffic flow in the city.
3. Not having warned by anyone about the rainstorm, I was totally unprepared.
4. Full of confidence, the baseball player hit a home run in front of a home crowd.

[정답] ______________________

답이 보이는 Clues

1. 부사절의 주어가 주절의 주어와 다를 경우, 생략하지 않고 [1] __________에 쓴다.

2. 분사구문과 주절의 논리적 관계를 분명히 하기 위해 접속사를 생략하지 않기도 한다.

3. [2] ______________(능동) / [3] ______________(수동)는 주절보다 앞선 때, 또는 완료형을 의미한다.
분사구문의 의미상의 주어가 동작을 받으면 수동형을 써야 하므로 주의한다. not은 분사 앞에 써 준다.

4. <명사/형용사 ~, S+V...> 형태의 경우 명사/형용사 앞에 being 또는 having been이 생략된 것이다.
cf. **(Being)** Content in his circumstance, he embraced each day with a smile.

more 부사절에 <there+is[are]> 구문이 있는 경우, there는 그 위치에 그대로 쓴다.
e.g. As **there was** no empty seat on the subway, the boy stood for 40 minutes.
→ **There being** no empty seat on the subway, the boy stood for 40 minutes.

Test 1 문장 전환

다음 두 문장이 같은 의미가 되도록 분사구문을 사용하여 빈칸을 완성하시오. (단, 빈칸당 한 단어만 쓸 것)

1 Because he is passionate about investigating the crime, the police officer is looking for as much evidence as possible.
= ________ ________ ________ ________ ________ ________, the police officer is looking for ~.

2 After they had two healthy children of their own, Bill and Monica decided to bring an orphaned child into their family.
= ________ ________ ________ ________ ________ ________ ________ ________, Bill and Monica decided ~. 모의응용

3 Although it hasn't been published officially, his new work attracts considerable attention due to his previous success.

= ____________ ____________ ____________ ____________ officially, his new work attracts ~.

고난도 4 Most freshwater life did not originate in fresh water; it had to adapt to freshwater conditions as it passed from ocean to land and then back again to fresh water.

= ~; it had to adapt to freshwater conditions, ____________ ____________ ____________ ____________ ____________ and then back again to fresh water. 모의응용

Test 2 어법

다음 밑줄 친 부분이 어법상 옳으면 O, 틀리면 ×로 표시하고 바르게 고치시오.

1 There being a green light, all the cars started to move forward.

2 Having been hiked for several hours, Kevin was thrilled to reach the top of Vincent Mountain. 모의응용

3 It being rainy all afternoon, they decided to stay indoors and play board games.

Test 3 조건 영작

다음 주어진 우리말과 일치하도록 괄호 안의 어구를 모두 활용하여 <조건>에 맞게 영작하시오.

<조건> • 필요시 밑줄 친 단어 변형 가능(단어 추가 불가)
• 분사구문을 포함한 형태로 쓸 것

1 전통적인 방법과 현지의 재료를 사용하여 도서관을 건축해서, 사람들은 이제 자신들이 지역의 유산을 보존했을 뿐만 아니라 랜드마크를 만들어 내기도 했다는 것에 대해 자부심을 느낀다.
(and / build / using / have / local materials / the library / traditional methods / by)

→ ____, people are now proud that they not only preserved the heritage of the area but also created a landmark.

2 경제 활동의 감소나 불경기가 있다면, 다방면의 재능을 가진 사람이 특정 기술을 가진 사람보다 더 많은 일자리 제안을 받을지도 모른다. (economic activities / there / or / a drop in / a recession / be)

→ ____, a generalist may get more job offers than someone with specific skills.

*recession: 불경기 **generalist: 다방면의 재능을 가진 사람

고난도 3 심해에 사는 생물들은 자신의 몸에 물을 저장하여 높은 압력에 적응해 왔고, 몇몇은 거의 전부 물로 구성되어 있다.
(consist / some / water / almost entirely of)

→ Organisms living in the deep sea have adapted to the high pressure by storing water in their bodies, ____. 모의응용

4 국가 정체성의 강력한 상징으로서 흔히 인식되지만, 국기는 갈등의 시기에 분열의 도구로 사용될 수도 있다.
(of / as / commonly recognize / powerful emblems / while / national identity)

→ ____, flags can also be used as tools of division in times of conflict.

RANK 21 주의해야 할 시제 I

정답 및 해설 p. 17

대부분의 시제는 문맥에 따라 결정되는데, 문장 내의 '시간 부사(구, 절)'에 따라 시제가 결정되는 경우를 먼저 알아본다.
현재시제와 현재완료시제는 수일치에도 주의해야 한다. Rank 01, 02

기출 대표 문항

다음 밑줄 친 부분의 시제가 어법상 옳으면 O, 틀리면 ×로 표시하고 바르게 고치시오.

1 Australia was discovered 45,000 years ago by pioneers spreading east from Africa along the shore of Asia.

2 Over the last three decades, transport policies in Freiburg had encouraged more walking, cycling, and use of public transport.

3 Foam feels soft because it is easily compressed; if you will jump onto a foam mattress, you'll notice that it compresses under your weight. *foam: (의자, 매트리스 등에 쓰는) 발포 고무

답이 보이는 Clues

1-2 명백한 과거를 나타내는 부사(구, 절)가 있을 때, 현재시제는 쓸 수 없고 1 ________ 시제를 써야 한다.

yesterday / last / ~ ago / just now(조금 전에) / then / when ~(과거) / <in, at, on + 과거의 때> / the other day(= a few days ago, 지난번에) 등

과거에서 현재까지의 '계속'을 의미하는 부사(구, 절)는 2 ________ 시제와 함께 쓰인다.

<for + 기간 + now(지금까지 ~ 동안)> / <since + 특정 과거 시점> / how long(얼마나 오래) / <for[over] the last[past] + 기간(지난 ~ 동안)> / so far, up to now, until now(지금까지) 등

✽ 현재완료시제는 '(현재까지의) 경험, 완료, 결과'를 의미하기도 하며, 부사 없이 쓰일 때도 많다.

Australia 3 ________ discovered ***45,000 years ago*** by pioneers ~.

Over the last three decades, transport policies in Freiburg 4 ________ more walking, ~.

▶ 주어와 동사의 수일치에 주의한다.

3 시간·조건의 부사절에서는 5 ________ 시제가 미래시제를 대신한다. Rank 35

when, before, after, as soon as, until, if, unless 등

~; ***if*** you 6 ________ onto a foam mattress, you'll notice that it compresses under your weight.

Test 1 어법

다음 문장에서 틀린 부분을 찾아 바르게 고치시오.

1 I'll let the CEO know the upcoming schedule as soon as he will come back from his business trip. Rank 35

2 Although he passes away a long time ago, people still remember him as the great man who gave up wealth and fame to help the poor. 교과서응용

3 Thanks to the unexpected discoveries of a Spanish engineer, Pompeii is a tourist attraction for over 250 years now. 교과서응용

4 The realization of human domination over the environment begins in the late 1700s with the Industrial Revolution. 모의

5 Analysts warn that the national debt will keep rising to dangerous levels unless the government will take constructive action soon. Rank 35 모의응용

Test 2 조건 영작

다음 주어진 우리말과 일치하도록 괄호 안의 어구를 모두 활용하여 <조건>에 맞게 영작하시오.

<조건> • 필요시 어형 변화 가능
• 필요시 have/has 추가 가능

1 만일 여러분의 아이들이 어리석은 결정을 내리고 실패를 겪는다면, 운이 좋으면 그들은 자신의 실수로부터 배우게 될 것이다.
(failure / your children / decisions / experience / foolish / if / and / make)
→ ______________________________, with any luck they will learn from their mistakes. Rank 09, 35 교과서응용

고난도 **2** 1991년, 네덜란드 정부는 2000년까지 살충제 사용을 절반으로 줄이도록 고안된 정책을 채택했다.
(pesticide use / adopt / to cut / design / in half / the Dutch government / a policy)
→ In 1991, ______________________________ by 2000. Rank 05 모의응용

3 1990년 이래로, 자동차화 비율은 그대로 머물러 있지만 차량에서 나오는 이산화탄소 배출은 감소해 왔다.
(from transportation / the same / motorization rates / stay / fall / carbon dioxide emissions)
→ Since 1990, ______________________________ while ______________________________. Rank 01, 36 모의응용

*motorization: 자동차화(자동차가 사회생활 속에 밀접하게 관련되어 광범위하게 보급된 현상)

고난도 **4** 지난 수십 년 동안, 가난한 나라들의 부채를 줄이기 위해 만들어진 몇 가지 합의가 있어 왔지만, 무역 장벽 같은 다른 경제적 과제들은 오늘날 여전히 남아 있다. (of poor nations / to reduce / remain / economic challenges / some agreements / other / be / made / like trade barriers / the debt)
→ Over the past several decades, there ______________________________, but ______________________________ today. Rank 05, 76 모의응용

*trade barrier: 무역 장벽(국가 간의 자유무역을 제약하는 인위적 조치)

RANK
22 주의해야 할 시제 II

시제

정답 및 해설 p. 17

현재완료(Rank 21)에 이어 과거완료시제에 대해 학습하고, 절들이 각기 다른 시제인 경우에 대해서도 알아본다.

기출 대표 문항

다음 밑줄 친 부분의 시제가 어법상 옳으면 O, 틀리면 ×로 표시하고 바르게 고치시오.

1 While on a road trip, I discovered that my travel companion has installed a road trip planner app to find interesting stops along the way. *road trip: 장거리 자동차 여행

2 The methodology for what is now known as gene editing is first introduced in the late 1900s by a team of geneticists. *gene editing: 유전자 편집(유전체 안의 특정 유전자를 편집하는 기술)

답이 보이는 Clues

1 과거의 어떤 시점을 기준으로 그때까지의 '계속, 경험, 완료, 결과'를 나타낼 때 1 ________ 시제가 쓰인다.
또한, 먼저 일어난 일(과거1)을 나중에 말할 때 과거완료시제를 쓴다.

과거 — 과거1(설치한 시점) — 과거2(발견한 시점) — 현재

I discovered + my travel companion 2 ________ a road trip planner app ~.

✱ 과거의 일을 차례대로 서술하거나 전후 관계를 알려주는 어구(before, after)가 있을 때는 과거시제를 써도 무방하다.

cf. My travel companion **(had) installed** a road trip planner app, and I **discovered** it.

2 시제는 기본적으로 문맥에 의해 정해지며, 한 문장 안에 두 개 이상의 시제가 쓰이는 경우도 많다.
지문을 이루는 문장들 간에도 문맥에 따라 다양한 시제가 쓰일 수 있다.

The methodology (for what **is *now*** known as gene editing) 3 ________ first introduced ***in the late 1900s*** ~.

Test 1 어법

다음 밑줄 친 부분의 시제가 어법상 옳으면 O, 틀리면 ×로 표시하고 바르게 고치시오.

1 In 1493, Christopher Columbus sent bottled messages to tell the king and queen about what he had found. 수능응용

2 Lawyers sometimes describe ownership as *a bundle of sticks*, which suggests resources are distributable. This metaphor was introduced about a century ago, and since then it had dramatically transformed the teaching and practice of law. 모의

3 Early 19th century astronomers working with the first astronomical cameras were astonished to discover that outer space was much more crowded than they have thought. Rank 41 모의응용

4 Centuries ago, the Duke of Tuscany imposed a tax on salt. Tuscan bakers responded by eliminating salt in their recipes and giving us the delicious Tuscan bread we enjoy today. Rank 27 모의응용

고난도 5 The important problems in mathematics that had been posed in the 16th and 17th centuries were solved during the next century by some mathematicians, such as Leonhard Euler, who is known for his contributions to number theory. Rank 25

*number theory: ((수학)) 정수론

고난도

Test 2

어법

다음 밑줄 친 ① ~ ⑤ 중 틀린 부분 2개를 찾아 바르게 고친 후, 틀린 이유를 작성하시오.

There are countless examples of scientific inventions that ① have been generated by accident so far. However, often this accident has required a person with above-average knowledge in the field to interpret it. One of the better-known examples of the cooperation between chance and a researcher is the invention of penicillin. In 1928, Scottish biologist Alexander Fleming ② goes on a vacation. As a slightly careless man, Fleming left some bacterial cultures on his desk. When he returned, he noticed mold in one of his cultures, with a bacteria-free zone around it. Fleming found that the mold ③ has killed the bacteria on the Petri dish. This was a lucky coincidence. For a person who does not have expert knowledge, the bacteria-free zone would not have had much significance, but Fleming ④ understood the magical effect of the mold. The result was penicillin — a medication that ⑤ has saved countless people on the planet to this day. 모의응용

*culture: (세균 등의) 배양균 **mold: 곰팡이

(1) 틀린 부분: ____________ → 바르게 고치기: ____________

틀린 이유: ____________________________

(2) 틀린 부분: ____________ → 바르게 고치기: ____________

틀린 이유: ____________________________

RANK

01-22 서술형 대비 실전 모의고사 2회

100점

정답 및 해설 p. 18

[01-05] 다음 밑줄 친 부분이 어법상 옳으면 O, 틀리면 ×로 표시하고 바르게 고치시오. [밑줄당 2점]

01 Do you think when it's appropriate for our team to discuss the budget for the upcoming project?

02 There was a delay in the shipment, the store offered customers discounts on future purchases to demonstrating appreciation for the patience.

03 When expressing positive feelings to friends, not only you can use verbal cues, but you can also use nonverbal cues such as smiles, warm eye contact, and other facial expressions. 모의응용

고난도

04 Suppose a man with severe injuries struggles for days through the jungle but dies just before reaching a village. You may think, "if he managed to walk to the village, he would have been rescued," but will say differently when you console the victim's relatives. 모의응용

고난도

05 Since ancient times, two equally important aspects of healthcare services recognized: clinical care and public healthcare. Despite the societal ascendancy of clinical care in modern societies, public healthcare services have always been essential, never losing their value. 모의응용

[06-07] 다음 글의 밑줄 친 ①~⑥ 중 틀린 부분 2개를 찾아 바르게 고친 후, 틀린 이유를 작성하시오. [각 4점]

If you ask someone ① to name three sports, most likely he or she will be able to answer with ease. After all, nearly everyone has an idea about what types of activities ② are regarded as sports and which are not. Most of us think we know what ③ do sports refer to. However, the lines ④ drawn between examples of sports, leisure, and play are not always clear. In fact, devising a definition that establishes clear and clean parameters around what types of activities should be included and excluded ⑤ are relatively difficult to do. Activities that are considered play today may gain the status of sport in the future. For example, many people once played badminton in their backyards but this activity was hardly considered a sport. Since 1992, however, badminton ⑥ has been an Olympic sport! 모의

*parameter: 한도

06 틀린 부분: ____________ → 바르게 고치기: ____________

틀린 이유: ________________________

07 틀린 부분: ____________ → 바르게 고치기: ____________

틀린 이유: ________________________

[08-11] 다음 주어진 우리말과 일치하도록 괄호 안의 어구를 모두 활용하여 <조건>에 맞게 영작하시오. [각 5점]

<조건> • 필요시 밑줄 친 단어 변형 가능

08 이해는 통달을 만들어 내지 않는다. 여러분이 기억된 이해를 활용하는 것을 연습할 때에만 여러분은 통달을 이룬다.
(using / you / do / mastery / you / your remembered understanding / practice / achieve)

→ Understanding doesn't create mastery: only when ______________________________

______________________________. 모의응용

09 최근 수십 년간 클래식 음악의 대중성은 쇠퇴해 왔는데, 어느 시점에 클래식 음악이 너무 신성해져서 청중이 호감이나 반감을 공개적으로 표현할 수 없게 되었기 때문이다. (got / openly express / decline / of classical music / too / or disapproval / the audience / sacred / to / their approval / the popularity / for / have)

→ ______________________________ in recent decades because, at some point, it ______________________________. 모의응용

고난도

10 우리는 살면서 많은 경쟁에 노출되어 왔는데, 그것은 피할 수 없고 우리가 향상되는 데 필요하다. 만약 경쟁이 전혀 없다면, 우리는 우리가 스스로를 얼마나 멀리 채찍질할 수 있는지 전혀 모를 것이다. (be / will / could / far / have / a number of / how / competitions / we / push / we / ourselves / expose to / never know)

→ We ______________________________ in our lives, which are both inevitable and necessary for us to improve. If there were no competition at all, ______________

______________________________. 모의

*push oneself: (~하도록) 스스로 채찍질하다

고난도

11 부모님의 기대를 충족시키기 위해 조종사로서 교육받았었지만, 그는 최근 자기 자신의 의지 없이 무언가를 성취하려고 노력해도 소용없다는 것을 깨달았고, 자신이 정말로 원하는 것이 무엇인지 알아내기로 결심했다.
(is / to / in order to / have / he / what / as a pilot / it / be / no use / fulfill / to / really wanted / try / decided / accomplish / train / find out / anything)

→ ______________________________ his parents' expectations, he recently realized that ______________________________ without his own will, and then ______________________________.

12 **다음 글의 내용을 요약하고자 한다. <조건>에 맞게 요약문을 완성하시오.** [6점]

> The best way to learn is by experiencing failures as well as successes. Without trying things out yourself and recovering from the failures, you can hardly learn anything. Consider what leaders go through: You can read dozens of books on leadership, but until you experience the issues that real leaders face, you will never be prepared to become one yourself.

<조건> 1. <보기>에 주어진 어구를 모두 한 번씩만 사용할 것
2. 필요시 단어 추가 가능
3. 「가주어-진주어(to부정사)」 구문을 사용할 것

<보기> from / learn / experiences / important

[요약문] ______________________________ because they provide much better learning than books.

13 다음 글의 빈칸에 들어갈 가장 적절한 말을 <조건>에 맞게 완성하시오. [7점]

By likening the eye to a camera, elementary biology textbooks help to produce a misleading impression of what perception entails. ______________________. Both eye and camera have a lens that focuses light rays from the outside world into an image, and both have a means of adjusting the focus and brightness of that image. Both eye and camera have a light-sensitive layer onto which the image is cast (the retina and film, respectively). However, image formation is only the first step towards seeing. Superficial analogies between the eye and a camera obscure the much more fundamental difference between the two, which is that the camera merely records an image, whereas the visual system interprets it. 수능응용

<조건> 1. <보기>에 주어진 어구를 모두 한 번씩만 사용할 것
2. Only로 시작하는 어구를 강조하는 도치구문으로 쓸 것

<보기> the physics of / the eye and camera / in common / anything / image formation / in terms of / do / have

→ Only ______________________________________.

[14-15] 다음 글을 읽고 물음에 답하시오.

The hunters, (A) (arm) ______________ only with primitive weapons, were no real match for an angry mammoth. Many were probably killed or severely injured in the close encounters that were necessary to slay one of these gigantic animals. But the rewards were great when one (B) (hunt down) ______________ by human collaboration. A single mammoth could feed, clothe, and supply a band for a long time. The hunters had followed the mammoths and other large animals eastward from Asia across what is now the Bering Strait. Some of them may have traveled by small boat along the coast, but many walked. Twenty thousand years ago, at the height of the last glacial period, the sea level was so low that dry land joined what (C) (be) ______________ now separate continents. Slowly, imperceptibly, and probably unconsciously, hunters had moved across the land bridge and become the first immigrants to the new land. ______________________________. 모의

고난도

14 윗글의 (A) ~ (C)의 괄호 안에 주어진 어구를 어법상 알맞은 형태로 바꿔 쓰시오. [각 3점]

(A) ______________ (B) ______________ (C) ______________

15 윗글의 빈칸에 들어갈 가장 적절한 말을 <조건>에 맞게 완성하시오. [8점]

<조건> 1. <보기>에 주어진 어구를 모두 한 번씩만 사용할 것
2. 필요시 밑줄 친 단어 변형 가능

<보기> can / for / uninhabited / it / be / have / the Ice Age / stay / not

→ Had ______________________, North America ______________________
______________ for thousands of additional years.

[16-17] 다음 글을 읽고 물음에 답하시오.

Speaking fast is a high-risk proposition. It's nearly impossible to maintain the ideal conditions to be persuasive, well-spoken, and effective when the mouth is traveling well over the speed limit. Although we'd like to think that our minds are (A) (always make / to / enough / sharp) good decisions with the greatest efficiency, they just aren't. In reality, the brain arrives at an intersection of four or five possible things to say and sits idling for a couple of seconds, considering the options. When the brain stops sending navigational instructions back to the mouth and the mouth is moving (B) (fast / pause / too / to), that's when you get a verbal fender bender, otherwise known as filler. *Um, ah, you know,* and *like* are what your mouth does when it has nowhere to go. 수능

*fender bender: 가벼운 사고

고난도
16 윗글의 (A), (B)의 괄호 안에 주어진 어구를 배열하여 글의 흐름과 어법에 맞게 문장을 완성하시오. [각 6점]

(A) ______________________________

(B) ______________________________

고난도
17 윗글의 요지를 <조건>에 맞게 완성하시오. [10점]

<조건> 1. <보기>에 주어진 어구를 모두 한 번씩만 사용할 것
2. 필요시 밑줄 친 단어 변형 가능

<보기> inherent risks / effective communication / carry / potential downsides / our speech / disturb / rush / only to / and

[요지] Outpacing the decision-making processes of our brain, ______________________________ ______________________________, ______________________________ ______________.

23 Rank 33

서술형 PLUS 표현

+ **동명동형** (p. 223) Rank 24

└ 동사와 명사의 형태가 같은 어휘

e.g. I marketed the used books at the market. (나는 시장에 중고 책을 내놓았다.)

형태	동사 의미	명사 의미	형태	동사 의미	명사 의미
access	접근하다	접근	lack	~이 없다[부족하다]	부족, 결핍
address	연설하다; 다루다	연설; 주소	market	시장에 내놓다	시장; 거래
advance	전진하다, 나아가다	전진; 진보, 발달	matter	중요하다, 문제가 되다	상황; 문제
attribute	(~의) 탓[덕]으로 보다	자질, 속성	move	움직이다; (일이) 진행되다; 감동시키다	움직임; 이사
benefit	득을 보다; 유익하다	이득, 이익	need	(~을) 필요로 하다	필요; 욕구
cause	일으키다, 초래하다	원인, 이유	neglect	무시하다; 방치하다	방치, 소홀
challenge	도전하다; 이의를 제기하다	도전	order	정돈하다; 명령하다; 주문하다	순서; 정돈; 명령; 주문
conduct	수행하다	행동, 행위, 품행	present	주다; 제시[제출]하다	선물; 현재
contact	접촉하다; 연락하다	접촉; 연락	produce	생산하다; 낳다	농작물; 생산물
contract	계약하다	계약(서), 약정	progress	전진하다; 발달하다	진행; 향상, 발달
control	통제[억제]하다; 지배하다	통제, 억제; 지배력	promise	약속하다	약속
damage	손상을 주다, 피해를 입히다	손상, 피해	raise	(들어) 올리다; 기르다; 제기하다	(임금) 인상
demand	요구하다	요구; 수요	reach	~에 이르다[닿다]	거리, 범위
experience	경험하다	경험	release	방출하다; 개봉하다	방출; 해방; 개봉
face	직면하다; 향하다	얼굴; 표면; 정면	rise	오르다, 증가하다	상승; 성공, 출세
function	기능하다; 작동하다	기능	sentence	선고[판결]하다	(형의) 선고; 문장
increase	늘어나다; 증가시키다	증가	spread	퍼지다, 확산되다	확산, 전파
influence	영향을 주다	영향(력)	thought	((think의 과거형)) 생각했다	생각; 사상; 사고(력)
interest	관심[흥미]을 끌다	관심, 흥미; 이익	use	쓰다, 사용하다	사용, 이용
judge	판단하다	판사; 심판	value	가치 있게 여기다	가치; 값

RANK **23** # 명사절을 이끄는 접속사 that

정답 및 해설 p. 20

명사절 접속사 that이 이끄는 절은 문장 내에서 주어·목적어·보어 역할을 하거나 동격(Rank 52)으로 쓰일 수 있다.

기출 대표 문항 1

다음 문장에서 틀린 부분을 찾아 바르게 고치시오. (옳은 문장이면 O로 표시할 것)

1 We all understand what teamwork and collaboration are essential for our project's success.

2 You might discover from a specialist your genetic history puts you at certain health risks.

답이 보이는 Clues

명사절 접속사 that의 특징을 관계사와 구별하여 알아둔다.

1 접속사 that 뒤에는 1__________ 구조의 절이, 관계대명사 뒤에는 2__________ 구조의 절이 온다.

We all understand (3__________) teamwork and collaboration(S′) are(V′) essential(C′) ~.

주의 that이 이끄는 명사절이 목적어로 쓰인 경우 that은 종종 생략된다.
단, 문제에 주어진 조건에 따라 생략하지 않은 형태로 답을 써야 할 수도 있으니 조건을 잘 살핀다.

2 동사와 that이 이끄는 목적어절 사이에 삽입어구가 있을 수 있다.

You might discover(V) *(from a specialist)* (that) your genetic history puts you at certain health risks.(O)

Test 1 어법

다음 문장에서 틀린 부분을 찾아 바르게 고치시오. (한 단어로 고칠 것, 옳은 문장이면 O로 표시할 것)

1 Shakespeare said that all the world is a stage, and we are just actors in it. Rank 09 교과서응용

2 After I read the book's conclusion, I finally realized that the author was trying to say to us. Rank 17

3 Moral excellence, according to Aristotle, is the result of habit and repetition, though modern science also suggests it may have an innate, genetic component. Rank 36 모의응용

고난도 4 As perfection often requires a strategic balance of pace and precision, assuming what by doing things slower you will complete things perfectly is inaccurate. Rank 15, 65 모의응용

기출 대표 문항 2

다음 괄호 안의 어구를 모두 알맞게 배열하여 주어진 우리말을 영작하시오.

그 연구소 실험은 신약이 그 질병을 치료하는 데 효과적이라는 것을 증명한다.

(the new drug / treating / is / verifies / the laboratory test / in / the disease / effective / that)

→ ______________________________.

답이 보이는 Process

STEP 1 우리말에서 명사절을 찾아 문장에서 어떤 역할(주어·목적어·보어)을 하는지 확인한다.
that이 이끄는 명사절은 '~하는 것[점]'으로 해석된다.

그 연구소 실험은(S) / 증명한다(V) / 신약이 그 질병을 치료하는 데 효과적이라는 것을(O) ▶ that이 이끄는 절이 목적어 역할

STEP 2 <명사절 접속사 that+S′+V′ ~>의 완전한 구조로 명사절을 영작한다.
주어진 어구에 that이 없다면 that을 생략한 형태로 영작해야 하는 경우이다.

STEP 3 영작한 명사절을 역할에 알맞은 위치에 쓰고, 나머지 부분도 영작한다.

Test 2

배열 영작

다음 괄호 안의 어구를 모두 알맞게 배열하여 주어진 우리말을 영작하시오.

1 우리가 다른 사람들의 삶에 영향을 미칠 능력을 갖추고 있다는 것은 항상 우리가 염두에 두어야 할 고려 사항들이 있다는 점을 의미한다. (to influence / hold / that / that / considerations / the ability / are always / other people's lives / there / we)

→ ______________________________ means ______________

______________________________ we must be mindful of. Rank 52, 76

모의응용

2 약 60퍼센트의 미국인들은 자기 자신을 돌볼 수 없는 사람들을 돌보는 것이 정부의 책임이라는 것에 동의한다.

(agree / care / government / it / of people / can't take / who / of / of / the responsibility / is / care / themselves / to take)

→ About 60 percent of Americans ______________________________

______________________________. Rank 14, 25, 55 모의응용

고난도 **3** 스트레스를 기꺼이 받아들이는 것이 그것을 상승된 에너지처럼 여러분에게 도움이 되는 것으로 바꿔줄 수 있다. 여러분의 몸에서 긴장을 감지한다면, 스트레스 반응이 여러분에게 자신의 힘에 대한 접근을 제공한다는 점을 스스로에게 상기시켜라.

(remind / the stress response / is / to you / into / access / yourself / gives / that / helpful / it / can transform / what / you)

→ Welcoming stress ______________________________, such as increased energy.

If you notice tension in your body, ______________________________

to your strength. Rank 26 모의응용

RANK 24 동사 자리 vs. 준동사 자리

동사와 문형

정답 및 해설 p. 21

접속사나 관계사가 없다면 한 문장에 동사는 ¹_____ 개이다.

동사가 없다면 준동사를 동사로, 동사가 두 개 이상이라면 문장의 동사가 아닌 것은 준동사로 바꿔 써야 한다.

접속사[관계사]의 개수는 보통 <²_____의 개수-1>임을 알아두자.

🎣 기출 대표 문항

다음 밑줄 친 부분이 어법상 옳으면 ○, 틀리면 ×로 표시하고 바르게 고치시오.

Many historic figures who had an impact on history <u>practicing</u> the discipline of waking up early to think and plan.

🔍 답이 보이는 Process

STEP 1 ▶ 접속사[관계사], 주어, 동사 등 문장 구조를 파악한다.

Many historic figures [**who** had ~] / **practicing** the discipline (~) / to think and plan.
S / 관계사(S') / V' / V 자리 / O / M
(관계사절 내의 동사)

STEP 2 ▶ 문장의 오류가 있다면 바르게 고친다.
(문장의 주어 Many historic figures의 **동사 없음**.)

practicing → ³_____

> **주의** 접속사나 관계사가 생략된 경우에도 접속사[관계사]가 있다고 생각하고, 동사의 개수를 판단한다.
> e.g. Grammar **is** the set of rules (that) one **should know** to construct sentences in a language.

Test 1

어법

다음 밑줄 친 부분이 어법상 옳으면 ○, 틀리면 ×로 표시하고 바르게 고치시오. (단, 한 단어로 고칠 것)

1 The actors <u>act</u> as the aliens wore special makeup, and their performances were filmed in a warehouse. [Rank 05] 교과서응용

2 The charity assisting in the aftermath of the disaster focused on distributing aid boxes <u>crafted</u> from durable plastic, <u>ensures</u> essential supplies reached those in need effectively. [Rank 05, 06] 교과서응용

3 <u>Take</u> an unfamiliar subway system can be a real challenge, especially for foreigners. [Rank 15] 교과서응용

4 Just as a sports team has a playbook with specific plays <u>designed</u> to help them perform well, your company should have a playbook with the key policies <u>needed</u> to assist employees to achieve their maximum potential. [Rank 05] 수능응용

고난도 **5** In the past, many public-sector recreation providers allowed people free access or charging for permits to control the amount or season of different recreational activities, such as fishing or horse-riding. Rank 09 모의응용

Test 2 조건 영작

다음 주어진 우리말과 일치하도록 괄호 안의 어구를 모두 활용하여 <조건>에 맞게 영작하시오.

<조건> • 필요시 밑줄 친 단어 변형 가능
• 단어 추가 불가

1 도움을 요청받는 것은 그들에게 중요하다는 느낌을 줌으로써 도와주는 사람들이 스스로를 자랑스러워하도록 만든다.
(by / proud of / the helpers / them / make / themselves / provide)
→ Being asked to help ____
with a feeling of importance. Rank 02, 39, 72 EBS응용

2 왜 특정 행동이 가족 규범을 따라야만 하는지를 설명하는 것은 아이들이 바른 예절의 중요성을 배울 수 있게 해준다.
(certain behavior / learn / to / enable / must / explain / to family norms / why / children / conform)
→ ____
________________ the importance of good manners. Rank 07, 15, 17 EBS응용

고난도 **3** 네가 열망하는 사람들을 따라 하는 대신에, 오직 너만이 소유한 특징들에 초점을 맞추고 그것들을 가지고 발전을 위해 노력해라.
(focus / you / possess / aspire to / on / and / imitate / only you / progress / strive for / the traits / people)
→ Instead of ________________________, ________________
________________________ with them. Rank 09, 27, 72 교과서응용

고난도 **4** 나이가 들어가면서 발전하는 경향이 있는 유용한 특성들은 자기 분야의 경험, 사람과 관계에 대한 이해, 그리고 자기 자아의 방해를 받지 않고 다른 사람들을 지지하는 능력을 포함한다.
(to / to / other people / support / include / with age / the ability / tending / develop / useful attributes)
→ ________________________________ experience of one's field,
understanding of people and relationships, and ________________________
without one's own ego getting in the way. Rank 01, 05, 11, 52 모의응용

*get in the way: 방해가 되다

5 주변 온도가 올라가면 벌집 안에서의 활동은 줄어드는데, 이는 곤충의 신진대사에 의해 발생되는 열의 양을 감소시킨다.
(in the hive / insect metabolism / by / the surrounding temperature / generate / decrease / the activity / increase)
→ When ________________________, ________________
________________, which decreases the amount of heat ________________
________________. Rank 05, 35 모의응용

RANK 25 주격 관계대명사 who, which, that

정답 및 해설 p. 21

앞에 콤마(,)가 없는 관계대명사절은 관계대명사가 대신하는 선행사를 뒤에서 수식한다.
주격 관계대명사는 관계대명사절 내에서 1 ____________ 역할을 한다.

기출 대표 문항 1

다음 문장에서 밑줄 친 부분을 어법에 맞게 고치시오.

We admire our teachers with abundant skills <u>which</u> give us lessons on the interactive satellite network.

답이 보이는 Process

STEP 1 밑줄 친 부분이 주격 관계대명사(접속사+주어 역할의 대명사) 자리인지는
관계대명사가 이끄는 문장 내에서 관계대명사가 주어 역할을 하는지 확인하면 알 수 있다.

~ 2 ____________ give us lessons (on the interactive satellite network).
S′ V′ IO′ DO′

▶ 뒤에 <동사+간접목적어+직접목적어>가 이어지므로 주어 역할을 하는 주격 관계대명사의 자리

STEP 2 선행사를 확인한다. 앞의 명사 중에서 관계대명사 자리에 놓았을 때 해석이 자연스러운 것이 선행사이다.
선행사가 사람이면 3 ____________, 사람 이외의 것이면 4 ____________를 쓴다.

Our teachers give us lessons. (O)
Abundant skills give us lessons. (×)

Tip
- it, they 등의 다른 대명사와 달리, 관계대명사는 선행사의 수에 상관없이 같은 형태로 쓰인다.
  e.g. a teacher who ~ / teachers who ~
- 그러나 주격 관계대명사절의 동사는 반드시 선행사에 수일치시켜야 한다. Rank 57

Test 1 어법

다음 문장에서 틀린 부분을 찾아 바르게 고치시오. (단, 한 단어로 고칠 것)

1 Sailing made it possible to trade with countries they could be approached only by sea. Rank 32 교과서응용

2 Yogurt is a dairy product necessary for people who provides essential proteins and beneficial bacteria.

3 London's newest hotel focuses on comfort and designs it will make guests feel welcome. 교과서응용

4 The people in the study which drank two glasses of water before meals got full sooner, ate fewer calories, and lost more weight. 모의응용

기출 대표 문항 2

다음 괄호 안의 어구를 모두 알맞게 배열하여 주어진 우리말을 영작하시오.

온라인 상점을 개시하기를 원하는 한 패션 블로거가 비용 효율이 높은 웹사이트 플랫폼을 찾고 있다.

(wants / a fashion blogger / to launch / who / an online store)

→ ____________________________________ is searching for a cost-effective website platform.

답이 보이는 Process

STEP 1 주어진 어구에 관계대명사 역할을 할 수 있는 who, which, that이 있음을 확인한다.

STEP 2 우리말의 명사(선행사로서 문장의 주어, 목적어, 보어)와 이를 수식하는 관계대명사절을 하나의 의미 단위로 끊는다. 관계대명사절에 괄호 [ ]로 표시한다. (다른 수식어구들과 구분하기 위해 관계대명사절은 괄호를 [ ]로 표시)

[온라인 상점을 개시하기를 원하는] 한 패션 블로거가 / 비용 효율이 높은 웹사이트 플랫폼을 찾고 있다.

주어: 선행사

STEP 3 <선행사+[주격 관계대명사+동사+ ~]> 순으로 영작한다.

5 ____________ [6 ________ 7 ________ 8 ________________] is searching ~.

선행사 S′ V′ O′

more 관계대명사절은 반드시 선행사 뒤에 온다.

- 주어(선행사)+[관계대명사절]+동사 ~
- 주어+동사+목적어/보어(선행사)+[관계대명사절]

Test 2

조건 영작

다음 주어진 우리말과 일치하도록 괄호 안의 어구를 모두 활용하여 <조건>에 맞게 영작하시오.

<조건> • 필요시 밑줄 친 단어 변형 가능

1 호흡은 의식적인 사고 없이 수행되는 무의식적인 행동이 된다.

(be / which / become / without / an automatic action / perform / conscious thought / breathing)

→ ____. Rank 03

EBS응용

2 자신이 선택한 직업에서 지속적으로 뛰어난 사람들은 자주 다른 사람들에게서 즉각적인 신뢰와 존경을 얻는다.

(and / consistently excel / who / individuals / in their chosen profession / respect / immediate credibility / often get)

→ ____

________________________ from others. 모의응용

고난도 **3** 학교 체육 프로그램은 젊은 사람들이 의미 있고 즐길 만한 기술을 계발하게 해주는 다양한 활동을 제공해야 한다.

(skills / young people / be / which / meaningful and enjoyable / allow / that / various activities)

→ School physical education programs should offer ________________________

________________________ to develop ________________________

________________________. Rank 07 모의응용

RANK 26 관계대명사 what

정답 및 해설 p. 22

관계대명사 what은 <선행사+접속사+대명사>의 역할을 하며, the thing(s) which[that](~하는 것(들))를 뜻한다. 문장의 주어, 목적어, 보어가 되는 명사절을 이끈다.

기출 대표 문항

다음 문장에서 밑줄 친 부분을 어법에 맞게 고치시오.

1 The thing what really matters in your personal relationships is the willingness to work together to overcome obstacles.

2 Questions convey interest, but sometimes the interest they convey is not closely related to what the person is trying to say it.

답이 보이는 Clues

관계대명사 what의 자리가 맞는지 확인한다. 관계대명사 what의 특징은 다음과 같다.

1 [1] ____________ 를 포함하므로 앞에 선행사가 따로 없다.

2 대명사 역할을 겸하므로, what을 제외하면 [2] ____________ 구조의 절이 된다.
관계대명사가 대신하는 대명사를 중복해서 쓰지 않도록 유의한다.

more 관계대명사와 접속사의 구별

e.g. It's hard to believe // **what** she's saying because her story keeps changing. <관계대명사 what>
선행사 × / 목적어가 없는 불완전한 구조

e.g. It's hard to believe // **that** the technology we use today was once considered science fiction. <접속사 that>
완전한 구조

e.g. It's hard to believe / the thing [**which[that]** happened last night]; it was so unexpected. <관계대명사 which[that]>
선행사 / 주어가 없는 불완전한 구조

Test 1 어법

다음 밑줄 친 부분이 어법상 옳으면 O, 틀리면 ×로 표시하고 바르게 고치시오. (단, 한 단어로 고칠 것)

1 A large part of what we see is that we expect to see. 모의

2 Once you learn to like the things what make you different, learn how to share your differences with others. Rank 25 교과서응용

3 The truth is that news reports may not be an accurate reflection of that is really going on in the real world. EBS응용

4 A UN initiative has estimated that the economic benefits of ecosystem services provided by tropical forests are over three times greater per hectare than the market benefits. Rank 23 수능응용

*initiative: 계획 **ecosystem service: 생태계 서비스(생태계가 직간접적으로 인간에게 이득을 주는 기능)

5 Parenting isn't about that our child does, but about how we respond. In most cases, what we call parenting is the growth of the parents themselves. Rank 10 모의응용

Test 2 배열 영작

다음 괄호 안의 어구를 모두 알맞게 배열하여 주어진 우리말을 영작하시오.

1 매일 밤, 우리의 뇌는 그것이 낮 동안 배운 것을 통합 정리한다. (it / consolidates / has learned / what / our brain)

→ Every night, ______________________________ during the day. 모의응용

*consolidate: 통합 정리하다

2 여러분이 물려받아서 가지고 살아가고 있는 것이 미래 세대의 유산이 될 것이다.
(of / live with / what / the legacy / and / future generations / inherited / will become / you)

→ ______________________________.

Rank 09 모의응용

3 우리가 직접 경험한 것을 이야기할 때, 우리는 우리의 이야기가 듣는 사람들에게 즐겁게 만들기 위해 일어난 일을 수정하는 경향이 있다. (in order to / happened / we / enjoyable / to modify / our story / what / tend / make)

→ When we narrate our first-hand experiences, ______________________________

______________________________ for the listeners. Rank 11, 13 모의

고난도 4 시민의 직접적인 참여가 미국 혁명을 가능하게 하고 새로운 공화국에 활력과 미래에 대한 희망을 부여했던 것이었다.
(what / possible / hope for the future / and / vitality / had made / given / the American Revolution / the new republic / and)

→ Direct involvement of citizens was ______________________________

______________________________. Rank 09, 44 모의

5 대부분의 연구는 우리가 무의식적으로 다른 사람들을 흉내 내고 그들의 비언어적 신호와 맥락으로부터 그들이 겪고 있는 것을 해석함으로써 그들의 감정을 이해한다는 것을 보여준다. (are experiencing / understand / we / by interpreting / others / their emotions / they / what / automatically simulate / that)

→ Most research shows ______________________________ and ______________

______________________________ from their nonverbal cues and the context. Rank 09, 23 모의응용

고난도 6 여러분이 배우고 있는 것을 이미 알고 있는 것과 관련지어 생각하는 것은 여러분이 학습 자료를 외우는 데 도움을 준다.
(memorize / what / with / helps / already know / you / the learning material / what / are learning / you / you / associating)

→ ______________________________

______________________________. Rank 07, 15, 63 모의응용

RANK 27 목적격 관계대명사 who(m), which, that

정답 및 해설 p. 23

관계대명사가 절을 이끌면서 동시에 '(준)동사의 목적어' 역할을 할 수 있다. (전치사의 목적어 역할을 할 때: Rank 29)

기출 대표 문항 1

다음 문장에서 밑줄 친 부분을 어법에 맞게 고치시오.

Good teachers often ask quality questions <u>who</u> students can use to explore complex texts easier.

답이 보이는 Process

STEP 1 밑줄 친 부분이 목적격 관계대명사(접속사+목적어 역할의 대명사) 자리인지 확인한다.
who(m), which, that이 이끄는 절에서 동사나 준동사(to부정사 등)의 목적어 자리가 비어 있다.

~ students(S') can use(V') ● to explore complex texts easier.
(● 목적어가 있어야 할 자리)

STEP 2 관계대명사 앞의 선행사를 확인한다.
선행사는 관계대명사가 대신하는 명사이므로, 관계대명사 자리에 놓고 해석했을 때 자연스럽다.
선행사가 사람이면 1 __________, 사람 이외의 것이면 2 __________를 쓴다.

STEP 3 알맞은 관계사를 쓴다. 단, 앞에 콤마(,)가 없는 목적격 관계대명사는 생략이 가능하다.

~ often ask *quality questions* [(3 __________) students can use to explore ~].

more 관계대명사절의 위치는 다음과 같다.

- 주어(선행사)+[관계대명사절]+동사 ~
  e.g. *The woman* [**(who(m))** they interviewed yesterday] has been given the job.
- 주어+동사+목적어/보어(선행사)+[관계대명사절]
  e.g. John passed me *the newspaper* [**(which)** he read].
  e.g. They are *the national hero and his autobiography* [**(that)** many readers have loved].

Test 1 어법

다음 문장이 어법상 옳으면 O, 틀리면 ×로 표시하시오.

1 Concentrating too much on a fact which you are trying to remember it doesn't work. 교과서응용

2 The people society formerly considered to be disabled can now create their own identities by constructively contributing to society.

3 People are sometimes motivated to find negative qualities in others which they believe to be valuable for personal development. 모의응용

4 When we interact with someone in daily life which we do not foresee meeting again, there is a natural inclination to share fleeting but meaningful connections. 모의응용

기출 대표 문항 2

다음 괄호 안의 어구를 모두 알맞게 배열하여 주어진 우리말을 영작하시오.

우주 탐험에서, 우리가 직면하는 과제는 사람들을 화성으로 보내고 그들을 지구로 안전하게 돌아오게 하는 것이다.

(that / to Mars / we / sending / the challenge / is / humans / face)

→ In space exploration, ________________________________ and safely returning them to Earth.

답이 보이는 Process

STEP 1 주어진 어구에 관계대명사 역할을 할 수 있는 who(m), which, that이 있음을 확인한다. <조건>에 따라 관계대명사를 추가하거나, 목적격 관계대명사는 생략할 수 있다는 것도 고려한다.

STEP 2 선행사와 이를 수식하는 관계대명사절은 의미상 강하게 연결되므로, 하나의 의미 단위로 끊는다. 이 의미 단위에서 관계대명사절을 [ ]로 묶는다.

~, [우리가 직면하는] 과제는 / 사람들을 화성으로 보내고 ~ 것이다.
주어: 선행사

STEP 3 각 의미 단위를 영작하고 어순에 맞게 배열한다.

Test 2

배열 영작

다음 괄호 안의 어구를 모두 알맞게 배열하여 주어진 우리말을 영작하시오.

1 여러분이 다른 사람들이 존경할 수 있는 지도자가 될 수 있도록 때때로 여러분은 본래의 성격을 숨긴다.

(a leader / can / whom / be / can / others / respect)

→ Sometimes you hide your true personality so you ________________________________ ________________. 모의응용

2 식물은 곤충과 동물에 의해 먹히는 것으로부터 그들 자신을 보호하기 위해 사용하는 수백 가지의 화합물을 만들어 낸다.

(hundreds of / themselves / generate / they / plants / to protect / compounds / use)

→ ________________________________ from being consumed by insects and animals. Rank 13 모의

3 날씨가 좋지 않아 감자 작황이 나빠지면, 슈퍼마켓들이 도매상에게 감자에 대해 지불해야 하는 가격은 올라갈 것이고, 이는 그들이 자신의 가게에서 감자에 표시하는 가격에 반영될 것이다. (reflected / supermarkets / in the price / to their wholesalers / they / will be / on potatoes / have to / the price / pay / mark)

→ If bad weather leads to a poor potato crop, then ________________________________ ________________ for potatoes will go up, and this ________________________________ ________________ in their stores. Rank 03 모의응용

고난도 **4** 신원 도용자들은 여러분이 결코 보지 못하겠지만 값을 치르게 될 재화와 용역을 구매할 수 있고, 지불금을 가로챌 수 있으며, 심지어 여러분의 은행 계좌를 텅 비울 수도 있다. (will pay for / that / can buy / will never see / but / goods and services / you)

→ Identity thieves ________________________________, intercept payments, and even empty your bank account. Rank 09 모의응용

콤마(,)+관계대명사_계속적 용법

정답 및 해설 p. 23

관계대명사 앞에 콤마(,)가 있으면 선행사에 대한 보충 설명을 이끈다. 단, 관계대명사 that, what은 이 용법으로 쓸 수 없다.

기출 대표 문항

다음 문장에서 틀린 부분을 찾아 바르게 고치시오.

1. She diligently maintains the appliances, which are a way to save her money on costly repairs.
2. My baby sister has a lot of stuffed animals, most of them my father gave her.

답이 보이는 Clues

계속적 용법으로 쓰이는 관계대명사절의 특징은 다음과 같다.

1. 계속적 용법으로 쓰인 which는 선행사로 앞에 나온 구나 절 전체를 취할 수도 있다.
   이 경우 선행사를 [1] __________ 취급한다.

   She diligently maintains the appliances, which [2] __________ a way to save her money ~.
   (선행사)

2. 관계대명사 앞에 아래 어구가 있는 경우에 주의한다.
   └ all of, both of, some of, many of, one of, most of, each of, a few of 등

   이들 어구 뒤에 오는 대명사를 관계대명사로 바꿀 경우, 어구가 한 덩어리로 관계대명사 자리에 나간다.

   My baby sister has *a lot of stuffed animals*. My father gave her **most of them**.
   → My baby sister has *a lot of stuffed animals*, ***most of*** [3] __________ my father gave her.

   주의 위 어구가 주어 자리에 쓰이면 선행사와 동사를 수일치한다. 단, one of, each of는 단수동사로 받는다.
   e.g. *The cake* was delicious, ***most of which* was** eaten by the children.
   e.g. I have *three siblings*, ***one of whom* is** running a store with me.

Test 1 어법

다음 문장에서 어법상 틀린 부분을 찾아 바르게 고치고, 선행사에 밑줄을 그으시오. (시제는 변경하지 말 것, 한 단어로 고칠 것)

1 The heads of tarsiers can rotate at least 180 degrees, which give them a wide field of vision for spotting prey. 모의
*tarsier: 안경원숭이

2 There's a direct analogy between the fovea at the center of your retina and your fingertips, both of them have high acuity. 수능
*fovea: (망막의) 시각 세포 밀집 부분, 중심와 **retina: 망막

3 Jobs may not be permanent, and you may lose your job for countless reasons, some of which is not within your control. 수능응용

4 Last season, the club failed to sell many tickets, who could naturally bring higher profits and allow the club to attract the best players through higher salaries. Rank 11 모의응용

Test 2 조건 영작

다음 주어진 우리말과 일치하도록 괄호 안의 어구를 모두 활용하여 <조건>에 맞게 영작하시오.

<조건> • 필요시 밑줄 친 단어 변형 가능
• 콤마(,)를 알맞은 위치에 넣을 것

1 많은 서비스 조직에서 고객 만족은 흔히 직원들의 태도에 직접적으로 좌우되는데, 그들은 고객들에게 회사의 얼굴이다.
(of employees / be / who / the company's face / the attitudes)
→ In many service organizations, client satisfaction often depends directly on ______________ ______________ for customers. 모의

2 정기적인 '여러분의 시간'을 고정해 두는 것은 수많은 이점을 제공할 수 있는데, 그것들 모두가 삶을 조금 더 낫고 더 관리하기 쉽게 만드는 데 도움을 준다. (of / life / all / help / numerous benefits / which / to make / can provide)
→ Building in regular "you time" ______________ ______________ a little bit better and more manageable. 모의응용

3 당신이 나이가 들어감에 따라 외로움이 당신의 삶에 생기기 시작할 수 있는데, 이것이 외롭지 않기 위한 몇몇 방법을 찾는 것이 좋은 이유이다. (to find / you / older / why / get / nice / some ways / which / as / be / it's)
→ Loneliness can creep into your life ______________ ______________ not to be lonely. Rank 14, 30 모의

4 동물들의 더 커지는 경향은 해양 동물들에게서 특히 눈에 띄는데, 그것들의 평균 크기는 지난 5억 년간 150배 증가해 왔다.
(have increased / in marine animals / 150-fold / average size / particularly notable / whose)
→ A trend towards larger sizes in animals is ______________ ______________ over the last 500 million years. Rank 21, 56 모의응용

고난도 **5** 마다가스카르는 약 3천만 명의 거주지인데, 그 섬이 숲의 80%를 잃었음에도 그들 중 많은 이들이 너무 빈곤해서 환경 보호를 우선시할 수 없다.
(whom / of / poor / environmental conservation / too / many / be / to prioritize / about 30 million people)
→ Madagascar is home to ______________ ______________, even though the island has lost 80% of its forests. Rank 13 모의응용

RANK 29 전치사 + 관계대명사

정답 및 해설 p. 24

전치사의 목적어를 관계대명사가 대신하는 경우 아래 두 가지 형태로 나타낼 수 있다.
전명구는 문장에서 한 덩어리로 역할을 하므로 전치사를 관계대명사 앞에 두기도 하고 원래 자리에 두기도 한다.

e.g. This is my favorite oven. I make apple tarts for dessert ***with*** **it**.
→ This is my favorite oven ***with*** **which** I make apple tarts for dessert.
→ This is my favorite oven (**which**) I make apple tarts for dessert ***with***.

기출 대표 문항 1

다음 문장에서 밑줄 친 부분을 어법에 맞게 고치시오.

1 European cultures are very different from the Korean culture <u>which</u> he is familiar.

2 The coach selected players with <u>who</u> he had closely worked during previous seasons to form the core of the team.

답이 보이는 Clues

1 관계대명사가 대신하는 대명사 앞에 전치사가 필요하지 않은지 원래 문장의 구조로 판단한다.
European cultures are very different from *the Korean culture*. He is familiar **with** *it*.

2 전치사 바로 뒤에 관계대명사 who나 that은 올 수 없으므로,
선행사가 사람이면 1 __________, 사람 이외의 것이면 2 __________를 쓴다.
단, 전치사를 뒤에 써 주는 아래와 같은 구조에서는 who(m)나 that이 가능하므로 잘 구별해두자.
The coach selected players **who[whom, that]** he had closely worked **with** during ~.

주의 전치사 뒤에 쓰인 관계대명사는 생략할 수 없다.

Test 1 문장 전환

다음 두 문장을 <전치사+관계대명사>를 사용하여 한 문장으로 바꿔 쓰시오. (단, 전치사와 관계대명사를 붙여 쓸 것)

1 The website offers numerous articles. You should pay attention to them to stay updated on industry trends.
→ The website offers numerous articles ______________________________ to stay updated on industry trends.

2 Computers tackle multiple tasks with speed. The speed creates the illusion that everything happens at the same time.
→ The speed ______________________________ creates the illusion that everything happens at the same time. 수능응용

Test 2 어법

다음 문장이 어법상 옳으면 O, 틀리면 ×로 표시하시오.

1 Feelings may affect various aspects of your eating, including your motivation to eat, your food choices, the people with who you eat, and the speed at which you eat. Rank 09

2 An analogy is a figure of speech in which a comparison is made between two situations. 교과서응용

고난도 **3** You will resent the person whom you feel you cannot say no as it makes you feel like you are allowing someone else to have control over your life. Rank 07 모의

기출 대표 문항 2

다음 괄호 안의 어구를 모두 알맞게 배열하여 주어진 우리말을 영작하시오.

나는 내가 이력서를 제출한 컨설팅 회사로부터 일자리 제의를 받았다.

(to / from / I / a job offer / the consulting firm / submitted / received / which / my resume)

→ I ______________________________.

답이 보이는 Process

STEP 1 주어진 어구에 관계대명사가 있음을 확인한다.

STEP 2 선행사와 이를 수식하는 관계대명사절을 하나의 의미 단위로 끊고 관계대명사절을 [ ]로 묶는다.

~ [내가 이력서를 제출한] 컨설팅 회사로부터 ~.

↑선행사

STEP 3 관계대명사절에 선행사를 넣었을 때, 앞에 전치사가 필요하면 주어진 어구에서 알맞은 전치사를 찾는다.

I submitted my resume [3] __________ the consulting firm.

<선행사+전치사+관계대명사> 또는 <선행사+관계대명사 ~+전치사> 순으로 영작하고 나머지 어구를 배열한다.

Test 3 배열 영작

다음 괄호 안의 어구를 모두 알맞게 배열하여 주어진 우리말을 영작하시오.

1 역사 소설은 일반 독자들이 그것에서 배움을 얻을 수도 있는 과거에 대한 매력적인 묘사이다.

(which / of / from / the past / may learn / an engaging representation / general audiences)

→ Historical fiction is ______________________________.

모의응용

2 360도 평가에서, 직원들은 관리자들에게만이 아니라 동료, 부하직원, 심지어 그들이 정기적으로 소통하는 고객들에게도 평가받는다. (they / colleagues / whom / by / with / subordinates / even clients / interact / and)

→ In 360-degree evaluations, employees are rated not only by their supervisors but also __________ ______________________________ regularly. Rank 10 모의응용

고난도 **3** 우리가 우리의 행동을 설명해야 할 때, 우리는 우리 자신이 처해 있는 상황을 고려하여, 받아들여질 수 있을 만한 가능성 있는 변명들을 의식적으로 따져 보는 경향이 있다.

(might be / which / ourselves / potential excuses / in / we / the circumstances / accepted / find / which)

→ When we need to explain our actions, we tend to consciously weigh ______________________________ ______________________________, given ______________________________.

Rank 03, 25 모의응용

RANK **30** # 관계부사 when, where, why, how

정답 및 해설 p. 25

1 ______________는 부사(구)이면서 절을 이끄는 접속사이다. 선행사가 시간, 장소, 이유, 방법일 때 at[in, on, for] which를 대신해서 쓸 수 있다. 관계대명사와 달리 2 ______________ 구조의 절을 이끈다.

관계부사	선행사	전치사+관계대명사	특징
when	시간	at[in, on] which	• 선행사가 the time, the place, the reason 등 일반적인 것일 경우, 선행사나 관계부사 중 하나를 생략할 수 있다. (또는 관계부사 that을 쓸 수도 있다.) *e.g.* I remember **the place** we met. / I remember **where** we met.
where	장소	at[in, on] which	
why	이유	for which	
how	방법	in which	• 선행사와 관계부사 중 반드시 하나만 쓴다. the way how (×) / how 또는 the way (that[in which])

more • 관계부사 when, where는 콤마와 함께 선행사를 보충 설명하는 계속적 용법으로 쓸 수 있다. Rank 28
• 장소 선행사는 물리적 장소(city, house, park 등) 외에 추상적 개념의 장소(situation, stage 등)도 포함되는 폭넓은 개념이다.

기출 대표 문항

다음 괄호 안의 어구를 모두 알맞게 배열하여 주어진 우리말을 영작하시오.

사생활에 대한 권리는 그것이 다른 사람의 기본적인 인권을 제한하지 않는 정도까지만 확대될 수 있다.

(someone else's / where / restrict / does not / the point / it / basic human rights)

→ The right to privacy may extend only to ____ ____.

답이 보이는 Process

STEP 1 주어진 어구에 관계부사 역할을 할 수 있는 when, where, why, how가 있음을 확인한다.

STEP 2 선행사와 이를 수식하는 관계부사절을 하나의 의미 단위로 끊고 관계부사절에 [ ]로 표시한다.

~ [그것이 다른 사람의 기본적인 인권을 제한하지 않는] 정도까지만 ~.
↑선행사

STEP 3 선행사에 따른 적절한 관계부사를 사용하여 <선행사+관계부사+주어+동사> 순으로 영작하고 나머지 부분과 함께 배열한다. how의 경우 선행사나 관계부사 중 하나만 사용해야 하는데, 이때 주어진 어구와 조건을 잘 살핀다.

Test 1 문장 전환

다음 두 문장을 관계부사 when, where, why, how 중 적절한 것을 사용하여 한 문장으로 바꿔 쓰시오.

1 She was a social worker in a small factory. The average income was very low in that place.

→ She was a social worker in a small factory ____. 모의

2 Adolescents differ from adults in the way. They behave, solve problems, and make decisions in that way.

→ Adolescents differ from adults in ____ ______________________________. Rank 09 모의응용

3 One reason is simply because of their misuse. The definitions of words have changed over time for that reason.

→ One reason ______________________________ is simply because of their misuse. 모의응용

Test 2 어법

다음 문장에서 틀린 부분을 찾아 바르게 고치시오. (옳은 문장이면 O로 표시할 것)

1 The appeal of a company's marketing and advertising can be among the reasons how customers develop a preference for a company.

2 We live in an age of technology in which computer knowledge and success are closely related. EBS응용

3 One remarkable aspect of aboriginal culture is the concept of "totemism," which a tribal member at birth assumes the soul and identity of a part of nature. 모의

*totemism: 토테미즘(특정 동식물이나 자연물을 신성시하며 숭배하는 사회 체제 및 종교 형태)

Test 3 배열 영작

다음 괄호 안의 어구를 모두 알맞게 배열하여 주어진 우리말을 영작하시오.

1 초기 사회적 상호 작용은 유아들이 다른 사람들의 반응을 관찰하여 자신의 행동의 영향을 쉽게 알아차릴 수 있는 맥락을 제공한다.
(of / infants / their behavior / where / the effect / a context / can easily notice)

→ Early social interactions provide ______________________________ ______________ by observing the reactions of others. 모의응용

2 우리가 주어진 상황에서 행동하는 방식은 한 가치가 다른 것들에 비해 우리에게 얼마나 중요한가에 의해 영향을 받는다.
(is / we / in / behave / by / a given situation / that / the way / influenced)

→ ______________________________ how important one value is to us relative to others. Rank 03 모의응용

3 가장 초기의 쓰기 체계는 인간이 처음으로 수렵과 채집에서 농업에 기초한 정착 생활 방식으로 옮겨가기 시작한 시대에 뿌리를 두고 있다. (to switch / humans / its roots / first began / when / the period / in / has)

→ The earliest writing system ______________________________ from hunting and gathering to a settled lifestyle based on agriculture. 모의응용

고난도 **4** 과학 기술의 발전은 흔히 변화를 강요하는데, 변화는 불편하다. 이것은 과학 기술이 흔히 저항받고 일부 사람들이 그것을 위협으로 여기는 주된 이유들 중 하나이다.
(as a threat / technology / some / one of / perceive / the main reasons / is often resisted / why / it / why)

→ Technological development often forces change, and change is uncomfortable. This is ______________________________ and ______________ ______________. Rank 03, 09, 63 모의

RANK **31**

the + 비교급~, the + 비교급...

비교

정답 및 해설 p. 25

<the+비교급~, the+비교급...> 구문은 '~할수록 더 …한'을 의미한다.
서술형에서는 주로 어순이 출제 포인트이며, <the+비교급(형/부)+S+V> 외에도 다양한 어순이 가능하다.

기출 대표 문항

다음 괄호 안의 어구를 모두 활용하여 주어진 우리말을 영작하시오. (필요시 어형 변화 및 단어 추가 가능)

상품들이 더 윤리적으로 만들어질수록, 소비자들은 더 높은 가격을 기꺼이 지불한다.

(the products / high / pay / the consumers / prices / are made / are willing to / ethically)

→ ______________________________, ______________________________
______________________________.

답이 보이는 Process

STEP 1 각 절을 비교급 변형 없이 정상어순으로 먼저 배열해 본다.

1 ______________________________ / 2 ______________________________

상품들이 윤리적으로 만들어진다 / 소비자들은 높은 가격을 기꺼이 지불한다

STEP 2 필요한 부분을 3 __________으로 바꾼 후 the를 더하여 앞으로 보내고, 나머지 어구는 순서대로 쓴다.
이때, 비교급으로 만드는 형용사가 명사를 수식하면, 한 덩어리로 이동하여 <the+비교급+명사>로 쓴다.

4 ______________________________, 5 ______________________________.

주의1 The more~는 뒤에 나오는 형용사, 부사와 의미가 긴밀하게 연결되므로 붙여 쓴다.
e.g. **The more quiet** the library is, **the more focused** the students are. (O)
The more the library is quiet, the more the students are focused. (X)

주의2 be동사는 생략해도 의미 이해에 문제가 없으므로, 간략한 표현을 위해 생략할 수 있다.
e.g. **The greater** the gravity of a planet (is), **the more** you will weigh.

Test 1 배열 영작

다음 괄호 안의 어구를 모두 알맞게 배열하여 주어진 우리말을 영작하시오.

1 우리 자신이 무언가에 대해 더 확신할수록, 우리는 옳은 선택을 할 가능성이 더 크다.
(have / we / more / the / chance / the / certain / are / we / better)
→ ______________________________ about something, ______________________________
______________________________ of making the right choice. 모의응용

2 여러분이 에베레스트산과 같은 산을 더 높이 올라갈수록, 대기는 더 희박해질 것이다.
(is / higher / go up / thinner / to be / the atmosphere / you / the / going / the)
→ ______________________________ a mountain like Mount Everest, ______________________________
______________________________. EBS응용

Test 2 조건 영작

다음 주어진 우리말과 일치하도록 괄호 안의 어구를 모두 활용하여 <조건>에 맞게 영작하시오.

<조건> • 필요시 밑줄 친 단어 변형 및 단어 추가 가능
• 「the+비교급, the+비교급」 구문을 사용할 것

1 사람들이 더 고립된다고 느낄수록, 그들은 게임이나 SNS에 더 사로잡힌다.
(obsessed / feel / isolated / are with / people / they)
→ ______________________, ______________________ games or social networking sites. Rank 54 교과서응용

2 여러분이 새로운 문화에 더 친숙해질수록, 세상에 대한 여러분의 관점은 더 넓어질 것이다.
(familiar / your perspective / will be / wide / you / on the world / become)
→ ______________________ with new cultures, ______________________ ______________________. 교과서응용

고난도 **3** 교사가 더 자신 있게 가르칠수록, 긍정적인 학급의 반응이 나올 가능성은 더 높다.
(instructions / give / the possibility of / high / teachers / a positive class response / confidently)
→ ______________________, ______________________ ______________________. 수능응용

4 운동회에서 여러분이 더 많은 도전 과제를 완수할수록, 여러분은 팀을 위한 더 많은 점수를 얻을 것입니다.
(you / you / many points / will gain / many challenges / complete)
→ In the athletic event, ______________________, ______________________ ______________________ for your team. 모의

5 열은 표면에서 손실되므로, 여러분이 부피 대비 더 많은 표면적을 가질수록, 여러분은 따뜻함을 유지하기 위해 더 부지런히 움직여야 한다. (must / you / diligently / have / much surface area / work / you)
→ Heat is lost at the surface, so ______________________ relative to volume, ______________________ to stay warm. 모의응용

고난도 **6** 우리가 더 나이가 들수록, 우리의 뇌와 신체가 카페인을 제거하는 데 더 오래 걸리고, 따라서 우리는 카페인의 수면 방해 효과에 더 민감해진다. (it / are / we / we / long / takes / caffeine / our brain and body / are / old / sensitive / to remove)
→ ______________________, ______________________ ______________________, and thus ______________________ to caffeine's sleep-disrupting influence. 모의응용

RANK

32 가목적어-진목적어

부정사, 접속사

정답 및 해설 p. 26

SVOC문형에서 make, find, think, consider, believe 등의 동사가 쓰이는 경우,
목적어가 to부정사(구)나 명사절이어서 길고 복잡할 때, 가목적어 [1] ________ 을 사용하고 진짜 목적어는 뒤로 보낸다.

기출 대표 문항

다음 괄호 안의 어구를 모두 알맞게 배열하여 주어진 우리말을 영작하시오.

1 여러분의 영어 지식은 여러분이 다른 외국어를 배우는 것을 쉽게 해 줄 것이다.
(learn / for / it / foreign languages / you / will make / other / to / easy)
→ Your knowledge of English ______________________________
______________________.

2 사람들은 어떤 동물들이 극심한 환경 조건에 적응할 수 있다는 것이 놀랍다는 것을 종종 알게 된다.
(can / that / often find / some animals / amazing / it / adapt to)
→ People ______________________________ extreme environmental conditions.

답이 보이는 Clues

가목적어-진목적어 구문의 형태에 맞춰 주어진 어구를 배열한다.

S+V+가목적어 it+C+ └ make, find, think, consider, believe 등	(의미상의 주어+)[2] ________ ... * to-v 앞에 <for+목적격> 형태의 의미상의 주어가 쓰일 수 있다.
	that+S′+V′ ... * 진목적어를 이끄는 접속사 that은 생략할 수 있다.

주의 가목적어 뒤 목적격보어 자리에 [3] ________ 는 올 수 없다. Rank 37
e.g. The teacher thinks it **strangely(→ strange)** for many students to be absent.

Test 1 어법

다음 문장이 「가목적어-진목적어」 구문을 포함하도록 밑줄 친 부분을 바르게 고치시오.

1 You may find <u>challenging it</u> to listen to the conversation and write a well organized essay at the same time. 교과서응용

2 Many factors in nature such as animals, high winds, and heavy rain make it hard for seeds <u>survive</u>. 모의응용

3 Many researchers believed <u>them</u> necessary that babies listen to classical music as early as possible to help their brain development.

4 Repetitive exposure to video of the accident made it less surprisingly for us to see it again than when we saw it for the first time. Rank 37 모의응용

5 If I say to you, "Don't think of a white bear," you will find difficult not to think of a white bear, which shows the ironic effect of thought suppression. 모의응용

Test 2 배열 영작

다음 괄호 안의 어구를 모두 알맞게 배열하여 주어진 우리말을 영작하시오.

1 어떤 문화에서, 사람들은 영어 화자들이 남성과 여성 친척 둘 다를 나타내는 데 'cousin'과 같은 단 하나의 단어를 사용하는 것을 터무니없다고 생각할 수도 있다. (for / may / English speakers / think / a single word / absurd / people / it / use / to)

→ In some cultures, ______________________________ ______________________________ like "cousin" to refer to both male and female relatives. 모의응용

*absurd: 터무니없는, 말도 안 되는

2 많은 관심에도 불구하고, 우주여행의 과도한 비용은 우리 중 소수만이 가까운 미래에 우주로 여행을 갈 가능성이 있다는 것을 분명하게 만든다. (to / it / travel / that / to / are / clear / space / likely / only a few of us / makes)

→ Despite a lot of interest, the excessive cost of space travel ______________________________ ______________________________ in the near future. EBS응용

3 두뇌는 정보를 효과적으로 걸러내도록 진화해 왔고, 그 결과, 그것은 모든 경험의 세부 사항 모두를 기억하는 것이 가치 있다고 여기지 않는다. (does not / every experience / consider / remember / it / to / it / of / valuable / all of the details)

→ The brain has evolved to efficiently filter information, and as a result, ______________________________ ______________________________. 모의응용

고난도 4 재정적 번영의 확산, 1인 가구, 그리고 인터넷의 발명은 우리가 이전 세대들이 예측하지 못한 개인적인 삶을 사는 것을 가능하게 했다. (unforeseen / to / by previous generations / it / live / have made / possible / us / private lives / for)

→ The spread of prosperity, the single-family home, and the invention of the Internet ______________________________ ______________________________. 모의응용

고난도 5 우리는 개인들이 그들 자신의 역경과 어려움에 직면할 때조차 대단한 친절을 보여주고 타인을 돕는 데 헌신할 수 있다는 것이 매우 감동적이라고 여긴다. (themselves / and / deeply moving / find / others / dedicate / can display / that / helping / individuals / it / to / extraordinary kindness)

→ We ______________________________ ______________________________ even when facing their own adversity and hardship. Rank 09, 72

RANK **33** # 대명사의 수일치

정답 및 해설 p. 26

대명사는 앞에 나온 명사(구)의 반복을 피하기 위해 사용된다.
대명사가 무엇을 지칭하는지를 정확하게 파악하여 대명사의 수를 결정한다.

기출 대표 문항

다음 밑줄 친 부분이 어법상 옳으면 O, 틀리면 ×로 표시하고 바르게 고치시오.

Some of the greatest authors and artists in history visualized great things before they actually saw it become a reality.

답이 보이는 Process

STEP 1 정확한 해석을 통해 대명사가 가리키는 명사(구)가 무엇인지 찾는다.
보통 한 문장 내에 단수명사와 복수명사가 모두 있어 오답을 유도한다.

Some of the greatest authors and artists (in history) / visualized **great things** //

before they actually saw **it** become a reality.

▶ 문맥상 '실현되는 것'은 복수인 great things이므로 단수 it은 틀렸다.
앞의 단수명사 history를 가리킨다고 혼동하지 말자.

STEP 2 가리키는 명사(구)의 수에 따라 적절한 대명사로 바꾼다.
it vs. them / one vs. ones / that vs. those / its vs. their 등

~ visualized **great things** before they actually saw 1 ________ become a reality.

more 명사의 단수형과 복수형이 일반적이지 않은 경우

단수/복수형이 같은 명사	sheep, fish, deer, aircraft, means(방법), series, species(((생물)) 종) 등
불규칙 복수형	analysis/analyses(분석), diagnosis/diagnoses(진단), crisis/crises(위기), medium/media(매체), datum/data(데이터, 자료), phenomenon/phenomena(현상), criterion/criteria(기준), stimulus/stimuli(자극), fungus/fungi(균류; 곰팡이류)

Test 1 어법

다음 밑줄 친 부분이 어법상 옳으면 O, 틀리면 ×로 표시하고 바르게 고치시오.

1 After identifying my bad habits of wasting time and energy, I try to find ways to break it. 교과서응용

2 Representational theories of art treat the work of the artist as similar to that of the scientist, as both are involved in describing the external world. 모의응용

*representational theory: 표상 이론(예술의 핵심이 현실을 모방하는 데 있다는 이론)

3 Some studies have shown that after stressful situations, the sounds of nature make people recover faster than artificial one. Rank 07, 41 교과서응용

4 From birth, infants tend to head towards the human face, seeming to know that stimuli originating from this source are particularly meaningful for <u>its</u> survival. 수능응용

5 For a long time, tourism was seen as a huge monster negatively impacting the indigenous peoples of a region and introducing <u>them</u> to the evils of the modern world.

고난도 6 Starvation helps filter out creatures less resourceful at finding food for <u>their</u> young and, consequently, less fit to survive. In some circumstances, it may pave the way for genetic change to take hold in the population of a species and eventually to allow the emergence of a new species in place of the old <u>ones</u>. 모의응용

Test 2 조건 영작

다음 주어진 우리말과 일치하도록 괄호 안의 어구를 모두 활용하여 <조건>에 맞게 영작하시오.

<조건> • 필요시 밑줄 친 대명사의 수 변형 가능

1 평지 지역에 사는 사람들은 농업으로 생계를 꾸렸고, 농작물은 그들의 식단의 주된 부분을 구성했다.
(of / diet / made up / <u>its</u> / a major part)
→ People in flat areas made their living by farming, and crops ______________________________
______________________________. 모의응용

2 고객들은 구매 결정을 하기 전에 시험 운행을 통해 새로운 차를 시험하거나 그것의 부분들에 압력을 가해서 가구의 견고함을 평가하고 싶을 수도 있다. (<u>its</u> parts / by / to / the solidity / furniture / assess / of / pressure / applying / a piece of)
→ Customers might want to test a new car through a test drive or ______________________________
______________________________ before making a purchase decision. Rank 09, 72 모의응용

3 우리와 공통점이 많은 사람들에 관한 책을 읽을 때, 그것은 우리를 우리 자신의 삶 너머로 이끌고 우리가 다른 사람들의 그것들을 이해하게 해 준다. (of others / us / us / <u>that</u> / and / our own lives / allows / leads / beyond / to understand)
→ When we read a book about the people who have a lot in common with us, it ______________
______________________________.
Rank 07, 09 모의응용

고난도 4 평범하지 않은 사건들이나 경험들이 더 잘 기억되는 경향이 있는데, 왜냐하면 당신의 뇌가 기억된 사건들의 창고에서 그것들에 접근하려고 할 때 그것들과 경쟁하는 것이 없기 때문이다.
(<u>it</u> / with / competing / there / nothing / to access / its storehouse / <u>it</u> / tries / is / from / your brain)
→ Events or experiences that are out of the ordinary tend to be remembered better because ______________________________ when ______________________________
______________________________ of remembered events. Rank 05, 11, 76 모의응용

RANK

01-33 서술형 대비 **실전 모의고사 3회**

100점

정답 및 해설 p. 27

[01-05] 다음 밑줄 친 부분이 어법상 옳으면 O, 틀리면 ×로 표시하고 바르게 고치시오. (단, 동사는 모두 현재시제로 쓸 것) [밑줄당 2점]

01 The marine debris and the wastes created by humans <u>bringing</u> toward an island of trash through the North Pacific Gyre, which <u>are</u> the way the cycle of marine pollution is exacerbated.

*gyre: 환류(대기나 바다에서 소용돌이 형태로 회전하는 큰 규모의 시스템)

02 Language not only facilitates the cultural diffusion of innovations but also helps its users shape <u>how</u> they think about, perceive, and name the emotions <u>what</u> they can identify and express. 모의응용

고난도
03 When we remark with surprise <u>which</u> someone "looks young" for his or her chronological age, we are observing <u>that</u> we all age biologically at different rates. 수능응용

04 For future plans, the brain considers <u>it</u> necessary to take certain elements of prior experiences and reconfigure them in a way <u>in which</u> does not directly copy any actual past events or present reality. 모의응용

고난도
05 Employee turnover is the rate at which employees leave an organization and <u>is</u> replaced with new people. Understanding the factors <u>contribute</u> to turnover is crucial for organizations seeking to improve <u>its</u> retention rates and maintain a stable, experienced workforce.

[06-07] 다음 글의 밑줄 친 ① ~ ⑤ 중 틀린 부분 2개를 찾아 바르게 고친 후, 틀린 이유를 작성하시오. [각 4점]

The outsourcing of much of the work of cooking to corporations has relieved women of ① <u>what</u> has traditionally been their exclusive responsibility of feeding the family. This outsourcing has made several benefits for women, one of which ② <u>is</u> the increased ability to work outside the home and have careers. It has mitigated potential domestic conflicts, ③ <u>generated</u> changes in gender roles and family dynamics. For example, the microwave has allowed us to diversify our diets substantially, making it possible even for people with no cooking skills and little money ④ <u>enjoy</u> a whole different cuisine. Consequently, it has alleviated other pressures in the household and saved us time ⑤ <u>that</u> we can now invest in other pursuits. 모의응용

06 틀린 부분: ____________ → 바르게 고치기: ____________
틀린 이유: ________________________

07 틀린 부분: ____________ → 바르게 고치기: ____________
틀린 이유: ________________________

[08-11] 다음 주어진 우리말과 일치하도록 괄호 안의 어구를 모두 활용하여 <조건>에 맞게 영작하시오. [각 5점]

<조건> • 필요시 밑줄 친 단어 변형 가능
• 단어 추가 불가

08 쉬는 동안 여러분이 가지는 긍정적인 생각들은 여러분의 자존감과 여러분이 스스로를 보는 방식을 개선할 것이다.
(during / yourself / in which / the way / that / the positive thoughts / have / view / the break / you / you)

→ ______________________________ will improve your self-esteem and ______________________________.

09 우리가 텔레비전을 더 자주 볼수록, 우리는 사회적 관계망에 우리의 시간을 자진하여 제공하는 것을 더 꺼리게 된다.
(reluctant / watch / to volunteer / more / television / frequently / the / we / more / are / we / our time / the)

→ ______________________________, ______________________________ ____________ to our social networks. 모의응용

고난도
10 이민자들을 수용하는 과제는 다른 문화권에서 온 사람들이 다르게 생각하고 행동하는 것과 그들은 그렇게 할 권리가 있다는 것을 인식하는 것에 있다. (recognize / immigrants / and act differently / lie in / to do so / embrace / that / have / people / think / to / that / and / from other cultures / they / the right)

→ The challenge ______________________________
______________________________. 모의응용

고난도
11 상점에서 상품을 구매하는 것은 일련의 사건을 촉발하는데, 이것은 제조, 자원 추출 및 운송과 같은 활동들에 대한 수요를 발생시킨다. 원재료 부문의 경제 활동을 활발하게 하는 것은 겉보기에 사소해 보이는 소비자의 구매 결정이다.
(trigger / a good in a store / stimulate / which / for activities / a chain of events / upstream economic activity / demand / generate / what / buy / be)

→ ______________________________, ______________________________
______________________________, such as manufacturing, resource extraction, and transport.
______________________________ a seemingly small consumer decision to buy something. 모의응용

*upstream: 원재료 부문의

고난도
12 **다음 글의 빈칸에 들어갈 가장 적절한 말을 <보기>에 주어진 어구를 배열하여 완성하시오.** [6점]

Lone animals rely on their own senses to defend themselves, but an animal in a group benefits by having a lot of other animals' eyes, ears, and noses on the alert for danger. An animal in a group also has a smaller chance of being the unlucky individual picked out by a predator. In addition, a group of animals fleeing from a predator can create confusion, which ______________________________. For example, a herd of zebras can become a dazzling display of black and white stripes, so it becomes harder for a lion to see where one zebra ends and another begins. 모의응용

<보기> for / a single target / to / makes / more difficult / focus / the predator / it / on

→ ______________________________

[13-14] 다음 글을 읽고 물음에 답하시오.

Recording engineers and musicians have learned to create special effects ① that tickle our brains by exploiting neural circuits that evolved to discern important features of our auditory environment. These special effects are similar in principle to 3-D art, motion pictures, or visual illusions, none of ② them have been around long enough for our brains to develop specific ways to process them. Rather, 3-D art, motion pictures, and visual illusions leverage perceptual systems ③ which our brains are already wired for other purposes. Because they use these neural circuits in novel ways, we find it especially interesting ④ to perceive them. The same holds true for how modern recordings are made — they play on ⑤ what our brains already know about sound. 모의응용

*auditory: 청각의 **leverage: 이용하다

13 윗글의 밑줄 친 ①~⑤ 중 틀린 부분 2개를 찾아 바르게 고치시오. [각 3점]

(1) 틀린 부분: ____________ → 바르게 고치기: ____________

(2) 틀린 부분: ____________ → 바르게 고치기: ____________

14 윗글의 주제를 <조건>에 맞게 완성하시오. [7점]

<조건> 1. <보기>에 주어진 어구를 모두 한 번씩만 사용할 것
2. 적절한 관계사 하나를 반드시 추가할 것

<보기> such / holds / a strong appeal / recorded music / the reason

[주제] ________ ________ ________ ________ ________ ________
________ ________ ________ ________ to many individuals

15 **다음 글의 빈칸에 들어갈 가장 적절한 말을 <조건>에 맞게 완성하시오.** [9점]

One study showed that, within the workplace, peers influence each other to spot opportunities and act on them: ______________________________ among employees. A study of Stanford University alumni found that those "who have varied work and educational backgrounds are much more likely to start their own businesses than those who have focused on one role at work or concentrated in one subject at school." To cultivate an entrepreneurial culture, colleges and universities need to offer students a broad choice of experiences and wide exposure to different ideas. They are uniquely positioned to do this by combining the resources of academic programming, residential life, student groups, and alumni networks. 모의응용

*alumni: 졸업생 **entrepreneurial: 기업가적인

<조건> 1. <보기>에 주어진 어구를 모두 한 번씩만 사용할 것
2. 필요시 밑줄 친 단어 변형 가능

<보기> likely / is / a workplace / to flourish / diverse / the / have / more / individuals within / more / backgrounds / the / inspiration

→ ______________________________, ______________
______________ among employees.

[16-17] 다음 글을 읽고 물음에 답하시오.

Scientists, especially young ones, can get too obsessed with results. Society helps them along in this mad chase. Big discoveries are covered in the press, show up on the university's home page, help get grants, and make the case for promotions. But it's wrong. Great scientists, the pioneers (A) ____________ we admire, are not concerned with results but with the next questions. The highly respected physicist Enrico Fermi told his students that an experiment that successfully proves a hypothesis is a measurement; one (B) ____________ doesn't is a discovery. A discovery, an uncovering — of new ignorance. The Nobel Prize, the pinnacle of scientific accomplishment, is awarded, not for a lifetime of scientific achievement, but for a single discovery, a result. Even the Nobel committee realizes in some way (C) ____________ this is not really in the scientific spirit, and their award citations commonly honor the discovery for having "opened a field up," "transformed a field," or "taken a field in new and unexpected directions." 수능응용

*pinnacle: 정점

16 윗글의 (A) ~ (C)에 들어갈 말로 가장 적절한 것을 <보기>에서 골라 쓰시오. (단, 중복 사용 불가) [각 4점]

<보기> which　who　that

(A) ____________

(B) ____________

(C) ____________

고난도

17 윗글의 요지를 <보기>에 주어진 어구를 배열하여 완성하시오. [10점]

<보기> not the results / defines / it / what / reveals / is / yields / it / but the new questions and unknowns / true scientific discovery

[요지] ____

________________________________.

34 Rank 44

서술형 PLUS 표현

+ 형명동형 (p. 224) Rank 37, 38

└ 형용사와 명사의 형태가 같은 어휘

형태	형용사 의미	명사 의미
alternative	대안이 되는; 대체의	대안; 양자택일
concrete	구체적인; 실체적인	응고물; 구체적 관념
content	만족하는	내용(물); 만족
core	핵심적인, 가장 중요한	핵심; 중심부
fake	가짜의, 위조의	모조품, 위조품
fundamental	근본적인, 필수적인	기본 원칙, 핵심
good	좋은, 훌륭한	도움; 이익; 선; ((복수형 goods)) 상품
individual	각각의; 개인의; 개성 있는, 독특한	개인
intent	몰두하는, 열중하는	의도, 목적
moral	도덕(상)의; 도덕적인	교훈
objective	객관적인	목표, 목적
plain	간결한; 분명한; 솔직한; 무늬 없는	평지
potential	잠재적인; 가능성 있는	잠재력; 가능성
present	현재의; 참석[출석]한	현재, 지금; 선물
relative	상대적인, 비교상의	친척; 동족
representative	대표하는	대표(자)
resolve	해결하다; 다짐하다	결심, 결의, 의지
standard	기준의, 표준의	일반적인 기준, 표준
subject	영향을 받는; 지배를 받는; 겪는, 당하는	주제, 문제; 과목; 피실험자
total	전체의; 완전한	합계; 전체
valuable	소중한	귀중품
variable	변동이 심한; 가변적인	변수

+ 형동동형 Rank 37, 38

└ 형용사와 동사의 형태가 같은 어휘

형태	형용사 의미	동사 의미
alert	경계하는	경보하다, 경보를 발하다
close	가까운	닫다
complete	완전한, 완벽한	완료하다, 끝마치다
duplicate	사본의; 똑같은	사본을 만들다; 되풀이하다
elaborate	정성들인, 공들인	공들여 만들다; 자세히 말하다
exempt	면제되는	면제하다, 면제받다
faint	희미한; 현기증이 나는	기절하다
hurt	다친; 기분이 상한	다치게 하다, 아프다
last	마지막의; 지난	계속되다, 지속되다
long	긴; 오랜	간절히 바라다
mean	못된; 보통의	의미하다; 의도하다
open	열린	열다
own	자기 소유의, 자기 자신의	소유하다
present	현재의; 참석[출석]한	주다; 제시[제출]하다
secure	안전한; 단단한	안전하게 지키다; 확보하다
separate	분리된, 별개의	분리하다, 나누다

RANK **34**

목적·결과의 부사절

정답 및 해설 p. 29

목적·결과를 나타내는 부사절은 특히 형태와 어순에 유의해야 한다.

기출 대표 문항

다음 주어진 우리말과 일치하도록 괄호 안의 어구를 모두 활용하여 빈칸을 완성하시오. (필요시 단어 추가 가능)

1 그는 피아노를 아주 꾸준히 연습해서 젊은 나이에 거장이 되었다.
(the piano / a virtuoso / he / that / practiced / consistently / became)
→ He ______________________________ at a young age.
*virtuoso: (특히 음악 분야의) 거장

2 그 인턴십은 아주 굉장한 기회여서 나는 그것을 놓칠 수 없었다.
(I / miss / couldn't / opportunity / such / it / great / a)
→ The internship was ______________________________.

3 여러분은 여러분의 삶을 개선할 수 있도록 여러분에게 가까운 사람들로부터 배워야 한다.
(you / your / may / life / improve / that)
→ You should learn from the people close to you ______________________________.

답이 보이는 Clues

1 ________ 형용사[부사] ((a/an) 명사) ~ (that) ...	아주 ~해서 …하다; …할 정도로 ~하다
2 ________ (a/an) (형용사) 명사 ~ that ...	아주 ~해서 …하다; …할 정도로 ~하다 (= such ... as to ~)
so (that) ~	(i) ~하도록, ~하기 위하여(= in order that) ((목적)) (ii) 그래서, ~하여 ((결과))

Test 1 어법

다음 밑줄 친 부분이 어법과 문맥상 옳으면 O, 틀리면 ×로 표시하고 바르게 고치시오.

1 Earthquakes occur <u>such</u> often that the buildings in the area are built with earthquake-resistant designs.

2 Exercise is definitely a positive way to relieve your negative emotions in order <u>to</u> they no longer spoil your life. 모의응용

3 Jamie was so furious at Chris's words <u>that</u> she needed to close her eyes and count to ten to calm herself. 교과서응용

4 Technological advancements take place at <u>so a rapid pace</u> today that we cannot easily keep up with the latest ones. EBS응용

Test 2 배열 영작

다음 괄호 안의 어구를 모두 알맞게 배열하여 주어진 우리말을 영작하시오.

1 선거는 민주주의에 아주 근본적이어서 그것들(선거)이 없다면 그것은 존재할 수 없다.
(are / cannot / fundamental / democracy / exist / it / so / that / to)
→ Elections ______________________ without them. EBS응용

2 나무들이 함께 자랄 때는, 각 나무가 자라서 가능한 최고의 나무가 되도록 영양분과 물이 그것들 모두의 사이에 최적으로 분배될 수 있다. (can grow / order / into the best tree / each tree / in / that)
→ When trees grow together, nutrients and water can be optimally divided among them all ______________________ it can be. 모의응용

3 요즘, 그 도로는 보수가 잘 안되어 있어서 그것이 운전자들에게 부정적으로 영향을 미치고 치명적인 사고로 이어질지도 모른다.
(is / repair / it / such / that / drivers / in / negatively impacts / bad / the road)
→ These days, ______________________ and may lead to deadly accidents. 교과서응용

4 일부 과목 영역에서는, 주제들이 계층적 방식으로 서로를 기반으로 하므로, 학습자는 다음으로 넘어가기 전에 한 주제를 거의 확실히 통달해야 한다. (must / build on / one topic / master / that / topics / a learner / so / one another)
→ In some subject areas, ______________________ in a hierarchical fashion, ______________________ almost certainly before moving to the next. 모의응용

*hierarchical: 계층적인

5 플라스틱은 우리의 삶과 아주 밀접하게 연결되어서 그것들의 만연한 사용은 장기적인 지속 가능성과 미래 세대의 건강에 대한 우려들을 불러일으킨다. (that / pervasive use / concerns / so / their / raises / closely)
→ Plastics are connected to our lives ______________________ ______________________ about long-term sustainability and the health of future generations. 교과서응용

6 날마다 같은 문학 작품을 읽는 것은 아주 지루한 경험이어서 많은 학생이 절대 그녀의 수업을 다시 수강하고 싶어 하지 않았다.
(a / many students / such / was / wanted / experience / her class / boring / never / that / to take)
→ Reading the same literary work, day after day, ______________________ ______________________ again. Rank 11 모의응용

고난도 7 찰스 디킨스는 자신의 글쓰기 능력에 대한 자신감이 아주 부족해서 아무도 자신을 비웃지 않도록 밤에 몰래 자신의 작품을 편집자에게 보냈다. (so / to write / nobody / little confidence / so / him / would laugh at / that / that / in his ability)
→ Charles Dickens had ______________________ he mailed his writings secretly at night to editors ______________________ ______________________. Rank 52 모의응용

RANK 35 시간·조건의 부사절

접속사

정답 및 해설 p. 29

시간·조건을 나타내는 다양한 접속사의 형태와 의미를 알아두자.

when / since / until[till] / not A until B(B할 때까지 A하지 않다, B하고 나서야 비로소 A하다) / once(일단 ~하면) / as soon as(~하자마자) / no sooner ~ than ...(~하자마자 …하다), every[each] time(~할 때마다(= whenever)) / it will not be long before(머지않아 ~할 것이다), if / unless(= if ~ not) / as[so] long as(~하는 한, ~하기만 하면) / given that(~한 점을 고려하면) 등

기출 대표 문항

다음 괄호 안의 어구를 모두 알맞게 배열하여 주어진 우리말을 영작하시오.

정책 결정은 대중이 과정에 개입될 때 더 객관적이게 된다.

(in / the public / more objective / becomes / when / policy-making / the process / is involved)

→ ____.

답이 보이는 Process

STEP 1 주어진 우리말을 두 개의 절(주절과 종속절)로 나눈다.

주절: 정책 결정은 더 객관적이게 된다

종속절(부사절): 대중이 과정에 개입될 때

▶ 부사절의 해석이 주절의 주어와 술어 해석 사이에 들어갈 수 있다.

STEP 2 접속사가 이끄는 종속절을 영작한다. 영작할 때 해석에 맞는 적절한 시간·조건의 접속사를 쓴다.

대중이 과정에 개입될 때: [1] ________________________

STEP 3 주절의 앞 또는 뒤에 모두 종속절이 위치할 수 있다.
단, 종속절을 주절 앞에 쓸 때는 종속절이 끝난 부분에 콤마(,)를 쓴다.

주의 시간·조건의 부사절에서는 미래를 현재시제로 나타내는 것에 유의한다. Rank 21

Test 1 어법

다음 밑줄 친 부분이 어법과 문맥상 옳으면 O, 틀리면 ×로 표시하고 바르게 고치시오.

1 It won't be long after your hands are frozen if you don't wear your gloves when you go outside.
EBS응용

2 Given that the bed had bedbugs and the heat didn't work, I can't possibly recommend that hotel.
Rank 09 *bedbug: 빈대

3 The technological landscape is ever-evolving; no sooner do we embrace a new innovation when the next breakthrough emerges. Rank 18

4 If the plant is well taken care of, it may struggle to lengthen its roots and develop root hairs for foraging minerals in more distant soil patches. 모의응용
*forage: 구하러 다니다

Test 2 배열 영작

다음 괄호 안의 어구를 모두 알맞게 배열하여 주어진 우리말을 영작하시오.

1 일단 인종적, 민족적 분리가 제거되고 사람들이 합쳐지고 나면, 그들은 다양한 경험과 문화적 시각에도 불구하고 서로 함께 살고, 일하고, 번영하는 것을 배워야 한다.
(come together / racial and ethnic segregation / once / eliminated / people / and / is)

→ ____,
they must learn to live, work, and thrive with each other despite diverse experiences and cultural perspectives. Rank 03, 09

2 원하는 물건이 마침내 얻어질 때, 그 물건에 대한 끌림은 빠르게 감소한다.
(the object of desire / rapidly decreases / finally gained / when / for the object / is)

→ ____, the attraction ______________
____________________________. 모의응용

3 컴퓨터는 인간에 의해서 그것이 그렇게 하도록 프로그램되지 않는다면 독립적인 결정을 내리거나 문제를 해결하기 위한 단계들을 만들어 낼 수 없다. (independent decisions / to do so / for solving problems / formulate / programmed / make / cannot / steps / it / or / unless / is)

→ A computer ____
______________________________ by humans. Rank 03, 09 모의응용

4 어떤 경우에, 변호사는 소송이 해결될 때까지 수수료나 지불금을 받지 않고 의뢰인이 받는 금액의 일정 비율을 지불받는다.
(receive / settled / until / is / fees or payment / do not / the case)

→ In some cases, lawyers ____
but are paid a percentage of the money that the client receives. Rank 03 수능응용

고난도 **5** 지속 가능한 관행의 중요성이 요즘처럼 계속 증가하는 한, 머지않아 소비자들은 자신들이 구매하는 제품의 생산에 있어 더 큰 투명성을 요구할 것이다. (long / it / before / greater transparency / increasing / keeps / the importance / demand / won't be / as long as / consumers / of sustainable practices)

→ ____
like nowadays, ____
in the production of the products they purchase. Rank 11

*transparency: 투명성

양보·대조의 부사절

정답 및 해설 p. 30

양보·대조를 나타내는 다양한 접속사의 형태와 의미를 알아두자.

기출 대표 문항

다음 두 문장이 같은 의미가 되도록 빈칸을 완성하시오. (단, 빈칸당 한 단어만 쓸 것)

1 Despite the vast differences in heart rates, nearly all mammals have about 800 million heartbeats if they live an average life.
= ________ mammals have vast differences in heart rates, nearly all mammals ~.

2 Though it is hard to believe, elephants exhibit a seemingly irrational fear of tiny creatures like mice.
= Hard ________ ________ ________ to believe, elephants exhibit ~.

3 Whoever takes on the role of team leader, it is crucial that the leader fosters open communication for effective project management.
= ________ ________ ________ takes on the role of team leader, it is ~.

답이 보이는 Clues

although, (even) though	비록 ~이지만, ~에도 불구하고 *cf.* despite[in spite of]+명사(구) Rank 71
while	~인 반면에(= whereas)
whether A or B	A이든 B이든
형용사[부사/명사]+as+S′+V′ = though+S′+V′+형용사[부사/(a/an+)명사]	비록 ~이지만
whoever, whichever, whatever = no matter who[which, what]	누가[어느 쪽이, 무엇이] ~하더라도; 누구를[어느 쪽을, 무엇을] ~하더라도 * whichever, whatever는 명사를 수식하여 <whichever[whatever]+명사+S′+V′>의 어순으로도 쓰인다.
whenever, wherever, however = no matter when[where, how]	언제[어디서, 아무리] ~하더라도 * however는 <however+형용사[부사]+S′+V′>의 어순으로 쓰이는 경우가 많다.

Test 1 문장 전환

다음 두 문장이 같은 의미가 되도록 빈칸을 완성하시오. (단, 빈칸당 한 단어만 쓸 것)

1 Whatever style of music you write, you need to understand dynamics and speed, as well as the uses of harmony and rhythm.
= ________ ________ ________ ________ ________ ________ ________ ________, you need to understand dynamics and speed, as well as the uses of harmony and rhythm. 모의응용

*dynamics: 《음악》 강약법; 역학

2 Though they are impossible to observe without an optical microscope, the universe is made up of atoms.

= Impossible ______ ______ ______ ______ ______ without an optical microscope, the universe is made up of atoms. 모의응용

*optical microscope: 광학현미경

Test 2 배열 영작

다음 괄호 안의 어구를 모두 알맞게 배열하여 주어진 우리말을 영작하시오.

1 인공지능 교사가 최고의 교사들의 언어를 아무리 정확하게 흉내 낸다 하더라도, 그것은 아이 개개인에게, 다양한 반응들에, 그리고 교실 환경의 무한한 변화에 말을 맞출 수 없다.

(an AI teacher / however / mimics / of the best teachers / the language / precisely)

→ ______________________________, it cannot tailor words to the individual child, to varying responses, and to the illimitable variations of class situations.

*illimitable: 무한한, 끝없는

2 아주 차분한 사람들은 '오이만큼 침착한'으로 일컬어지고, 반면에 화난 사람들은 '말벌처럼 화난'이라고 일컬어진다.

(are / are / people / "mad as a hornet" / who / while / angry)

→ People who are very calm are said to be "as cool as a cucumber," ______________ ______________. Rank 25, 68 교과서응용

*hornet: 말벌

3 여러분의 조직에서 누가 또는 무엇이 평가되고 있더라도, 그들이 무엇에 대해 평가되고 있는지는 분명해야 하고, 그들은 그것을 알고 있어야 한다. (organization / assessed / is / no / or / who / what / being / in / matter / your)

→ ______________________________, what they are being assessed on must be clear, and they must be aware of it. Rank 16 모의

4 모든 미술 작품은, 그것이 원본인 무언가를 모방하든 새로운 시각을 개척하든, 단순한 복제가 아니라, 그 자체로 존재하고 결코 소멸하지 않는 유일한 창작물이다. (original / it / or / a new vision / explores / something / whether / imitates)

→ Every work of art, ______________________________, is not a mere reproduction, but a unique creation that exists on its own and never perishes. 모의응용

고난도 **5** 비록 믿기 놀랍겠지만, 누군가가 이메일이나 문자 메시지를 사용하기 전에 여러 해 동안 기업 간의 대부분의 메시지는 팩스로 전송되고 있었다. (is / as / most messages / being / surprising / were / it / between companies / believe / to / faxed)

→ ______________, ______________ ______________ for many years before anyone used email or text messages. Rank 16 교과서응용

고난도 **6** 우리의 뇌 모두가 같은 기본 구조를 가지고 있음에도 불구하고, 우리의 신경망은 우리의 지문만큼이나 독특하다.

(even / the same basic structures / our fingerprints / as unique as / of / contain / though / our brains / all)

→ ______________________________, our neural networks are ______________. Rank 42 수능

RANK **37** # 형용사 자리 vs. 부사 자리

정답 및 해설 p. 30

형용사는 명사를 수식하거나 보어 역할을 하고, 부사는 명사 외에 구와 절을 포함한 모든 것을 수식한다.
형용사와 부사의 역할 차이를 통해 형용사 자리와 부사 자리를 구별해 보자.

기출 대표 문항

다음 밑줄 친 부분이 어법상 옳으면 O, 틀리면 ×로 표시하고 바르게 고치시오.

1 Some African countries find it difficult to feed their own people or provide safe drinking water.

2 In one experiment, participants were asked to watch a film and describe it as full as possible.

3 The Korean fencing team has practiced very hardly to win the gold medal in the Olympics.

답이 보이는 Clues

1 보어 자리에는 명사 혹은 1 ________ 가 온다. 2 ________ 는 보어가 될 수 없다.

Some African countries (S) / find (V) it (O) 3 ________ (목적격보어) / to feed their own people or provide ~. (O′)

2 <as 형용사/부사 원급 as> 구문은 as를 제외하고 문장 구조를 살펴본다. (Rank 42)

~, participants were asked to watch a film / and (to) describe (V′) it (O′) 4 ________ (M′).
▶ 동사 describe를 수식하는 부사 자리

주의 <the＋비교급~, the＋비교급...> 구문(Rank 31)에서도 원래의 문장 구조를 따져서 알맞은 형태를 확인한다.
e.g. The more **patiently(→ patient)** you are, the more wisely you can handle challenging situations.
▶ You are patient

3 혼동하기 쉬운 형용사와 부사를 의미별로 구분하여 알아둔다.

near 형 가까운 부 가까이 **nearly** 부 거의	**close** 형 가까운; 면밀한 부 가까이 **closely** 부 밀접하게
high 형 높은 부 높이 **highly** 부 아주, 매우	**hard** 형 단단한; 어려운 부 열심히; 세게 **hardly** 부 거의 ~않다
late 형 늦은; 고인의 부 늦게 **lately** 부 최근에 ∗late-later-latest (시간) / late-latter-last (순서)	

The Korean fencing team has practiced very 5 ________ to win the gold medal in the Olympics.
▶ 동사 has practiced를 수식하는 부사 자리이고, 의미상 '열심히'를 뜻함

Test 1 어법

다음 밑줄 친 부분이 어법상 옳으면 O, 틀리면 ×로 표시하고 바르게 고치시오.

1 When you are highly emotional, it could be more sensibly to delay conversation about conflict.
Rank 14 EBS응용

2 According to studies, duties are considered less stressfully when people are with a close friend.
Rank 44 모의응용

3 The younger the children are when they start watching movies, the more vulnerably they are to violent scenes. Rank 31

4 If you are the type of person who can concentrate more efficiently at work in the morning, don't stay up lately but rise early and make the most of your peak hours. 교과서응용

5 Centuries ago in France, property taxes were often legal imposed on the number of rooms in a house. Therefore, rooms on the second or third floor were viewed just as taxable as those on the ground floor. Rank 42, 44 모의응용

Test 2 조건 영작

다음 주어진 우리말과 일치하도록 괄호 안의 어구를 모두 활용하여 <조건>에 맞게 영작하시오.

<조건> • 필요시 밑줄 친 단어 변형 가능

1 빡빡한 마감 기일을 맞춰야 할 때, 철저하고 세심하며 꼼꼼한 이상적인 상태를 유지하는 것은 거의 불가능하다.
(near impossible / the / it's / conditions / ideal / to maintain)
→ When you have to meet a tight deadline, ______________________________
______________________ to be thorough, meticulous, and detail-oriented. Rank 14

2 높은 고도에서 살고 있는 사람들은 그들의 몸이 적은 양의 산소에 적응했기 때문에 정상적으로 호흡할 수 있다.
(living / can / altitudes / high / breathe normal / people / at)
→ ____ because their bodies have adjusted to the small amount of oxygen. Rank 05 모의응용

3 고속도로 같은 혼잡한 지역에서는, 나무들이 소리를 흡수할 수 있어서, 그것들은 시멘트 방어벽이 하는 것만큼 효과적으로 소음을 줄인다. (do / as / decrease / cement barricades / noise / effective / as)
→ In busy areas such as highways, trees can absorb sound, so they ______________________
______________________________. Rank 42, 67 교과서응용

고난도 4 재산이나 계약, 또는 심지어 단순히 재화와 서비스의 일상적인 교환을 다룰 때, 개념과 용어가 더 정확히 기술될수록, 갈등과 분쟁을 피하는 것이 더 쉽다.
(more / the / concepts and terms / easy / the / conflicts and disputes / are described / to avoid / precise / is / it)
→ When you deal with property, with contracts, or even just with the routine exchange of goods and services, ____,
____. Rank 03, 14, 31 모의응용

고난도 5 작가들은 극장에 가는 것이 단지 오락의 목적이 아니라, 오히려 극으로부터 교훈을 얻어내기 위함임을 분명히 하려고 지속적으로 시도했다. (consistent attempted / writers / to make / that / the theater / it / wasn't mere / clear / visiting)
→ ____
for the purpose of entertainment, but rather to draw lessons from the play. Rank 10, 32 수능응용

RANK **38** # 주어 + 동사 + 보어(2문형)

정답 및 해설 p. 31

동사(V) 뒤에 바로 나오는 주격보어(C)는 주어(S)의 상태, 성질, 신분 등을 설명하고 주어-술어 관계이다.
보어 자리에는 (대)명사, 형용사 또는 그에 해당하는 어구((to-)v, v-ing, p.p.)가 올 수 있다.

• SVC 문형으로 잘 쓰이는 동사: 상태(be, remain, keep, stay, stand 등), 변화(become, get, grow, go, come, run, turn, fall 등), 인식(seem, appear, prove 등), 감각(look, sound, feel, taste, smell 등)

기출 대표 문항

다음 괄호 안의 어구를 모두 알맞게 배열하여 주어진 우리말을 영작하시오.

1 장기적인 가뭄이 계속되면서, 그 지역의 많은 저수지들이 말라버렸다.
(ran / many reservoirs / the region / dry / in)
→ As the prolonged drought persisted, ______________________________.

2 사람들은 자신들의 사랑이 금지될 때 서로에게 더 감정적으로 연결되어 있다고 느낀다.
(more emotionally connected / people / to / feel / each other)
→ ______________________________ when their love is prohibited.

답이 보이는 Process

STEP 1 주어진 우리말에서 영작할 <주어+동사+보어> 부분을 찾는다.

1 그 지역의 많은 저수지들이(S) ~하게 되었다(V) / 마르게(C)

2 사람들은(S) ~하다고 느낀다(V) / 서로에게 더 감정적으로 연결되어 있다고(C)

STEP 2 <주어+동사+보어> 순으로 배열한다.
보어가 될 수 있는 것은 명사, 형용사, (to-)v, v-ing, p.p.이다. 부사는 보어 자리에 쓸 수 없다.

▶ 2) 부사 emotionally는 이어지는 connected를 수식한다.

more 감각동사는 보어로 <like+명사> 형태의 전명구를 취할 수 있다.
e.g. The dessert tastes **like strawberries**.

Test 1 어법

다음 밑줄 친 부분이 어법상 옳으면 O, 틀리면 ×로 표시하고 바르게 고치시오.

1 The completion of the project was <u>timely</u>, meeting all the deadlines as planned. (Rank 06)

2 The diners seemed <u>astonishing</u> to see the famous movie star sitting at the table next to them. (Rank 13, 54)

3 Archery athletes often say that when their team is winning, the size of the target looks very <u>largely</u>. 모의응용

Test 2 조건 영작

다음 주어진 우리말과 일치하도록 괄호 안의 어구를 모두 활용하여 <조건>에 맞게 영작하시오.

<조건> • 필요시 밑줄 친 단어 변형 가능
• 단어 추가 불가

1 마음속 이미지를 만드는 연습인 시각화는 여러분이 자신의 목표를 실현하도록 도와주는 강력한 방법이다.
(realize / a powerful way / your goals / you / be / to help)
→ Visualization, the practice of creating mental images, ______________________
______________________. Rank 01, 52

2 그 책들이 분류된 방식이 너무 복잡해 보여서 나는 그것을 이해할 수 없었다.
(categorized / the books / so complex / the way / looked / were)
→ ______________________ that I couldn't figure it out. Rank 30, 34

고난도 **3** 역경에도 불구하고, 그 조직은 야생동물 보호 문제에 대해 침묵을 지키는 것을 거부하고 그것의 사명에 관해 단호한 태도를 취한다. (to / stand firm / and / on the issue / refuses / in its mission / of wildlife conservation / remain silent)
→ In the face of adversity, the organization ______________________
______________________. Rank 09, 11 교과서응용

고난도 **4** 광고되는 제품은 그것의 밝은 색상과 낮은 가격으로 비교적 더 매력적으로 보인다.
(item / more appealing / appears relative / advertised / the)
→ ______________________ with its bright colors and low price. Rank 05, 54 교과서응용

5 심리학자 Richard Wiseman은 운 좋은 사람들이 항상 그들 주변에 일어나고 있는 것에 주목하고 새로운 경험과 기회에 열려 있다는 것을 발견했다.
(around them / open / and / of / always take / going on / stay / what's / lucky people / notice)
→ Psychologist Richard Wiseman found that ______________________
______________________ to new experiences and opportunities. Rank 09, 26 모의응용

6 여러분의 일하는 습관에서 만들 수 있는 가장 중요한 변화는 창조적인 일을 먼저 하고 전화나 이메일에 답하는 것과 같은 대응적인 일은 그다음에 하는 쪽으로 전환하는 것이다.
(creative work / be / to / your working habits / the most important change / can / in / switching / make / you)
→ ______________________
______________________ first, reactive work, like answering phones or emails, second. Rank 01, 27 모의응용

RANK 39

to부정사와 동명사의 태

부정사, 동명사

정답 및 해설 p. 32

동사의 태는 주어와 동사 간의 관계에 따라 판단하듯이, 준동사의 태는 의미상의 주어와 준동사 간의 관계에 따라 판단한다.
즉, 준동사의 태에 관한 판단은 의미상의 주어를 제대로 파악했느냐가 관건이다.

기출 대표 문항

다음 밑줄 친 부분이 어법상 옳으면 O, 틀리면 ×로 표시하고 바르게 고치시오.

1 The director arranged for test takers to be passed their designated examination papers promptly.

2 Emma struggled to excel in the competitive environment despite her giving ample opportunities by mentors.

3 Some look inside themselves for ambition, and others wait to motivate by outside forces.

답이 보이는 Clues

준동사와 의미상의 주어와의 관계가 수동이면 to부정사는 1 ____________, 동명사는 2 ____________를 쓴다.
준동사의 의미상의 주어는 다음과 같이 판단한다.

1 to부정사: 바로 앞에 <for[of]+목적격> 어구가 있을 때 '목적격'에 해당한다.

~ **for test takers** 3 ____________ their designated examination papers promptly.
▶ 수험생들이 시험지를 건네받음

2 동명사: 바로 앞에 '소유격' 또는 '목적격'으로 나타나 있다.

~ despite **her** 4 ____________ ample opportunities by mentors.
▶ 그녀가 충분한 기회를 받음

3 위의 어구가 없을 때는 주어, 목적어와 일치하거나 일반인을 뜻한다. 준동사와의 의미 관계에 따라 판단해야 한다.

~, and **others** wait 5 ____________ by outside forces.
▶ 다른 사람들이 동기를 부여받기를 기다림

cf. A healthy work-life balance is crucial **to be motivated** in both personal and professional pursuits.
▶ 의미상의 주어가 일반인을 뜻하는 경우

more 준동사의 완료 수동형 Rank 40

Test 1 어법

다음 밑줄 친 부분이 어법상 옳으면 O, 틀리면 ×로 표시하고 바르게 고치시오.

1 Personally, I really enjoy being directed toward new music that I might not have found by myself.
Rank 11 모의응용

2 The possibility of his awarding the scholarship from the school inspired him to dedicate extra hours to his studies. Rank 44, 52

3 Due to the increasing cultural diversity and global interconnectedness, it is clear that in today's world our social norms need to discuss frequently. Rank 11, 53 모의응용

4 Passwords are linked to an individual's fingerprints for people to use as an electronic form of ID. Rank 46

5 Black ice is virtually transparent, revealing the black asphalt roadways or surface below to see through it — hence the term "black ice." Rank 06, 13 모의응용

Test 2

조건 영작

다음 주어진 우리말과 일치하도록 괄호 안의 어구를 모두 활용하여 <조건>에 맞게 영작하시오.

<조건> • 필요시 밑줄 친 단어를 be p.p./v-ing/being p.p. 중 하나로 변형 가능

1 거절당하는 것에 대한 두려움에 맞서는 것은 의미 있는 관계를 형성하는 데 필수적이다.
(of / confront / reject / the fear)
→ ______________________ is essential for building meaningful connections. Rank 15, 72

2 언어 변이는 국경 지역에서 발견될 가능성이 더 큰데, 그곳에는 서로 다른 민족 문화들이 섞여 있다.
(find in / language variations / to / more likely / border areas / are)
→ ______________________, where different ethnic cultures mix.

3 네트워크 오작동으로 발생한 잘못된 라벨링으로 인해, 우리는 소포가 어디로 배달되어야 하는지를 식별하는 데 몇 시간을 보냈다.
(were / hours / packages / to / where / supposed / identify / spent / deliver)
→ Due to incorrect labeling caused by a network malfunction, we ______________________. Rank 17

고난도 4 처음 듣는 이름들은 우리가 마음속에서 그것들을 여러 번 반복하는 노력을 해도 쉽게 잊히는 경향이 있다.
(an effort / forget easily / them / to / we / tend / even though / to / make / repeat)
→ Names we hear for the first time ______________________ in our minds several times. Rank 11, 36, 52

고난도 5 오류를 포함한 원고는 출판을 위해 받아들여질 가능성이 낮은데, 대부분의 출판사는 작품에 너무 많은 오류를 포함하고 있는 집필자에게 시간을 투자하기를 원하지 않을 것이기 때문이다.
(want / invest / of / most publishers / to / will not / has / for publication / time / a low chance / accept)
→ A manuscript containing errors ______________________, as ______________________ in writers whose work contains too many mistakes. Rank 11, 52 모의응용

RANK **40**

to부정사와 동명사의 완료형

부정사, 동명사

정답 및 해설 p. 33

문장의 동사가 가리키는 때보다 이전의 일을 나타낼 때 준동사의 완료형을 사용한다.
준동사의 완료형은 태에 따라서도 그 형태가 달라지므로 준동사의 태도 함께 고려해야 한다.

기출 대표 문항

다음 주어진 문장에서 밑줄 친 부분을 어법과 문맥에 맞게 고치시오.

When the police arrived, one witness claimed <u>to see</u> the suspect fleeing the scene 10 minutes ago.

답이 보이는 Clues

to부정사 완료형	1 ________	to부정사 완료 수동형	to have been p.p.
동명사 완료형	having p.p.	동명사 완료 수동형	2 ________

주의 분사 완료형: having p.p. / 분사 완료 수동형: (having been) p.p. (Rank 20)

▶ 목격자가 진술한 때(과거)

When the police arrived, one witness *claimed* 3 ________ the suspect fleeing the scene 10 minutes ago.

▶ 목격자가 용의자를 본 때(과거보다 이전)

(= When the police arrived, one witness *claimed* that he ***had seen*** the suspect fleeing the scene 10 minutes ago.)

Test 1 어법

다음 밑줄 친 부분이 어법과 문맥상 옳으면 ○, 틀리면 ×로 표시하고 바르게 고치시오.

1 He's proud of <u>being</u> a coach for the Korean national fencing team until last year, having led them to a gold medal in the Olympics. (Rank 72) 교과서응용

2 Napoleon is known <u>to lose</u> the Battle of Waterloo because of a painful disease, but this is a myth started from a movie. (Rank 70) 모의응용

3 Fueling your body with nutritious food is necessary, since you can't survive by <u>taking</u> only supplements every day. (Rank 72)

4 Alexander the Great received a letter accusing his physician of <u>having been bribed</u> to poison him. (Rank 72) 모의응용

5 Ole Bull, one of the most renowned Norwegian musicians of the 19th century, is believed <u>to have been composed</u> more than 70 works, but only about 10 remain today. (Rank 70) 모의응용

Test 2

조건 영작

다음 주어진 우리말과 일치하도록 괄호 안의 어구를 모두 활용하여 <조건>에 맞게 영작하시오.

<조건> • 필요시 밑줄 친 단어 변형 가능
• 단어 추가 불가

1 Deseada섬은 크리스토퍼 콜럼버스가 1493년에 그의 두 번째 항해에서 육지를 보았을 때 느꼈던 욕망으로부터 그 이름을 얻었다고 일컬어진다. (have / felt / from / obtain / the desire / is / to / its name / said / Christopher Columbus)

→ Deseada Island ____________________

____________ when seeing land on his second voyage in 1493. Rank 27, 70 모의응용

2 일반적으로, 사람들은 할 말이 있기 때문에, 그리고 그들이 그것을 말했던 것에 대해 인정받기를 원하기 때문에 글을 올린다.
(say / be / they / to / it / for / recognized / want / have)

→ In general, people post because they have something to say — and because ____________

____________________. Rank 11, 39, 72 수능

3 다세포 생물이 단세포 생물보다 먼저 진화한 것으로 밝혀진다면, 진화론은 받아들여지지 않게 될 것이다.
(to / single-celled organisms / have / before / found / were / multicelled organisms / evolve)

→ If ____________________,

then the theory of evolution would be rejected. Rank 12, 44 모의응용

4 그 골동품 시계는 그 집안에서 여러 세대에 걸쳐 전해졌던 것으로 여겨진다.
(thought / is / be / to / pass down / the antique clock / have)

→ ____________________ through several

generations in the family. Rank 70

5 역설적이게도, 신체 활동이 덜 필요한 기술 및 정보 사회에서, 인간은 증가한 이동성과 힘을 얻은 것으로 보인다.
(and / gain / have / power / to / increased / appear / mobility)

→ Ironically, in a technology and information society where bodily movement is less necessary,

human beings ____________________.

Rank 05 모의응용

고난도 **6** 그 회사의 미래를 위한 중요한 결정은 이사회 회의 동안 철저히 논의된 끝에 내려졌다.
(at the end / be / was / have / made / thoroughly discuss / of)

→ The crucial decision for the company's future ____________________

____________ during the board meeting. Rank 03, 72

비교급 + than~

정답 및 해설 p. 33

두 개의 대상을 비교급을 사용하여 비교한 비교구문의 형태를 알아두자.

기출 대표 문항

다음 괄호 안의 어구를 모두 활용하여 주어진 우리말을 영작하시오. (필요시 밑줄 친 단어 변형 가능)

때때로, 나쁜 평판을 바로잡는 것이 좋은 것(평판)을 유지하는 것보다 훨씬 더 어렵다.

(a good one / maintaining / hard / a bad reputation / repairing / is / than / much)

→ Sometimes, ______________________________.

답이 보이는 Process

STEP 1 우리말에서 비교하는 두 대상을 파악한다.
비교하는 두 대상은 문법적, 의미적으로 대등해야 한다.

나쁜 평판을 바로잡는 것이 좋은 것(평판)을 유지하는 것보다 ~

1 ______________________ (동명사구)　　2 ______________________ (동명사구)

STEP 2 주어진 어구에 than이 있으므로 <3 __________ +than> 구문을 활용한다.
비교를 나타내는 어구(형용사, 부사)를 비교급으로 변형한다.

~보다 훨씬 더 어렵다: 4 ______________________

▶ 비교급 수식 어구: much, even, still, (by) far, a lot(훨씬) / a little, a bit(조금) 등

주의 비교 대상의 반복을 피하기 위해 that[those]을 사용하기도 한다. 이때, 대명사의 수일치에 주의한다. Rank 33

e.g. A dog's ***sense of smell*** is still better than ***that*** of a human.
(those ~ (×))

more 1 than 대신 전치사 5 __________ 를 쓰는 비교급

superior[inferior, senior, junior, preferable] to A: A보다 월등한[열등한, 손위의, 손아래의, 선호되는]

more 2 혼동하기 쉬운 비교급 구문

A not more ~ than B	(A, B 모두 ~하나) A가 B보다 덜 ~하다(A≤B)
A not less ~ than B	A는 B 못지않게 ~하다(A≥B)
A no more ~ than B ...	A는 B와 마찬가지로 ~ 아니다(A=B)
A no less ~ than B	A는 꼭 B만큼 ~하다(A=B)
not more than	많아 봤자, 기껏해야(= at (the) most)
not less than	적어도(= at (the) least)
no more than ~	겨우 ~인, 단지(= only, as few[little] as)
no less than ~	~나 되는(= as many[much] as)

Test 1
어법

다음 밑줄 친 부분이 어법상 옳으면 O, 틀리면 ×로 표시하고 바르게 고치시오.

1 Young children are noticeably more resistant to sharing their toys with others than to play alone. Rank 72

2 Taking action can result in much great change than just thinking about it. 모의응용

3 As for my own preference, the taste of Indonesian coffee is superior to that of Brazilian coffee.

4 The price that the farmer gets from the wholesaler is very more flexible from day to day than the price that the retailer charges consumers. 모의응용

Test 2
조건 영작

다음 주어진 우리말과 일치하도록 괄호 안의 어구를 모두 활용하여 <조건>에 맞게 영작하시오.

<조건> • 필요시 밑줄 친 단어 변형 가능
• 필요시 more 추가 가능

1 요즘, 수많은 사람들이 대기업의 위력이 정부의 그것보다 훨씬 더 강하다고 생각한다.
(strong / the powers / than / governments / of / of / far / large-scale enterprises / that / are)
→ These days, a great number of people believe that ______________________
______________________. Rank 33

2 때때로, 사람들이 인터넷에서 얻는 정보는 단지 장황한 기사의 불확실한 요약문일 뿐이다.
(of / unclear summaries / no / than / lengthy articles / is)
→ Sometimes, information that people acquire on the Internet ______________________
______________________. 모의응용

고난도 3 다른 사람들의 요구를 충족시키기 위해 자신의 꿈을 포기하는 것보다 사소한 것에 대해 몇 사람을 실망시키는 것이 더 낫다.
(to abandon / to meet / your dreams / good / others / a few people / of / to disappoint / the demands / than)
→ It's ______________________ over small things ______________________
______________________. Rank 13, 14 모의응용

고난도 4 사실, 사람들은 처음에 긍정적으로 보이다가 부정적인 태도로 바뀌는 사람들보다 일관되게 부정적인 사람들에게 더 끌린다.
(consistently negative / individuals / negative attitudes / are / and then / attracted to / initially seem / who / than to / positive / individuals / are / switch to / who)
→ In fact, people ______________________
______________________. Rank 09, 25

RANK 42

원급을 이용한 비교 표현

정답 및 해설 p. 34

두 대상을 비교하여 정도가 같을 때는 원급을 이용하여 나타낼 수 있다.

기출 대표 문항

다음 괄호 안의 어구를 모두 알맞게 배열하여 주어진 우리말을 영작하시오.

고속도로에서 천천히 운전하는 것은 도시에서 질주하는 것만큼이나 위험하다.

(as / is / driving slowly / in cities / on the highway / as / dangerous / racing)

→ ______________________________.

답이 보이는 Process

STEP 1 우리말에서 비교하는 두 대상을 파악한다.
비교하는 두 대상은 문법적, 의미적으로 대등해야 한다.

고속도로에서 천천히 운전하는 것은 도시에서 질주하는 것만큼이나 ~

1 ______________ (동명사구)   2 ______________ (동명사구)

STEP 2 주어진 어구에 as가 있으므로 우리말 의미에 맞도록 <A as 3 ______ as B> 구문에 따라 배열한다.
~만큼이나 위험하다: 4 ______________

주의 원급 앞이나 뒤에 딸린 어구가 있으면 as ~ as 사이에 위치한다.
특히 형용사가 수식하는 명사가 있는 경우 <as 형용사 원급+명사 as>의 어순이 된다.
e.g. The grocery store offered *as* ***many*** **options** *as* a large supermarket.

more 1 <A 수식어 as ~ as B>

A *not* as[so] 원급 as B	A는 B만큼 ~하지는 않은 (A<B)
A about as ~ as B	A는 약 B만큼 ~한 (A≒B)
A almost[nearly] as ~ as B	A는 거의 B만큼 ~한 (A≦B)
A just[exactly] as ~ as B	A는 꼭[정확히] B만큼 ~한 (A=B)
A 배수/분수 as ~ as B	A는 B의 …배만큼 ~한

more 2 <as[so] ~ as>가 만드는 기타 구문

as many[much] as ~	무려 ~나 되는 수[양]의(수나 양이 많다는 느낌)
as ~ as possible	가능한 한 ~한[하게](= as 원급 as+주어+can[could])
not so much A as B	A라기보다는 오히려 B인(= B rather than A, rather B than A, more B than A)

Test 1

배열 영작

다음 괄호 안의 어구를 모두 알맞게 배열하여 주어진 우리말을 영작하시오.

1 우리의 예상과는 달리, 대학생으로 이루어진 집단은 고등학생으로 이루어진 집단만큼 줄거리를 완전히 설명하지 못했다.

(the group / the group / didn't describe / as / undergraduate students / high school students / of / the storyline / fully / of / as)

→ Contrary to our expectation, ______________________________

______________________________.

2 만일 여러분이 만화책에서 어떻게 그림과 말이 이야기를 전하는지 고려한다면, 여러분은 만화가 꼭 다른 어떤 종류의 문학만큼 복잡하다는 결론을 내릴 수 있다.

(tell / are / complex / the pictures and words / just / comics / any other kind of literature / as / how / a story / as)

→ If you consider ______________________________ in comic books,

you can conclude that ______________________________.

Rank 17 교과서응용

3 투자에 관해서는, 당신은 단기적인 이익보다는 오히려 장기적인 이익을 목표로 해야 한다.

(for short-term gains / you / for long-term profits / should aim / as / not so much)

→ As for investments, ______________________________

______________________________. 모의응용

고난도 **4** 우리 세대의 사회 규범들이 그것들이 예전에 그랬던 것만큼 엄격하지는 않기 때문에, 우리는 패션을 통해 가능한 한 자유롭게 우리 자신을 표현할 수 있다.

(strict / not / as / used / ourselves / they / we / so / possible / as / as / can express / freely / to be)

→ Since societal norms in our generation are ______________________________,

______________________________ through fashion.

Rank 49, 68

5 고당도 과일의 과도한 섭취는 가공된 탄수화물 식품이 그러는 것만큼 크게 신진대사 및 인지 문제를 일으킨다.

(as / metabolic and cognitive problems / do / as / causes / processed carbs / significantly)

→ Excessive consumption of high-sugar fruit ______________________________

______________________________. Rank 67 모의응용

*carb: 탄수화물 (식품)

고난도 **6** 개인적으로 기업가를 알고 있는 사람들은 기업가인 지인이나 역할 모델이 없는 사람들보다 두 배 넘는 만큼 새로운 회사를 시작하는 일에 관여할 가능성이 높다.

(in starting / those / as / to be involved / a new firm / likely / are / as / more than twice)

→ People who personally know an entrepreneur ______________________________

______________________________ with no entrepreneur acquaintances or role models. Rank 33, 72 모의응용

RANK **43**

최상급을 나타내는 여러 표현

비교

정답 및 해설 p. 34

셋 이상을 비교하여 그중 하나의 정도가 가장 심하다는 것을 나타낼 때 최상급 표현을 사용한다.
다양한 최상급 구문의 형태와, 최상급을 나타내는 원급, 비교급 표현도 함께 알아두자.

기출 대표 문항 1

다음 우리말을 영어로 옮긴 문장에서 틀린 부분을 찾아 바르게 고치시오.

1 Great Salt Lake는 미국 유타주의 북부에 위치해 있는데, 서반구에서 가장 큰 염수호이다.
→ The Great Salt Lake, situated in the northern part of the U.S. state of Utah, is the large salt lake in the Western Hemisphere.

2 MRI는 신경학에서 가장 흔히 사용되는 검사 중 하나로 인정되어 왔다.
→ MRI has been recognized as one of the most commonly used test in neurology.

답이 보이는 Clues

1 최상급 구문의 형태는 주로 다음과 같다. 뒤에 오는 어구는 생략되기도 한다.

the+[1] __________ + (가장 …한[하게])	in+단수명사 (~에서)
	of+복수명사 (~들 중에서)
	(that)+have[has] ever p.p. (지금까지 ~한 것 중에서)

2 one of the+최상급+[2] __________ 명사: 가장 ~한 것들 중 하나

more 1 최상급 강조 어구: much, by far, quite, the very 등

more 2 부사의 최상급이나, 동일 대상을 비교하는 경우 the를 붙이지 않을 수 있다.
e.g. She valued honesty, integrity, and (the) **most** *of all*, kindness.

Test 1 어법

다음 문장에서 틀린 부분을 찾아 바르게 고치시오. (옳은 문장이면 O로 표시할 것)

1 Television remains much the fastest way to build up public awareness of a new campaign.
Rank 52 수능응용

2 Deciding how to decorate a house's interior is one of the most demanding selection any homeowner makes. Rank 27 모의응용

Test 2 조건 영작

다음 주어진 우리말과 일치하도록 괄호 안의 어구를 모두 활용하여 영작하시오. (필요시 밑줄 친 단어 변형 가능)

1 리비아 사막은 리비아의 땅 대부분을 포함하는데, 그녀가 지금까지 다녀왔던 지역 중에 단연코 가장 더운 지역이다.
(<u>have ever</u> / she / the / to / that / <u>be</u> / <u>hot</u> / by far / area)
→ The Libyan Desert, which covers most of the land in Libya, is ____________________
______________________________.

2 자신감을 갖게 되는 것에 관한 가장 큰 오해들 중 하나는 그것이 두려움 없이 사는 것을 의미한다는 것이다.
(about / misconception / the / one / big / becoming / be / of / self-confident)
→ ______________________________ that it means living fearlessly. Rank 01, 72 모의응용

기출 대표 문항 2

다음 문장이 같은 의미가 되도록 괄호 안의 어구를 모두 활용하여 빈칸을 완성하시오. (단어 추가 가능, 주어진 어구 변형 불가)

The story about his success is the most impressive.
= No other story is ______________ the story about his success. (as)
= No other story is ______________ the story about his success. (more)
= The story about his success is ______________. (story, any other, than)

답이 보이는 Clues

최상급의 의미를 나타내는 원급, 비교급 표현들에 대해 알아두자.
i) No (other) ... as[so] 원급 as ~
ii) No (other) ... 비교급 than ~
iii) 비교급 than any other ~

more • nothing (else)나 no one (else)를 주어로 쓸 수도 있다.
e.g. **Nothing (else)** is **as[so] impressive as/more impressive than** the story about his success.
• <비교급 than anything else>로 표현할 수도 있다.
e.g. The story about his success is **more impressive than anything else**.

Test 3 문장 전환

다음 문장이 같은 의미가 되도록 괄호 안의 어구를 모두 활용하여 빈칸을 완성하시오. (단어 추가 가능, 주어진 어구 변형 불가)

1 In building Korean traditional palaces, pine trees were more valuable than any other plant.
= ~, ______________________________. (no other, as, plant)
= ~, pine trees ______________________________. (plant, most) 교과서응용

2 When pedestrians walk down the street, electric cars are the most dangerous car because they make little noise.
= ~, electric cars ______________________________ because they make little noise. (car, more, any other)
= ~, ______________ is ______________ because they make little noise. (car, no other, as)

RANK 44 4문형·5문형의 수동태

정답 및 해설 p. 35

4문형(SVOO)과 5문형(SVOC)의 수동태는 <be p.p.> 뒤에 목적어나 보어((대)명사, 형용사, to-v, v-ing, p.p.)가 남아 있으므로 그 형태에 특히 주의해야 한다.

기출 대표 문항

다음 밑줄 친 부분이 어법상 옳으면 O, 틀리면 ×로 표시하고 바르게 고치시오.

1 World War I was given that name only after we were deeply embattled in World War II.

2 Participants in the study were made by the researcher answer a set of cognitive questions to assess memory retention.

답이 보이는 Clues

1 4문형(SVOO)의 수동태

두 개의 목적어 중 하나는 수동태 문장의 [1] ________ 자리로 가고, 나머지 하나는 그 자리에 남아 <S+be p.p.+O>의 형태가 된다.
be p.p. 뒤에 명사(구)가 있다고 해서 능동태 문장으로 착각하지 말자.

People(S) gave(V) World War I(IO) that name(DO) ~. → World War I(S) [2] ________(V) that name(O) ~.

more 보통 간접목적어(IO)가 수동태 문장의 주어가 되지만,
직접목적어(DO)가 주어가 되면 남아 있는 간접목적어 앞에 적절한 전치사를 쓴다. Rank 58

2 5문형(SVOC)의 수동태

목적어가 주어 자리로 가고, 보어는 그 자리에 남아 <S+be p.p.+C>의 형태가 된다.
단, 능동태 문장에서 보어가 v(원형부정사)인 경우 수동태에서는 [3] ________가 되는 것에 주의한다. Rank 07

The researcher(S) made(V) participants (in the study)(O) answer(C) ~.

→ Participants (in the study)(S) were made(V) *(by the researcher)* [4] ________(C) ~.

▶ 동사와 보어 사이의 삽입어구에 주의한다.

Tip 목적격보어가 (대)명사, 형용사, to부정사, 분사(v-ing, p.p.)인 경우, 보어 자리에 그대로 쓴다.

more 사역동사 let이 원형부정사를 목적격보어로 취하는 경우, 수동형은 <be allowed to-v>로 쓴다.
e.g. She **let** the child *pick out* a toy at the store.
→ The child **was allowed** *to pick out* a toy at the store.
(← was let (×))

Test 1 어법

다음 밑줄 친 동사의 태가 어법상 옳으면 O, 틀리면 ×로 표시하고 바르게 고치시오. (단, 시제는 변경하지 말 것)

1 The huge volume of ice on the southeastern edge of the Central Asian region is now called the Third Pole.

2 New employees in the department have taught the company's policies and procedures by their seniors during their orientation. Rank 16

3 In the movie, the main character sees running toward the ship which is leaving the harbor. Rank 08

4 Every month, the manager provided the factory materials, and all the workers told to produce a fixed number of shoes. Rank 07 모의응용

고난도 5 In the 1960s, many people were considered pesticides to be beneficial to mankind. Developing new and broadly effective pesticides considered at that time to be the best way to control pests affecting crop plants. Rank 15 모의응용

Test 2 조건 영작

다음 주어진 우리말과 일치하도록 괄호 안의 어구를 모두 활용하여 <조건>에 맞게 영작하시오.

<조건> • 필요시 밑줄 친 단어 변형 가능
• 필요시 be동사/to 추가 가능

1 특히 어르신들을 위해 만들어진 이 소형 자동차들은 아주 작지만 연료 효율이 좋은 것으로 여겨진다.
(think / but fuel-efficient / very small)
→ These minicars designed specifically for the elderly ______________________________ ______________________. Rank 01, 09

2 우주 로켓이 이륙하여 하늘로 올라가는 것이 흥분한 관중 무리에 의해 목격되었다.
(and / the space rocket / take off / into the sky / observe / go up)
→ ____ by the excited crowd of spectators. Rank 07, 09

3 올림픽에 참가하는 모든 나라가 주최국에 의해 그들의 국기를 게양할 것을 요청받았다.
(in / ask / the Olympics / all the nations / part / their national flags / fly / taking)
→ ____ by the host country. Rank 01, 05, 07

고난도 4 최초의 자동차는 '말이 없는' 마차라고 불렸고, 그 명칭은 대중이 기존의 수송 방법과 대조하여 그 개념을 이해하도록 해주었다.
(the public / allow / a "horseless" carriage / the concept / understand / call)
→ The first automobile ______________________________, and the name ____________________________________ against the existing mode of transportation. Rank 07 모의응용

고난도 5 한 연구에서, 세 개의 다른 세제 상자가 연구 대상자들에게 주어졌고, 그 연구 대상자들은 그것들을 모두 사용해 보고 그것들의 세탁 성능에 대한 피드백을 제공할 것을 요구받았다.
(provide / try them all / give / of detergent / expect / feedback / three different boxes / and)
→ In one study, ________________________________ to subjects, and the subjects ____________________________________ on their cleaning performance. Rank 07, 09 모의응용

RANK

01-44 서술형 대비 **실전 모의고사 4회**

100점

정답 및 해설 p. 35

[01-05] 다음 밑줄 친 부분이 어법상 옳으면 O, 틀리면 ×로 표시하고 바르게 고치시오. [밑줄당 2점]

01 No matter how strongly a nation's GDP growth appears, persistent structural inequalities can render its social progress inferior than that of societies with greater equity.

02 One of the greatest risk of writing is that even the simplest choices among those regarding wording or punctuation can sometimes prejudice your audience against you in ways that may seem unfairly. 모의응용

*punctuation: 구두법(문장 부호를 쓰는 방법)

03 If an ecosystem is divided into parts by creating barriers, the sum of the productivity of the parts will typically be expected fall below that of the whole, other things being equal. 모의응용

04 Neurologist and teacher Judith Willis has written that encourage active discovery in class lets students interact with new data, moving it beyond working memory and allowing it to interpret in the frontal lobe, the part of the brain devoted to advanced cognitive functioning. 모의응용

*frontal lobe: (대뇌의) 전두엽

고난도

05 Having evolved to reproduce earlier as the risk of death from fishing increases with age, some fish species now have reduced likelihood of securing future generations because younger fish produce few eggs than large-bodied ones. Furthermore, many industrial fisheries are so intensively that few fish survive beyond the age of maturity. 수능응용

[06-07] 다음 글의 밑줄 친 ① ~ ⑤ 중 틀린 부분 2개를 찾아 바르게 고친 후, 틀린 이유를 작성하시오. [각 4점]

Spine-tingling ghost stories are fun ① to tell if they are really scary, and ② even more so if you claim they're true. People get a thrill from passing on those stories. The same applies to miracle stories. The earlier a rumor of a miracle is written down, the ③ hardly it becomes to dispute it, especially if the book containing it is ancient. If a rumor is old enough, it tends ④ to call a "tradition" instead, and then people believe it all the more. This seems ⑤ illogical because older rumors have had more time to become distorted, compared to newer ones that are closer chronologically to the events they describe. 모의응용

06 틀린 부분: ____________ → 바르게 고치기: ____________

틀린 이유: ____________________________

07 틀린 부분: ____________ → 바르게 고치기: ____________

틀린 이유: ____________________________

[08-11] 다음 주어진 우리말과 일치하도록 괄호 안의 어구를 모두 활용하여 <조건>에 맞게 영작하시오. [각 5점]

<조건> • 필요시 밑줄 친 단어 변형 가능 • 단어 추가 불가

08 유명 인사들은 일반적으로 능력 있는 사람들로 여겨지고, 심지어 특정 측면에서는 종종 흠이 없고 완벽해 보이기 때문에, 실수를 저지르는 것은 그 사람의 인간미를 다른 사람들에게 사랑스럽게 만들어 줄 것이다. (competent individuals / make / will / one's humanity / blunders / endearingly / commit / are / to be / generally consider)

→ As celebrities ______________________________ and often even presented as flawless or perfect in certain aspects, ______________________________ to others. 모의응용

*blunder: (부주의하거나 어리석은) 실수

09 한 실험에 따르면, 참가자들의 기억은 잘못된 정보 자체를 받는 것에 의해서보다 다른 참가자들의 가짜 반응에 의해서 훨씬 더 기억 왜곡에 영향을 받기 쉬웠다. (memories / by / false information / much / memory distortion / to / than / be / susceptible / more / participants' / were / give)

→ According to one experiment, ______________________________ by other participants' fake responses ______________________________ itself. 모의응용

고난도

10 직관적이지 않아 보일 수도 있지만, 질량이 다른 물체들은 진공 상태에서 같은 속도로 떨어진다. 이 원리를 가능한 한 정확하게 입증하기 위해, 우주비행사들은 망치와 깃털을 달에서 동시에 떨어뜨렸다. (simultaneous dropped / this principle / seem / as / as / demonstrate / as / astronauts / possible / accurate / it / unintuitive / may / to)

→ ______________________________, objects of different masses fall at the same rate in a vacuum. ______________________________, ______________________________ a hammer and a feather on the Moon.

고난도

11 목표가 교과서를 공부하는 것이라면, 완전한 문장으로 필기를 하는 것은 이치에 맞다. 그러나 여러분이 강의 필기를 위해 이와 같은 방법을 적용한다면, 여러분은 너무 느리게 움직여서 강사가 말하는 것의 대부분을 놓칠 것이다.

(the instructor / is / if / a textbook / slow / this same method / that / taking / you'll / if / what / apply / most / miss / says / the goal / you / for / so / of / study / lecture notes)

→ Writing out your notes in full sentences makes sense ______________________________. However, ______________________________, you'll move ______________________________. 모의응용

12 다음 글의 빈칸에 들어갈 가장 적절한 말을 <보기>에 주어진 어구를 배열하여 완성하시오. [7점]

Research has shown that we automatically assign to good-looking individuals such favorable traits as talent, kindness, honesty, and intelligence. Furthermore, we make these judgements without being aware that physical attractiveness plays a role in the process. Some consequences of this unconscious assumption that "good-looking equals good" are almost scary. For example, a study of the 1974 Canadian federal elections found that ______________________________. 수능응용

*federal: 연방 정부의

<보기> many / two and a half / as / more than / unattractive candidates / physically attractive candidates / as / received / votes / times

→ ______________________________

13 다음 글의 요지를 <조건>에 맞게 완성하시오. [8점]

On one occasion I was trying to explain the concept of buffers to my children. We were in the car together at the time and I tried to explain the idea using a game. Imagine, I said, that we had to get to our destination three miles away without stopping. We couldn't predict what was going to happen in front of us and around us. We didn't know how long the light would stay on green or if the car in front would suddenly put on its brakes. The only way to keep from crashing was to put extra space between our car and the car in front of us. This space acts as a buffer. It gives us time to respond and adapt to any sudden moves by other cars. Similarly, we can reduce the friction of doing the essentials in our work and lives simply by creating a buffer. 모의응용

*buffer: 완충제

<조건> 1. <보기>에 주어진 어구를 모두 한 번씩만 사용할 것 2. 필요시 밑줄 친 단어 변형 가능

<보기> not / dangerously expose / our lives / driving or managing / to unforeseen circumstances / to / space / are / whether / be / we / create / to

[요지] ______________________, it's important ______________________.

[14-15] 다음 글을 읽고 물음에 답하시오.

Brands that fail to grow and develop lose their relevance. Think about the person you knew who was once on the fast track at your company, who is either no longer with the firm or, worse yet, appears to have hit a plateau in his or her career. Assuming he or she did not make an ambitious move, it is likely that this individual is a victim of having (A) (leave) behind in his or her industry, having failed to stay relevant and embrace the advances. Think about the impact personal computing technology had on the first wave of executive leadership exposed to the technology. Those who embraced the technology were able to integrate it into their work styles and excel. Those who were resistant found few opportunities to advance their careers, and in many cases were ultimately let go through early retirement for failure to stay relevant and update their skills. 모의응용

*hit a plateau: 정체기에 들다

14 윗글의 (A)의 괄호 안에 주어진 단어를 어법상 알맞은 형태로 바꿔 쓰시오. [4점]

(A) ______________

15 윗글의 내용을 요약하고자 한다. <조건>에 맞게 요약문을 완성하시오. [9점]

<조건> 1. <보기>에 주어진 어구를 모두 한 번씩만 사용할 것 2. 필요시 밑줄 친 단어 변형 가능

<보기> fail / limitation / to / a great risk / stay / the changes in / facing / updated / have / of / who / who / their field / adapt to

[요약문] Individuals ______________________ than those ______________ with the changes.

[16-17] 다음 글을 읽고 물음에 답하시오.

Over 4.5 billion years ago, the Earth's primordial atmosphere probably ① consisted of largely water vapour, carbon dioxide, sulfur dioxide, and nitrogen. The appearance and subsequent evolution of exceedingly primitive living organisms (bacteria-like microbes and simple single-celled plants) began to change the atmosphere, ② liberating oxygen and breaking down carbon dioxide and sulfur dioxide. This made it ③ possibly for higher organisms to develop. When the earliest known plant cells with nuclei evolved about 2 billion years ago, the atmosphere seems to ④ have only about 1 percent of its present content of oxygen. The emergence of the first land plants, about 500 million years ago, led oxygen ⑤ to reach about one-third of its present concentration. It had risen to almost its present level by about 370 million years ago, when animals first spread on to land. Today's atmosphere is thus not just a requirement to sustain life as we know it — it is also a consequence of life. 모의응용

*primordial: 원시의, 태고의 **liberate: ((화학)) 유리시키다((화합물에서 원자나 원자단을 분리하는 것))

16 윗글의 밑줄 친 ①~⑤ 중 틀린 부분 2개를 찾아 바르게 고치시오. [각 4점]

(1) 틀린 부분: ____________________ → 바르게 고치기: ____________________

(2) 틀린 부분: ____________________ → 바르게 고치기: ____________________

고난도

17 윗글의 요지를 <조건>에 맞게 완성하시오. [12점]

<조건> 1. <보기>에 주어진 어구를 모두 한 번씩만 사용할 것
2. 필요시 밑줄 친 단어 변형 가능

<보기> to live / although / their activity / where / the Earth's atmosphere today / has changed / are / we / a product of / merely as / that / allow / organisms / a setting / might consider

[요지] ____
____________________, it is also ____ over billions of years.

45 Rank 55

서술형 PLUS 표현

+ 감정을 나타내는 표현 Rank 54

e.g. The landscapes of Ireland amazed me. (아일랜드의 풍경이 나를 놀라게 했다.)
The landscapes of Ireland were amazing. (아일랜드의 풍경은 놀라웠다.)
I was very amazed by the landscapes of Ireland. (나는 아일랜드의 풍경에 매우 놀랐다.)

감정을 나타내는 동사	v-ing(감정을 불러일으킴)	p.p.(감정을 느낌)
amaze (깜짝) 놀라게 하다	amazing (깜짝) 놀라게 하는	amazed (깜짝) 놀란
amuse 즐겁게 하다	amusing 즐겁게 해주는, 재미있는	amused 즐거워하는
annoy 짜증나게 하다	annoying 짜증나게 하는	annoyed 짜증이 난
bore 지루하게 하다	boring 지루하게 하는	bored 지루함을 느끼는
confuse 혼란스럽게 하다	confusing 혼란스럽게 하는	confused 혼란스러워하는
delight 기쁘게 하다	delighting 기쁜, 즐거운	delighted 아주 기뻐하는
depress 우울하게 만들다	depressing 우울하게 만드는	depressed 우울한
disappoint 실망스럽게 하다	disappointing 실망스러운	disappointed 실망한, 낙담한
embarrass 당혹하게 하다	embarrassing 당혹하게 하는	embarrassed 당혹스러운
excite 들뜨게 만들다, 흥분시키다	exciting 신나는, 흥분하게 하는	excited 신이 난, 흥분한
exhaust 지치게 하다	exhausting 기진맥진하게 만드는	exhausted 기진맥진한
fascinate 매혹시키다	fascinating 매력적인	fascinated 매료된
frighten 무서워하게 하다	frightening 무섭게 하는	frightened 무서워하는, 겁먹은
frustrate 좌절시키다	frustrating 좌절시키는	frustrated 좌절된, 좌절한
impress 감동을 주다	impressing 감동을 주는	impressed 감동을 받은
interest 흥미를 끌다	interesting 흥미를 끄는	interested 흥미[관심]를 갖는
please 즐겁게 하다	pleasing 즐겁게 하는	pleased 기쁜, 만족해하는
puzzle 어리둥절하게 만들다	puzzling 어리둥절하게 하는	puzzled 어리둥절해 하는
relieve 안도하게 하다	relieving 안도하게 하는	relieved 안도한
satisfy 만족시키다	satisfying 만족시키는	satisfied 만족한
shock 충격을 주다	shocking 충격적인	shocked 충격을 받은
surprise 놀라게 하다	surprising 놀라게 하는	surprised 놀란
terrify 겁나게 하다	terrifying 겁나게 하는	terrified 겁이 난, 무서워하는
thrill 신나게 만들다, 열광시키다	thrilling 아주 신나는	thrilled 아주 신이 난
touch 감동시키다, 마음을 움직이다	touching 감동적인	touched 감동한

RANK 45

it be ~ that... 강조구문

특수구문

정답 및 해설 p. 38

특정 어구를 강조하기 위해 <it be ~ that...(…하는 것은 바로 ~이다[였다])> 구문이 사용된다.
be동사와 that 사이에 주어, 목적어, 부사(구[절]) 등을 넣어서 강조할 수 있다.

기출 대표 문항

다음 괄호 안의 어구를 모두 알맞게 배열하여 주어진 우리말을 영작하시오.

비록 달은 우리 은하계의 모든 행성보다 훨씬 더 작지만, 조수에 큰 영향을 미치는 것은 바로 달이다.

(has / it / on / the Moon / the tides / is / a huge influence / that)

→ Though the Moon is much smaller than all the planets in our solar system, ____________________ ____________________.

답이 보이는 Process

STEP 1 우리말과 주어진 어구를 통해 <it be ~ that...> [1] ____________을 써야 함을 파악한다.
i) 조수에 큰 영향을 미치는 것은 **바로 달이다** → '달' 강조
ii) 주어진 어구에 it, be, that이 있음을 확인

STEP 2 강조하는 어구를 it be와 that 사이에 위치시킨다. 시제가 현재면 it is를, 과거면 it was를 쓴다.

STEP 3 that 이하 나머지를 배열한다.
강조하는 어구가 주어, 목적어일 경우 that 뒤에 주어나 목적어가 없는 [2] ____________ 문장이,
부사(구[절])일 경우 [3] ____________ 문장이 온다.

more 1 강조되는 어구가 사람이면 that 대신 who(m)를, 사람 이외의 것이면 which를 쓸 수 있다.

more 2 <not A until B> 구문의 강조구문에서는 not의 위치에 주의한다.
e.g. She did ***not*** realize her mistake **until she received the feedback from her boss**.
→ *It* was ***not*** **until she received the feedback from her boss** *that* she realized her mistake.

Tip it be와 that이 없어도 완전한 문장이 된다는 점에서 <가주어-진주어> 구문과 구별된다. Rank 53
~~it is~~ the Moon ~~that~~ has a huge influence on the tides (it is와 that을 삭제해도 문장이 완전 → 강조구문)
e.g. ~~It is~~ not surprising ~~that~~ humans use both their sense of taste and smell to taste food.
→ Humans use both their sense of taste and smell to taste food not surprising. (×)
(It is와 that을 삭제하면 완전한 문장 아님 → 가주어-진주어 구문)

Test 1 문장 전환

<it be ~ that...> 강조구문을 사용하여 굵게 표시한 부분을 강조하는 문장으로 바꿔 쓰시오.

1 **The act of beginning** becomes the starting point or influences the action that leads people to success.
→ It ____ or influences the action that leads people to success.

2 Attempts to formalize spelling and punctuation of English were actively made **in the eighteenth century**.

→ It ____

________________________. Rank 52 모의응용

고난도 **3** Thomas Edison was indeed a creative genius, but he did **not** find increased success **until he discovered some of the principles of marketing**.

→ Thomas Edison was indeed a creative genius, but it ________________________

____. 모의응용

Test 2 배열 영작

다음 괄호 안의 어구를 모두 알맞게 배열하여 주어진 우리말을 영작하시오.

1 우리가 우리의 바람을 충족시키거나 새로운 길을 추구할 수 있도록, 우리에게 동기를 부여하고 우리의 감각을 상황에 집중시키는 것은 바로 우리의 내재하는 야망이다. (and / inherent / senses / our / us / motivate / that / our / ambitions / focus)

→ It is ____ on our situation, so we can fulfill our desires or pursue a new path. Rank 09 EBS응용

2 연구에 따르면, 대부분의 아이들이 완전한 문장을 사용하고 기본적인 대화에 참여하기 시작하는 것은 바로 3세의 나이쯤이다. (of / most children / sentences / start / three / to use / the age / around / complete / that)

→ According to research, it is ________________________________

________________ and engage in basic conversation. Rank 11

3 현관홀을 위한 독특한 조각상을 만들기 위해 회사가 고용한 사람은 바로 그 능숙한 공예가였다. (the / the company / artisan / skilled / hired / whom / a unique sculpture / to create)

→ It was ____ for the entrance hall. Rank 13

*artisan: 공예가; 장인

고난도 **4** 체온을 유지하기 위해, 중요한 것은 몸의 표면 온도가 아니다. 안정되게 유지되어야 하는 것은 바로 몸속 깊은 곳의 온도이다. (matters / deep inside / stable / at the surface of / be kept / the body / the temperature / the temperature / must / which / which / the body)

→ To maintain body temperature, it is not ________________________________

________________. It is ____.

Rank 44 모의응용

고난도 **5** 언제 어느 때나 정치적으로 두드러지는 정체성은 거의 없다. 정치적 문제가 특정 집단의 사람들의 행복에 영향을 주는 때에만 정체성이 중요성을 띤다. (the welfare / it / that / those / a political issue / of / an identity / is / affects / only when / importance / in a particular group / assumes)

→ Few identities are politically salient at any moment. ________________________

____. 모의응용

*salient: 가장 두드러진, 현저한

RANK 46 to부정사의 명사 수식

정답 및 해설 p. 38

to부정사(to-v)는 명사를 뒤에서 수식하는 형용사 역할을 할 수 있으며, 주로 <v할 명사, v하는 명사, v해야 할 명사>로 해석된다. <명사+v-ing(현재분사)>나 <명사+관계대명사절>도 이와 같은 의미이므로 to부정사를 쓰라는 조건이 대부분 제시된다.

기출 대표 문항

다음 밑줄 친 부분이 어법상 옳으면 O, 틀리면 ×로 표시하고 바르게 고치시오.

1 Prior to beginning the project, the leader will outline the procedures <u>to follow</u> for effective collaboration.

2 In the waiting room, patients were provided with clipboards as something <u>to write</u> for filling out medical history forms.

답이 보이는 Clues

1 to부정사(구)는 명사를 [1] ________ 에서 수식한다.

~, / the leader will outline *the procedures* [2] ____________ / for effective collaboration.

▶ 따라야 할 절차

2 수식받는 명사가 전치사의 목적어인 경우, 반드시 <명사+to-v+[3] ________> 형태로 쓴다.

~ clipboards / as *something* [4] ____________ / for filling out medical history forms.

▶ to write on something: ~ 위에 쓸 무언가 (자동사+전치사+명사)

주의 to부정사의 의미상의 주어는 to부정사 앞에 <for[of]+목적격>의 형태로 쓴다.

more 명사 뒤에 나오는 to부정사가 항상 명사를 수식하는 것은 아니다. Rank 13
e.g. They waved their flags / *to show* support. <v하기 위해, v하도록 ((목적))>

Test 1 어법

다음 밑줄 친 부분이 어법상 옳으면 O, 틀리면 ×로 표시하고 바르게 고치시오.

1 Moving to a smaller town <u>to live in</u> provided them with a sense of community and a slower pace of life. Rank 15, 63

2 She was one of the earliest Black students to <u>attending</u> the newly-established public schools for African Americans. Rank 47 모의

3 If you want to teach your children how to swim, infancy to preschool age is often seen as the best time <u>the young</u> to learn swimming. Rank 04

4 Babies playing alone had less sustained sensorimotor play than those who had an adult to interact with, even when they had a variety of toys to play. Rank 25, 41 모의응용 *sensorimotor: 감각 운동의

5 As the sun set over the horizon, the breathtaking view from the mountaintop was truly something to be remembered. Rank 39

Test 2 조건 영작

다음 주어진 우리말과 일치하도록 괄호 안의 어구를 모두 활용하여 <조건>에 맞게 영작하시오.

<조건> • 적절한 곳에 to를 추가할 것

1 광고는 상품 가격 상승의 원인이 될 수도 있지만, 소비자들은 구매 결정을 내리는 데 있어 그들을 도와줄 정보를 그것으로부터 얻을 수 있다. (information / consumers / help / can gain / purchasing decisions / in making / them)

→ Advertising may contribute to rising product costs, but ______________________ ______________________ from it. Rank 72 모의응용

2 욕실은 그 공간의 습기가 약의 분해를 가속하기 때문에 의약품을 보관할 좋은 장소가 아니다. (not / medicine / is / store / a good place / the bathroom)

→ ______________________ because the room's moisture accelerates the breakdown of the drugs. 모의응용

3 사람들은 그 이후의 행동들이 첫 번째 판단과 모순될 때조차도, 그들이 만나는 사람에 대한 첫인상을 계속 갖고 있는 경향이 있다. (of / meet / with / stick / a tendency / they / someone / the initial impression / have)

→ People ______________________, even when subsequent behaviors contradict the first judgment. Rank 27, 52

고난도 4 화가 날 때, 운동이나 청소는 여러분이 자신을 진정시키기 위해 집중해야 할 긍정적인 활동이자 여러분이 부정적인 감정들에 대처하는 훌륭한 방법일 수 있다. (for / for / your negative emotions / cleaning / exercising / you / a great way / on / a positive activity / you / with / or / focus / cope / can be)

→ When you are angry, ______________________ to calm you down and ______________________.

Rank 09, 52 모의응용

5 Watson 박사가 스페인에서 발견된 청동 조각상의 매장물에 대해 공유할 몇몇 새로운 발견이 있다고 발표했을 때, 그녀는 많은 주목을 받기 위해 많은 것을 할 필요가 없었다. (have to / didn't / a lot of spotlight / the deposit / had / of bronze statues / some new findings / gain / do much / about / share)

→ When Dr. Watson announced that she ______________________ ______________________ discovered in Spain, she ______________________ ______________________. Rank 13

RANK 47

자동사로 오해하기 쉬운 타동사

동사와 문형

정답 및 해설 p. 39

목적어가 '~을[를]'로 해석되지 않는 타동사를 자동사로 오해하여 목적어 앞에 전치사를 쓰지 않도록 주의하자.

기출 대표 문항

다음 밑줄 친 부분이 어법상 옳으면 O, 틀리면 ×로 표시하고 바르게 고치시오.

1 Approach to new experiences with curiosity; they can broaden your perspective and enrich your life.

2 The famous American architect is remembered for his unusual approach to architecture.

답이 보이는 Clues

1 아래 자동사로 오해하기 쉬운 [1] ______ 를 어구로 외워두자.

approach ~~to~~ the destination 목적지**에 다가가다**	**attend** ~~to~~ the party 파티**에 참석하다**
answer ~~to~~ the question 질문**에 대답하다**	**consider** ~~about~~ the matter 문제**에 대해 생각하다**
discuss ~~about~~ the issue 문제**에 대해 논의하다**	**enter** ~~into~~ the house 집**에 들어가다**
explain ~~about~~ the situation 상황**에 대해 설명하다**	**leave** ~~from~~ the office 사무실**에서 떠나다**
marry ~~with~~ him 그**와 결혼하다**	**reach** ~~at~~ the top 정상**에 도달하다**
resemble ~~with~~ my mom 우리 엄마**와 닮다**	**suit**[**become**] ~~with~~ you 네**게 어울리다**

2 위 동사 일부가 같은 형태의 명사로 쓰일 경우, 뒤에 [2] ______ 가 올 수 있다.

~ is remembered / for his unusual [3] ______ (명사) / [4] ______ (전치사) architecture. (명사)

주의 • 위 동사가 수동태로 쓰여 뒤에 전치사가 오는 경우에 주의한다.
e.g. The successful businessman **is married** *to* a talented artist.

• 위 동사 일부가 자동사로 쓰이는 경우에는 뒤에 전치사가 올 수 있다.
e.g. Please **attend** *to* the urgent matters first on your to-do list. ▶ 이때 attend는 '주의를 기울이다'의 뜻이다.

Test 1 어법

다음 밑줄 친 부분이 어법상 옳으면 O, 틀리면 ×로 표시하고 바르게 고치시오.

1 Many times, I have noticed parents choose the wrong time to explain about concepts to children.
Rank 46 모의응용

2 In certain situations, employees may be eligible for a leave of absence for personal reasons.

3 The artist's paintings had a broad reach of influence, inspiring a new generation of creators.
Rank 06

4 The interaction among human societies <u>resembles with</u> the relationships among bacteria; just as bacteria shape each other through interaction, human societies affect one another when in contact. 모의응용

5 <u>Consider about</u> each person's positive and negative personality traits, life circumstances, and mindset in the moment when deciding what to say and how to say it. (Rank 20, 64) 모의응용

6 As people get older, they tend to prioritize close social relationships, focus on achieving emotional well-being more, and <u>attend to</u> positive emotional information more while ignoring negative information. (Rank 09, 20) 모의응용

Test 2 배열 영작

다음 괄호 안의 어구를 모두 알맞게 배열하여 주어진 우리말을 영작하시오.

1 협상은 수용할 수 있는 결과에 도달하기 위해 상충하는 입장을 탐색하고 조화시키려는 시도라고 정의될 수 있다.
(order / reconcile / reach / to / an acceptable outcome / explore / in / conflicting positions / and)
→ Negotiation can be defined as an attempt to ________________________
________________________. (Rank 05, 13) 수능

2 도시 농장과 옥상 정원은 지역 식량 생산을 촉진하고 장거리 운송에 대한 의존도를 낮추는 등 현대 도시 환경에서 생겨나는 다양한 요구에 대한 해답이 될 수 있다.
(an answer / be / that / the modern urban environment / diverse needs / in / can / emerge / to)
→ Urban farms and rooftop gardens ________________________
________________________: promoting local food production and reducing reliance on long-distance transportation. (Rank 25)

고난도 **3** 모든 학생들이 대학 신문에서 견해를 표현할 수 있지만, 편파적이지 않고 정확한 보도를 유지하기 위해 공정성과 정확성에 대한 모든 문제는 편집자와 논의되어야 한다. (fairness and accuracy / unbiased and accurate reporting / an editor / should / discussed / of / to maintain / with / any question / be)
→ All students can express their views in the college journal, but ________________________
________________________.
(Rank 03, 13)

4 사이버 공간의 광고는 우리가 지루한 삶에서 떠나, 고글과 보디 슈트를 착용하고, 끝없는 모험과 무한한 가능성으로 가득 찬 가상 현실의 영역으로 들어갈 것이라고 약속한다.
(goggles / will leave / body suits / we / and / a virtual reality realm / enter / put on / and / our boring lives)
→ The hype of cyberspace promises that ________________________
________________________ filled with endless adventures and limitless possibilities. (Rank 09, 54) 수능응용

*hype: (대대적인) 광고, 선전

RANK **48** # S+wish/as if 가정법

정답 및 해설 p. 39

<if+가정법(Rank 12)> 외에도 <S+wish>나 as if[though]가 이끄는 가정법 문장에 대해 알아보자.

기출 대표 문항

다음 괄호 안의 어구를 모두 활용하여 주어진 우리말을 영작하시오. (필요시 밑줄 친 단어 변형 가능, have/had 추가 가능)

1 내가 많은 사람들 앞에서 분명하게 내 생각을 표현할 수 있다면 좋을 텐데. (express / I / my beliefs / can)
→ I wish ______________ clearly in front of many people.

2 그 방 안의 분위기는 마치 최근의 말다툼이 있었던 것처럼 긴장되어 있었다. (a recent argument / be / there)
→ The atmosphere in the room was tense as if ______________.

답이 보이는 Process

가정법 과거: 주절의 시제와 동일한 때를 나타낸다.

주절(직설법)	종속절(가정법)	의미
S+wish	S′+ [**과거시제/were** ~ / **조동사의 과거형+동사원형** ~]	**~하면** 좋을 텐데 (**현재**+현재)
S+wished		**~했다면** 좋았을 텐데 (**과거**+과거)
S+V(현재시제)	as if[though]+S′+**과거시제/were** ~	마치 **~인** 것처럼 V한다 (**현재**+현재)
S+V(과거시제)		마치 **~였던** 것처럼 V했다 (**과거**+과거)

가정법 과거완료: 주절보다 이전의 때를 나타낸다.

주절(직설법)	종속절(가정법)	의미
S+wish	S′+ [**had p.p.** ~ / **조동사의 과거형+have p.p.** ~]	**~했다면** 좋을 텐데 (**과거**+현재)
S+wished		**~했었다면** 좋았을 텐데 (**대과거**+과거)
S+V(현재시제)	as if[though]+S′+**had p.p.** ~	마치 **~였던** 것처럼 V한다 (**과거**+현재)
S+V(과거시제)		마치 **~였었던** 것처럼 V했다 (**대과거**+과거)

STEP 1 현재[과거]의 소망을 나타내면 S+wish 가정법을, '마치 ~처럼'의 의미로 가정하면 as if 가정법을 쓴다. 우리말 혹은 문맥을 통해 주절과 종속절이 나타내는 때를 파악한다.

1 내가 ~ 표현**할 수 있다면** 좋을 **텐데** → S+wish+가정법 [1] ______________
소망 내용 시점-주절과 동일한 때 / 소망 시점-현재

2 마치 ~ **있었던 것처럼** 긴장되어 있**었다** → S+V(과거시제)+as if+가정법 [2] ______________
가정 내용의 시점-주절보다 앞선 때 / 가정하는 시점-과거

STEP 2 가정법 시제에 따라 동사를 알맞게 표현한다.

Test 1 어법

다음 괄호 안에 주어진 단어를 어법상 알맞은 형태로 빈칸에 쓰시오.

1 When he receives recognition for his hard work, he feels as if he ________________ on top of the world. (be)

2 My grandfather passed away last week. I wish I ________________ with him on the trip during last winter vacation. (go)

3 Although there had always been a manager overseeing it, the cottage didn't look tidy at all, as if no one ________________ it for years. (visit)

Test 2 조건 영작

다음 주어진 우리말과 일치하도록 괄호 안의 어구를 모두 활용하여 <조건>에 맞게 영작하시오.

<조건> • 필요시 밑줄 친 단어 변형 가능
• 필요시 have/had 추가 가능

1 북적거리는 도시 생활에 싫증이 나서, 나는 내 인생 전부를 되돌리고 모든 의무로부터 자유로운 채 자연에 둘러싸여 살고 있었던 어린 시절로 돌아갈 수 있기를 바랐다.
(and / can / I / go back / my whole life / my childhood / reset / to)
→ Tired of the bustling city life, I wished ________________________________
________________ when I was living surrounded by nature, free from any duties. Rank 09

2 그 오래된 건물은 마치 이전에 큰 괴물이 침입하여 그것을 박살 냈었던 것처럼 몹시 심하게 손상되어 보였다.
(a big monster / and / as if / invade / it / so severely damaged / look / smash)
→ The old building ________________________________
________________________________ in the past. Rank 09, 38

3 그들의 분야에서 성공했음에도 불구하고, 어떤 사람들은 자신이 현재의 것 대신에 다른 직업을 택했기를 바라며, 여전히 후회를 품는다. (choose / rather than / they / the current one / wish / a different job)
→ Although being successful in their field, some people ________________________
________________________________, still harboring regrets.

4 발달적 관점에서 볼 때, 어린이들은 종종 마치 그들이 거의 초인적인 특성을 가진, 결점이 없고 강력한 인물인 것처럼 그들의 부모를 우러러본다. (often worship / figures / their parents / children / they be / as if / flawless and powerful)
→ From a developmental standpoint, ________________________________
________________________________ with almost superhuman qualities. 모의응용

RANK **49**

used to / be used to-v / be used to v-ing

조동사, 부정사, 동명사

정답 및 해설 p. 40

used to, be used to-v, be used to v-ing는 그 형태가 비슷하지만,
의미와 쓰임은 서로 다르므로 비교하여 알아두는 것이 좋다.

기출 대표 문항

다음 밑줄 친 부분이 어법상 옳으면 O, 틀리면 ×로 표시하고 바르게 고치시오.

1 Clara was used to be a talented swimmer, but she had to give up her dream of becoming an Olympic medalist in swimming because of a shoulder injury.

2 Detergent used to remove stains from clothing can be harmful to the environment due to the presence of potentially harmful chemicals.

3 In our contemporary society, people are not used to endure or adapt to discomfort.

답이 보이는 Clues

문맥을 파악하여 알맞은 표현을 사용하도록 한다.

used to+동사원형	v하곤 했다; 예전에는 v했다[였다]
be used 1 ________	v하는 데[v하기 위해] 사용되다
be[get/become] used to 2 ________/명사 Rank 72	v하는 것에/~에 익숙하다[익숙해지다]

1 Clara 3 ________ to be a talented swimmer, // but she had to give up her dream ~.
▶ Clara는 이제 재능 있는 수영선수가 아님

2 *Detergent* [(which[that] **is**) 4 ________ remove stains from clothing] / can be harmful ~.
▶ 세제는 얼룩 제거에 '사용되는' 것
▶ used는 과거분사이다. 앞에 <주격 관계대명사+be동사>가 생략된 것으로 볼 수도 있다. Rank 05, 68

3 ~, / people are not used to 5 ________ to discomfort.
▶ '불편함을 견디거나 불편함에 적응하는 것에 익숙하지 않다'는 의미

Test 1 어법

다음 밑줄 친 부분이 어법과 문맥상 옳으면 O, 틀리면 ×로 표시하고 바르게 고치시오.

1 I've traveled to twenty countries, so I'm used to waiting in airports, whether it's for connecting flights, delays, or just arriving early. Rank 36

2 Stretches typically used to improving people's posture are practiced by the famous marathon runner before every race. Rank 05, 68 교과서응용

3 Every year, thousands of elephants <u>were used to</u> be killed by hunters for their ivory until laws made it illegal. Rank 39 모의응용

4 In locations where bicycle use is high, such as the Netherlands, delivery bicycles are used to <u>carrying</u> personal cargo like groceries. 수능응용

Test 2 조건 영작

다음 주어진 우리말과 일치하도록 괄호 안의 어구를 모두 활용하여 <조건>에 맞게 영작하시오.

> <조건> • 필요시 밑줄 친 단어 변형 가능
> • 필요시 be동사 추가 가능

1 내 남동생은 전자 기기를 고치는 것에 익숙한데, 그것이 내 컴퓨터가 작동하지 않을 때 내가 항상 그에게 도움을 요청하는 이유이다. (electronic / used / devices / <u>fix</u> / to)

→ My brother ______________________________, which is why I always ask him for help when my computer doesn't work.

2 '감정적 식사'는 긍정적 감정과 부정적 감정 모두에 의해 영향을 받는 식사를 설명하기 위해 사용되는 일반적인 용어이다. (used / a popular term / eating / <u>describe</u> / to)

→ *Emotional eating* is ______________________________ that is influenced by both positive and negative emotions. Rank 05, 68 모의응용

3 이메일의 발명은 편지를 받기 위해 몇 주를 기다리곤 했던 사람들에게 감격적인 변화였다. (<u>wait</u> / used / who / letters / to / people / receive / to)

→ The invention of email was a thrilling change for ______________________________ ______________ for weeks. Rank 13, 25 교과서응용

4 광고는 그것이 새 차를 사는 것이든 대통령을 뽑는 데 투표하는 것이든, 시청자가 행동을 취하도록 설득하기 위해 사용된다. (to / an audience / <u>convince</u> / action / to / used / take)

→ Advertising ______________________________, whether it is buying a new car or voting for a president. Rank 07 교과서응용

5 소비자들은 상업적 어부들에 의해 잡히는 물고기를 전 세계의 식료품점, 식당, 그리고 마을 시장에서 사는 것에 익숙하다. (caught by / used / fish / to / commercial fishermen / <u>buy</u>)

→ Consumers ______________________________ in grocery stores, restaurants, and village markets around the world. Rank 05 모의응용

고난도 **6** 개인적인 성장을 위한 분명한 목표와 지식이 있더라도, 습관을 바꾸고 여러분이 익숙하지 않은 새롭고 불편한 행동들을 시작하는 것은 여전히 감정적인 싸움이다. (to / not / and / behaviors / new / you / introduce / uncomfortable / that / used)

→ Even with a clear goal and knowledge for personal growth, it's still an emotional battle to change your habits and ______________________________ ______________________________. Rank 14, 29

RANK **50**

with + 명사 + v-ing/p.p.

분사

정답 및 해설 p. 40

<with + 명사+v-ing/p.p.> 구문에서 명사는 뒤에 나오는 v-ing/p.p.의 의미상의 주어이다.
대부분 문장의 동사와 동시에 일어나는 부대상황을 나타내며, '~가 …한[된] 채로, …하면서[되면서], …하여[되어]'로 해석한다.

기출 대표 문항

다음 괄호 안의 어구를 모두 활용하여 주어진 우리말을 영작하시오. (필요시 밑줄 친 단어 변형 가능)

나는 눈에 붕대가 감겨서 운전을 잘할 수 없었다.

(with / <u>bandage</u> / couldn't / my eye / drive well)

→ I ______________________________.

답이 보이는 Process

STEP 1 해석과 주어진 어구를 통해 <with + 명사+v-ing/p.p.> 구문을 묻는 문제임을 파악한다.

나는 <u>눈에 붕대가 감겨서</u> 운전을 잘할 수 없었다.

▶ 우리말을 통해 부대상황을 표현하고 있음을 알 수 있고, 주어진 어구에 with가 있음

STEP 2 분사구문을 제외한 부분부터 우선 영작한다.

나는 운전을 잘할 수 없었다: I [1] ______________

STEP 3 나머지를 <with + 명사+v-ing/p.p.>의 순서대로 배열한다.
이때, 명사와 분사의 관계가 능동이면 [2] __________, 수동이면 [3] __________를 쓴다.

눈에 붕대가 감겨서: [4] ______________

▶ 눈에 붕대가 '감긴' 것

more <with + 명사+형용사/부사/전명구>

v-ing/p.p. 대신 형용사, 부사, 전명구 등이 쓰이기도 한다.

e.g. At the concert, the crowd swayed to the music **with *their hands* in the air**.

Test 1 어법

다음 밑줄 친 부분이 어법상 옳으면 O, 틀리면 ×로 표시하고 바르게 고치시오.

1 Kids should be given unconditional support and love with no strings <u>attaching</u>. 모의응용

*strings: 조건, 단서

2 With the runner <u>approached</u> the finish line, excitement bubbled among the spectators and their cheers grew louder. Rank 47 교과서응용

3 Susan and Patricia stood side by side on the beach road, with their eyes <u>fixed</u> on the boundless ocean. 수능응용

4 The entire country looked like a huge volcano from the air, with the mountain's slopes <u>advancing</u> from its peak down to the surrounding waters. 교과서응용

Test 2

조건 영작

다음 주어진 우리말과 일치하도록 괄호 안의 어구를 모두 활용하여 <조건>에 맞게 영작하시오.

<조건> • 필요시 밑줄 친 단어 변형 가능

1 약 50%의 아시아계 미국인들이 25세까지 대학을 졸업하며, 그들은 모든 인종 집단 중 졸업 비율이 가장 높다.
(Asian Americans / university / from / 50% / about / of / with / graduate)
→ ________________________________ by the age of 25, they have the highest graduation rate of any racial group.

2 나는 그 골동품 테이블의 모든 부분이 아름답다고 생각하지만, 그것들 위에 동물들이 아름답게 새겨져서, 그 다리들은 하나의 예술 작품이다. (beautifully engrave / animals / with / them / on)
→ I consider every inch of the antique table to be beautiful, but the legs, ________________ ________________, are a work of art.

3 더 많은 사람들이 트레킹에 마음이 끌리면서, 편리한 시설을 갖춘 산책로에 대한 수요가 증가했다.
(to / attract / trekking / more people / with)
→ ________________________________, the demand for trails with convenient facilities increased. 모의응용

4 이동성 흐름은 관련 사회 기반 시설이 변함없이 도시 형태의 중추를 구성하면서 도시화의 핵심 동력이 되었다.
(invariably constitute / with / urban form / of / the backbone / the associated infrastructure)
→ Mobility flows have become a key dynamic of urbanization, ________________ ________________________________. 모의응용

고난도 **5** 더 오래된 기사들이 이제는 더 최신 것들에 맥락을 제공하기 위해 주기적으로 인용되면서, 기록 보관소의 일반적 접근 가능성은 저널리즘의 수명을 크게 연장하였다.
(to provide / older stories / for / now regularly cite / with / more current ones / context)
→ The general accessibility of archives has greatly extended the shelf life of journalism, ________ ________________________________ ________________. Rank 13, 33 모의응용

*archive: 기록 보관소

RANK 51

주의해야 할 부정구문

정답 및 해설 p. 41

no, not 등의 부정어는 어떻게 쓰이냐에 따라 '긍정'을 의미할 수도 있다.
문맥을 잘 파악하여 '긍정'을 '부정'으로 이해하거나 '부정'을 '긍정'으로 이해하지 않도록 주의한다.

기출 대표 문항

다음 괄호 안의 어구를 모두 알맞게 배열하여 주어진 우리말을 영작하시오.

1 일상생활에서 사람들이 취하는 모든 행동이 분명한 이유가 있는 것은 아니다.
(of / people / their daily lives / not / causes / have / take in / obvious / all / the actions)
→ ______________________________
______________.

2 많은 현명한 사람들이 전념하는 연습이 있어야만 의미 있는 성공이 올 것이라고 말한다.
(success / without / dedicated / will not / practice / come / meaningful)
→ Many wise individuals say that ______________________________
______________.

답이 보이는 Clues

1 부분부정: 일부는 부정하고, 일부는 긍정한다.
not all[every, both, always, necessarily, entirely, fully]
(모두[모두, 둘 다, 항상, 반드시, 전적으로, 완전히] ~한 것은 아니다) 등

2 이중부정: 한 문장에 두 개의 부정어가 사용되어 부정을 부정함으로써 강한 긍정을 나타낸다.
부정어+A without B(A하려면 반드시 B한다, B해야만 A한다) 등

more 1 전체부정
no, none, neither, never, not ~ any, nobody(모두 ~이 아니다) 등

more 2 부정의 의미를 포함하는 어구
아래 어구들은 not과 같은 부정어와 함께 쓰이지 않는다.
- few ((수)) / little ((양)) 거의 없는
- seldom, rarely ((빈도)) 좀처럼 ~않는 / hardly, scarcely ((정도)) 거의 ~않는

Test 1 조건 영작

다음 주어진 우리말과 일치하도록 괄호 안의 어구를 모두 활용하여 <조건>에 맞게 영작하시오.

<조건> • <보기>에 주어진 표현을 한 번씩 사용할 것
<보기> not always　not ~ unless　not necessarily
never A without B　not every

1 진정으로 성공한 사람들은 미리 꼼꼼히 계획해야만 새로운 하루를 시작한다.
(meticulously planning / embark on / ahead / a new day)
→ Truly successful people ______________________________
______________________________. Rank 72 교과서응용 *meticulously: 꼼꼼히

2 그 보고서는 스마트폰에 빠져있는 모든 아이가 살면서 나중에 서투른 사교 능력을 갖게 될 것은 아니라는 것을 인정한다.
(will / is / poor / child / with / social skills / have / smartphones / obsessed / who)
→ The report admits that ______________________________
______________________________ later in life. Rank 25

3 천재들이 반드시 다른 사람들보다 성공률이 더 높은 것은 아니다. 그들은 그저 더 많은 것을 하고, 또 여러 가지 다양한 것들을 한다. (have / do / other individuals / than / a higher success rate)
→ Geniuses ______________________________
______________________________; they simply do more — and they do a range of different things. Rank 41 모의응용

4 과학자들이 겉보기에는 유익한 영양소를 알아볼 수 있을 때조차, 그 영양소들이 우리 몸에서 어떻게 활용될지를 그들이 항상 이해할 수 있는 것은 아니다. (will be / understand / can / those nutrients / utilized / how / they)
→ Even when scientists are able to identify seemingly beneficial nutrients, ______________
______________________________ by our bodies. Rank 03, 17 모의응용

고난도 **5** 티크는 밀도가 매우 높아서 목재가 먼저 건조되어야만 그것은 강을 떠내려가 숲 밖으로 운반될 수 있다.
(forests / be moved / has been / can / out of / dried / the wood)
→ Teak is so dense that it ______________________________ by floating down rivers ______________________________ first. Rank 03, 16, 34 모의응용
*teak: 티크(열대 지방의 단단한 목재 종류)

52 동격을 나타내는 구문

특수구문

정답 및 해설 p. 41

(대)명사 A의 구체적인 의미를 더하기 위해 명사구[절]가 뒤에 덧붙는 구문이다.

기출 대표 문항

다음 밑줄 친 부분이 어법상 옳으면 O, 틀리면 ×로 표시하고 바르게 고치시오.

1 The actual possibility that encountering a bear in the mountains of Korea is very small.

2 I heard the rumor which Joshua had cheated on the last examination.

3 Developing emotional intelligence is valuable, as it fosters the ability to understand and navigate one's own emotions and those of others.

답이 보이는 Clues

A, 명사(구)	A, ~ ＊<명사(구), A>의 순서가 되기도 한다.
A, or 명사(구)	A, 즉 ~ (= that is (to say) = namely = in other words)
A of 명사(구)	~인 A
A+that절/whether절	~라는 A ＊동격절을 이끄는 명사: fact, news, belief, idea, thought, theory, opinion, promise, possibility, question, hope, feeling, evidence 등
A+to-v	v하는[하려는, 하라는] A ＊동격의 to-v를 이끄는 명사: ability, advice, choice, decision, opportunity, plan, request, suggestion, way 등

1 *The actual possibility* 1 ________ encountering a bear in the mountains of Korea is very small.
(=)

2 I heard *the rumor* 2 ________ Joshua had cheated on the last examination.
(=)

주의 관계대명사 which, that, what은 뒤에 불완전한 절이 오지만(Rank 25, 26, 27), 동격절의 접속사 that 뒤에는 완전한 절이 온다.

3 ~, as it fosters *the ability* 3 ________ understand and navigate one's own emotions ~.
(=)

Test 1 어법

다음 밑줄 친 부분이 어법상 옳으면 O, 틀리면 ×로 표시하고 바르게 고치시오.

1 Many religious traditions instill a belief which emphasizes the importance of compassion and kindness toward others. (Rank 25)

*instill: (어떤 의식, 느낌 등을 갖도록) 심어주다, 불어넣다

2 Many individuals share a common desire to contributing positively to their communities through volunteer work.

3 There is a high chance what you log on to at least one social networking site every single day.
교과서응용

4 Genghis Khan, the founder of the Mongol Empire, came to power by uniting many tribes throughout Northeast and Central Asia.

5 Putting one's work ahead of friends, family, and well-being may be a sign of one has become a workaholic. Rank 15
*workaholic: 일 중독자

Test 2 조건 영작

다음 주어진 우리말과 일치하도록 괄호 안의 어구를 모두 활용하여 <조건>에 맞게 영작하시오.

<조건> • 필요시 밑줄 친 단어 변형 가능

1 '남의 떡이 더 커 보인다'는 오래된 속담은 사람들이 흔히 그들의 현재 상황의 가치를 과소평가한다는 생각을 암시한다.
(the value / hint at / individuals / the notion / frequently underestimate / their current circumstances / that / of)
→ The old saying that "the grass is always greener on the other side" ______________________
______________________. Rank 01 모의응용

2 전화, 텔레비전, 그리고 인터넷을 통하여 그들의 옛 문화에 다시 연결되는 이민자 가정의 능력은 주류 미국 사회 속으로의 통합에 대한 그들의 접근방식을 바꾸어 왔다.
(their old culture / to / the ability / their approach / reconnect / immigrant families / have changed / of / to)
→ ______________________ via phone, television, and the Internet ______________________ to integration into mainstream American society. Rank 01 모의응용

3 교육 프로그램을 평가할 때, 교육자들은 교육과정이 학생들의 다양한 학습 요구를 충족시키는가 하는 질문을 신중하게 고려해야 한다. (whether / the diverse learning needs / the curriculum / students / the question / of / meet)
→ When evaluating educational programs, educators should carefully consider ______________________
______________________.

4 놀이에 관하여 어른들에게 한 가지 주요 장애물은 그들이 자신이 진정으로 놀 수 있게 해주면 자신이 어리석거나, 부적절하거나, 혹은 바보 같아 보일지 모른다는 걱정이다. (the worry / they / be / might look / or dumb / improper / that / silly)
→ One major obstacle for adults when it comes to playing ______________________
______________________ if they allow themselves to truly play. Rank 01, 38 수능응용

고난도 5 1986년에, 고객들을 위한 만화 장면을 그리는 것을 전문으로 하던 젊은 영국 예술가인 Martin Handford는 자신의 삽화들을 책 형태로 출판한다는 생각이 있었고, 이것이 '월리를 찾아라' 시리즈의 시작이 되었다. (for clients / in / of / in book form / drawing / the idea / had / cartoon scenes / publish / specialized / his illustrations / who / a young British artist)
→ In 1986, Martin Handford, ______________________
______________________, ______________________, and this became the beginning of the "Where's Wally" series. Rank 25, 72 모의응용

RANK

53 가주어-진주어(명사절)

접속사

정답 및 해설 p. 42

명사절(that, whether, 의문사가 이끄는 절)이 주어일 경우에는 대부분 가주어 it을 사용하고, 진짜 주어는 뒤로 보낸다.
<가주어-진주어> 구문의 형태는 물론 어떤 명사절 접속사를 사용해야 하는지도 파악해야 한다.

기출 대표 문항

다음 괄호 안의 어구를 모두 알맞게 배열하여 주어진 우리말을 영작하시오.

여러분이 삶의 나중보다는 초기에 실수를 저지르는 것이 더 낫다.

(your mistakes / better / you / is / make / it / that)

→ ______________________________ early on rather than later in life.

답이 보이는 Process

STEP 1 우리말(S'가 V'하는 것이[것은])과 주어진 어구를 통해 가주어 it과 명사절(진주어)을 사용해야 한다는 것을 확인한다.
때로는 가주어 it을 사용하라는 조건이 명시되기도 한다.

STEP 2 우리말 해석을 크게 주어 부분과 그 이하의 술어 부분으로 나눈다.
여러분이 삶의 나중보다는 초기에 실수를 저지르는 것이(주어) / 더 낫다.(술어)

STEP 3 <가주어 it+술어>를 먼저 쓰고, 진주어를 명사절(접속사+S'+V'~) 형태로 뒤이어 배열한다.
의문사가 명사절을 이끄는 경우, 그 어순에 유의한다. Rank 17

1 ______________ (가주어 it+술어) / 2 ______________________ (진주어(명사절)) early on ~.

Test 1 어법

다음 밑줄 친 부분이 어법상 옳으면 O, 틀리면 ×로 표시하고 바르게 고치시오.

1 <u>This</u> is estimated that about 300 new lithium mines need to be built over the next decade to meet the growing demand for electric vehicles and energy storage batteries. Rank 70

*lithium: ((화학)) 리튬

2 It is not surprising <u>what</u> all five human senses work cooperatively to analyze food quality. 수능응용

3 It is still unclear <u>how</u> the inhabitants of northern regions stored their food in the winter throughout human history. Rank 17 모의응용

4 When science is examined as an enterprise that involves the values of independence, freedom, the right to dissent, and tolerance, <u>it</u> is clear that as a social activity science cannot flourish in an authoritarian climate. 모의

*dissent: 이의를 주장하다, 반대하다 **authoritarian: 권위주의적인

Test 2 조건 영작

다음 주어진 우리말과 일치하도록 괄호 안의 어구를 모두 활용하여 <조건>에 맞게 영작하시오.

<조건> • 「가주어-진주어(명사절)」 구문을 사용할 것
• 필요시 단어 추가 가능

1 더 나은 세계 시민이 되고자 하는 결심이 우리의 교육 체계 속 어디에서 비롯되는지가 중요하다.
(originates / a better global citizen / important / to become / the resolve)
→ ______________________________ in our education systems. Rank 17, 52 모의응용

2 새 경고 체계의 발명 과정에서, 그 체계가 잠재적으로 수많은 생명을 구하는 능력이 있는지 없는지는 매우 중요하다.
(to / crucial / many lives / the capability / or not / potentially save / has / the system)
→ In the process of inventing a new warning system, ______________________________
______________________________. Rank 52

3 그들이 서로 아무리 멀리 떨어져 있을지라도, 쌍둥이의 생각이 얼마나 비슷한지는 정말 매우 놀랍다.
(are / twins / similar / indeed very striking / of / the ideas)
→ ______________________________, no matter how far apart they are from each other. Rank 17 모의응용

4 브리슬콘 소나무는 보통 수천 년 동안 산다. 토양이 척박하고 강수량이 적은 서식지를 고려하면, 그것들이 살아남을 수 있거나 심지어 그렇게 오래 살 수 있다는 것은 정말 놀랍다. (can / even live / they / so long / truly incredible / or / survive)
→ Bristlecone pines often live for thousands of years. Considering their habitat where the soil is poor and precipitation is slight, ______________________________
______________________________. Rank 09 수능응용

*precipitation: 강수(량)

고난도 5 노화가 서로 다른 시기에 신체의 서로 다른 부위에서 시작되며 매년의 변화 속도는 사람마다 다른 것은 물론 세포, 조직, 그리고 기관마다 다를 가능성이 있다.
(in different parts / begins / of the body / aging / likely / varies / of annual change / the rate)
→ ______________________________ at different times and ______________________________ among cells, tissues, and organs, as well as from person to person. Rank 09 수능응용

RANK 54 감정을 나타내는 분사

정답 및 해설 p. 42

앞서 분사(v-ing/p.p.)가 보어로 쓰이거나 명사를 수식하는 경우에 관해 학습했다. Rank 05, 38
여기에서는 감정을 나타내는 분사가 보어로 쓰이거나 명사를 수식하는 경우에 대해 알아보자.

기출 대표 문항

다음 괄호 안에 주어진 단어를 어법상 알맞은 분사 형태로 바꿔 빈칸에 쓰시오.

1 You may be (amaze) ______________ to know how many English expressions involve animals.

2 Riding camels on a safari in the desert was a really (excite) ______________ experience.

답이 보이는 Clues

1 주어가 다른 누군가에게 감정을 일으키는 것이면 보어 자리에 1 __________를, 감정을 느끼는 것이면 2 __________를 쓴다.

v-ing	~을 느끼게 하는	p.p.	~을 느끼는

You(S) may be 3 __________(C) to know how many English expressions involve animals.
▶ '네'가 놀란 감정을 느끼는 것

2 분사의 수식을 받는 명사가 다른 누군가에게 감정을 일으키는 것이면 4 __________, 감정을 느끼는 것이면 5 __________를 쓴다.

Riding camels on a safari in the desert was a really 6 __________ **experience**.
▶ 경험이 신나는 감정을 일으키는 것

more 감정을 나타내는 분사에 딸린 어구가 있으면 명사를 뒤에서 수식한다. Rank 05
e.g. *The child* (**surprised** with a birthday party) couldn't contain his delight.

Test 1 어법

다음 괄호 안에 주어진 단어를 어법상 알맞은 분사 형태로 바꿔 빈칸에 쓰시오.

1 The most (fascinate) ______________ photographs are truthful, those that catch people being real.
Rank 43

2 Sagrada Familia is an (amaze) ______________ Roman Catholic church designed by architect Antoni Gaudi.

3 A (surprise) ______________ number of countries have a National Heroes' Day, for example: the Philippines, Sri Lanka, Uganda, and Zambia. 모의응용

4 People (interest) ______________ in healthy living frequently engage in activities such as yoga, meditation, and running.

5 The math problem was intentionally designed to be (confuse) ____________, testing the students' ability to think critically and solve complex puzzles. Rank 44

고난도 6 The passenger aboard the crowded train was (annoy) ____________ others by screaming on the phone. Other passengers, (irritate) ____________ with the incessant disturbance, exchanged (frustrate) ____________ glances. Rank 06

*incessant: 끊임없는

Test 2 조건 영작

다음 주어진 우리말과 일치하도록 괄호 안의 어구를 모두 활용하여 <조건>에 맞게 영작하시오.

<조건> • 필요시 밑줄 친 단어 변형 가능

1 준비가 잘된 사람들은 갑작스러운 변화에 좀처럼 당황하지 않는다.
(are / by / changes / people / sudden / rarely embarrass / well prepared)
→ ____.
Rank 05

2 우리가 좌절감을 느끼거나 부정적 감정을 경험할 때 우리의 사고는 더 좁아지고 덜 창의적이게 된다.
(emotions / we / frustrate / experience / are / negative / or)
→ Our thinking becomes narrower and less creative when ____________________
____________________. Rank 09, 35 모의응용

3 그 버려진 집에서의 하룻밤은 내 인생에서 가장 무서운 경험들 중 하나였다.
(of / one / a night / of / the desert house / the / my life / experiences / in / terrify / most)
→ ____________________ was ____________________
____________________. Rank 05, 43

4 지역 주민 행사에 참여한 아이들은 의상을 입은 캐릭터들의 행진에 놀랐다.
(were / children / a community event / by / in / surprise / participating)
→ ____ a parade of costumed characters. Rank 05

고난도 5 아이들이 실망스럽거나 무서운 순간을 경험할 때, 격렬한 감정과 신체적인 느낌이 우뇌에 물밀듯이 밀려들어서 그들은 감당하기 힘들어질 수 있다. (scary / a disappoint / overwhelm / or / children / can be / moment / experience)
→ When ____________________, they ____________
____________________ with intense emotions and bodily sensations flooding the right brain. Rank 35 모의응용

RANK 55

인칭대명사, 재귀대명사

정답 및 해설 p. 43

소유대명사나 재귀대명사를 사용해야 할 때, 무엇이 올바른지 헷갈리기 쉬우므로 주의한다.

기출 대표 문항

다음 밑줄 친 부분이 어법상 옳으면 O, 틀리면 ×로 표시하고 바르게 고치시오. (단, 한 단어로 고칠 것)

1 You shouldn't expect everyone's opinion to be the same as your.

2 How we see us comes from how we believe others see us.

답이 보이는 Clues

1 [1] ____________ 는 <소유격+대명사>를 대신한다. (mine, yours, ours, his, hers, theirs)

You shouldn't expect / **everyone's opinion** / to be the same as [2] ____________. (= your opinion)

2 주어와 목적어가 같은 대상일 때 목적어 자리에 [3] ____________ 를 쓴다. (myself, yourself, ourselves, yourselves, himself, herself, itself, themselves)

How **we** see [4] ____________ / comes from / how (we believe) **others** see [5] ____________.
(we = [4], others ≠ [5])

more 준동사의 목적어가 준동사의 의미상의 주어와 일치하는 경우에도 재귀대명사를 쓴다.
e.g. **Jane** decided to treat **herself** to a spa day to relax.

Test 1 어법

다음 밑줄 친 부분이 어법상 옳으면 O, 틀리면 ×로 표시하고 바르게 고치시오. (단, 한 단어로 고칠 것)

1 My neighbors keep insisting that the tree standing next to my house is their, even though my family planted it years ago.

2 Her passion for teaching isn't as strong as mine, but she seems to be a good teacher without putting much effort into it. Rank 42 교과서응용

3 Our brains evolved to help us attend to threats, keep away from themselves, and remain alive afterward. Rank 09, 13 모의응용

4 As a little girl, Susan would often imagine herself living in the peaceful countryside away from crowded cities, traffic jams, and noisy people. Rank 08 교과서응용

고난도 **5** When children are very young, you often say "no" to protect them from danger. You say it because you love your child and because you must teach him until he can protect him.

Rank 13, 35 모의응용

Test 2 조건 영작

다음 주어진 우리말과 일치하도록 괄호 안의 어구를 모두 활용하여 <조건>에 맞게 영작하시오.

<조건> • 필요시 밑줄 친 단어를 적절한 대명사로 변형할 것
• 단어 추가 불가

1 사람들은 그들 자신을 그들의 일상생활로부터 분리하고 새로운 환경에서 그들의 마음과 몸을 재충전하기 위해 휴가를 간다.
(and / they / recharge / from / minds and bodies / they / to separate / everyday life / they)
→ People go on vacation ______________________________ ______________ in a new environment. Rank 09, 13, 62

2 20년 후, 그들의 어린 시절의 집에 대한 그의 기억은 그녀의 것과 일치하지 않았다.
(childhood home / match / memories / not / she / did / about / he / they)
→ After twenty years, ______________________________.

3 나는 이제 내가 어떤 중요한 사건이나 약속도 잊지 못하게 하기 위해 매일 일기를 적는다.
(any / from / important / or / to stop / events / appointments / forgetting / I)
→ I now keep a journal every day ______________________________ ______________. Rank 13, 62 교과서응용

4 모든 부모님처럼, 우리는 우리의 자녀들이 오늘날 우리의 것보다 더 행복한 세상에서 자라기를 원한다.
(in / want / a happier world / we / we / we / than / to grow up / children)
→ Like all parents, ______________________________ today. Rank 07, 41

5 자기 자신을 개를 좋아하는 사람이라고 묘사하는 사람들은 더 외향적인 경향이 있고, 반면 자기 자신을 고양이를 좋아하는 사람이라고 묘사하는 사람들은 더 내향적인 경향이 있다.
(they / people / as / they / people / describe / cat people / who / dog people / describe / who / as)
→ ______________________________ tend to be more extroverted, while ______________________________ tend to be more introverted. Rank 25, 36

*dog[cat] person: 개[고양이]를 좋아하는 사람

고난도 **6** 우리는 사회적인 존재이므로, 우리 자신을 평가하고, 우리의 지위를 개선하며, 우리의 자존감을 높이기 위해 끊임없이 사람과 사람 사이의 비교를 한다.
(enhance / make / self-esteem / we / to evaluate / standing / improve / comparisons / we / we / interpersonal)
→ As we're social creatures, we constantly ______________________________, ______________________________, and ______________________________. Rank 09, 13

모의응용

RANK

01-55 서술형 대비 실전 모의고사 5회

100점

정답 및 해설 p. 43

[01-05] 다음 밑줄 친 부분이 어법상 옳으면 O, 틀리면 ×로 표시하고 바르게 고치시오. [밑줄당 2점]

01 A person who has told a story to children <u>know</u> that it is often the absurd elements, such as talking animals or magical lands, <u>who</u> captivate their interests the most.

02 In a survey, CEOs and business professionals were asked about what they wished they <u>did</u> more of, with no limits on time or money <u>establishing</u>, earlier in their lives. One common <u>answer to</u> the question was traveling more often.

03 If you actively ask <u>yourself</u> inwardly about the content you are hearing in a lecture, you will find <u>that</u> the lecture becomes a bit more <u>interested</u> rather than when you just listen to it. 모의응용

고난도

04 Instead of examining external factors, a reader who respects the autonomy of literature will <u>approach to</u> a text focusing on internal factors with the assumption <u>that</u> the key element in understanding the text is the things it contains within <u>it</u>. 모의응용

고난도

05 Non-tariff trade measures prevalent in rich nations, such as quotas and subsidies, have a discriminatory effect on exports from countries <u>where</u> lack the resources for them to <u>relying</u> on, making it very difficult for farmers in poor nations to compete with <u>that</u> in rich nations. 모의응용

*non-tariff: 비관세의 **quota: (수출입에 허용되는) 한도, 할당량

06 **다음 글의 (A), (B)의 괄호 안에 주어진 단어를 어법상 알맞은 형태로 바꿔 쓰시오.** [각 3점]

> We lose our words. *Intelligence* once meant more than what any artificial intelligence does. It used to (A) (include)__________ sensibility, sensitivity, awareness, reason, wit, etc. And yet we readily call machines intelligent now. *Affective* is another word that once meant a lot more than what any machine can deliver. Yet we have become used to (B) (refer)__________ to machines that portray emotional states or can sense our emotional states as exemplars of "affective computing." These new meanings become our new normal, and we forget other meanings. We have to struggle to recapture lost language, lost meanings, and perhaps, in time, lost experiences. 모의응용

(A) ________________

(B) ________________

[07-10] 다음 주어진 우리말과 일치하도록 괄호 안의 어구를 모두 활용하여 <조건>에 맞게 영작하시오. [각 5점]

<조건> • 필요시 밑줄 친 단어 변형 가능

07 Sarah는 비행기를 타본 적이 없지만, 창문에서 보이는 광경이 얼마나 놀라운지 묘사하면서, 마치 그녀가 경험이 풍부한 비행기 여행가인 것처럼 말한다.

(be / the view from / remarkable / the window / how / is / an experienced airplane traveler / talk / she / as if)

→ Sarah has never been on an airplane, but she ______________________________

______________, describing ______________________________.

08 주변의 미묘한 세부 사항이나 잠깐 동안의 움직임과 같이, 여러분의 눈이 이용할 수 있는 정보 중 많은 것이 항상 뇌의 의식적 인식에 도달하는 것은 아니다. (available / always reach / to / is / your / your eyes / not / much of / that / do / brain's conscious awareness / the information)

→ ______________________________, such as subtle details in your surroundings or fleeting movements, ______________________________

______________.

09 그것이 인간의 행복이나 건강에 기여했는지에 상관없이, 농업이 인구수가 전보다 더 커지는 것을 가능하게 했다는 것은 부인할 수 없다. (the human population / it / made / to / is / be / agriculture / undeniable / it / that / possible / large / for)

→ Regardless of whether it contributed to human happiness or health, ______________

______________________________ than before. 모의응용

고난도

10 우리는 우리의 감정을 전달하려는 끊임없는 욕망과 적절한 사회적 기능을 위해 그것들을 감추려는 욕구를 둘 다 가지고 있다. 이러한 반대 경향이 우리 내면에서 서로 대치하면서, 우리는 우리가 전달하는 것을 완전히 통제할 수는 없다.

(communicate / complete control / they / to / cannot / we / the need / these counterforces / a continual desire / oppose / to / our feelings / communicate / and / conceal / with / each other / what)

→ We have both ______________________________

for proper social functioning. ______________________________

inside us, we ______________________________. 모의응용

11 다음 글의 빈칸에 들어갈 가장 적절한 말을 <보기>에 주어진 어구를 배열하여 완성하시오. [6점]

Hypnosis leads people to come up with more information, but not necessarily more accurate information. In fact, ______________________________: If people believe that they should have better memory under hypnosis, they will try harder to retrieve more memories when hypnotized. Unfortunately, there's no way to know whether the memories hypnotized people retrieve are true or not. 모의응용

*hypnosis: 최면

<보기> them / lead / recall / it / people's beliefs in / hypnosis / of / that / the power / to / might actually be / more things

→ ______________________________

[12-14] 다음 글의 밑줄 친 ① ~ ⑤ 중 틀린 부분 3개를 찾아 바르게 고친 후, 틀린 이유를 작성하시오. [각 4점]

> One day, Jane was walking from class across campus to catch her bus home, with her eyes staring down, fighting tears of total despair, when a woman came down the sidewalk toward her. Jane had never seen her before. ① Embarrassing at being seen in such an emotional mess, she turned her head away and hoped to hurry past. But the woman moved ② directly in front of Jane, waited until she looked up, and then smiled. ③ Looking into her eyes, the woman spoke in a quiet voice, "Whatever is wrong will pass. You're going to be OK. Just hang on." She then smiled again and walked away. Jane can't ④ explain about the impact of that moment, of the woman's unexpected kindness and unconditional caring. The woman gave ⑤ herself the one thing that she'd lost completely: hope. Jane looked for her on campus to thank her, but never saw her again. 모의응용

12 틀린 부분: ____________ → 바르게 고치기: ____________
틀린 이유: ________________________________

13 틀린 부분: ____________ → 바르게 고치기: ____________
틀린 이유: ________________________________

14 틀린 부분: ____________ → 바르게 고치기: ____________
틀린 이유: ________________________________

15 다음 글의 요지를 <보기>에 주어진 어구를 배열하여 완성하시오. [8점]

> As parents, most of us think that if our child would just "behave," we could stay calm. The truth is that managing our own emotions and actions is what allows us to feel peaceful as parents. Ultimately we can't control our children or the obstacles they will face — but we can always control our own actions. In fact, most of what we call parenting doesn't take place between a parent and child, but within the parent. When a storm brews, a parent's response will either calm it or trigger a full-scale tsunami. Staying calm enough to respond constructively to all that childish behavior — and the stormy emotions behind it — requires that we grow, too. If we can use those times when our buttons get pushed to reflect, not just react, we can notice when we lose equilibrium and steer ourselves back on track. This inner growth is the hardest work there is, but it's what enables us to become more peaceful parents, one day at a time. 모의응용
>
> *equilibrium: (마음의) 평정

<보기> (A) that / controlling / parenting / not / is about / entirely true
(B) without / exist / themselves / that / parents' realization / should learn / they / control / cannot / to

[요지] It is (A) ________________________ children's behavior; effective parenting (B) ________________________.

[16-17] 다음 글을 읽고 물음에 답하시오.

> The Greeks' focus on the salient object and its attributes led to their failure to understand the fundamental nature of causality. Aristotle explained that a stone falling through the air is due to the stone having the property of "gravity." But of course a piece of wood (A) (toss)__________ into water floats instead of sinking. Aristotle explained this phenomenon as being due to the wood having the property of "levity"! In both cases, the focus is exclusively on the object, with no attention (B) (pay)__________ to the possibility that some force outside the object might be relevant. But the Chinese saw the world as consisting of continuously interacting substances, so their attempts to understand it resulted in them being used to (C) (consider)__________ the complexities of the entire "field," that is, the context or environment as a whole, on many levels. 수능응용
>
> *salient: 현저한, 두드러진 **levity: 가벼움

16 윗글의 (A) ~ (C)의 괄호 안에 주어진 단어를 어법상 알맞은 형태로 바꿔 쓰시오. [각 3점]

(A) ________________

(B) ________________

(C) ________________

고난도

17 윗글의 내용을 요약하고자 한다. <조건>에 맞게 요약문을 완성하시오. [11점]

<조건> 1. <보기>에 주어진 어구를 모두 한 번씩만 사용할 것
2. that을 알맞은 위치에 포함할 것

<보기> events / their focus / the notion / each object's / the entire field / embraced / always occur within / outside / solely on / own property / put / coming from / the effects

[요약문] While the Greeks ________________________________, not considering ________________________, the Chinese ____________ ____________________________.

56 Rank 66

서술형 PLUS 표현

+ 전치사를 동반하는 동사 Rank 04, 62, 63

*전치사 다음에는 명사 또는 v-ing가 와야 한다.

형태	의미
prevent A from B	A가 B하지 못하게 하다
distract A from B	A가 B에 집중이 안 되게 하다
distinguish A from B	A를 B와 구별하다
exclude A from B	A를 B에서 제외[배제]하다
separate A from B	A를 B로부터 분리하다
spare A from B	A가 B를 모면하게 하다
assure A of B	A에게 B를 확신시키다
cure A of B	A의 B(병, 상처 등)를 치료하다
inform A of B	A에게 B를 알리다
relieve A of B	A에게서 B를 덜어주다[없애다]
remind A of B	A에게 B를 상기시키다
rid A of B	A에게서 B를 없애다
rob A of B	A에게서 B를 빼앗다
describe A as B	A를 B로 묘사하다
label A as B	A를 B라고 부르다
refer to A as B	A를 B라고 부르다
think of A as B	A를 B로 여기다
blame A for B	A를 B의 이유로 비난하다
charge A for B	B에 대해 A를 청구하다
compensate A for B	A에게 B에 대하여 보상하다
exchange A for B	A를 B로 교환하다
(mis)take A for B	A를 B라고 오인[혼동]하다
thank A for B	A에게 B에 대해 감사하다
congratulate A on B	A에게 B에 대해서 축하하다
spend A on[in] B	A를 B에 쓰다
divide A into B	A를 B로 나누다[분리하다]
put A into B	A를 B로 바꾸다; A를 B로 옮기다
transform A into B	A를 B로 바꾸다

형태	의미
associate A with B	A와 B를 연결 지어 생각하다
charge A with B	A를 B로 기소하다[고발하다]
compare A with[to] B	A를 B와 비교하다[견주다]
confuse A with B (= mix A up with B)	A를 B와 혼동하다
equip A with B	A에 B를 갖추어 주다
fill A with B	A를 B로 (가득) 채우다[메우다]
furnish A with B	A에게 B를 제공[공급]하다
provide A with B (= provide B for A)	A에게 B를 제공하다
replace A with B	A를 B로 대체하다
add A to B	A를 B에 더하다[보태다]
adjust A to B	A를 B에 맞추다
apply A to B	A를 B에 적용하다
attach (A) to B	(A를) B에 붙이다[첨부하다]
attribute A to B	A를 B의 덕분[탓]으로 돌리다
bring A to[into] B	A를 B로 가져[들여]오다
change A to[into] B	A를 B로 바꾸다
connect A to B	A를 B에 연결하다
contribute (A) to B	(A를) B에 바치다; (A를) B에 기부하다
devote A to B	A를 B에 바치다[전념하다]
expose A to B	A를 B에 드러내다; A를 B에 노출시키다
lead A to B	A를 B로 이끌다
owe A to B	A는 B의 덕분이다
prefer A to B	A를 B보다 더 좋아하다
relate A to B	A를 B와 관련[연관]시키다
take A to B	A를 B로 데려가다[이끌다]

RANK **56**

소유격 관계대명사 whose, of which

관계사

정답 및 해설 p. 46

관계대명사절 내에서 소유격 역할을 하는 것을 소유격 관계대명사라 한다.

기출 대표 문항 1

다음 문장에서 밑줄 친 부분을 어법에 맞게 고치시오.

The woman <u>who</u> fingerprint the detective found at the crime scene is being investigated.

답이 보이는 Process

STEP 1 밑줄 친 부분이 소유격 관계대명사(접속사+소유격) 자리인지 확인한다.
관계사 뒤에 나오는 명사가 선행사의 '소유'로 해석되면 소유격 관계대명사 자리이다.

The detective found *her fingerprint* at the crime scene.
= the woman's

STEP 2 소유격 관계대명사 [1] ________ 를 선행사와 소유 관계인 명사 앞에 쓴다. whose는 생략이 불가능하다.

The woman [[2] ________ fingerprint (O') the detective (S') found (V') at the crime scene] / is ~.

주의 <whose+명사 = the+명사+of which = of which+the+명사>
선행사가 사람 이외의 것이면 of which를 쓸 수 있다. 이때 소유격의 수식을 받는 명사 앞에 the를 쓰는 것에 유의한다.
e.g. I saw the car *whose windows* were all broken.
= I saw the car *the windows of which* were all broken.
= I saw the car *of which the windows* were all broken.

more 소유격 관계대명사절의 위치는 주격 관계대명사와 마찬가지로 선행사가 주어이면 주어 바로 뒤에,
선행사가 목적어나 보어이면 주로 문장 끝에 위치한다. Rank 25

Test 1 어법

다음 밑줄 친 부분이 어법상 옳으면 O, 틀리면 ×로 표시하고 바르게 고치시오. (단, 관계대명사를 반드시 포함할 것)

1 Julian has recently become a vegetarian <u>whose</u> diet consists wholly of vegetables, grains, fruits, and nuts.

2 The publics of postindustrial societies place growing emphasis on "political consumerism," such as boycotting goods <u>its</u> production violates ethical standards. 모의응용

*postindustrial: 탈공업화의 **boycott: 구매를 거부하다

3 My sister, <u>her</u> children I used to take care of when they were babies, often reminisces about those days and expresses her gratitude for the help I provided. Rank 28

*reminisce: 즐겁게 회상하다

4 The government of the poor country will introduce a technology <u>of which aim</u> is not only to increase food production but also to ensure environmental friendliness. 교과서응용

기출 대표 문항 2

다음 괄호 안의 어구를 모두 알맞게 배열하여 주어진 우리말을 영작하시오.

기준을 충족시키는 학생들은 목적이 수업료를 지원하는 것인 장학금을 받게 될 것이다.

(their tuition / is / whose / to support / purpose / the scholarship / will get)

→ Students fulfilling the criteria ______________________________.

답이 보이는 Process

STEP 1 주어진 어구에 whose 또는 of which가 있는지 확인한다.

STEP 2 선행사와 이를 수식하는 관계대명사절은 의미상 강하게 연결되므로, 하나의 의미 단위로 끊는다.
이 의미 단위에서 관계대명사절을 [ ]로 묶는다.
이때, 관계대명사절의 명사가 선행사와 소유 관계임을 문맥을 통해 확인해야 한다.

~ / [**(그것의) 목적이** 수업료를 지원하는 것인] 장학금을 / 받게 될 것이다.
선행사

STEP 3 각 의미 단위를 영작하고 어순에 맞게 배열한다.

Test 2 배열 영작

다음 괄호 안의 어구를 모두 알맞게 배열하여 주어진 우리말을 영작하시오.

1 만약 여러분이 마음과 몸이 혹사당해 온 무수한 사람 중의 한 명이라면, 여러분은 더 긍정적이고 활기찬 생활을 여러분에게 제공해 줄 활동이 필요하다.

(mind and body / a more positive and energetic life / been / whose / you / will give / overworked / have / that)

→ If you're one of the countless people ______________________________

______________, you need an activity ______________________________

______________________________. Rank 16, 25 모의응용

2 연구자들이 복숭아나무에 비추는 햇빛의 노출을 연장하자, 유일한 식량원이 그 나무의 뿌리였던 매미 유충들은, 통상적인 것보다 더 일찍 성체로 나타났다.

(was / adults / than usual / the trees' roots / whose / earlier / sole food source / emerged as)

→ When researchers extended the daylight exposure for peach trees, cicada nymphs, __________

______________________________, ______________________________

______________________________. Rank 28, 41 수능응용

*cicada: 매미 **nymph: (곤충의) 유충

고난도 **3** 모호한 용어란 하나보다 많은 의미를 가지고 있으면서 그 문맥이 어떤 의미가 의도되는지를 명확하게 보여주지 않는 것이다.

(a single meaning / does not / which / clearly indicate / the context / more than / of / has / which)

→ An ambiguous term is one ______________________________ and

______________________________ which meaning is intended.

Rank 09, 25, 41 모의응용

RANK 57

관계대명사의 선행사에 수일치

일치, 관계사

정답 및 해설 p. 46

주격 관계대명사가 이끄는 절 내의 동사는 [1] ____________에 수일치한다.
이때, 선행사와 관계대명사 사이에 수식어구나 삽입어구가 오는 경우에 주의한다.

기출 대표 문항

다음 문장에서 틀린 부분을 찾아 바르게 고치시오.

There are many stars in the universe which is thousands of times hotter than the Sun.

답이 보이는 Process

STEP 1 주어진 문장에서 관계사절을 찾아 [ ]로 묶는다.

There are many stars in the universe [which **is** thousands of times hotter ~].

STEP 2 관계사절 앞에 나온 명사들 중에서 선행사를 찾아 동사의 수를 일치시킨다.
관계사절의 수식을 받을 때 문맥상 의미가 가장 자연스러운 것이 선행사이다.

There are many stars (O) in the universe (×) [which [2] ____________ thousands of times hotter ~].

▶ 태양보다 수천 배 더 뜨거운 것은 many stars

주의 계속적 용법으로 쓰인 관계대명사가 선행사로 구나 절 전체를 취할 경우, 단수동사로 수일치한다. Rank 28

more 소유격 관계대명사가 이끄는 절에서 <소유격 관계대명사+명사>가 주어 역할일 때 관계대명사 뒤의 명사에 수일치한다. Rank 56
e.g. Jimmy is an employee whose **ideas** *are* always extraordinary.

Test 1 어법

다음 밑줄 친 부분이 어법상 옳으면 O, 틀리면 ×로 표시하고 바르게 고치시오. (단, 시제는 변경하지 말 것)

1 Love always flows beyond human borders and breaks down the fears in the mind that keeps us separate. Rank 25 모의응용

2 The Amazon drought is due to high ocean temperatures in the Caribbean Sea and the Atlantic Ocean, which are likely the result of global warming. Rank 28 EBS응용

3 Unlike scientists whose skeptical attitude is needed to make scientific progress, athletes must eliminate feelings of uncertainty about whether they can win. Rank 03, 56 모의응용

고난도 4 Individuals in both education and job placement who is forced to work in a style that does not fit them may perform below their actual capabilities. Rank 25, 44 모의응용

5 Weakened immune systems can lead to infections, and these infections, in turn, damage the immune systems, which further weaken resistance. (Rank 28) 모의응용

Test 2

조건 영작

다음 주어진 우리말과 일치하도록 괄호 안의 어구를 모두 활용하여 <조건>에 맞게 영작하시오.

<조건> • 필요시 밑줄 친 단어 변형 가능

1 많은 사람들이 그들 인생의 어느 시점에서 좋은 선택을 가로막는 장벽에 부딪힌다.
(that / good choices / face / in their lives / some point / a barrier at / prevent)
→ Many people ______________________________
______________. (Rank 25) 모의응용

2 별빛이 우리의 눈에 도달할 때쯤이면, 그 빛을 내는 밤하늘의 별들은 이미 수백만 년도 더 오래된 것이다.
(the light / produce / millions of years older / be already / that)
→ By the time starlight reaches our eyes, the stars in the night sky ______________
______________. (Rank 25) 교과서응용

3 표준 영어는 특정 교육 및 경제적 기회에 대한 접근을 가능하게 해주는데, 이것이 학교에서 그것을 가르치는 주된 이유이다.
(be / opportunities / access / certain educational and economic / to / the primary reason / allows / which)
→ Standard English ______________________________,
______________ for teaching it in school. (Rank 28) 수능응용

고난도 4 우리는 사고가 우리의 한계를 훨씬 넘어서는 높이에서 움직이고 그 업적이 그의 사고 과정을 이해할 수 있는 몇몇에 의해서만 평가되는 사람에게 참된 경외심을 갖는다. (measured / be able to / whose / his reasoning / who / achievements / a man / follow / whose / be / move / thoughts)
→ We stand in proper awe of ______________ on heights far beyond our range and ______________ only by the few
______________. (Rank 03, 25, 56) 모의응용

*stand in awe of: ~에 경외심을 갖다

3문형 ⇄ 4문형 전환

정답 및 해설 p. 47

목적어가 두 개인 4문형(SVOO)은 '~에게 …을[를] (해)주다'의 의미이고,
전치사를 사용하여 목적어가 하나인 3문형(SVO)으로 전환할 수 있다.
이때 동사에 따라 필요한 전치사가 다르므로 잘 알아두어야 한다.

기출 대표 문항

다음 두 문장이 같은 의미가 되도록 빈칸을 완성하시오.

My childhood photos give me a chance to recall my past memories.

= My childhood photos ______________________________ me.

답이 보이는 Process

STEP 1 주어진 문장의 구조를 파악한다.

My childhood photos (S) / give (V) me (IO) / a chance (to recall my past memories) (DO).

STEP 2 동사에 따라 간접목적어 앞에 필요한 전치사를 쓴다.

1 ________	give, teach, bring, show, lend, send, hand, pay, offer, tell, promise 등
for	buy, get, bring, make, find, call, cook, order, choose, prepare 등
2 ________	ask

My childhood photos (S) / 3 ________ (V) 4 ______________________________ (O) / 5 ________ me.

more 4문형(SVOO)으로 쓰이지 않는 동사

explain, introduce, say, suggest, propose, describe 등은 '~을[를] (해)주다'로 해석되지만 4문형으로 쓰이지 않는다.

e.g. A friendly tour guide (S) **explained** (V) **the history of the castle** (O) *to us*. (O)

A friendly tour guide explained *us* the history of the castle. (×)

Test 1 어법

다음 밑줄 친 부분이 어법상 옳으면 O, 틀리면 ×로 표시하고 바르게 고치시오.

1 To attain shared objectives, it's necessary to ask a favor <u>of</u> your colleagues and cooperate fully with them. (Rank 14)

2 Works of art offer <u>a new perspective people</u>, which can help them experience the world creatively and in a new way. (Rank 28)

3 While there might be moments when you wish otherwise, it's important to acknowledge that, ultimately, money can't buy happiness <u>of</u> you.

Test 2 문장 전환

다음 두 문장이 같은 의미가 되도록 빈칸을 완성하시오.

1 On Parent's Day, I cleaned the house and cooked my parents a healthy and delicious meal.
= On Parent's Day, I cleaned the house and cooked ______________________ my parents.

2 The company board promised all staff members substantial bonuses to foster achievement and excellence within the organization.
= The company board ______________________ all staff members to foster achievement and excellence within the organization. 모의응용

Test 3 배열 영작

다음 괄호 안의 어구를 모두 알맞게 배열하여 주어진 우리말을 영작하시오.

1 팀원들에게 자유와 융통성을 주는 것은 그들에게 신뢰를 보여주어 그들을 고무시키는 방법이다.
(them / to / to show / to / liberty and flexibility / your team members / your trust / giving)
→ ______________________ is a way ______________________ ______________________ and inspire them. Rank 15, 52 수능응용

2 여러분이 자신에 대한 세부 사항들을 입력하면, 이 모바일 앱이 그 제공된 정보를 기반으로 여러분에게 모든 적합한 일자리를 찾아줄 것입니다. (enter / you / for / details / all suitable jobs / about yourself / you / will find)
→ After ______________________, this mobile app ______________________ ______________________, based on the information provided. Rank 35

3 그 야생동물 전문가는 자신의 경험에서 끌어낸 생생한 이야기를 통해 대중에게 해양 생물의 아름다움을 묘사해 주었다.
(the public / described / the wildlife expert / of / the beauty / to / marine life)
→ ______________________ through a vivid story drawn from his own experiences.

4 그 과학자는 공동연구자들에게 감정에 근거한 눈물이 높은 수준의 코르티솔을 포함한다는 것을 보여주었다.
(the colleagues / the emotionally based tears / that / high levels / cortisol / of / contain)
→ The scientist showed ______________________ ______________________. Rank 23 모의응용

*cortisol: 코르티솔(부신피질에서 분비되는 스트레스 호르몬)

5 진정한 친구는 그것이 그 순간에 여러분에게 필요한 것이라면 불편한 무언가를 여러분에게 말해주거나 여러분의 잘못을 지적할 수 있는 사람이다. (point out / or / can say / unpleasant / who / your faults / to / something / you / someone)
→ A true friend is ______________________ ______________________ if that is what you need at the moment. Rank 09, 25

RANK 59 조동사+have p.p.

정답 및 해설 p. 47

<조동사+have p.p.>는 과거의 일에 대한 가능성·추측·후회·유감을 나타낸다. 조동사에 따른 의미를 구별하는 것이 중요하다.

기출 대표 문항

다음 괄호 안의 단어와 조동사 may, should, must 중 하나를 활용하여 주어진 우리말을 영작하시오. (단, 빈칸당 한 단어만 쓸 것)

1 우리가 큰 소음을 냈더니, 물고기들이 헤엄쳐 가버렸다. 그 소리가 물을 통과해 그들에게 도달했음이 틀림없다. (reach)

→ When we made a loud noise, fish swam away. The sound ________ ________ ________ them through the water.

2 비록 프레첼이 흔히 독일과 연관되지만, 그것들은 이탈리아에서 유래했을지도 모른다. (originate)

→ Though pretzels are commonly associated with Germany, they ________ ________ ________ in Italy.

3 그들은 다음 세대를 위해 지구 자원을 낭비하지 말았어야 했다. (waste)

→ They ________ ________ ________ ________ the planet's resources for the next generation.

답이 보이는 Clues

may[might] have p.p.	(어쩌면) ~했을지도 모른다
could have p.p.	~했을 수도 있다
1 ________ have p.p.	~했음이 틀림없다
can't[cannot] have p.p.	~했을 리가 없다
2 ________ have p.p.	~했어야 했는데 (하지 않았다)
shouldn't[should not] have p.p.	~하지 말았어야 했는데 (했다)

more 수동형 <조동사+have been p.p.> / 진행형 <조동사+have been v-ing>

주의 <조동사+동사원형>의 의미와 구별해서 알아두자. (☞ p. 218 조동사 의미별 정리)

Test 1 어법

다음 밑줄 친 부분이 어법과 문맥상 옳으면 O, 틀리면 ×로 표시하고 바르게 고치시오.

1 Many fans must have loved her to hold such a big fan club event. Rank 13 교과서응용

2 The marketing team shouldn't have thoroughly considered the potential risks before implementing the new strategy to avoid problems like what they are facing now, but they didn't.

3 According to one professor, our ancestors may have had quite a large lexicon of words related to mental concepts. 모의응용

*lexicon: 어휘 목록

4 The discovery of ancient pottery shards suggests that there must be a thriving civilization in this region thousands of years ago. *shard: (도자기 등의) 파편

5 She realized that the time of reflection could have used to bring her ideas to life and result in more meaningful outcomes. Rank 03, 49 모의응용

Test 2 조건 영작

다음 주어진 우리말과 일치하도록 괄호 안의 어구를 모두 활용하여 <조건>에 맞게 영작하시오.

<조건> • 필요시 밑줄 친 단어 변형 가능

1 Jason이 이 시를 썼을 리가 없는데, 왜냐하면 그것은 프랑스어로 쓰였고 그는 프랑스어를 모르기 때문이다.
(have / can't / this poem / write)
→ Jason ______________________________, because it was written in French and he doesn't know French.

2 불행히도, 그가 없는 동안 그가 지켰어야 했던 그 구역에 절도범들이 들어왔다.
(should / guard / entered / he / that / have / the area)
→ Unfortunately, while he was gone, the burglars ______________________________
______________. Rank 27, 47 모의응용

3 한 인지 과학자는 연구 논문에서 시간이 지남에 따라 더 명확히 정의된 문법 규칙들이 언어의 모호함을 줄여줬을지도 모른다고 썼다. (might / in / have / language / more clearly / decrease / defined grammatical rules / ambiguity)
→ A cognitive scientist wrote in a research paper that ______________________________
______________________________ over time. Rank 05

4 그 재능 있는 일꾼들은 단순한 도구들을 사용했을지도 모르지만, 그들의 전문 기술이 아주 우아하고 아름다운 상품을 결과적으로 만들어 냈다. (tools / may / the talented / simple / workers / use / have)
→ ______________________________, but their expertise resulted in very elegant and beautiful products. 모의응용

5 우리 습관의 대부분은 의도적으로 만들어지는 것이 아닐지도 모르지만, 그 특정한 행동을 수행하는 데 어떤 가치나 이점이 있었음에 틀림없다. (have / or benefit / be / that particular / performing / some value / intentionally created / must / to / behavior / be / may not)
→ Most of our habits ______________________________, but there ______________
______________________________. Rank 03, 72, 76 모의응용

고난도 6 그 기밀 정보는 적절한 허가 없이 공개되지 말았어야 했는데, 그러한 허가받지 않은 공개는 우리 운영의 무결성에 심각한 위협을 제기할 수 있기 때문이다. (can / be / the confidential / pose / disclose / have / shouldn't / a serious threat / information)
→ ______________________________ without proper authorization, because such unauthorized disclosure ______________________________ to the integrity of our operations.

RANK

60 부사구 강조 도치 / 기타 도치

특수구문

정답 및 해설 p. 48

부정어구 강조 도치(Rank 18) 외에도 도치가 되는 여러 경우가 있다. 각 경우에 따라 어순과 수일치에 유의한다.

기출 대표 문항

다음 밑줄 친 부분이 어법상 옳으면 O, 틀리면 ×로 표시하고 바르게 고치시오.

1. In this game, with each new level comes new challenges and rewards.
2. Less well-known was the fact that Freud had found out how helpful his dog was to patients.
3. Friendship is a balancing act, and so does our sense of kindness.

답이 보이는 Clues

1 장소나 방향을 나타내는 부사구가 문두로 나가는 경우 <부사구+(조)동사+주어>의 어순으로 도치가 될 수 있다.
이때, 일반동사가 쓰여도 조동사 do/does/did를 사용하지 않고 동사와 주어의 위치만 바꾼다.
도치구문의 (조)동사는 주어에 수일치시켜야 함에 유의한다.

~, **with each new level** (장소 부사구) [1] ________ (V) *new challenges and rewards* (S(*수일치 유의)).

주의 주어가 대명사이면 도치되지 않는다. *e.g.* Along the riverbank he walked.

2 보어가 문두로 나가는 경우: <보어+(조)동사+주어>

Less well-known (C) [2] ________ (V) [3] ________ (S) that ~.

3 <so[neither, nor]+V+S>: S도 역시 그렇다[그렇지 않다]
여기에서 V는 대동사의 성격을 가진다.
V가 어떤 동사를 대신하는지 파악하여 do와 be 중 알맞은 것을 쓴다. 이때, 시제와 수에 유의한다. Rank 67

Friendship is a balancing act, and **so** [4] ________ our sense of kindness.
(= Our sense of kindness is a balancing act, too.)

more <so+형용사+의문문 어순 ~ that ...> ((so ~ that ... 구문의 변형 Rank 34))
e.g. **So surprised *were we*** that we couldn't say a word after seeing the erupting volcano.
e.g. **So angry *did he become*** that he eventually stormed out of the room.

Test 1 어법

다음 밑줄 친 부분이 어법상 옳으면 O, 틀리면 ×로 표시하고 바르게 고치시오. (단, 시제는 변경하지 말 것)

1 At the top of the stairs were a big portrait of a man dressed in a cape with a sword. EBS응용

2 As the human capacity to speak developed, so was our ability to lie to other humans. Rank 35, 67 모의응용

3 After LASEK surgery, there may be a decrease in the ability to see under poorly lit conditions. Equally serious is that dry eye syndrome can occur. Rank 23 교과서응용

*dry eye syndrome: 안구 건조증

4 Nobody knew why, but the child on the sofa didn't look happy at all, and neither did the other child next to her.

Test 2 문장 전환

다음 문장을 밑줄 친 부분을 강조하는 도치구문으로 바꿔 쓰시오.

1 The barriers of distance and nationality vanish in a place filled with friendship and love.

→ ______________________________.

2 The artists that can afford to produce a painting without requesting any payment are rare.

→ ______________________________ without requesting any payment. Rank 25

3 The speed at which the scientific community embraced the groundbreaking research was more surprising than the announcement of the discovery.

→ ______________________________ at which the scientific community embraced the groundbreaking research. Rank 41

4 Happiness and joy come through continuous hard work, perseverance, and unwavering determination.

→ ______________________________

______________________________.

Test 3 조건 영작

다음 주어진 우리말과 일치하도록 괄호 안의 어구를 모두 활용하여 영작하시오. (단, 도치구문으로 쓸 것)

1 염려를 불러일으키는 것은 판사들의 개인적인 의견이 그들의 판결에 영향을 줄 수 있다는 사실이다.

(of / their decisions / can affect / that / is / judges / personal opinions / the fact)

→ Concerning ______________________________.

Rank 52 교과서응용

2 나는 우리가 캘리포니아로 이사 간다는 것을 알게 되어 아주 신이 났고, 내 여동생도 그랬다.

(to / so / find out / I / my sister / was / was)

→ So excited ______________ that we were moving to California, and ______________

______________. Rank 13, 23

고난도 3 중국의 경제 성장 뒤에는 경제 개혁에 의해 촉발된 갑작스러운 산업화의 호황이 있다.

(industrialization boom / lies / reforms of / prompted by / the economy / the sudden)

→ Behind China's economic growth ______________________________

______________________________. Rank 05

RANK **61**

여러 가지 조동사 표현

정답 및 해설 p. 49

우리가 흔히 알고 있는 조동사(☞ p. 218) 외에도 형태와 의미가 중요한 여러 가지 조동사 표현이 있다.

기출 대표 문항

다음 밑줄 친 부분이 어법과 문맥상 옳으면 O, 틀리면 ×로 표시하고 바르게 고치시오.

1 If you want to think about something seriously, you had better <u>disconnecting</u> yourself from distractions.

2 Knowing about the unpredictable weather, they would rather <u>have</u> a picnic indoors than risk being caught in the rain.

3 When she received the unexpected compliment, she couldn't help <u>feel</u> a boost in her confidence.

4 When you consider how much it snowed last night, the bus <u>may well be</u> late this morning.

답이 보이는 Clues

had better + 1 ________ had better not + 2 ________	~하는 편이 낫다 ~하지 않는 편이 낫다
would rather + 동사원형 (than ...)	(…하느니) 차라리 ~하고 싶다
may as well + 동사원형 (as[than] ...)	(…하느니) ~하는 게 더 낫다
cannot help 3 ________	v하지 않을 수 없다(= cannot (help) but + 동사원형)
cannot + 동사원형 + too ...	아무리 ~해도 지나치지 않다
may well + 동사원형	아마 ~일 것 같다; ~하는 것도 당연하다
would like 4 ________	v하고 싶다(= want to-v, feel like v-ing)

Test 1 어법

다음 밑줄 친 부분이 어법과 문맥상 옳으면 O, 틀리면 ×로 표시하고 바르게 고치시오.

1 You might be surprised to learn that most kids would rather <u>to have</u> parents that are a little too strict than not strict enough. 모의응용

2 Many athletes would like <u>to represent</u> their nation on the global stage, considering it as the pinnacle of their sporting career.

3 Every parent may <u>as well</u> think their child is the best at art or music, but the truth is that this is not always the case.

4 When it comes to effective communication, you <u>cannot too be</u> clear in conveying your ideas to avoid misunderstandings.

5 In the cultivation process, people cannot help but to cut down hundreds of trees and eventually to ruin the surrounding ecosystem. Rank 09 교과서응용

6 Having a talent but refusing to develop it is like having a hidden treasure you can't access — you may as well be without it as to have it and not to use it.

Test 2 조건 영작

다음 주어진 우리말과 일치하도록 괄호 안의 어구를 모두 활용하여 <조건>에 맞게 영작하시오.

<조건> • 필요시 밑줄 친 단어 변형 가능

1 그 다큐멘터리의 주제가 아주 지루해서 나는 하품하고 졸지 않을 수 없다.
(I / boring / help / doze off / and / yawn / so / can't / that)
→ The topic of the documentary is ______________________________
______________________. Rank 09, 34

2 우리는 질병을 예방하는 데 있어서 손을 씻는 것의 중요성을 아무리 많이 강조해도 지나치지 않다.
(cannot / too / emphasize / much / we)
→ ______________________________ the importance of washing our hands in preventing disease.

3 지구력을 기르는 데는 시간이 걸리기 때문에 너는 지금 마라톤을 위해 훈련하기 시작하는 게 더 낫다.
(as / for / you / training / may / well / the marathon / start)
→ ______________________________ now because building endurance takes time. Rank 11

4 과학적 조사에 참여하는 연구자들은 정확하고 신뢰할 수 있는 결과를 위해 요구되는 엄격한 방법론을 무시하지 않는 편이 낫다.
(and / neglect / had / accurate / reliable / better / required for / not / results / the rigorous methodology)
→ Researchers engaged in scientific investigations ______________________________
______________________________. Rank 05

*methodology: 방법론(과학 연구에서의 합리적인 방법에 관한 이론)

5 여러분이 일하고 싶은 사업체의 크기와 종류에 대해 생각해 보는 것은 여러분이 전문가가 되어야 할지 또는 다방면의 지식을 가진 사람이 되어야 할지를 판단하는 데 도움이 된다.
(would / helpful / is / the size / like / type / to / which / business / about / and / thinking / you / of / work for)
→ ______________________________
______________________________ in judging if you will need to be a specialist or a generalist. Rank 15, 29

*generalist: 다방면의 지식[재능]을 가진 사람

RANK

62 전치사를 동반하는 동사 쓰임 I

동사와 문형

정답 및 해설 p. 49

3문형 동사 중 목적어 다음에 <전치사+명사>구를 동반하는 동사들이 있다.
여기서는 전치사 from과 for를 동반하는 동사에 대해 알아보자.

기출 대표 문항

다음 주어진 우리말과 일치하도록 괄호 안의 어구를 모두 활용하여 영작하시오. (필요시 밑줄 친 단어 변형 및 전치사 추가 가능)

그 진공 포장기는 뚜껑을 아주 단단히 밀봉하고 음식을 상하게 만들 수 있는 미생물들이 용기에 들어가는 것을 막는다.

(could make / go / that / food / organisms / the container / enter / bad / stops)

→ The vacuum packing machine seals lids very firmly and ______________________________
______________________________.

답이 보이는 Process

prevent[keep, stop, discourage, ban, prohibit] A from B	A가 B하지 못하게 하다[B하는 것을 막다]
distinguish[tell, know] A from B	A를 B와 구별하다
separate A from B	A를 B로부터 분리하다[구분 짓다]
blame[criticize, scold] A for B	A를 B의 이유로 비난하다[비판하다, 꾸짖다]
thank A for B	A에게 B에 대해 감사하다
(mis)take A for B	A를 B라고 오인[혼동]하다

more 위 표현을 수동태로 표현하면 <A+be p.p.+전치사+B>의 형태가 된다.

주의 A와 B의 위치를 바꿔 쓰지 않도록 주의한다.

STEP 1 우리말을 통해 문장의 구조를 파악한다.

그 진공 포장기는(S) ~ 음식을 상하게 만들 수 있는 미생물들이(A) / 용기에 들어가는 것을(전치사+B) / 막는다(V).

STEP 2 의미 단위별로 영작한다. 이때, 주어진 조건을 잘 확인하자.
동사와 짝이 맞는 전치사를 추가하거나, B에 해당하는 어구를 알맞은 형태로 변형해야 할 수도 있다.

~ 1 __________ (V) / 2 ______________________ (A) / 3 ______________________ (전치사+B).

▶ 전치사 from을 추가하고,
enter를 동명사 entering으로 변형한다. Rank 72

주의 전치사 뒤 B 자리에는 명사나 명사에 상응하는 어구가 와야 한다.

e.g. We should prevent the minor language from **extinction**. ((명사))

e.g. We should prevent the minor language from **becoming extinct**. ((동명사구))

Test 1 배열 영작

다음 괄호 안의 어구를 모두 알맞게 배열하여 주어진 우리말을 영작하시오.

1 왜 무언가가 일어나는지에 대해 생각하는 능력은 인간의 두뇌를 지구상의 모든 다른 동물의 그것들(두뇌들)과 구분 짓는다.
(human brains / every other animal / of / those / from / separates)
→ The ability to think about why things happen ____________________
____________ on the planet. Rank 33 교과서응용

2 소비자 옹호 단체는 제품 성분을 공개하는 데에 있어서 투명성이 부족하다는 이유로 그 식품 회사를 비판했다.
(of / the food company / transparency / for / criticized / its lack)
→ The consumer advocacy group ____________________
____________ in disclosing product ingredients.

3 미래 세대들은 그 결과를 고려하지 않고 미래의 환경 자본을 빌려와 그것을 낭비한다는 이유로 우리를 비난할지도 모른다.
(future environmental capital / for / may blame / it / borrowing / us / wasting / and)
→ Future generations ____________________
____________ without regard for the consequences. Rank 09, 72 수능응용

Test 2 조건 영작

다음 주어진 우리말과 일치하도록 괄호 안의 어구를 모두 활용하여 <조건>에 맞게 영작하시오.

<조건> • 필요시 밑줄 친 단어 변형 가능
• 필요시 전치사 from, for 중 하나를 추가할 것

1 두려움은 여러분이 미지의 영역에 들어서지 못하게 할 수 있다. 예를 들어, 여러분은 새로운 직업의 기회를 탐색하는 대신 성취감이 없는 일을 그만두지 않는 것을 선택할지도 모른다. (you / can / unknown territory / into / keep / <u>step</u> / fear)
→ ____________________; for example, you may choose not to leave an unfulfilling job instead of exploring a new career opportunity. Rank 72 모의응용

2 그것들의 천연색이 유사해서, 그 초보 조류 관찰자는 울새를 비슷하게 생긴 종이라고 종종 오인했다.
(a similar-looking / the robin / often mistook / species)
→ Because of the close resemblance in their coloration, the novice birdwatcher ____________
____________________.

*robin: 울새

3 그 팀원들은 그들의 매니저에게 유연한 근무 시간을 시행한 것에 대해 감사했는데, 그것은 그들의 일과 삶의 균형을 크게 개선해 주었다. (<u>implement</u> / their manager / flexible work hours / thanked)
→ The team members ____________________
____________, which greatly improved their work-life balance. Rank 72

고난도 **4** 유럽의 몇몇 국가는 전자 기기들이 곧장 쓰레기 매립지로 보내지는 것을 막기 위해 노력하는 중이다.
(<u>send</u> / <u>be</u> / to ban / are striving / electronic devices)
→ Some countries in Europe ____________________
straight to landfills. Rank 13, 39, 72 교과서응용

RANK **63** # 전치사를 동반하는 동사 쓰임 II

동사와 문형

정답 및 해설 p. 50

그밖에 다양한 전치사를 동반하는 3문형 동사들도 알아두자. (☞ p. 159)

기출 대표 문항

다음 괄호 안의 어구를 모두 알맞게 배열하여 주어진 우리말을 영작하시오.

교육 기관은 학생들에게 깨끗하고 안전한 식수를 제공해야 한다.

(students / drinking water / should provide / clean / safe / with / and)

→ Educational institutions ____.

답이 보이는 Process

provide[supply, present] A with B	A에게 B를 제공[공급]하다(= provide B for A)
replace[substitute] A with B	A를 B로 대체하다, A 대신 B를 쓰다(= substitute B for A)
rob[deprive, relieve, clear] A of B	A에게서 B를 빼앗다[박탈하다, 덜다, 제거하다]
remind[inform, notify, convince] A of B	A에게 B를 상기시키다[알리다, 확신시키다]
think of[look upon, regard, view, see, recognize] A as B	A를 B로 여기다[간주하다, 인식하다]
take[lead] A to B	A를 B로 데려가다[이끌다]
prefer A to B	A를 B보다 선호하다[더 좋아하다]
attribute[ascribe] A to B	A를 B의 덕분으로 돌리다; A를 B의 탓[책임]으로 돌리다

STEP 1 우리말을 통해 문장의 구조를 파악한다.

교육 기관은(S) / 학생들에게(A) / 깨끗하고 안전한 식수를(전치사+B) / 제공해야 한다(V).

STEP 2 의미 단위별로 영작한다. 이때, A와 B의 위치를 바꿔 쓰지 않도록 주의한다.

Educational institutions 1 ____________(V) / 2 ____________(A) /

3 ________________________(전치사+B).

(= Educational institutions should **provide** clean and safe drinking water **for** students.)

▶ 사용하는 전치사에 따라 A와 B의 순서가 달라질 수 있다.

Test 1 배열 영작

다음 괄호 안의 어구를 모두 알맞게 배열하여 주어진 우리말을 영작하시오.

1 일부 아시아인들은 겸손을 사회적 상호 작용의 필요하고 적절한 부분으로 여기는 경향이 있다.

(and / necessary / as / modesty / appropriate / to view / tend / a / part / some Asians)

→ ____

________________ of social interaction. Rank 11 모의응용

2 우유와 고기는 사람들에게 지방과 단백질 같은 필수 영양소의 중요한 공급원을 제공하지만, 그것들은 식단에 비교적 적은 비타민을 제공한다. (provide / with / of / notable sources / people / essential nutrients / milk and meat)

→ While ____ ________________________________ such as fats and proteins, they contribute relatively few vitamins to one's diet. (Rank 36) 모의응용

3 만약 여러분이 카페인 섭취량을 줄이고자 한다면, 여러분은 따뜻하고 진정시키는 음료로 일반 커피 대신 허브차를 쓸 수 있다. (with / regular coffee / can substitute / herbal tea / you)

→ If you aim to reduce your caffeine intake, ______________________________ ____________________ for a warm and soothing beverage.

4 사업차 스페인으로 이동하던 중에, 그는 도둑들을 만났고 자신의 옷을 포함해 모든 소지품을 빼앗겼다. (robbed / was / all his belongings / and / of / thieves / encountered)

→ While traveling to Spain for business, he ______________________________ ____________________, including his own clothes. (Rank 04, 09)

5 기근과 내전이 사하라 사막 이남의 아프리카를 위협하면, 많은 아프리카계 미국인들은 그 대륙에 대한 조상의 유대관계를 상기하게 되는데, 이는 그들이 인도적 구호를 지지하도록 이끈다. (to / their ancestral ties / are / the continent / many African Americans / of / reminded)

→ When famine and civil war threaten Sub-Saharan Africa, ____________________ ____, which leads them to advocate for humanitarian relief. (Rank 04) 모의응용

*humanitarian relief: 인도적 구호

6 많은 제작자들은 투자금을 회수할 더 큰 가능성을 보장하기 위해 검증된 가치와 과거의 성공이 있는 연극을 새롭고 시도되지 않은 연극보다 선호해 왔다. (and / a new and untried play / of / past success / have preferred / proven merit / a play / to)

→ Many producers ____ ________________________________ to ensure a greater likelihood of recovering their investment. (Rank 05) 모의응용

고난도 **7** 우리는 소음을 공해의 한 형태로 인식해야 하며 그것이 우리 지역 사회를 오염시키는 것을 막을 효과적인 조치들을 취해야 한다. (pollution / from / should recognize / our community / it / a form / polluting / of / as / noise / to prevent)

→ We ____ and take effective measures ____. (Rank 52, 62) 교과서응용

고난도 **8** 몇몇 비행기 추락과 추락에 가까운 사고는 윈드시어로 알려진 위험한 하강기류의 탓으로 돌려져 왔다. (to / have / attributed / as / known / been / dangerous / wind shear / downward wind bursts)

→ Several plane crashes and near crashes ______________________________ ______________________________. (Rank 04, 05, 16) 모의응용

*wind shear: 윈드시어((풍속과 풍향이 갑자기 바뀌는 돌풍))

RANK **64** # 의문사+to부정사

정답 및 해설 p. 50

<의문사+to부정사>는 명사구 역할을 하여 문장의 주어, 목적어, 보어로 쓰인다.
각각의 의미와 명사절을 <의문사+to부정사>로 전환하는 방법에 대해 알아보자.

기출 대표 문항

다음 두 문장이 같은 의미가 되도록 빈칸을 완성하시오. (단, 빈칸당 한 단어만 쓸 것)

The science teacher demonstrated to the class how they should conduct the science experiment.

= The science teacher demonstrated to the class ____________ ____________ ____________ the science experiment.

답이 보이는 Clues

자주 쓰이는 <의문사+to부정사>를 알아두자.

what to-v	무엇을[무엇에] v할지[v해야 하는지]
where to-v	어디서[어디에] v할지[v해야 하는지]
how to-v	어떻게 v할지[v해야 하는지]
when to-v	언제 v할지[v해야 하는지]
which (명사) to-v	어떤 것을[명사를] v할지[v해야 하는지]

대개 <의문사+주어+should[can]+동사원형>을 <의문사+to부정사>로 바꿔 쓸 수 있다.

The science teacher demonstrated to the class how they should conduct the science experiment.

= The science teacher (S) demonstrated (V) (to the class) 1 __________ 2 __________ 3 __________ the science experiment. (O)

Test 1 문장 전환

다음 두 문장이 같은 의미가 되도록 빈칸을 완성하시오. (단, 빈칸당 한 단어만 쓸 것)

1 When you should use a comma in English is important to clarify relationships between sentence elements and avoid ambiguity in your writing.

= ____________ ____________ ____________ a comma in English is important ~.

2 Instead of spending time in trying to push aside or suppress emotions, it is far better to learn how you can manage them well.

= ~, it is far better to learn ____________ ____________ ____________ them well. 모의응용

3 When I met my mentor to discuss my dream job, she advised me which classes I should take next semester.

= ~, she advised me ____________ ____________ ____________ ____________ next semester.

Test 2 조건 영작

다음 주어진 우리말과 일치하도록 괄호 안의 어구를 모두 활용하여 <조건>에 맞게 영작하시오.

> <조건> • 의문사와 to를 추가하여 「의문사+to부정사」 형태를 만들 것
> • 의문사는 <보기>에서 골라 쓸 것
>
> <보기> what where how when which

1 언제 악기를 연주해야 하는지의 적절한 시간에 관한 기숙사의 규정을 따라주십시오. (an instrument / play)

→ Please obey the dormitory rules about the appropriate hours for ______________________ ______________. 교과서응용

2 여러분이 저희의 앱을 다운로드하여 여러분의 위치를 입력하면, 근처에서 여러분의 차를 어디에 주차해야 하는지를 확인하실 수 있습니다. (can check / your car / park / you)

→ If you download our app and enter your location, ______________________ ______________________ nearby.

3 사람들이 자신에게 닥친 정보의 양에 압도당할 때, 그들은 무엇에 초점을 두어야 할지를 아는 데 어려움을 겪는다. (focus on / difficulty / have / knowing / they)

→ When people are overwhelmed with the volume of information confronting them, ________ ______________________________. 모의

4 그 기업가는 브랜드 인지도를 높이고 고객을 유치하기 위해 어떤 마케팅 전략을 이용해야 할지를 고려했다. (enhance / employ / marketing strategies / brand awareness / to)

→ The entrepreneur considered ______________________ ______________________ and attract customers. Rank 13

5 활동적인 야외 놀이에서, 아이들은 의도적으로 자기 자신을 불편한 상황에 노출시키고, 그렇게 함으로써 그들의 신체뿐만 아니라 두려움 또한 어떻게 통제해야 하는지를 배운다. (but also / not only / control / their bodies / their fear / learn)

→ In active outdoor play, children intentionally expose themselves to uncomfortable situations, and thereby ______________________ ______________________. Rank 10 모의응용

원인·이유의 부사절

정답 및 해설 p. 50

원인·이유를 나타내는 다양한 접속사의 형태와 의미를 알아두자.
└ because, since, as: ~이기 때문에 / now (that): (지금) ~이므로, ~이기 때문에 / in that, seeing that: ~라는 점에서, ~을 보면

기출 대표 문항

다음 괄호 안의 어구를 모두 알맞게 배열하여 주어진 우리말을 영작하시오.

한국에서 망고스틴을 보는 것은 쉽지 않은데, 그것들이 열대 과일이기 때문이다.
(to / not / they / tropical fruits / mangosteens / easy / are / see / is / because)
→ It ______________________ in Korea ______________________.

답이 보이는 Process

STEP 1 주어진 우리말을 인과 관계에 따라 주절과 종속절(부사절)로 나눈다.
주절(결과): 한국에서 망고스틴을 보는 것은 쉽지 않은데
종속절(이유): 그것들이 열대 과일이기 때문이다
▶ 종속절(부사절)의 해석이 주절의 주어와 동사 해석 사이에 오기도 한다.

STEP 2 접속사가 이끄는 종속절을 영작한다. 영작할 때 해석에 맞는 적절한 원인·이유의 접속사를 쓴다.
그것들이 열대 과일이기 때문이다: [1] ______________________

STEP 3 주절의 앞 또는 뒤에 종속절이 위치할 수 있다.
단, 종속절을 주절 앞에 쓸 때는 종속절이 끝난 부분에 콤마(,)를 쓴다.

more 원인·이유를 나타내는 전치사와 접속사를 구분하여 알아둔다. Rank 71

전치사+명사(구)	접속사+절(S'+V' ~)
because of, due to, owing to (~ 때문에)	because, since, as (~ 때문에)

Test 1 어법

다음 밑줄 친 부분이 어법과 문맥상 옳으면 O, 틀리면 ×로 표시하고 바르게 고치시오.

1 Because of giving a speech requires a great deal of preparation, presenters often gain a deep understanding of their topic while preparing for the speech. Rank 15 모의응용

2 A four-day work week increases productivity as well-rested employees work harder, enabling them to accomplish more work in less time. Rank 06, 07

3 Our living space on Earth is very limited seen that we have always had to give up the vast underwater world as a land-based species. 모의응용

4 Now that the gasoline prices are falling, drivers are delaying refueling their cars until it falls even lower. Rank 11, 35

Test 2 배열 영작

다음 괄호 안의 어구를 모두 알맞게 배열하여 주어진 우리말을 영작하시오.

1 이 브랜드는 대중들에게 제조 과정을 투명하게 밝힌다는 점에서 다른 브랜드들과 차별화된다.
(other brands / that / differentiated / transparently reveals / from / in / is / its manufacturing process / it)
→ This brand ______________________________
______________________ to the public. Rank 04

2 기상 예보관들이 이번 여름에 더 많은 강우량을 예상하므로, 일부 지역에서는 과도한 홍수를 겪을 수도 있다.
(could experience / more rainfall / weather forecasters / as / some areas / expect / this summer)
→ ______________________________, ______________
______________ excessive flooding. 모의응용

3 그곳의 빛 공해가 아주 심하기 때문에, 붐비는 도시 지역에서 단 하나의 별이라도 볼 수 있다면 당신은 운이 좋은 것이다.
(since / if / so intense / a single star / could see / light pollution / you / is)
→ In crowded, urban areas, you would be lucky ______________________________,
______________________________ there. Rank 12

4 이제 핼러윈이 끝났으므로, 여러분은 크리스마스 장식이 도시 전체의 상점들에 마법처럼 나타난 것을 알아차릴지도 모릅니다.
(notice / over / is / may / Halloween / that / that / you / now)
→ ______________________, ______________________ Christmas decorations have magically appeared in stores across the city. Rank 23

5 금은 아름답기 때문만이 아니라 얻기에도 몹시 어렵기 때문에 재산으로서 가치 있어 왔다.
(but also / beautiful / is / because / because / obtain / it / very difficult / not only / it / to / is)
→ Gold has been desirable as money ______________________________
______________________. Rank 10, 13 모의응용

고난도 6 간호사들은 정신 건강관리 체계에서 중추적인 역할을 맡으며 의사소통망의 중심에 놓여 있는데, 부분적으로는 환자들과의 높은 접촉 정도 때문이기도 하지만, 다른 전문가들과 잘 발달된 관계를 갖고 있기 때문이기도 하다.
(with / of contact / relationships / they / other professionals / well-developed / their high degree / because / have / patients / with / of / partly because)
→ Nurses hold a pivotal position in the mental health care structure and are placed at the center of the communication network, ______________________________
______________________, but also ______________________________
______________________. Rank 71 모의응용

RANK **66** # 양태의 부사절

접속사

정답 및 해설 p. 51

양태란 모양이나 태도를 의미하여 '~처럼, ~이듯이, ~대로'로 해석된다.
양태를 나타내는 다양한 접속사의 형태와 의미를 알아두자.
as: ~처럼, ~이듯이, ~대로 ((상태)) / as if[though]: 마치 ~인 것처럼 /
(just) as ~, so ...: (꼭) ~인 것처럼 …하다 / (just) the way: (꼭) ~처럼

기출 대표 문항

다음 괄호 안의 어구를 모두 알맞게 배열하여 주어진 우리말을 영작하시오.

꼭 비타민 부족이 질병을 초래할지도 모르는 것처럼, 스스로를 표현하기를 거부하는 사람은 정신 질환을 겪을 수도 있다.

(as / result in / may / a lack of vitamins / disease / just)

→ ______________________________, so one who denies expressing oneself can suffer from mental illness.

답이 보이는 Process

STEP 1 주어진 우리말을 주절과 종속절(부사절)로 나눈다.
'~처럼, ~이듯이, ~대로'로 해석되는 부분이 양태의 부사절에 해당한다.

주절: 스스로를 표현하기를 거부하는 사람은 정신 질환을 겪을 수도 있다
종속절(양태): 꼭 비타민 부족이 질병을 초래할지도 모르는 것처럼

STEP 2 접속사가 이끄는 종속절을 영작한다. 주어진 어구를 통해 알맞은 양태의 접속사를 쓴다.

꼭 비타민 부족이 질병을 초래할지도 모르는 것처럼: [1] ______________________________

STEP 3 주절의 앞 또는 뒤에 종속절이 위치할 수 있다.
단, 종속절을 주절 앞에 쓸 때는 종속절이 끝난 부분에 콤마(,)를 쓴다.

more <(just) as ~, so ...> 구문에서 so 뒤에 대동사가 위치하여 'S도 역시 그렇다'로 해석되는 경우, 주어-동사의 도치가 일어날 수 있다. Rank 60

e.g. Just as society progresses, so ***does* the quest for knowledge and understanding**.

Test 1 배열 영작

다음 괄호 안의 어구를 모두 알맞게 배열하여 주어진 우리말을 영작하시오.

1 지구 온난화는 너무 큰 문제여서 마치 시급한 조치가 유일한 해결책인 것 같다.
(urgent action / as / the only solution / is / if / seems / it)
→ Global warming is such a huge problem that ______________________________
______________________. Rank 34 교과서응용

2 그 건축가는 모든 세부 사항을 보장하며, 세련된 외관부터 미니멀리즘적인 내부 장식까지 꼭 고객이 상상했던 대로 현대적인 주택을 설계했다. (the way / the modern house / envisioned / designed / the client / just)
→ The architect ______________________________
______________, ensuring every detail, from the sleek exterior to the minimalist interior decoration.

고난도 **3** 마치 여러분이 딛는 모든 발걸음이 여러분을 목표에 더 가까이 데려가고 있는 것처럼 매 순간을 살 때, 자부심과 그 즐거운 심상이 여러분에게 동기를 부여할 것이다.
(closer to / take / if / live / you / as / you / every step / your goals / you / each moment / when / is bringing)
→ The feeling of pride and the pleasurable images will motivate you ______________
____.
Rank 27, 35

4 꼭 책을 많이 읽는 것이 지적 발달에 도움이 되는 것처럼, 다양한 나라를 여행하는 것은 개인적인 성장과 행복에 기여한다.
(so / lots of / different / traveling to / is / just as / helpful / reading / for / books / contributes / countries / to)
→ ______________________________ your intellectual development, ______________________________ your personal growth and well-being. Rank 15 교과서응용

5 사람들이 동전을 던지거나 주사위를 던질 때, 그들은 때때로 자신의 행동이 그것이 떨어지는 방식을 바꿀 수 있는 것처럼 행동한다. (it / can / act / lands / as though / how / change / their actions)
→ When people flip a coin or throw a dice, they sometimes ______________________
______________________________. Rank 30

고난도 **6** 꼭 나이가 들면서 신체가 약해지는 것처럼, 마음도 그러하다. 그리고 꼭 신체활동의 부족이 우리 몸을 경직되게 만드는 것처럼, 지적 자극의 부족도 우리의 마음을 경직되게 만든다. (makes / rigid / intellectual stimulation / physical activity / a lack of / our mind / just as / our body / a lack of / weakens / rigid / the body / makes / just as)
→ ______________________ with age, so does the mind. And ______________
______________________________, so ______________
______________________________. Rank 60 모의응용

RANK

01-66 서술형 대비 실전 모의고사 6회

100점

정답 및 해설 p. 51

[01-05] 다음 밑줄 친 부분이 어법상 옳으면 O, 틀리면 ×로 표시하고 바르게 고치시오. [밑줄당 2점]

01 During long-distance flights, pilots spend much time assessing aircraft status because of crashes due to aircraft malfunction are a leading cause of accidents that happens on such journeys. 모의응용

02 Fundamental to most moral approaches are the idea that we have a special dignity who worth is greater than what self-interest can merely present with us. 모의응용

03 As David entered the room, he noticed the lights were on and rain was pouring in. He realized he should not have turned them off and should have left the window open before leaving.

04 We had better being cautious about pride because it causes individuals to be out of touch with the reality of where to find happiness and how to build self-awareness, and also prevents individuals from experience the true value of themselves or others. 모의응용

05 The capacity to form mental maps must be essential for early humans who had to recognize the routes of the migratory animals and the best places to hunt them down without a physical map that could give guidance about the geography of the humans. 모의응용

06 다음 글의 (A) ~ (C)의 괄호 안에 주어진 단어를 어법상 알맞은 형태로 바꿔 쓰시오. [각 3점]

There is a long and honorable history of procrastination to suggest that many ideas and decisions may well (A) (improve) __________ if postponed. It is something of a truism that to postpone making a decision is itself a decision. The parliamentary process is essentially a system of delay and deliberation, and so, for that matter, (B) (be) __________ the creation of a great painting, or an entrée, or a book, or a building like Blenheim Palace, which took the Duke of Marlborough's architects and laborers 15 years to construct. In the process, the design can mellow and marinate. Indeed, hurry can be the assassin of elegance. Thus, what you don't necessarily have to do today, by all means put off (C) (do) __________ it until tomorrow. 모의응용

*truism: 자명한 이치 **entrée: 앙트레(서양 요리에서 생선과 고기 사이에 나오는 요리) ***marinate: 양념되다; 양념장에 재워 두다

(A) __________ (B) __________ (C) __________

[07-10] 다음 주어진 우리말과 일치하도록 괄호 안의 어구를 모두 활용하여 <조건>에 맞게 영작하시오. [각 5점]

<조건> • 필요시 밑줄 친 단어 변형 가능

07 과학적 사고를 하는 사람은 주관성이 박탈된 사물의 특징들, 즉 이상적으로 정량화될 수 있고 따라서 가치가 절대 변하지 않을 그런 측면들을 찾는다.

(values / can be / never change / that / whose / will thus / is / quantify / that / subjectivity / deprive of / and)

→ The scientific thinker looks for features of a thing ____________________

— ideally, those aspects ______________________________. 모의응용

08 회의 전에 토론 항목 목록을 만드는 것은 참가자들이 모든 중요한 사항들이 다뤄지는 것을 확실히 하기 위해 무엇을 제시해야 할지 결정할 수 있게 해준다. (of / be / discussion items / create / present / what / ensure / participants / a list / allow / to / all important points / to / to / cover / to decide)

→ ____________________ before the meeting ____________________

______________________________. 모의응용

고난도

09 우리는 마치 그것(미래)이 도착하기에 너무 느린 것처럼 미래를 고대한다. 우리는 너무나 경솔해서 아직 우리의 것이 아닌 시간 속에서 헤매고 지금 우리에게 속한 시간을 고려하지 않는다. (we / too slow / do not / we / is / be / consider / we / be not yet / it / we / and / belong to / that / to arrive / that / that / the time / wander in / as if / the time)

→ We anticipate the future ____________________. So imprudent ____________

______________________________ now.

수능응용

고난도

10 자신의 능력에 강한 믿음을 가진 사람들은 문화적으로 규정된 행동들을 벗어나는 것을 그것들에 순응하는 것보다 선호하며, 대부분의 사회 구성원들이 성공하기에 불가능한 것이라고 여기는 일들을 시도한다. (to / prefer / as / they / that / the culturally prescribed behaviors / in society / most people / view / stepping outside / tasks / conform to / an impossible thing)

→ People who have a strong belief in their own abilities ____________________

______________________________, attempting ____________________

______________________________ to succeed at. 모의응용

11 **다음 글의 요지를 <보기>에 주어진 어구를 배열하여 완성하시오.** [7점]

Too many times people expect things to just happen overnight. In today's high tech society, everything we want tends to be within the parameters of our comfort and convenience. If it doesn't happen fast enough, we're tempted to lose interest and get discouraged from continuing to move forward. So many people don't want to take the time it requires to be successful. Success is not a matter of mere desire; you should develop patience in order to achieve it. Have you fallen prey to impatience? Great things take time to build. 모의응용

<보기> instant ease and convenience / genuine success / patient / to commit / to achieve / enough / to us / technology / the time / since / can't be / offers / required

[요지] ______________________________, many are so hurried that they ______________________________.

[12-13] 다음 글을 읽고 물음에 답하시오.

While being an introvert comes with its challenges, it definitely has its advantages as well. (A) For example, introverted people are far less likely to make mistakes in a social situation, such as inadvertently insulting another person their opinions are not agreeable. If you are an introvert, the only risk that you will face as an introvert is that people who do not know you may think that you are aloof or that you think you are better than them. If you learn how to open up just a little bit with your opinions and thoughts, you will be able to thrive in both worlds. You can then stay true to your personality without appearing to be antisocial. 모의응용

*inadvertently: 무심코 **aloof: 냉담한

12 윗글의 밑줄 친 (A)에서 틀린 부분 1개를 찾아 바르게 고치시오. (단, 한 단어로 고칠 것) [3점]

틀린 부분: ____________________ → 바르게 고치기: ____________________

13 윗글의 제목을 <조건>에 맞게 완성하시오. [7점]

<조건> 1. <보기>에 주어진 어구를 모두 한 번씩만 사용할 것
2. 적절한 의문사를 하나 추가할 것

<보기> Overcoming / While / to / Social Perceptions / Maintaining / Thrive / Authenticity

[제목] __________ __________ __________ as an Introvert __________ __________ __________ and __________ __________ __________

14 **다음 글의 빈칸에 들어갈 가장 적절한 말을 <조건>에 맞게 완성하시오.** [7점]

Bazaar economies feature an apparently flexible price-setting mechanism that sits atop more enduring ties of shared culture. Both the buyer and seller are aware of each other's restrictions. In Delhi's bazaars, buyers and sellers can assess to a large extent the financial constraints that other actors have in their everyday life. Each actor belonging to a specific economic class understands what the other sees as a necessity and a luxury. In the case of electronic products like video games, they are not a necessity at the same level as other household purchases such as food items. So, the seller in Delhi's bazaars is careful not to directly ask for very high prices for video games ____________________. Access to this type of knowledge establishes a price consensus by relating to each other's preferences and limitations of belonging to a similar cultural and economic universe. 수능응용

*bazaar: 상점가 **consensus: 일치

<조건> 1. <보기>에 주어진 어구를 모두 한 번씩만 사용할 것
2. at no point를 강조하는 도치구문으로 쓸 것

<보기> the buyer / an absolute necessity / see / because / of / at no point / possession / them / will / as

→ ______________________________

[15-18] 다음 글을 읽고 물음에 답하시오.

Perhaps worse than attempting to get the bad news out of the way ① is attempting to soften it or simply not address it at all. This "Mum Effect" — a term coined by psychologists Sidney Rosen and Abraham Tesser in the early 1970s — happens ② because of ordinary people in their everyday lives want to avoid becoming the target of others' negative emotions. We all have the opportunity to lead change, yet it often requires of us the courage to deliver bad news to our superiors. We don't want to be the innocent messenger who ③ fall before a firing line. When our survival instincts kick in, they can override our courage until the truth of a situation gets ④ minimized. "The Mum Effect and the resulting filtering can have ⑤ devastating effects in a steep hierarchy," writes Robert Sutton, an organizational psychologist. "What starts out as bad news becomes happier and happier as it travels up the ranks — because after each boss hears the news from his or her subordinates, he or she makes it ⑥ to sound a bit less bad before passing it up the chain." 모의응용

15-17 윗글의 밑줄 친 ①~⑥ 중 틀린 부분 3개를 찾아 바르게 고친 후, 틀린 이유를 작성하시오. [각 4점]

15 틀린 부분: ____________________ → 바르게 고치기: ____________________

틀린 이유: ____

16 틀린 부분: ____________________ → 바르게 고치기: ____________________

틀린 이유: ____

17 틀린 부분: ____________________ → 바르게 고치기: ____________________

틀린 이유: ____

18 윗글의 내용을 요약하고자 한다. <조건>에 맞게 요약문을 완성하시오. [9점]

<조건> 1. <보기>에 주어진 어구를 모두 한 번씩만 사용할 것
2. 필요시 밑줄 친 단어 변형 가능
3. 동사는 모두 현재시제로 쓸 것

<보기> the person / reporting / don't want / unpleasant news / blame / to be / be / for / we / who / because

[요약문] We tend to minimize or evade discussing bad news ____________________
____________________.

67 Rank 77

서술형 PLUS 표현

+ 형용사+전치사 Rank 71, 72

형태	의미
be absent from	~에 결석하다
be afraid of	~을 두려워하다
be attached to	~에 애착[애정]을 가지다; ~에 붙어 있다; ~에 소속되다
be aware of	~을 인식하다
be bad[poor] at	~을 못하다
be based on	~에 기초[근거]하다
be busy in	~하느라 바쁘다
be capable of	~할 수 있다
be connected to	~와 연결되다
be consistent with	~와 일치하다
be crowded with	~로 붐비다
be different from	~와 다르다
be familiar with	~에 익숙하다
be famous for	~로 유명하다
be free from	~로부터 자유롭다
be full of	~로 가득 차 있다
be good at	~을 잘하다
be jealous of	~을 시기[질투]하다
be late for	~에 늦다
be necessary for	~에 필요하다
be obliged to	~에 감사하다
be proud of	~을 자랑스러워하다
be ready for	~에 대해 준비가 되다
be related to	~와 연관이 있다
be resistant to	~에 저항하다; ~에 저항력이 있다
be responsible for	~에 책임이 있다
be short of	~이 부족하다
be similar to	~와 유사하다
be suitable for	~에 적합하다
be worthy of	~을 받을 가치가 있다

+ 구전치사 Rank 65, 71

형태	의미
according to	~에 따르면
ahead of	~보다 앞서서; ~의 앞에
along with	~와 함께; ~와 일치하여
apart from	~ 외에는; ~뿐만 아니라
as for	~에 대해서 말하자면
as to	~에 관해서는
aside from	~ 외에도
because of	~ 때문에
due to	~ 때문에
except for	~을 제외하고는, ~이 없으면
in addition to	~에 더하여, ~일 뿐 아니라
in front of	~의 앞에
in spite of	~에도 불구하고
in terms of	~에 관하여; ~의 점에서
instead of	~ 대신에
next to	~ 바로 옆에; ~ 다음의
other than	~ 이외의, ~을 제외하고
owing to	~ 때문에, ~ 덕분에
prior to	~에 앞서, ~보다 먼저
rather than	~보다는, ~ 대신에
regardless of	~에 상관없이
such as	~와 같은
thanks to	~ 덕분에
up to	~까지; ~만큼
when it comes to	~에 관한 한

RANK **67**

do 동사의 쓰임

일치, 특수구문

정답 및 해설 p. 54

do 동사의 다양한 쓰임에 대해 알아보자.

기출 대표 문항

다음 밑줄 친 부분이 어법상 옳으면 O, 틀리면 ×로 표시하고 바르게 고치시오.

1 Putting your smartphone in airplane mode does saves battery power.

2 It is believed that our ancestors had complicated feelings toward lying, as we are today.

답이 보이는 Clues

1 강조의 do/does/did+동사원형: 동사를 강조하는 do/does/did 다음에는 동사원형이 온다.

Putting your smartphone in airplane mode **does** [1] ________ battery power.

2 대동사 do/does/did: 앞에 나온 일반동사(구)의 반복을 피하기 위해 사용한다. 이때, 앞에 쓰인 동사가 be동사가 아닌지 확인한다.

~ our ancestors had complicated feelings toward lying, as we [2] ________ **today**.

▶ 일반동사구인 **had** complicated ~ lying을 대신 받으면서 주어의 수(복수)와 시제(today)를 반영해야 한다.

cf. The city skyline **is** much more impressive now than it **was** *a decade ago*.
did(×)

▶ be동사구인 is impressive를 받으면서 주어의 수(단수)와 시제(a decade ago)를 반영하므로 was가 적절

Test 1 어법

다음 밑줄 친 부분이 어법상 옳으면 O, 틀리면 ×로 표시하고 바르게 고치시오. (단, 한 단어로 고칠 것)

1 My mom always treats me as though I don't make decisions without asking for her help, even though I usually am. 교과서응용

2 The circulatory system seems to react in the same way to suddenly expressed stress as it does to emotions like happiness and anger. 교과서응용

3 Taking regular breaks throughout the workday does provides lots of energy, but sleeping well at night provides even more. Rank 15 교과서응용

4 Our feet feel colder on tile floors than carpets because tile transfers heat energy at a higher rate than carpet is. Rank 41 모의응용

고난도 5 Translating your feelings into more common, simpler terms can help you figure out what your feelings really are, as opposed to what you initially imagined they did in the past. Rank 17 모의응용

Test 2 어법

다음 굵게 표시한 부분이 강조하는 혹은 대신하는 동사를 문장에서 찾아 쓰시오. (첫 단어만 쓸 것, 단어 변형 불가)

1 Parents don't want their children to make the same mistakes that they **did** when they were young. Rank 07, 27, 35

2 My father **does** like to cook for our family and see us enjoying his homemade specialties. Rank 09

3 We get the same kind of pleasure from being creative that we **do** from observing the creativity of others. Rank 27

4 Your car mechanic doesn't just observe that your car is not working. He figures out why it is not working using knowledge about how it usually **does** work. Rank 17 모의

Test 3 조건 영작

다음 주어진 우리말과 일치하도록 괄호 안의 어구를 모두 활용하여 <조건>에 맞게 영작하시오.

<조건> • 필요시 밑줄 친 단어 변형 가능

1 만약 통증이나 피로가 정말로 발생하면, 당신의 하루 일정을 바꾸는 것을 주저하지 마라.
(your daily schedule / change / don't / if / to / fatigue / or / do / pain / strike / hesitate)
→ ______________________, ______________________.
Rank 11, 35 모의응용

2 여러분이 마음속으로 인생관을 바꾸면, 여러분은 새로운 관점의 결과로 전에는 전혀 그러지 않았던 것들을 알아차리게 될 것이다.
(do before / you'll / never / you / on life / notice / your outlook / things / mentally change)
→ When you ______________________, ______________________ as a result of your new perspective. Rank 27, 35 EBS응용

3 여러분이 갈등에 관한 논의를 미룰 것을 정말로 선택한다면, 나중에 그것이 더 생산적이 될 때인 평온한 때에 그것을 계속할 것을 기억하라. (put off / you / about / choose / a conflict / to / if / discussion / do)
→ ______________________, remember to take it up later, during a time of calm, when it will be more productive. Rank 11, 35 EBS응용

고난도 **4** 타인과 견주어 우리 자신을 평가해서는 안 된다는 많은 경고들에도 불구하고, 우리 대부분은 여전히 그렇게 하고 있다.
(shouldn't / that / abundant warnings / others / despite / against / of / still do / we / measure / most / ourselves / us)
→ ______________________, ______________________. Rank 52, 71 모의

고난도 **5** 나무와 같은 고체는 공기가 일반적으로 그러는 것보다 음파를 훨씬 더 잘 전달하는데 왜냐하면 고체 물질의 분자들은 그것들이 공기 중에서 그러는 것보다 훨씬 더 가깝게 그리고 더 빽빽이 함께 들어차 있기 때문이다. (more tightly packed together / air / they / much better / typically do / than / sound waves / transfer / than / and / much closer / be / are)
→ Solids like wood ______________________ because the molecules in a solid substance ______________________ in air. Rank 41, 65 모의응용

*sound wave: 음파

RANK **68** # 생략구문

정답 및 해설 p. 54

문장 내에서 일부 어구가 없어도 이해가 가능한 경우 생략이 가능하다.
문제에서 생략되는 어구는 주어지지 않으므로 어떤 경우에 생략이 되는지 알아두어야 한다.

기출 대표 문항

다음 문장에서 생략된 부분을 찾아 ✔로 표시하고, 생략된 어구를 쓰시오.

1 Remember that if you don't value yourself, no one else will.

2 Clams have a particularly short shelf life, so they should be fresh when consumed.

3 The freedom to check social media whenever we want to causes us to feel more connected but also more anxious.

답이 보이는 Clues

1 앞에 나온 어구가 반복될 경우 생략이 가능하다.

Remember that if you don't *value yourself*, no one else will ([1] ____________).

2 부사절과 주절의 주어가 같을 때, 부사절의 <주어+be동사>는 종종 생략된다.

Clams have a particularly short shelf life, so they (= Clams) should be fresh when ([2] ____________) consumed.

3 to-v의 v(이하)가 반복되는 경우, to만 남긴다.

The freedom to *check social media* whenever we want to ([3] ________________) causes us ~.

more 다음 생략어구는 숙어처럼 외워두는 것이 좋다.
if not(혹시 ~이 아니라면) / whenever possible(가능할 때마다) / what if ~?(~하면 어쩌지?; ~해도 무슨 상관인가?)

Test 1 어법

다음 문장에서 생략된 부분을 찾아 ✔ 표시하고, 생략된 어구를 쓰시오.

1 Poisonous chemicals can leak into the air if not handled properly. (Rank 35) 교과서응용

2 You'd better take the supplement as often as you have to. (Rank 42) 교과서응용

3 My goal is to run the marathon someday, but I haven't decided when to yet. (Rank 64, 69)

4 The important thing is not just how much water you drink, but also how frequently. (Rank 10, 17) 교과서응용

5 People should not attempt to walk or drive through floodwater unless instructed to do so by the emergency services. (Rank 11, 35, 67)

고난도 **6** In the case of chess, it has been proven that a computer can store and handle unlimited chess moves, while a human brain can't. Rank 36, 70 모의

Test 2 배열 영작

다음 괄호 안의 어구를 모두 알맞게 배열하여 주어진 우리말을 영작하시오.

1 오른쪽과 왼쪽의 방향을 구별하라고 요구받으면 어린아이는 당황할 수 있다. (asked / when / distinguish / to)

→ A young child may be puzzled ______________________________ between the directions of right and left. Rank 35, 44 모의

2 누군가 당신을 도와주었을 때, 그 사람이 해주지 않은 것이 아니라 해준 것에 초점을 맞추는 것이 더 낫다.
(on / the person / what / not / not / has)

→ When someone has helped you, it is better to focus on what the person has done, __________ ______________________________. Rank 26 모의응용

3 가능한 한 자주 여러 가지 대의에 여러분의 기술을 기여하는 것이 좋은데, 왜냐하면 그렇게 할 수 있을 때 여러분은 절대 예상하지 못한 방식으로 자신이 성장하도록 격려하는 도전들을 만날 것이기 때문이다.
(encourage / challenges / can / when / to grow / will meet / you / you / that / you)

→ It is good to contribute your skills to different causes as often as possible, because, __________ ____________________, ______________________________ in ways you never anticipated. Rank 07, 25, 35 모의응용

4 한 연구는 체육 수업에 등록하는 것이 학업 성취도와 관련이 없었지만, 활발한 신체 활동에 참여하는 것은 관련이 있었다는 것을 알아냈다. (in / involvement / was / vigorous physical activity)

→ A study found that enrollment in physical education classes was not related to academic achievement, but ______________________________. 모의

고난도 **5** 하버드 대학교의 심리학 교수인 Yuhong Jiang은 뇌는 한 번에 두 가지 일에 집중하도록 만들어진 것이 아니라고 지적한다. 그것은 그러려고 하면 더 느리게 작동한다. (tries / works / if / to / it / more slowly)

→ Yuhong Jiang, a professor of psychology at Harvard University, points out that the brain isn't built to concentrate on two things at once. It ______________________________ ____________________. Rank 11, 35 모의

RANK 69 보어로 쓰이는 to부정사

부정사

정답 및 해설 p. 55

to부정사는 주어를 보충 설명하는 1 ___________ 로 쓰일 수 있다. (to부정사가 목적격보어로 쓰이는 경우: Rank 07)
이 경우, '주어 = to부정사'의 의미 관계가 성립한다.
동명사도 주격보어로 쓰여 주어와 위와 같은 의미 관계를 나타낼 수 있다.

기출 대표 문항 1

다음 괄호 안의 어구를 모두 알맞게 배열하여 주어진 우리말을 영작하시오.

우리의 목표는 우리 네트워크 보안을 강화함으로써 사이버 공격을 예방하는 것이다. (to / cyberattacks / is / our goal / prevent)

→ ______________________________ by enhancing our network security.

답이 보이는 Process

STEP 1 우리말이 '~는 v하는 것이다'이므로 <주어 = 주격보어(준동사)>의 의미 관계임을 파악할 수 있다.

우리의 목표는 ~ **사이버 공격을 예방하는 것**이다.
(우리의 목표 = 사이버 공격을 예방하는 것)

STEP 2 주어진 어구 to와 동사를 활용해 to부정사로 영작한다.
단, 동명사도 주격보어로 쓰이므로, 동사만 주어지면 to부정사와 동명사 중 무엇을 쓸지는 조건을 잘 확인하여 판단한다.

STEP 3 <주어+be동사+to부정사구>로 배열한다.
대부분 동사가 '~이다'이므로 be동사 뒤에 to부정사구를 쓴다.
* to부정사를 주격보어로 자주 취하는 주어: goal, purpose, aim, plan, dream, hope, wish 등 미래성을 나타내는 명사

more 다음과 같은 경우는 주격보어로 2 ___________ 를 쓸 수도 있다.

- 주어 All이 관계대명사가 이끄는 절의 수식을 받는 경우 *e.g.* **All (that) he did after his lunch** was *(to) drink* coffee.
- 주어가 관계대명사 what이 이끄는 절인 경우 *e.g.* **What you have to do** is *(to) call* her to apologize.
- 주어에 thing(s), way가 포함된 경우 *e.g.* **One of the things I want to do** is *(to) learn* Chinese.

Test 1 배열 영작

다음 괄호 안의 어구를 모두 알맞게 배열하여 주어진 우리말을 영작하시오.

1 오류 없는 글을 창작하기 위해 당신이 할 수 있는 모든 것은 교정보는 것과 다시 쓰는 것의 중요성을 잊지 않는 것이다.
(forget / do / not to / all / can / the importance / is / you)
→ ______________ to create error-free writing ______________ of proofreading and rewriting. Rank 13, 27 EBS응용

고난도 2 타자기 자판의 디자인 전략은 그 키들이 서로 붙어 있을 가능성을 최소화하기 위하여 가장 자주 사용되는 키들을 가능한 한 멀리 떨어뜨려 배치하는 것이었다. (as possible / position / keys / far apart / was / frequently used / the most / as / to)
→ The typewriter keyboard design strategy ______________ ______________ to minimize the possibility that the keys would stick together.
Rank 05, 42 모의응용

기출 대표 문항 2

다음 두 문장이 같은 의미가 되도록 빈칸을 완성하시오. (단, 빈칸당 한 단어만 쓸 것)

1 The girl seems to be lost in the park.

→ It ________ ________ ________ ________ ________ ________ ________ ________ ________.

2 It seemed that the teacher had known of his cheating on the test.

→ The teacher ________ ________ ________ ________ ________ ________ ________ ________ ________ ________.

답이 보이는 Clues

<S+seem to-v(~인 것 같다)> 구문과 <it seems that S′+V′> 구문은 서로 전환할 수 있다.
이때, to-v의 형태에 주의한다.

1 S+seem [3] ________: <it seems that S′+V′> 구문으로 전환할 경우 that절의 시제는 주절과 같다.

cf. The girl **seemed to be** lost in the park.
→ It **seemed** that the girl **was** lost in the park.

2 S+seem [4] ________: <it seems that S′+V′> 구문으로 전환할 경우 that절의 시제는 주절보다 앞선다.

cf. The teacher **seems to have known** of his cheating on the test.
→ It **seems** that the teacher **knew** of his cheating on the test.

Test 2 문장 전환

다음 두 문장이 같은 의미가 되도록 빈칸을 완성하시오. (단, 빈칸당 한 단어만 쓸 것)

1 Cell phones seem to have achieved the status of having the shortest life cycle of all the electronic consumer products.

→ It ________ ________ ________ ________ ________ ________ ________ of having the shortest life cycle of all the electronic consumer products. 모의응용

2 In some regions like ancient Mesopotamia, it seems that writing evolved from the custom of using small clay pieces for tracking agricultural transactions.

→ In some regions like ancient Mesopotamia, writing ________ ________ ________ ________ ________ ________ ________ of using small clay pieces for tracking agricultural transactions. 모의응용

that절이 목적어인 문장의 수동태

정답 및 해설 p. 56

<People[They, We]+say 등>의 목적어가 that절인 경우 두 가지 수동태가 가능하므로 각각의 수동태 형태에 유의한다.
that절을 목적어로 취하는 대표 동사로는 say, think, believe, know, claim, expect, suppose, consider, estimate 등이 있다.

기출 대표 문항

다음 문장이 같은 의미가 되도록 빈칸을 완성하시오.

People think that life experience has a great effect upon intelligence.

→ It ______________ life experience has a great effect upon intelligence.

→ Life experience ______________ a great effect upon intelligence.

답이 보이는 Clues

People *think* **that** life experience has a great effect upon intelligence.

i) 가주어 it+be p.p.+that절

It 1 ______________ life experience has a great effect upon intelligence.

ii) S(that절의 주어)+be p.p.+to-v(that절의 동사)

Life experience 2 ______________ a great effect upon intelligence.

주의1 주절의 시제보다 that절의 시제가 앞설 경우 <to have p.p.>를 쓴다. Rank 40

주의2 that절의 동사가 수동태일 때 <to be p.p.> 또는 <to have been p.p.>를 쓴다. Rank 39, 40

Test 1

문장 전환

다음 문장이 같은 의미가 되도록 빈칸을 완성하시오.

1 It is known that elephants possess an exceptional memory, which allows them to recall locations of water sources even after many years.

→ Elephants ______________, which allows ~.

2 People say that the girl whom everyone underestimated built her reputation by focusing on her strengths.

→ The girl whom everyone underestimated ______________ by ~.

→ It ______________ by ~.

Rank 27, 40

3 They suppose that the lost artifact was discovered by archaeologists during their recent expedition.

→ It ______________ by archaeologists ~.

→ The lost artifact ______________ by archaeologists ~.

Rank 40

Test 2 조건 영작

다음 주어진 우리말과 일치하도록 괄호 안의 어구를 모두 활용하여 <조건>에 맞게 영작하시오.

<조건> • 필요시 밑줄 친 단어 변형 가능
• 필요시 be동사 추가 가능

1 일부 학교에서 70%에 달하는 학생들이 더 많은 신체 활동을 필요로 하는 것으로 추정된다.
(activity / more / to / physical / need / <u>estimate</u>)
→ Up to 70% of the students in some schools ______________________________
____________.

2 도도새는 서식지 상실과 침입종의 도입으로 인해 멸종되었던 것으로 여겨진다.
(extinct / <u>become</u> / <u>believe</u> / have / to)
→ The dodo bird ______________________________ due to habitat loss and the introduction of invasive species. Rank 40

3 몰디브는 방문할 만한 가치가 있다고 알려져 있는데, 왜냐하면 그곳은 굉장히 멋진 해변이 있는 아름다운 나라이기 때문이다.
(<u>be</u> / visiting / worth / that / <u>know</u> / the Maldives)
→ It ______________________________ because it's a beautiful country with stunning beaches.

고난도 **4** 그 고대 부적은 숨겨진 방에서 발견되었는데, 그것의 소지자를 보호했던 신비로운 힘을 담고 있었던 것으로 여겨진다.
(mystical powers / <u>contain</u> / that / to / the hidden chamber / its / have / discovered / <u>believe</u> / protected / bearer / in)
→ The ancient amulet, ______________________________, ____________
______________________________. Rank 06, 25, 40

*amulet: 부적

고난도 **5** 물리학자에 의해 제안된 그 획기적인 이론은 과학계 내에서 널리 받아들여졌던 것으로 생각된다.
(to / the scientific community / by the physicist / widely within / have / <u>consider</u> / proposed / <u>accept</u>)
→ The groundbreaking theory ______________________________
______________________________. Rank 05, 40

전치사의 의미와 쓰임

정답 및 해설 p. 56

기출 대표 문항

다음 빈칸에 들어갈 말을 <보기>에서 찾아 쓰시오.

<보기> like unlike because alike because of

1 ____________ humans whose eyes cannot move independently, chameleons can look in two directions at once.

2 ____________ most of the plastic particles in the ocean are so small, there is no practical way to clean up the ocean.

3 ____________ a child who doesn't wait for the perfect toy, an artist makes art from the things around him.

답이 보이는 Clues

1 전치사와 구전치사의 의미를 잘 알아두어 문맥에 따라 올바른 것을 선택할 수 있어야 한다.
특히, 서로 반대되는 의미의 전치사에 주의한다.

like (~처럼[같은])	unlike (~와 달리)
with (~와 함께[더불어])	without (~ 없이; ~하지 않고)
including (~을 포함하여)	except (for) (~을 제외하고; ~ 이외는) / excluding (~을 제외하고)
in favor of (~에 찬성[지지]하여)	against (~에 반대[대항]하여; ~에 대비하여)

2 전치사 뒤에는 [1]____________, 접속사 뒤에는 [2]____________이 온다.

전치사+명사(구)	접속사+절(S'+V' ~)
because of, due to, owing to (~ 때문에)	because, since, as (~ 때문에)
despite, in spite of (~에도 불구하고)	although, (even) though (비록 ~할지라도)
during (~ 동안에)	while (~하는 동안에)
except (for) (~을 제외하고)	except that (~을 제외하고)
given (~을 고려하면)	given that (~을 고려하면)

3 전치사 like(~처럼, ~같은) vs. 형용사/부사 alike(비슷한/비슷하게)
cf. The twins looked so **alike** that even their closest friends sometimes struggled to tell them apart.

Test 1 어법

다음 밑줄 친 부분이 어법과 문맥상 옳으면 O, 틀리면 ×로 표시하고 <보기>에서 알맞은 것을 골라 바르게 고치시오.

<보기> with during including despite except for

1 Some moisture is required in the air to prevent dehydration <u>while</u> storage of fresh produce. 모의응용
*dehydration: 건조, 탈수

2 Although they are in good health, all the boys need to spend five days in the hospital for observation, followed by a month of rest at home. Rank 36

고난도 3 In over 100 studies across diverse domains, half of all cases show simple formulas make better significant predictions than human experts, and the remainder, except that a very small handful, show a tie between the two. 수능

4 Without the advent of advanced AI algorithms, computers can now recognize faces, translate languages, take calls for you, and beat players at the world's most complicated board game. 모의응용

Test 2 조건 영작

다음 주어진 우리말과 일치하도록 괄호 안의 어구를 모두 활용하여 <조건>에 맞게 영작하시오.

<조건>
- <보기>에 주어진 표현 중 알맞은 것을 골라 사용할 것
- 필요시 밑줄 친 단어 변형 가능

<보기>

excluding	against	while	due to	during
in favor of	because	despite	including	although

1 운동하는 동안 근육에서 발생되는 열, 질병으로 인한 열, 그리고 외부 온도를 포함하여, 모든 종류의 것들이 체내 온도에 영향을 미칠 수 있다. (heat / the muscles / generate in / exercise)

→ All sorts of things can affect internal body temperature, ______________________________ ______________________, fevers caused by disease, and external temperatures. Rank 05 모의응용

2 인간의 몸은 면역 체계라고 불리는 기생균에 대항하는 효과적인 반응 기제가 있다.
(call / has / parasites / is / the immune system / the human body / that / an effective response mechanism)

→ ____
______________________________________. Rank 25, 44 모의응용

3 바다 자체가 계속해서 움직이고 있는 동안, 해양 생물들은 이곳저곳으로 옮겨지는데, 이는 그것들의 새끼나 유충의 분산을 돕기도 한다. (be / place / continually moving / be / the oceans themselves / to / from / carry / marine organisms / place)

→ ____, ____________________
____, which also helps the dispersal of their young or larvae. Rank 03, 35 모의응용

고난도 4 우리가 마음을 바꿀 자유를 좋아할 것이라는 예상에도 불구하고, 뇌는 우리가 되돌릴 수 없는 선택에 만족하게 만들기 위해 작동하는 일종의 내장된 방어 체계를 가지고 있기 때문에 우리는 바꿀 수 없는 선택에 더 행복해한다. (the freedom / the expectation / the brain / that / a kind of built-in defense system / to change / we / have / our minds / would like)

→ ____,
we are happier with our choices that can't be changed ______________________________
______________________________________ that works to make us satisfied with choices that cannot be undone. Rank 52, 65 모의응용

RANK 72

전치사+동명사

정답 및 해설 p. 57

전치사는 뒤의 명사와 함께 전명구를 만드는데, 명사 자리에 동사가 올 경우 1 ____________ 로 바꿔야 한다.

기출 대표 문항

다음 문장에서 밑줄 친 부분을 어법에 맞게 고치시오. (단어 추가 불가)

1-2 By <u>reduction</u> the energy consumption, my family has been committed to <u>protect</u> our planet.

답이 보이는 Clues

1 <전치사+명사> vs. <전치사+동명사>

전치사 뒤에 명사와 동명사가 모두 올 수 있지만, 목적어를 바로 취할 수 있는 것은 2 ____________ 이다.
명사는 목적어를 취할 수 없으므로 <명사+목적어> 형태로 연달아 쓸 수 없고, 사이에 전치사가 필요하다.

2 전치사 to를 to부정사를 이끄는 to로 착각하지 않도록 한다. 특히 아래와 같은 어구에 주의한다.

look forward to v-ing: v하기를 고대하다	contribute to v-ing: v하는 데 기여하다
adjust to v-ing: v하는 것에 적응하다	when it comes to v-ing: v하는 것에 관한 한
object[oppose] to v-ing: v하는 것에 반대하다	a barrier to v-ing: v하는 것에 대한 장애물[장벽]
be accustomed[used] to v-ing: v하는 것에 익숙하다 (Rank 49)	
devote oneself to v-ing/be devoted to v-ing: v하는 데 전념[몰두]하다	
dedicate oneself to v-ing/be dedicated to v-ing: v하는 데 전념[헌신]하다	
commit A to v-ing/be committed to v-ing: v하는 데 (A를) 헌신[전념]하다	

주의 be likely to-v: v할 것으로 예상되다 / be willing to-v: 기꺼이 v하다 / be due to-v: v할 예정이다 /
be eager[anxious] to-v: 간절히 v하고 싶어 하다 / be sure[certain] to-v: 반드시 v하다 / be inclined to-v: v하는 경향이 있다

By 3 ____________ the energy consumption, my family has been committed **to** 4 ____________ our planet.
▶ = reduction **of** the energy consumption

Test 1 어법

다음 밑줄 친 부분이 어법상 옳으면 O, 틀리면 ×로 표시하고 바르게 고치시오. (단어 추가 불가)

1 The father devoted himself earnestly to <u>photographing</u> the birth of his first and only child. 수능응용

2 Although we live in an age of commercialism, try to find pleasure in <u>creation</u> new things rather than merely buying things. 모의응용
*commercialism: 상업주의

3 Be careful of friends who are always eager to <u>taking</u> something from you but reluctant to give anything back even in little ways. (Rank 09) 모의응용

4 As we get older, our capability to adjust to <u>changes</u> in our environment is sure to <u>declining</u>. 모의응용

5 The practice of cling to rigid ideologies without acceptance of diverse perspectives can hinder constructive dialogue and compromise.

6 Our ability to understand and react to discomfort is highly important for avoidance physical damage to our body. 모의응용

Test 2 조건 영작

다음 주어진 우리말과 일치하도록 괄호 안의 어구를 모두 활용하여 <조건>에 맞게 영작하시오.

<조건> • <보기>에 주어진 표현을 사용할 것(이외 단어 추가 불가)
• 필요시 어형 변화 가능
<보기> be likely to   object to   look forward to   be dedicated to   contribute to

1 많은 사람들이 일회용 플라스틱 빨대를 사용하는 것에 반대하며, 그것을 없애는 것이 환경 훼손을 줄이는 데 도움이 될 것이라고 주장한다. (will be / environmental damage / single-use plastic straws / reduce / use / helpful for)

→ Many people ______________________________, asserting that eliminating them ______________________________.

2 그 비영리 조직은 도움이 필요한 아이들의 삶을 개선하는 데 헌신하는데, 특히 그들을 위한 교육을 제공하는 데 중점을 둔다. (in need / the lives / education / of children / for them / provide / improve)

→ The non-profit organization ______________________________, with a particular focus on ______________________________. Rank 63

고난도 3 명절 기간이 다가오면서, 전국의 가족들은 사랑하는 사람들을 만나고, 축제 음식을 나누고, 함께 소중한 추억을 만들기를 고대하고 있다. (cherished memories / see / create / be / loved ones / festive meals / share / and)

→ As the holiday season approaches, families across the country ______________________________
____
______________________________ together. Rank 01, 09

고난도 4 재생 가능한 에너지 기술에 대한 투자는 온실가스 배출을 감소시키는 데 기여할 것으로 예상된다. (greenhouse gas emissions / investment / decrease / renewable energy technologies / in)

→ ______________________________
______________________________. Rank 01

RANK 73 당위성 동사 + that + S' + (should +)동사원형

조동사

정답 및 해설 p. 58

'주장, 명령, 요구, 제안' 등을 나타내는 동사 뒤의 that절이 '당위성(~해야 한다)'을 나타내는 경우 that절에 <(should +)동사원형>을 쓴다.

기출 대표 문항

다음 밑줄 친 부분이 어법상 옳으면 O, 틀리면 ×로 표시하고 바르게 고치시오.

The physical therapist suggested that she tried swimming to help her shoulder heal.

답이 보이는 Process

STEP 1 주장, 명령, 요구, 제안을 나타내는 동사를 찾는다.

insist ~을 주장하다 / order, command ~을 명령하다 / recommend ~을 권고하다 / demand, ask, require, request ~을 요구[요청]하다 / suggest, propose ~을 제안하다 등

STEP 2 문맥상 that절이 당위성(~해야 한다)을 나타내는지 확인한다.

STEP 3 당위성을 나타낸다면, that절의 동사를 <(should +)동사원형>으로 고친다.

The physical therapist **suggested** that she 1 ____________ swimming ~.

주의 that절의 내용이 당위성이 아닌 '사실'을 나타내는 경우 주어의 인칭, 수, 시제에 맞는 동사를 쓴다.
e.g. The study **suggests** that eating an apple each day **keeps** you healthy. (~을 시사하다)

Test 1 어법

다음 밑줄 친 부분이 어법상 옳으면 O, 틀리면 ×로 표시하고 바르게 고치시오.

1 The professor requested that the student revised the essay to meet the assignment criteria.

2 To protect the town from bandits and make the people safe, the king ordered that a tall gate should be built. Rank 03 교과서응용

*bandit: 도적; 무법자

3 Recent studies suggest that gasoline shortages are likely to intensify, given the interplay of factors such as heightened demand, geopolitical complexities, and the ongoing global shift towards renewable energy.

4 Today, scientists around the world recommend that we worked together in an effort to reduce air pollution. 교과서응용

고난도 5 The poet insists that life be full of happiness and pleasure, but acknowledges that adversity and sorrow be inevitable companions on the journey. Rank 09 EBS응용

Test 2 조건 영작

다음 주어진 우리말과 일치하도록 괄호 안의 어구를 모두 활용하여 <조건>에 맞게 영작하시오.

<조건> • 필요시 밑줄 친 단어 변형 가능
• 단어 추가 불가

1 그 관리자는 각 직원이 실적을 향상시키기 위해 의무 교육 시간에 참석해야 한다고 명령했다.
(that / command / each employee / the mandatory training session / attend)
→ The supervisor ______________________________
______________ to improve performance. Rank 47

2 큐레이터는 그 작가가 전시된 예술 작품 이면의 영감을 설명하는 간략한 설명서를 제출해야 한다고 요청했다.
(a brief statement / the inspiration / submit / that / explaining / ask / the artist)
→ The curator ______________________________
______________ behind the exhibited artwork. Rank 05

*curator: 큐레이터((박물관, 미술관 등의 전시 책임자))

3 미국식품의약국 FDA는 사람들이 나트륨의 섭취량을 하루에 2,300밀리그램 미만으로 줄여야 한다고 제안한다.
(their intake / sodium / reduce / people / of / that / should / propose)
→ The FDA, the Food and Drug Administration, ______________________________
______________ to less than 2,300 milligrams a day. 교과서응용

*sodium: 나트륨

고난도 4 한 경제학자는 소비자가 단지 시장의 참여자일 뿐만 아니라, 사회 전반에 걸친 권력의 체계적 배치의 산물이기도 하다고 주장한다.
(but / consumers / they / the product / be also / insist / merely participants / that / in the marketplace / be not)
→ An economist ______________________________,
______________ of the systematic deployment of power throughout society. Rank 10 모의응용

고난도 5 Dworkin에 따르면, 정의는 한 사람의 운명이 운에 의해서가 아니라 그 사람의 통제 내에 있는 것들에 의해서 결정되어야 한다고 요구한다. (within / a person's fate / require / determined / things / that / that person's control / be / by)
→ According to Dworkin, justice ______________________________
______________, not by luck. Rank 03 모의응용

혼동하기 쉬운 동사

정답 및 해설 p. 58

형태와 의미가 비슷하여 서로 혼동하기 쉬운 동사들을 알아보자.

기출 대표 문항

다음 밑줄 친 부분이 어법상 옳으면 O, 틀리면 ×로 표시하고 바르게 고치시오. (단, 한 단어로 고칠 것)

1. A female mosquito can <u>lie</u> as many as 300 eggs at a time.
2. The tensions around the region <u>raised</u> as armed police started patrolling.
3. Fortunately, the innocent man was <u>found</u> not guilty by the jury.

답이 보이는 Clues

아래 혼동하기 쉬운 동사들은 서로 다른 문형으로 쓰이거나 의미에 따라 문장의 의미가 완전히 달라질 수 있으므로, 변화형과 함께 철저히 구분하여 알아둔다.

lie(-lied-lied-lying) 자 거짓말하다 lie(-lay-lain-lying) 자 놓여[누워] 있다; (~인 채로) 있다	lay(-laid-laid-laying) 타 ~을 놓다; ~을 낳다; ~을 눕히다
rise(-rose-risen) 자 오르다; 일어서다	raise(-raised-raised) 타 ~을 올리다; ~을 제기하다; ~을 기르다[사육하다]
sit(-sat-sat) 자 앉다; (앉아) 있다 타 ~을 앉히다	seat(-seated-seated) 타 ~을 앉히다; ~을 수용하다
arise(-arose-arisen) 자 발생하다	arouse(-aroused-aroused) 타 ~을 불러일으키다
fall(-fell-fallen) 자 떨어지다; 넘어지다; (눈이) 내리다	fell(-felled-felled) 타 ~을 넘어뜨리다
wind(-wound-wound) 자 구부러지다 타 ~을 감다	wound(-wounded-wounded) 타 ~에게 부상을 입히다
find(-found-found) 타 ~을 찾다[발견하다]	found(-founded-founded) 타 ~을 설립하다

Test 1 어법

다음 밑줄 친 부분이 어법상 옳으면 O, 틀리면 ×로 표시하고 바르게 고치시오. (단, 한 단어로 고칠 것)

1 Actively participating in a team sport not only helps you <u>rise</u> your physical strength but also enables you to achieve goals with others. Rank 07 교과서응용

2 Mont Blanc, the highest peak of the Alps and the highest mountain in Europe, <u>seats</u> astride French and Italian towns. Rank 52

*astride: ~에 걸쳐서, 양쪽에 걸쳐

3 He crawled under the rose bush to find a small baby bird. It must have <u>fallen</u> out of its nest. Rank 59 교과서응용

4 Problems with crime could <u>arouse</u> in crowded areas. Thus, you should watch your possessions closely so they are not stolen.

5 In 1944, over two thousand bombs fell on the city of London, killing more than five thousand people and wounding many more. Rank 06, 09 모의응용

Test 2 조건 영작

다음 주어진 우리말과 일치하도록 괄호 안의 어구를 모두 활용하여 <조건>에 맞게 영작하시오.

<조건> • [ ] 안에 주어진 어구 중 하나만 사용할 것(필요시 어형 변화 가능)

1 긍정적인 자아상을 유지하는 것을 목표로 하는 몇몇 심리 치료에서, 초점은 타인과의 건강한 관계를 발전시키는 데 있다.
(developing / with / on / the focus / others / **[lay / lie]** / healthy relationships)
→ In some psychotherapies aimed at maintaining positive self-image, ______________________
______________________________________. Rank 72

*psychotherapy: 심리[정신] 치료

2 그 새 학교는 저명한 미국의 지식인들과 교육자들에 의해 약 1세기 전에 뉴욕시에 설립되었다.
(was / about a century ago / **[found / find]** / the new school)
→ ______________________________________ in New York City by prominent American intellectuals and educators. Rank 03

3 돌고래 한 마리가 너무 심하게 부상을 입어서 혼자서 물 위로 헤엄칠 수 없었다.
(so severely / it / was / couldn't swim / that / **[wound / wind]**)
→ A dolphin ______________________________________ to the surface by itself. Rank 03, 34

4 만일 여러분이 기회의 시대에 살면서 야망, 동기 부여, 운을 갖는다면, 여러분은 자신이 선택한 분야의 정상에 오를 수 있다.
(field / of / can / you / **[rise / raise]** / the top / to / your chosen)
→ If you have ambition, motivation, and luck, living in an age of opportunity, ________________
______________________________________. Rank 05 모의응용

5 거의 2천 명의 사람들을 수용하는 콘서트장, 전시회장, 그리고 공연을 위한 또 하나의 무대가 모두 같은 건물에 있다.
(which / a concert hall / almost two thousand people / **[sit / seat]**)
→ ______________________________________, an exhibition hall, and another stage for performances are all in the same building. Rank 25, 57

6 대부분의 사람들에게, 고정관념이라는 단어는 불편한 느낌과 불안감을 불러일으키는데, 그것이 종종 선입견과 지나치게 단순화된 일반화를 전달하기 때문이다. (discomfort and unease / **[arouse / arise]** / the word stereotype / a sense of)
→ For most people, ______________________________________, as it often conveys preconceived notions and oversimplified generalizations. 모의응용

*preconceived: 사전에 형성된

RANK 75

명사와 수식어의 수일치

일치

정답 및 해설 p. 59

셀 수 있는 명사와 셀 수 없는 명사를 수식하는 수식어구를 구분하여 알아두자.

기출 대표 문항

다음 밑줄 친 부분이 어법상 옳으면 O, 틀리면 ×로 표시하고 바르게 고치시오.

There was few electricity available in our small town back then, and we also couldn't afford batteries for radios.

답이 보이는 Clues

셀 수 1 ______ 명사의 수식어	셀 수 2 ______ 명사의 수식어
many(많은), a great[good/large] number of(많은), a few(약간 있는), few(거의 없는)	much(많은), a great[good/large] amount[deal] of(많은), a little(약간 있는), little(거의 없는)
a lot of/lots of/plenty of(많은), some/any(약간 있는), all, most, no	

There was 3 ______ **electricity** / available in our small town / back then, // ~.

주의 셀 수 없는 명사에는 단수/복수형이 따로 없으므로, 앞에 a/an이 오거나 뒤에 -(e)s가 붙을 수 없다.

- 물질: money, air, water 등
- 추상: advice, wealth, luck, effort, evidence, violence, news, ignorance, scenery, expertise 등
- 종류 전체를 대표: baggage[luggage], information, news, equipment, stuff, furniture, machinery, traffic 등

Test 1 어법

다음 밑줄 친 부분이 어법과 문맥상 옳으면 O, 틀리면 ×로 표시하고 바르게 고치시오.

1 The molecules of frozen food were less active, so few molecules were released into the air. 교과서응용

2 Air moving from the Pacific Ocean toward the land usually has a great number of moisture in it. 모의응용

3 Most skin doctors warn that people will suffer from a lot of sun damage if they don't use sunscreen products regularly. Rank 35

4 At only a little degrees above or below normal body temperature, our nervous system cannot function properly. 모의응용

*nervous system: 신경계

고난도 5 Apart from human beings, mammals on the whole are not melodious, and there is few evidence that they intend to be. Some mammals bellow, but little mammals sing, apart from human beings and perhaps whales. Rank 52, 68 모의응용

*bellow: 큰 소리로 울부짖다

Test 2 조건 영작

다음 주어진 우리말과 일치하도록 괄호 안의 어구를 모두 활용하여 <조건>에 맞게 영작하시오.

<조건> • 필요시 밑줄 친 단어의 수 변형 가능
• [ ] 안에 주어진 어구 중 하나만 사용할 것

1 홍콩이 한때 영국의 식민지였을 때, 홍콩에 수영을 위한 공공장소는 거의 없었다.
(area / swimming / public / for / **[few / little]**)
→ When Hong Kong was once a British colony, there were ______________________________ in Hong Kong. Rank 76

2 직장을 그만둔 후에, 그는 예전 직장에서 일하는 데 노력을 거의 기울이지 않았던 것을 후회했다.
(effort / he / devoted / regretted / **[few / little]** / having]
→ After leaving his job, ______________________________ into working for his old company. Rank 11, 40 교과서응용

3 몇 가지 종류의 재배되는 작물에만 의존하는 것은 만약 추수가 망쳐지면 인류를 기아와 농업의 손실에 취약한 상태로 둘 수 있다.
(type / cultivated / only **[a few / a little]** / crops / relying / humankind / of / vulnerable / on / can leave)
→ ______________________________ to starvation and agricultural loss if a harvest is destroyed. Rank 05, 15 모의응용

4 전문가들은 에너지 효율을 촉진하는 많은 방법을 찾아냈지만, 유감스럽게도 그중 많은 것들은 비용 효율이 높지 않다.
(large / way / of / **[number / amount]** / identified / energy efficiency / have / experts / promote / a / to)
→ ______________________________,
but, unfortunately, many of them are not cost-effective. Rank 52 수능응용

고난도 5 외로움은 우리 주변에 물리적으로 얼마나 많은 친구가 있는지와는 아무 관련이 없지만, 우리가 인간관계로부터 필요로 하는 것을 획득하지 못하는 것과 전적으로 관련이 있다.
(how / around us / nothing / **[many / much]** / to / are physically / with / friend / has / do / loneliness)
→ ______________________________,
but has everything to do with our failure to get what we need from our relationships.
Rank 17 모의응용

RANK 76 There + V + S

동사와 문형, 특수구문

정답 및 해설 p. 59

there가 문두에서 형식적인 주어 역할을 할 때, 진짜 주어와 동사는 도치된다.

기출 대표 문항

다음 괄호 안의 어구를 모두 활용하여 주어진 우리말을 영작하시오. (필요시 밑줄 친 단어 변형 가능)

내 오래된 컴퓨터에는 파일을 저장할 약간의 남은 공간이 있다.

(a little space / be / there)

→ ______________________ left on my old computer to save files.

답이 보이는 Process

STEP 1 우리말이 '~이 있다'로 해석되고, 주어진 어구에 there가 있는지 확인한다.
there를 추가하라는 조건이 제시되는 경우도 있다.

STEP 2 주어진 단어를 <There+V+S> 순으로 배열한다.
이때 주어의 수와 문장의 시제에 맞춰 동사를 쓴다.

1 ________ (There) / 2 ________ (V) / 3 ____________ (S) (left on my old computer / to save files).

▶ 단수주어-단수동사(현재)

Test 1 어법

다음 밑줄 친 부분이 어법상 옳으면 O, 틀리면 ×로 표시하고 바르게 고치시오. (단, 시제는 변경하지 말 것)

1 There stand a beautiful castle on a rugged hill in southwest Germany called "Neuschwanstein Castle." Rank 05 교과서응용

2 There exists a fascinating philosophical theory which says humans must overcome the distrust of science. Rank 25 교과서응용

3 Be careful when you go to Australia since there are unique, poisonous mammals that lay eggs living there. Rank 25, 65

4 Since the 1970s, there have been a trend towards a freer flow of capital across borders, which is expected to aid the development of disadvantaged countries. Rank 21 모의응용

5 We often approximate by using "round numbers." For example, we might say there was a hundred people at the market, even if the number is not precise. Rank 23 모의응용

*round number: 어림수

Test 2 조건 영작

다음 주어진 우리말과 일치하도록 괄호 안의 어구를 모두 활용하여 <조건>에 맞게 영작하시오.

<조건> • 필요시 밑줄 친 단어 변형 가능
• <there+V+S> 구문을 사용할 것

1 '진공'이라는 용어는 진공청소기에 부적절한 이름인데, 왜냐하면 그것 안에는 진공이 없기 때문이다.
(exist / there / no vacuum / because)
→ The term "vacuum" is an inappropriate name for the vacuum cleaner, ______________________ ______________________ in it. Rank 65 모의응용

2 1920년대에 경쟁을 하는 수영법에는 자유형, 배영, 그리고 평영 이 세 가지만 있었고, 각각은 그것이 어떻게 행해져야 하는지를 설명하는 구체적인 규칙들이 있었다.
(each / be / specific rules / there / had / that / swimming strokes / competitive / described / only three)
→ In the 1920's, ______________________ — freestyle, backstroke, and breaststroke — and ______________________ how it was to be performed. Rank 25 수능

고난도 3 운동 영양학은 상당히 새로운 학문 분야이지만, 선수들이 자신의 성과를 향상시키기 위해 어떤 음식을 먹어야 하는지에 관한 권고는 늘 존재해 왔다. (always been / there / what / recommendations / should eat / athletes / foods / about / have)
→ Although sports nutrition is a fairly new academic discipline, ______________________ ______________________ to enhance their performance. Rank 17 모의응용

고난도 4 습격으로부터의 안전 확보가 거의 없었던 지역에서는, 사람들은 비축을 위해 더 많은 물건을 생산하도록 특별하게 동기가 부여되지 않았는데, 그렇게 할 동기가 거의 없었기 때문이다.
(there / to do so / from raids / little / little / be / there / where / be / security / regions / incentive / as)
→ In ______________________, people were not particularly motivated to produce more goods for stockpiling, ______________________ ______________________. Rank 30, 65, 75 모의응용

명사절을 이끄는 복합관계대명사

관계사

정답 및 해설 p. 60

복합관계대명사 who(m)ever, whichever, whatever는 1 __________을 이끌어 문장 내에서 주어, 목적어 등의 역할을 한다.
- who(m)ever: ~하는 사람은 누구든지(= anyone who(m))
- whichever: ~하는 어느 쪽이든지(= any(thing) that)
- whatever: ~하는 것은 무엇이든지(= any(thing) that)

기출 대표 문항

다음 괄호 안의 어구를 모두 알맞게 배열하여 주어진 우리말을 영작하시오.

그녀는 그녀가 원하는 것은 무엇이든지 할 수 있다고 스스로에게 말했다.

(wanted / could do / she / she / whatever)

→ She told herself that ______________________________.

답이 보이는 Process

STEP 1 우리말에서 복합관계대명사가 이끄는 절과 그 역할을 파악한다.

그녀는 // 그녀가 원하는 것은 무엇이든지(O′) / 할 수 있다고 // 스스로에게 말했다.

STEP 2 파악한 역할에 맞게 복합관계대명사가 이끄는 절을 알맞은 위치에 쓰고 나머지 부분을 영작한다.

~ // that 2 ________(S′) 3 ________(V′) / 4 ________________(O′).

more whichever와 whatever는 명사 앞에서 명사를 수식할 수 있다.
e.g. I really enjoy ***whatever*** *food* my mom makes for dinner.

주의 복합관계대명사와 복합관계부사의 쓰임을 구별하여 알아두자. Rank 36
- 복합관계대명사+불완전한 구조: 문장에서 명사절이나 부사절을 이끈다.
- 복합관계부사(whenever, wherever, however)+완전한 구조: 문장에서 부사절을 이끈다.

Test 1 어법

다음 밑줄 친 부분이 어법과 문맥상 옳으면 O, 틀리면 ×로 표시하고 <보기>에서 알맞은 것을 골라 바르게 고치시오.

<보기> whatever whoever whenever however

1 The power of the Internet makes it possible to look for whenever we want to learn or desire. Rank 32

2 People work within the forms provided by the cultural patterns that they have internalized, whoever unconscious these may be. Rank 36 모의응용

3 Whatever bias people may have as individuals gets multiplied when they discuss things as a group. 모의응용

4 The scholarship will be awarded to whenever demonstrates exceptional academic achievement and community involvement.

5 However can be delivered in a digital format is likely to do well online, and we have already seen the decline of traditional record shops and photo processors. 모의응용

6 Whenever an Olympic athlete sets a new world record, it inspires others to bring out the best within them and go beyond that achievement to set new records of human performance.

Rank 36 수능응용

Test 2 배열 영작

다음 괄호 안의 어구를 모두 알맞게 배열하여 주어진 우리말을 영작하시오.

1 당신이 꿈을 이루지 못하게 하는 것은 무엇이든지 무슨 수를 써서라도 무시되어야만 한다.
(achieving / ignored / must / prevents / whatever / you / your dream / be / from)
→ ______________________________
at all costs. Rank 62 EBS응용

*at all cost(s): 무슨 수를 써서라도

2 그저 네가 기분이 좋지 않다고 해서 네가 싫어하는 누구하고든 싸우지 마라.
(whomever / dislike / not / with / do / you / fight)
→ ______________________________ just because you're in a bad mood.

교과서응용

3 학자들은 그들의 연구 목적과 자료의 특성에 맞는 어느 접근 방식이든 선택하여 다양한 연구 방법론을 탐구할 수 있다.
(with / approach / the objectives / whichever / aligns / their study / of)
→ Scholars can explore various research methodologies, selecting ______________________________
______________________________ and the nature of their data.

4 당신이 하고 있는 무엇에든지 단지 침착하고 집중된 태도를 유지함으로써, 당신은 극심한 불안으로 인한 부정적인 영향을 줄일 수 있을 것이다. (maintaining / are doing / you / attitude / whatever / toward / a calm and focused)
→ Just by ______________________________,
you will be able to reduce the negative effects of intense anxiety. Rank 72 모의응용

고난도 **5** 어느 정도의 성공을 성취한 적이 있는 사람은 누구든지 인생에서 할 가치가 있는 어떤 것도 쉽게 오지 않는다는 것을 안다.
(doing / of / come easily / has ever / whoever / achieved / doesn't / any degree / anything in life / success / worth)
→ ______________________________ knows that ______________________________
______________________________. Rank 23 모의응용

RANK

01-77 서술형 대비 **실전 모의고사 7회**

100점

정답 및 해설 p. 60

[01-05] 다음 밑줄 친 부분이 어법상 옳으면 O, 틀리면 ×로 표시하고 바르게 고치시오. [밑줄당 2점]

01 You can deny the feelings you have but you cannot stop them from come. All that feelings need, in order to pass, is to be acknowledged and accepted. 모의응용

02 Disharmony arouses when we do not think of people and machines as collaborative systems but just assign whatever tasks can be automated to the machines and leave the rest to people. 수능응용

03 There is a growing number of examples where the incorrect meaning of relatively commonplace language has become more widespread than the original intention or definition. 모의응용

04 The process of job advancement in the field of sports is often said to be shaped like a pyramid. That is, at the wide base is many jobs with high school athletic teams, while at the narrow tip are the little jobs highly desired within professional organizations. 모의응용

05 There are pressure for immigrants to conform rather than to maintain their own cultural identities, so in order to reduce the conflict, multiculturalists suggest that a model of partial assimilation be made so that immigrants can both assimilate the values and lifestyle of the host culture and to retain some of their customs, beliefs, and language. 모의응용

*multiculturalist: 다문화주의자

06 **다음 글의 (A) ~ (C)의 괄호 안에 주어진 단어를 어법상 알맞은 형태로 바꿔 쓰시오. (단어 추가 가능)** [각 3점]

> I'm Aaron Brown, the director of TAC company. To celebrate our company's 10th anniversary and boost further growth, we have arranged a small event with (A) (interest) ____________ discussions on business trends. I recently attended your lecture about recent issues in business, and it was impressive. I'm writing this letter to request that you (B) (be) ____________ our guest speaker for the afternoon. Your unique experience and knowledge will benefit our attendees. We would sincerely appreciate it if you could make some time for us. We will be looking forward to (C) (hear) ____________ from you soon. 모의응용

(A) ____________

(B) ____________

(C) ____________

[07-10] 다음 주어진 우리말과 일치하도록 괄호 안의 어구를 모두 활용하여 <조건>에 맞게 영작하시오. [각 5점]

<조건> • 필요시 밑줄 친 단어 변형 가능

07 우리의 뇌는 우리가 소유한 것을 과대평가하도록 짜여 있는 것 같다. 일단 우리가 어떤 것을 받게 되면, 우리는 그것을 포기하기를 주저한다. (hesitant / are / program / have be give / to overvalue / something / to give / we / be / to / we / seem / it / own / up / what)

→ Our brains ______________________________. Once we ______________

______________________, ______________________________. 모의응용

08 연구자들은 좋은 사회적 관계를 유지하는 것은 존중의 위반이 정말로 일어나면 진심으로 사과하도록 동기 부여가 되는 것을 필요로 한다고 시사해 왔다. (good social relationships / to apologize sincerely / require / do occur / motivate / maintaining / be / a violation of respect)

→ Researchers have suggested that ______________________________

______________________ when ______________________________. 수능응용

고난도

09 일부 조류 종은 다른 새의 둥지에 알을 낳고 그것이 속은 (둥지의) 주인에 의해 길러지도록 두는 번식 전략인 탁란을 보이는 것으로 알려져 있다. (a deceive host / exhibit / know / of another bird / it / lay / that / by / in which / in the nest / and / to be raise / leave / some bird species / an egg / is / they)

→ It ______________________________ brood parasitism, a reproductive strategy

____. 모의응용

*brood parasitism: 탁란(뻐꾸기 등의 새가 다른 종의 새 둥지에 산란하여 자기 새끼를 대신 기르도록 하는 것)

고난도

10 당면한 위험이 없을 때는, 개입하지 않고 아이들이 놀도록 해주는 것이 보통 가장 좋다. 좋은 의도로 만들어지더라도, 그들을 도와주려는 노력은 그들이 궁극적으로 자신에게 가장 도움이 될 해결책을 찾는 것을 막을지도 모른다.

(A) (let / without / be / to / children / step in / no immediate danger / play)

(B) (efforts / the solution / them / make with / seek / may discourage / from / to / good intentions / them / assist)

→ (A) When there ______________________, it is often best ______________

______________________. (B) While ______________________________,

____ that will ultimately serve them best.

11 다음 글의 빈칸에 들어갈 가장 적절한 말을 <보기>에 주어진 어구를 배열하여 완성하시오. [6점]

In software development, bugs should be fixed immediately — waiting to fix a bug toward the end of a project can drastically increase the effort needed to fix them. Similarly, failing to learn what you're supposedly taught each day is a serious bug. If you don't understand something you were taught in class today, treat it as a bug that must be fixed as soon as possible. Do not put it off. If you don't understand a word, a concept, or a lesson, then drop everything and do ______________________________. 모의응용

<보기> required / learn / whatever / prior to / it / to the next one / moving on / for / to / is / you

→ ____

[12-13] 다음 글을 읽고 물음에 답하시오.

Sometimes a person is acclaimed as "the greatest" because ________________________. For example, violinist Jan Kubelik was acclaimed as "the greatest" during his first tour of the United States, but when impresario Sol Hurok brought him back to the United States in 1923, (A) people thought that he had lost a bit of his former brilliance. However, Sol Elman, the father of violinist Mischa Elman, thought differently. He said, "My dear friends, Kubelik played tonight as splendidly as ever he did. Today you have a different standard. All of you have grown in artistry, technique, and, above all, in knowledge and appreciation. The point is: you know more; not that Kubelik plays less well." 모의응용

*impresario: 기획자, 단장

12 윗글의 빈칸에 들어갈 가장 적절한 말을 <조건>에 맞게 완성하시오. [5점]

<조건> 1. <보기>에 주어진 어구를 사용할 것
2. [ ] 안에 주어진 어구 중 하나만 사용할 것
3. 필요시 밑줄 친 단어 변형 가능

<보기> comparison / for / be / basis / **[little / few]** / there

→ ____

13 윗글의 (A)와 같은 의미가 되도록 빈칸을 완성하시오. (단, 빈칸당 한 단어만 쓸 것) [5점]

→ he __________ __________ __________ __________ __________ a bit of his former brilliance

14 **다음 글에서 필자가 주장하는 바를 한 문장으로 표현하고자 한다. <조건>에 맞게 빈칸을 완성하시오.** [7점]

Occasionally, individuals do not clearly state what is troubling them, and instead select more indirect means of expressing their annoyance. One companion might talk to the various others in a way that indicates underlying hostility. Numerous other times, partners may mope and even frown without genuinely dealing with an issue. Companions may likewise merely prevent discussing an issue by swiftly switching over topics or by being incredibly vague. Such indirect ways of expressing temper are not useful since they don't provide the individuals that are the target of the behaviors an idea of exactly how to react. They understand their companion is irritated, but the absence of directness leaves them without advice regarding what they can do to solve the issue. 모의응용

*mope: 울적해하다

<조건> 1. <보기>에 주어진 어구를 모두 한 번씩만 사용할 것
2. 필요시 밑줄 친 단어 변형 가능

<보기> problems direct / that / should / confusion / them / individuals / create / from / insists / in order to / address / prevent

[주장] The author ____
________________________________ based on indirect expressions.

[15-19] 다음 글을 읽고 물음에 답하시오.

Neanderthals would have faced a problem during daylight hours at high latitudes: the poor light quality would have made ① [it / them] difficult to see things in the distance. For a hunter this is a serious problem because you really don't want to make the mistake of not ② [notice / noticing] the mother rhinoceros hiding in a dark corner of the forest edge when trying to spear her calf. Living under low light conditions places an even heavier premium on vision than typical conditions ③ [is / do]. To adapt to low light levels, ______________________. It is the familiar principle from conventional star-gazing telescopes: under the dim lighting of the night sky, a larger mirror allows you to gather more of the light from ④ [however / whatever] you want to look at. By the same token, a larger retina allows you to receive more light to compensate for poor light levels. 모의응용

*rhinoceros: 코뿔소 **retina: (눈의) 망막

15-18 윗글의 ①~④의 각 네모 안에 어법상 올바른 것을 골라 쓰고, 그 이유를 작성하시오. [각 4점]

15 ①에서 올바른 것: ____________

올바른 이유: ______________________

16 ②에서 올바른 것: ____________

올바른 이유: ______________________

17 ③에서 올바른 것: ____________

올바른 이유: ______________________

18 ④에서 올바른 것: ____________

올바른 이유: ______________________

19 윗글의 빈칸에 들어갈 가장 적절한 말을 <보기>에 주어진 어구를 배열하여 완성하시오. [8점]

<보기> more light / to / to / the visual processing system / the evolutionary response / enlarge / detect / is

→ ______________________

Appendix

부록

APPENDIX 01 전치사 한눈에 보기

Rank 62, 63, 71, 72

형태	의미
about	~에 대하여; 약 ~
across	~을 건너서; ~의 맞은편에
after	~ 뒤에 접 ~ 후에
against	~에 반대[적대]하여; ~에 대비[대항]하여
along	~을 따라[끼고]
among	((셋 이상)) ~ 사이에
around	~의 주위에; 대략 ~
as	~로서 접 ~할 때; ~ 때문에
at	((한 지점, 시점)) ~에
before	~앞에 접 ~전에
behind	((장소)) ~의 뒤에; ((시간)) 늦어, 후에
besides	~ 이외에도; ~에 더하여
between	((개별적으로 구별되는 둘)) ~ 사이에
beyond	((장소)) ~의 너머에; ((시간)) ~을 지나서; ((범위, 한도)) ~을 넘어서
but	~을 제외하고 접 그러나, 하지만
by	((어떤 시점까지의 '완료')) ~까지; ~에 의해; ~곁에
considering	~을 고려해 볼 때 접 ((that)) ~을 고려해 볼 때
despite[in spite of]	~에도 불구하고
during	((특정 기간, 행사, 사건)) ~ 동안에
except	((for)) ~을 제외하고; ~이외는 접 ((that)) ~을 제외하고
excluding	~을 제외하고
following	~에 따라, ~ 후에
for	~ 동안; ~에 찬성하여; ~하기 위한 접 ~ 때문에
from	((출발점)) ~에서, ~로부터
given	~을 고려하면 접 ((that)) ~을 고려하면
in	((내부)) ~ 안에; ~한 상태에서
including	~을 포함하여
into	~의 안으로; ((변화)) ~로
like	~처럼[같은]
of	((소유)) ~의; ~로부터; ~로 된
on	((접촉)) ~의 위에
over	~ 너머로; ~에서 떨어져서 위에; ((기간)) ~동안
regarding[concerning]	~에 관하여
since	~ 이후로[이래로] 접 ~ 이래로; ~ 때문에
through	~을 통해; ((장소)) ~을 두루; ((시간)) ~ 동안 내내
throughout	((기간)) ~ 내내; ((장소)) 온통
to	~로; ~ 쪽에; ~까지
toward	~을 향하여; ~을 위해
under	~의 아래에; ~을 받는, ~ 중인
unlike	~와 달리
until	((어떤 시점까지의 '계속')) ~까지 접 ~까지
upon	~ 위에
via	~을 통해; ~을 경유하여[거쳐]
with	~와 함께[더불어]
within	((공간)) ~의 안쪽에; ((시간)) ~ 이내에
without	~ 없이; ~하지 않고

***굵은 글씨**는 접속사도 있는 경우

APPENDIX 02 접속부사 한눈에 보기

요약

형태	의미
in short[brief, sum]	요컨대, 간단히 말하자면
to sum up	요약하자면
to put it shortly[briefly]	간단히 말하면
in a word	요컨대, 한마디로 말해서

예시

형태	의미
for example	예를 들어
for instance	예를 들어

비교

형태	의미
similarly	비슷[유사]하게
likewise	마찬가지로
in the same way	같은 방법으로
by the same token	마찬가지로

강조

형태	의미
indeed	정말로, 사실은
in fact	사실

역접

형태	의미
however	그러나
though	《문장 끝》 그러나
still	그러나
nonetheless	그렇기는 하지만, 그렇더라도
nevertheless	그렇기는 하지만, 그럼에도 불구하고

결과

형태	의미
therefore	그러므로
consequently	결과적으로, 따라서
as a result	결과적으로
thus	그러므로, 따라서
so	그래서

환원

형태	의미
that is in other words	즉, 다시 말하면

대조

형태	의미
in contrast	반대로, 대조적으로
on the contrary	반대로
on the other hand	다른 한편으로는, 반면에
otherwise	그렇지 않으면
instead	대신

첨가

형태	의미
in addition moreover furthermore besides	게다가, 더욱이
in fact	사실
in the meantime	그러는 동안에

APPENDIX 03 부정사·동명사·분사 관용 표현

1 부정사 관용 표현 (p. 47)

형태	의미
Why not v?	v하는 게 어때?
all you have to do is (to) v	당신은 v하기만 하면 된다
not to mention (= not to speak of, to say nothing of)	~은 말할 것도 없이
not to say	~라고 말할 수는 없어도
so to speak	말하자면
strange to say	이상한 이야기지만
to be exact	정확히 말하자면
to be frank[honest] (with you)	솔직히 말해서
to begin with(= firstly)	우선
to do A justice	A를 공정하게 평가하자면
to make matters worse (= what is worse)	설상가상으로
to put it another way (= in other words)	다르게 말하면, 다시 말해서
to put it simply	간단히 말해서
to sum up	요약하면
to tell the truth (= in fact, as a matter of fact)	진실을 말하자면

2 동명사 관용 표현 (p. 47)

형태	의미
above v-ing	결코 v하지 않을
be on the point of v-ing	막 v하려고 하다
cannot[never] ~ without v-ing	v할 때마다 늘 ~하다
It goes without saying that ~ (= It is needless to say that ~)	~는 말할 것도 없이
make a rule[point] of v-ing (= make it a rule[point] to-v)	v하기로 하고 있다, v를 원칙[규칙]으로 하다
not to mention[speak of] v-ing (= to say nothing of v-ing)	v뿐만 아니라, v는 말할 것도 없고
go v-ing	v하러 가다
in v-ing	v할 때; v하는 데 있어서
What do you say to v-ing ~? (= How about v-ing ~?, Let's + v)	v하는 것이 어때?

❸ 분사구문 관용 표현 Rank 06, 20

형태	의미
compared to	~와 비교하여
excepting	~을 제외하고
frankly speaking	솔직히 말해서
generally speaking	일반적으로 말해서
given that	~을 고려할 때
granting (that)	~을 인정한다 하더라도
judging from[by]	~로 판단하건대

형태	의미
provided that	~한다면
putting it simply	간단히 말하자면
roughly speaking	대략 말해서
seeing that	~을 보아하니
speaking[talking] of	~에 관해 말하자면
strictly speaking	엄격히 말해서
talking of	~에 관해 말하자면

APPENDIX 04 조동사 의미별 정리 Rank 59, 61

능력/허가

형태	의미
can(= be able to)	~할 수 있다; ~해도 좋다[괜찮다]
may	~해도 좋다[괜찮다]
could	~할 수 있다; ~해도 좋다[괜찮다]
might	~해도 좋다[괜찮다]
can't	~할 수 없다; ~해서는 안 된다
may not	~해서는 안 된다
must not	~해서는 안 된다

충고/의무

형태	의미
should ought to had better	~하는 것이 좋을 것이다, ~해야 한다
need	~할 필요가 있다
must	반드시 ~해야 한다
have to	반드시 ~해야 한다
needn't don't need to don't have to	~할 필요가 없다

가능성/추측

형태	의미
might may could	~일지도 모른다
can	~일 수도 있다
should ought to would will	~일 것이다
must	~임에 틀림없다
cannot	~일 리가 없다

제안/요청

형태	의미
will	~할까요?; ~해주시겠어요?
would	~해주시겠어요?
could	~해주시겠어요?
shall	~할까요?; ~해주시겠어요?

APPENDIX 05 수를 착각하기 쉬운 명사

Rank 01, 33

단수/복수형이 같은 명사

형태	의미
series	연속물
aircraft	항공기
stuff	물건
staff	(전체) 직원
means	수단
species	종
fish	물고기
deer	사슴
sheep	양
swan	백조
shrimp	새우

복수형으로만 쓰이는 명사

형태	의미
glasses	안경
goggles	고글
pants	바지
jeans	청바지
trousers	바지, 양복바지
shorts	반바지
scissors	가위
chopsticks	젓가락
goods	물건
necessaries	필수품
riches	부
valuables	귀중품
savings	저축
odds	확률
earnings	소득
belongings	소유물

불규칙 복수명사

단수형	복수형
child(아이)	children
ox(황소)	oxen
mouse(쥐)	mice
man(남자)	men
woman(여자)	women
tooth(이)	teeth
goose(거위)	geese
foot(발)	feet
person(사람)	people
analysis(분석)	analyses
diagnosis(진단)	diagnoses
crisis(위기)	crises
medium(매체)	media
datum(데이터, 자료)	data
phenomenon(현상)	phenomena
criterion(기준)	criteria
stimulus(자극)	stimuli
fungus(균류; 곰팡이류)	fungi

APPENDIX 06 재귀대명사 관용표현

① 타동사+목적어

형태	의미
devote *oneself* to 명사/v-ing	~에 전념하다[몰두하다]
dedicate *oneself* to 명사/v-ing	~에 전념하다[헌신하다]
commit *oneself* to 명사/v-ing	~에 전념하다[헌신하다]
apply *oneself* to 명사/v-ing	~에 전념하다
help *oneself* (to) 명사	(~을) 마음껏 먹다
avail *oneself* of	~을 이용하다
enjoy *oneself*	즐기다, 즐겁게 보내다
absent *oneself* (from)	(~에) 결석하다
make *oneself* at home	(스스럼없이) 편히 지내다
behave *oneself*	예의 바르게 행동하다
pride *oneself* on	~에 자부심을 갖다
pull *oneself* together	기운[용기]을 내다; 냉정해지다

② 전치사+목적어

형태	의미
by *oneself*	홀로(= alone); 혼자 힘으로
for *oneself*	혼자 힘으로
in *itself* / in *themselves*	원래, 그 자체로는
beside *oneself*	제정신이 아닌
of *itself* / of *themselves*	저절로, 자연히
between *ourselves*	우리끼리 얘긴데
come to *oneself*	제정신이 들다
talk to *oneself*	혼잣말하다

APPENDIX 07 시험에 나오는 주요 어구

① 동사구

형태	의미
apply for	~을 신청하다
avail oneself of	(기회, 제안 등을) 이용하다, ~을 적절히 사용하다
be on the road to A	A를 이룰[할] 가능성이 있다
belong to	~에 속하다
break down	고장 나다; 분해하다, 나누어지다
break out	발발하다, 발생하다
bring A to halt	A를 정지[중단]시키다
bring A to mind	A를 기억해 내다
call back	~에게 다시 전화하다; 취소[취하]하다
call for	~을 요구하다, ~을 필요로 하다
care about	~을 신경 쓰다[걱정하다]; ~에 관심을 갖다
come across (= bump into)	우연히 만나다
come in handy	~에 도움이 되다[쓸모가 있다]
come to terms with	~와 합의를 이루다; ~을 받아들이다, ~을 인정하다
come up with	~을 떠올리다
concentrate on	~에 집중하다
die of	~을 원인으로 죽다
dispose of	~을 처리[처분]하다

형태	의미
make sure (that)	~을 확실히 하다, 반드시 ~하도록 하다
make the big time	일류가 되다; 성공하다
make the most of	~을 최대한 활용하다
make up	~을 이루다[형성하다]; 만들어 내다
make up for	만회하다, 보상하다; 상쇄하다
make use of	~을 이용하다
move on to	(새로운 일, 주제로) 옮기다[넘어가다]
participate in	~에 참가하다
pass away	사망하다, 돌아가시다
pass by	~을 지나가다
pass down	(후대에) ~을 전해주다[물려주다]
pass on	물려주다; 양도하다
pay attention to	~에 주의를 기울이다
play a role in	~에서 역할을 하다
point out	~을 지적하다, ~을 가리키다; ~에 주목하다
pose a threat to	~에 위협을 가하다
provide for	~을 부양하다; ~에 준비[대비]하다; (법률, 규칙 등이) ~을 가능하게 하다
put A in danger	A를 위험에 빠뜨리다

형태	의미
fall in love with	~와 사랑에 빠지다
fall short of	~에 미치지 못하다; ~이 부족하다, ~이 불충분하다
fill out	~을 작성하다
get rid of	~을 없애다[제거하다]
give in	항복하다; 동의하다
give out	나눠주다; 발산하다, 발하다
give rise to	~을 일으키다[초래하다]
give somebody a hand	도와주다, 거들어주다
give up	포기하다
give[attach] weight to	~을 중요시하다
go on a date	데이트하러 가다
hand over	넘겨주다; 인계하다
hang out	어울리다, 놀다
have an impact on[upon]	~에 영향을 주다
have nothing to do with	~와 관계가[연관이] 없다
have something in common	공통점을 갖고 있다
have something to do with	~와 관계가[연관이] 있다
hold A in esteem	A를 존경하다
hold on to	~을 고수하다; ~을 맡아 주다
keep in mind	(~을[~임을]) 명심하다[유념하다]
keep track of	~에 대해 계속 알고[파악하고] 있다
lead to(= result in)	(결과적으로) ~을 낳다[야기하다]
let A down	A를 내리다; A를 실망시키다
live by	(신조, 원칙 등에) 따라서 살다
live on	~을 먹고 살다; 계속 살다
look after	~을 돌보다; ~을 맡다
look back at[on]	~을 회상[회고]하다
make a decision	결정을 하다
make an announcement	발표하다
make an impact on	~에 영향을 미치다; ~에 충격을 주다
make effort	노력하다
make it through	~을 통과하다; ~을 헤쳐 나가다
make sense (of)	의미가 통하다; 말이 되다, 타당하다; (~을) 이해하다

형태	의미
put A into action	A를 행동[실행]에 옮기다
put A on display	A를 전시하다
put emphasis on	~을 강조하다
put off	미루다, 연기하다
put oneself in a person's shoes	남의 입장이 되어 생각하다
respond to	~에 대응[반응]하다
result from	~에서 비롯되다
result in	(결과적으로) ~을 낳다[야기하다]
rule over	~을 지배하다[통치하다]
run into	~와 충돌하다; (곤경 등을) 만나다
say hello to	~에게 안부를 전하다
set foot in[on]	~에 발을 들여놓다[들어서다]; ~에 상륙하다
set off	~에 점화하다; ~을 시작하게 하다; ~에 착수하다
show off	~을 과시하다; ~을 자랑하다
sign up (for)	(~에) 등록하다; (~에) 신청하다
take A for granted	A를 당연한 것으로 여기다
take a step[action]	조치를 취하다
take advantage of	~을 이용[활용]하다; ~을 악용하다
take away	빼앗다; 없애다
take care of	~을 돌보다
take charge of	~을 책임지다, ~의 관리[보호]를 떠맡다
take hold	정착하다; 확립하다, 확고해지다
take into account	~을 고려하다
take off	이륙하다; 급히 떠나다; 벗다; 절단하다
take pride in	~을 자랑하다[자부하다]
take the place of A	A를 대신하다
throw off	(고통스럽거나 짜증스러운 것 등을) 떨쳐 버리다; (옷 등을 급히) 벗어 던지다
throw oneself into something	~에 노력을 기울이다, ~에 몰두하다
try on	입어보다; 시도해 보다
turn down	거부[거절]하다; 약하게 하다, 줄이다
work on	~에 노력을 들이다

2 동사+주격보어 Rank 38

형태	의미
appear strange	이상하게 보이다
become clear	(날씨가) 맑아지다; 명백해지다
come true	실현되다
fall asleep	잠이 들다
feel sick	구역질이 나다
get tired	피곤하다, 지치다
get[be] lost	길을 잃다; 행방불명이 되다

형태	의미
grow old	늙다, 나이 들다
look young	젊어 보이다
prove difficult	힘든 것으로 판명되다
remain[stay] silent	침묵을 지키다
run dry	마르다, 고갈되다
run wild	(아이들이) 제멋대로 굴다; (식물 등이) 뻗어서 퍼지다
run[fall] short	부족하다, 떨어지다

형태	의미
go bad	상하다
go dark	깜깜해지다; 멈추다
go mad	미치다
go wrong	잘못되다

형태	의미
sound reasonable	합리적으로[타당하게] 들리다
stay awake	(자지 않고) 깨어 있다
turn red	빨개지다; 단풍이 들다
turn sour	(맛이) 시어지다; (일 등이) 잘못되다; 흥미를 잃다

❸ 전명구 관용 표현

형태	의미
as a general rule	일반적으로; 대개
at a loss	당황하여, 어찌할 바를 몰라; 원가 이하로, 밑지고
at a time	따로따로; 한 번에
at all cost(s)	무슨 수를 써서라도
at first	처음에는
at hand	당면한, 머지않아; 가까이에
at last	마침내, 드디어
at least	적어도, 최소한
at risk	위험한 상태에 있는
at the expense of	~의 비용으로; ~을 희생하여
at the same time	동시에, 함께
at will	마음대로
by accident	우연히
by means of	~을 써서, ~의 도움으로
by mistake	실수로
for free	무료로, 공짜로
for life	죽을 때까지, 평생
for sale	판매 중인, 팔려고 내놓은
for the first time	처음으로
for the sake of (= for one's sake)	~을 위해서, ~ 때문에
in a way	어느 정도는; 어떤 면에서는
in advance	사전에, 미리
in an effort to-v	v하기 위해서, v하기 위한 노력으로
in case of	~의 경우에는; ~에 대비하여
in charge of	~을 담당하는, ~을 맡은
in consequence of	~의 결과로
in contrast to	~와 대조적으로, ~에 반해
in cooperation with	~와 협력하여
in decline	쇠퇴하고 있는

형태	의미
in detail	자세하게, 상세하게
in effect	사실상은; (법률 등이) 유효한, 시행 중인
in favor of	~에 찬성[지지]하여
in need	어려움에 처한
in need of	~이 필요한
in particular	특히, 특별히
in place of	~을 대신하여
in return	대답으로; 보답으로
in the face of	~에 직면하여; ~에도 불구하고
in the wake of	~에 뒤이어, ~의 결과로
in time	일찍, 늦지 않게
in turn	차례차례; 결국, 결과적으로
nothing but(= only)	오직; 단지 ~일 뿐인
on a daily basis	매일
on a regular basis	정기적으로
on behalf of	~을 대표하여; ~ 대신에
on display	전시된, 진열된
on one's own	혼자서, 단독으로
on one's way to	…가 ~로 가는 길[도중]에
on sale	판매되는; 할인 중인
on the hot seat	곤경에 빠져
on the verge of	~의 직전에
on time	제시간에
out of control	제어[통제]할 수 없는
over time	시간이 지나면서, 서서히
to one's liking	자신의 기호에 맞는
under control	통제되는, 지배되는
under no circumstances	어떤 경우에도, 무슨 일이 있어도
under pressure	(~을 하도록) 강요당하는; 압박감을 느끼는
without regard to	~을 고려하지 않고

④ 문장, 형용사구

형태	의미
Two heads are better than one.	(두 사람의 지혜가 한 사람의 지혜보다 낫다.) 백지장도 맞들면 낫다.
A friend in need is a friend indeed.	어려울 때 친구가 진짜 친구다.
Every cloud has a silver lining.	(모든 구름에는 은색 안감이 있다.) 어떤 나쁜 일에도 좋은 면이 있다. 고생 끝에 낙이 온다.
Practice makes perfect.	(훈련이 완벽을 만든다.) 자꾸 연습하면[하다 보면] 아주 잘하게 된다.
As time goes on[by]	시간이 지남에 따라
better late than never	하지 않는 것보다는 늦더라도 하는 것이 낫다.
free of charge	무료의, 공짜의

APPENDIX 08 시험에 나오는 같은 형태, 다른 품사

① 동명동형-동사와 명사의 형태가 같은 어휘 (p. 75)

형태	동사의미	명사의미
act	행동하다	행동
age	나이가 들다, 늙다	나이, 연령
answer	대답하다	대답
approach	(~에) 접근하다	접근(법)
base	~을 기초[근거]로 하다	기초, 근거
beat	이기다; 때리다	박자, 장단; 고동, 맥박
block	막다, 차단하다	벽돌; 구역; 방해(물)
book	예약[예매]하다	책, 도서
change	바꾸다, 변화시키다; 환전하다	변화; 잔돈
check	확인[점검]하다	확인, 점검; 수표; 계산서
commission	위임하다; 의뢰[주문]받다	위원회; 수수료
conflict	상충하다, 모순되다	갈등, 충돌
cost	(비용, 대가가) 들다	비용; 대가
debate	토론하다; 논쟁하다	토론; 논쟁
defeat	패배시키다	패배
desert	버리다; 떠나다	사막
disregard	무시[경시]하다; 소홀히 하다	무시, 경시
doubt	의심하다	의심, 의문
drive	(~하도록) 만들다; 몰다	투지; 추진력
end	끝나다; 끝내다	끝; 목적, 목표
escape	도망치다, 탈출하다	탈출, 도피
excuse	용서하다; 변명하다	변명; 해명; 사과
fear	두려워하다	두려움, 공포
fire	발사하다; 해고하다	화재; 발사; 해고
harm	해치다	해; 손상, 손해
head	향하다	머리; 지도자
input	입력하다	투입(량)
jail	투옥[수감]하다	교도소, 감옥

형태	동사의미	명사의미
pose	제기하다	포즈, 자세
purchase	구매[구입]하다	구매, 구입; 산 물건
race	경주[경쟁]하다	인종
rate	등급을 매기다, 평가하다	등급; 비율; 속도; 요금
repeat	반복하다	반복, 되풀이
respect	존중[존경]하다	존중; 존경
rest	쉬다, 휴식을 취하다	휴식; (어떤 것의) 나머지
return	돌아오다, 반납하다	귀환; 반송; 개표 결과
risk	위태롭게 하다	위험(성)
rule	다스리다	규칙; 관례
score	득점하다	득점; 점수
season	간을 하다, 양념하다	계절, 철
sense	감지하다, 느끼다	감각, 느낌
shape	형태[모양]로 만들다	형태, 모양
share	공유하다; 나누다	몫; 주식
sign	서명하다; 계약하다; 신호를 보내다	서명; 계약; 기호; 표지판; 신호
signal	신호를 보내다	신호
sleep	(잠을) 자다	잠, 수면
smell	냄새를 맡다	냄새
spell	철자를 말하다[쓰다]	주문; (강한) 매력
spot	발견하다, 알아채다	점; 얼룩; (특정한) 지점
store	저장하다	저장, 비축; 가게, 상점
study	공부[연구]하다	공부, 연구
suit	어울리다; 맞다	옷, 정장
support	지지[지원]하다; 후원하다	지지, 지원; 도움
switch	바뀌다, 전환되다	전환
taste	맛이 나다	맛; 입맛; 취향
tear	찢다, 찢어지다	눈물

형태	동사의미	명사의미
lives	((live의 3인칭 단수형)) 살다	((life의 복수형)) 생명
look	보다	(쳐다)봄; 표정; (겉)모습
mirror	반영하다	거울; 충실히 반영하는 것
monitor	모니터[감시]하다	화면, 모니터
output	출력하다	생산; 출력
pace	속도를 유지하다; 보조를 맞추어 걷다	속도; 걷는 속도, 보조
pay	지불하다	보수, 임금
pet	쓰다듬다	반려동물
place	두다, 놓다	장소

형태	동사의미	명사의미
term	칭하다, 일컫다	용어; 기간; 학기
ticket	(교통 위반) 딱지를 발부하다	표, 입장권
time	시간을 맞추다	시간
trade	거래[무역]하다	거래, 무역
twist	꼬다, 비틀다	비틀기; 전환[전개]
will	~할[일] 것이다	의지; 유언장
witness	목격하다	목격자; 증인; 증언
wonder	궁금하다; 크게 놀라다	경이(로운 것)
work	일하다; 노력하다	일; 노력; 업무; 작품

❷ 형명동형-형용사와 명사의 형태가 같은 어휘 (p. 103)

형태	형용사의미	명사의미
blank	빈	빈칸
chief	주된, 가장 중요한	장, 우두머리
counter	반대의	계산대
elder	나이가 더 많은	나이가 더 많은 사람
fair	공정한; 상당한	박람회
fake	가짜의, 위조의	모조품, 위조품
favorite	가장 좋아하는	특히 좋아하는 물건
final	마지막의, 최종의; 최종적인	결승전
fine	좋은; 고운; 미세한	벌금
firm	딱딱한, 단단한; 단호한, 확고한	회사
folk	민속의	사람들
future	미래의	미래, 장래
general	일반적인; 종합적인	장군
giant	거대한	거인
ideal	이상적인; 상상의	이상(理想)
initial	처음의, 초기의	머리글자
inside	내부의, 안쪽의	내부, 안쪽
junior	손아래의, 연소의	손아랫사람; 후배, 하급자
kind	친절한	종류, 유형
last	마지막의; 지난, 가장 최근의	마지막 사람[물건]
light	밝은; 연한; 가벼운	빛; 전등
major	중요한, 주된	전공

형태	형용사의미	명사의미
maximum	최고의, 최대의	최고, 최대
middle	한가운데의, 중앙의	중앙, 가운데, 중간
minute	미세한, 극히	작은 분(分); 순간
musical	음악의, 음악적인	뮤지컬
noble	고결한, 숭고한; 귀족의	귀족
outside	외부의, 밖의	바깥쪽, 외부
patient	인내심 있는, 참을성 있는	환자
peak	절정기의, 최상의	절정, 정점; 봉우리, 꼭대기
professional	전문적인	전문가
right	옳은, 올바른	권리
round	둥근, 원형의	한 차례, 한 회
safe	안전한	금고
secret	비밀의	비밀
senior	손위의; 연장의; 상위의; 상급의; 선배의; 졸업반 학생의	연장자; 졸업반 학생
single	단 하나의; 1인용의; 독신인	독신자
solo	혼자서 하는, 단독의; 독주의	독주; 독주[독창]곡
square	정사각형 모양의	정사각형; 광장
top	꼭대기의, 맨 위의, 최고의	맨 위 (부분), 정상, 꼭대기; 윗면
welcome	반가운	환영
well	건강한; 좋은	우물
worth	가치가 있는	가치; 값어치

APPENDIX 09 틀리기 쉬운 스펠링

❶ 비슷한 철자를 가진 혼동 어휘

aboard(탄, 탑승한) abroad(해외에(서), 해외로)	ethical(윤리적인, 도덕상의) ethnic(인종[민족]의)	piece(조각) peace(평화)
access(접근(하다)) assess(평가하다)	expand(확장하다, 팽창시키다) expend((시간 등을) 들이다)	pray(기도하다) prey(먹이)
adapt(적응[조정]하다) adopt(채택하다; 입양하다)	fall(-fell-fallen)(떨어지다, 내리다) fell(-felled-felled)(~을 넘어뜨리다)	previous(이전[사전]의) precious(귀중한, 소중한)
advice(충고) advise(충고하다)	find(-found-found)(~을 찾다[발견하다]) found(-founded-founded)(~을 설립하다)	principal(주요한; 교장) principle(원칙, 원리)
arise(-arose-arisen)(발생하다) arouse(-aroused-aroused)(~을 불러일으키다)	formal(공식적인; 형식적인) former(예전의; 전자(前者)의)	quite(꽤; 완전히) quiet(조용한)
attitude(태도) altitude(고도)	hair(머리카락) heir(상속인)	raw(날것의, 익히지 않은) row(줄, 열; 배를 젓다)
bald(대머리의) bold(용감한; 굵은)	jealous(질투하는) zealous(열심인, 열성적인)	rise(-rose-risen)(오르다, 일어서다) raise(-raised-raised)(~을 올리다; ~을 제기하다; ~을 기르다[사육하다])
beside(~의 옆에) besides(~외에, 게다가)	leap(뛰다; 도약) reap(수확하다, 거두다)	saw(톱(질하다)) sew(바느질하다) sow((씨를) 뿌리다)
bizarre(기이한, 특이한) bazaar(시장, 마켓)	lie(-lied-lied-lying)(거짓말하다) lie(-lay-lain-lying)(놓여[누워] 있다; ~인 채로 있다) lay(-laid-laid-laying)(~을 놓다[낳다]; ~을 눕히다)	though(~에도 불구하고) thorough(철저한) through(~을 통해; ~ 내내) thought(생각)
compliment(칭찬(하다)) complement(보충(하다))	lose(지다) loose(느슨한; 풀어주다)	wind(-wound-wound)(굽어지다) wound(-wounded-wounded)(~에 부상을 입히다)
desert(사막) dessert(후식)	loyal(충실한, 충성스러운) royal(왕(실)의)	
diary(일기) daily(매일(의); 하루) dairy(유제품(의); 낙농의)	personal(개인의; 사적인) personnel((조직의) 직원)	

❷ 같은 철자가 반복되는 어휘

accessible(접근할 수 있는)	embarrass(당황하게 하다)	parallel(평행의; 평행하게 하다; ~와 유사[병행]하다)
accidentally(우연히, 뜻밖에)	grammar(문법)	possession(소유(물))
accommodate(수용하다)	interrupt(가로막다; 방해하다)	proceed(나아가다)
address(주소; 연설(하다))	millennium(천년(간))	professor((대학) 교수)
aggressive(공격적인)	narcissism(자기애)	recommend(추천하다; 권고하다)
assassination(암살)	necessary(필요한; 필수품)	successful(성공한; 성공적인)
beginning(시작)	occasion(경우; 이유)	succession(연속(물); 상속)
committee(위원회)	occurrence(사건; 발생)	tomorrow(내일)

❸ 철자와 발음이 일치하지 않는 어휘

archeology(고고학)	discipline(규율, 훈육)	receipt(영수증)
architect(건축가)	existence(존재)	resign(사임하다; 포기하다)
autumn(가을)	Fahrenheit(화씨 (온도))	rhythm(리듬, 박자)
business(사업; 용건)	fascinate(매료시키다)	scenario(극본)
campaign(캠페인; 선거 운동)	fasten(묶다; 잠그다)	scene(장면; 무대 장치)
castle(성)	foreign(외국의)	scent(냄새; 향기)

ceiling(천장)	humorous(재미있는, 유머러스한)	scissors(가위)
chemical(화학의)	island(섬)	subtle(미묘한)
choir(합창단)	knee(무릎)	technique(기술)
Christmas(크리스마스)	knife(칼)	thumb(엄지손가락)
climb(오르다, 등반하다)	know(알고 있다, 알다)	tongue(혀)
column(기둥; 칼럼)	knowledge(지식)	vacuum(진공; 진공청소기로 청소하다)
completely(완전히)	marriage(결혼)	village(마을)
conscious(의식[자각]하는; 의식적인)	muscle(근육)	Wednesday(수요일)
design(디자인; 설계(도))	psychology(심리학)	yoghurt[yogurt](요구르트)

❹ 철자가 익숙하지 않은 어휘

achieve(이루다, 성취하다)	longitude(경도)	receive(받다)
acquaintance(아는 사람; 지식)	maintenance(유지; 보수 (관리))	separate(분리하다; 분리된)
amateur(아마추어(의))	medieval(중세(풍)의)	unique(독특한; 특별한)
awkward(어색한, 서투른)	obsolete(구식의)	vinyl(비닐)
believe(믿다)	playwright(극작가)	weird(수상한; 기이한)
colleague(동료)	privilege(특권(을 주다))	yacht(요트)
genuine(진짜의; 진심의)	queue(줄(을 서서 기다리다))	yawn(하품하다)

RANK 77

고등 영어 서술형

쎈 쓸

정답 및 해설

씨뿔 쏨

RANK 77

고등 영어 서술형

정답 및 해설

Rank 01-11

RANK 01 주어-동사의 수일치 I
p.20

기출 대표 문항 & 답이 보이는 Clues

1 tends → tend　　2 evaporate → evaporates
1 tend　2 단수　3 복수　4 evaporates　5 단수

1 부정적인 감정의 마음 상태를 지속적으로 보여주는 집단의 리더는 따르는 사람이 더 적은 경향이 있다.
▶ 전명구(of groups)와 관계사절(who ~ states of mind)이 주어 Leaders를 각각 수식한다.

2 운하에 있는 물의 대부분은 더운 여름철 동안 증발하여, 그 나라의 물 이용 가능성에 대한 우려를 야기한다.
▶ 전명구(in the canals)가 앞의 명사 the water를 수식한다.

e.g. 세계에서 가장 잘 알려진 인사말 중 하나는 'hello'이다. (One에 수일치하여 단수동사 is를 쓴다.)

어휘 consistently 지속적으로; 일관되게　evaporate 증발하다　availability 이용 가능성; 유용성

Test 1

1 ○	2 × → have	3 ○
4 × → are	5 ○	6 × → supports
7 × → trigger		

1 내가 방문한 가게들에 있던 몇몇 가구는 고급 재료로 만들어져 있었다.
▶ 부분표현 Some of 다음에 나오는 명사에 동사를 수일치한다.

2 태양계의 나머지 행성들 또한 그것들만의 고유한 특성을 가지고 있다.

3 물질적 보상이나 외부의 인정을 수반할 수 있는 학업적 성공에 대한 보상들은 긍정적으로 들리지만, 그것들은 배움의 즐거움을 깎아내릴 수 있다.
▶ 부사절의 주어는 rewards이므로 복수동사 sound는 알맞다. 주어를 수식하는 전명구(for academic success)와 관계사절(which may ~ recognition) 내의 명사에 수일치하지 않도록 주의한다.

4 신문 읽기, 수학 문제 풀기, 또는 보고서 쓰기와 같은 정신적인 활동들은 신체와 두뇌 둘 다와 관계가 있다.

5 한 이상한 대회에서는, 세계에서 행실이 가장 나쁜 아이가 상을 받는다.
▶ whose ~ world는 주어를 수식하는 관계사절이다.

6 우리가 믿을 만한 자료에서 얻은 모든 정보는 우리의 조사 결과를 뒷받침하여, 불확실성의 여지를 남기지 않는다.

7 다수의 생리학적 연구에 의하여, 우리는 다른 민족적-인종적 범주의 구성원들과의 마주침이 비교적 안전한 환경에서조차도 스트레스 반응을 유발한다는 것을 안다.
▶ that이 이끄는 명사절의 주어는 encounters이므로 복수동사 trigger가 알맞다. 사이에 있는 전명구(with ~ categories)와 삽입어구(even ~ environment) 내의 명사에 수일치하지 않도록 주의한다.

어휘 incentive 보상(물); 장려책　external 외부의　take away from ~을 깎아내리다[폄하하다]; ~로부터 벗어나다　pleasure 즐거움, 기쁨　be concerned with ~와 관계가 있다　obtain 얻다　reliable 믿을 만한　room 여지　uncertainty 불확실성　physiological 생리학적인; 생리적인　encounter 마주침; (우연히) 마주치다　ethnic 민족의　racial 인종의　trigger (사건, 반응 등을) 유발하다　response 반응; 응답

Test 2

1 Opportunities to make a choice typically increase
2 One of his first contributions to water engineering was the invention
3 35 percent of coral reefs in a region of Western Australia were lost
4 The world that children share with peers shapes their behavior / modifies their innate traits / determines their futures
5 genetic engineering followed by cloning to produce many identical animals or plants leads to a threat

4 ▶ 문장의 주어 The world 뒤에 수식하는 관계사절(that children ~ peers)을 이어 쓰고, 세 개의 동사구를 콤마와 접속사 and로 병렬 연결한다.

5 ▶ 문장의 주어 genetic engineering 뒤에 수식하는 과거분사구(followed ~ plants)를 이어 쓴다. 과거분사구 안의 to부정사구(to produce ~ plants)는 앞의 명사 cloning을 수식한다.

어휘 opportunity 기회　contribution 공헌, 기여　engineering 공학　coral reef 산호초　region 지역, 지방　peer 또래　shape 형성하다　modify 바꾸다; 수정하다　innate 타고난, 선천적인　trait 특성, 특징　determine 결정하다　identical 똑같은, 동일한　threat 위협　diversity 다양성

RANK 02 주어-동사의 수일치 II
p.22

기출 대표 문항 & 답이 보이는 Clues

1 are → is　　2 depend → depends
3 have → has　　4 reflect → reflects
1 단수　2 단수　3 단수　4 복수　5 단수　6 복수　7 is
8 depends　9 has　10 reflects

1 그룹으로 일하는 것은 결코 쉽지 않지만 여러분의 상상을 초월하는 결과를 낳을 수 있다.
▶ v-ing구(명사구)+단수동사

2 오늘날 주가가 오르느냐 내리느냐는 다양한 요인들의 복합적인 상호 작용에 달려 있다.
▶ whether절(명사절)+단수동사

3 나는 그 조직들 내에서 취해진 모든 조치가 일관되게 옳았다고 믿는다.
▶ every ~+단수동사

4 전자상거래 플랫폼을 통해 물건을 구매하는 사람들의 수는 온라인 쇼핑이 제공하는 큰 편리함과 접근 가능성을 반영한다.
▶ the number of ~+단수동사

cf. 학생들과 선생님 모두 다가오는 수학여행에 신이 나 있다. (both (~)+복수동사) / *cf.* 많은 사람들이 노숙자를 위한 연례 음식 기부 행사를 조직하는 것을 돕겠다고 자원했다. (a number of+복수명사+복수동사)

어휘 yield (결과를) 낳다, 가져오다　stock price 주가, 주식 가격　interplay 상호 작용　factor 요인　action 조치; 행동　purchase 구매하다　accessibility 접근 가능성

Test 1

1 × → shapes	2 × → has
3 ○	4 × → were

1 신문 기사의 헤드라인이 시사하는 것이 종종 독자들의 기사에 대한 초기 인식을 형성한다.
▶ 관계대명사 what절(명사절)+단수동사

2 일상을 살아가는 각각의 사람은 할 이야기가 있고, 영화를 만드는 것은 그것을 이야기하는 효과적인 방법이다.
▶ each ~+단수동사

3 실내에서 간접적으로 담배 연기를 들이마실 수밖에 없게 되는 것은 많은 사람들이 인식하고 있는 것보다 더 해롭다.
▶ v-ing구(명사구)+단수동사

4 1930년대 대공황 시기 동안, 갑작스러운 해고로 인한 실업자들은 경기 침체라는 혹독한 현실 속에서 심각한 재정적 어려움에 직면해 있었다.
▶ the unemployed는 '실업자들'을 뜻하며 복수 취급한다.

어휘 imply 시사하다, 암시하다 initial 초기의, 처음의 perception 인식; 지각 effective 효과적인 inhale (숨, 연기 등을) 들이마시다 second-hand 간접의; 중고의 tobacco 담배 indoors 실내에서 sudden 갑작스러운 layoff 해고 financial 재정의 harsh 혹독한, 가혹한 economic downturn 경기 침체

Test 2

1 has a profound impact on your weight control and overall health
2 Children under the age of four think that everyone around them knows
3 How he managed to successfully complete the marathon / remains a mystery
4 having the ability to take care of oneself without depending on others is

2 ▶ think의 목적어로 접속사 that이 이끄는 명사절을 쓰는데, 명사절의 주어 everyone은 단수 취급하므로 단수동사 knows로 바꿔 쓴다.

3 ▶ 의문사 How가 이끄는 명사절을 주어로 쓰고, 명사절 주어는 단수 취급하므로 단수동사 remains로 바꿔 쓴다.

4 ▶ 접속사 that이 이끄는 명사절의 주어(having ~ others)는 동명사구이므로 단수 취급하여 단수동사 is로 바꿔 쓴다.

어휘 on a daily basis 매일 profound 엄청난; 심오한 manage to-v (어떻게든) v해내다, 간신히 v하다 take care of ~을 돌보다

RANK 03 능동 vs. 수동_단순시제 I p.24

1 능동 2 수동

기출 대표 문항 & 답이 보이는 Clues

1 ○	2 × → is created	3 × → was praised
3 주어 4 involves	5 선행사 6 is created	7 was praised

1 식욕 증진에 대한 많은 전문가들의 조언은 여러 다채롭고 영양가가 높은 음식을 식단에 더하는 것을 포함한다.

2 우리는 모두 심장 박동에 의해 만들어지는 체내의 자연 리듬을 지니고 있다.

3 그 요리사는 맛있는 식사를 준비하여 식당의 손님들에게 칭찬받았다.

어휘 appetite 식욕; 욕구 nutritious 영양가가 높은 diner 식사하는 손님[사람]

Test 1

1 crafted → was crafted	2 establish → be established
3 is inspired → inspires	4 affecting → affected
5 employ → are employed	

1 우리 가족이 대대로 물려받은 골동품 시계는 섬세한 조각으로 화려하게 장식된 외관을 갖췄고 복잡한 장치들로 공들여 만들어졌다.
▶ The antique clock이 '공들여 만들어진' 것이므로 주어와 동사는 수동관계이다. 태가 다른 동사 had에 태를 일치시키지 않도록 주의한다.

2 초기 행동주의자들을 포함한 많은 심리학자들의 관점에서, 이기적인 인간의 본성을 우선 통제하지 않고서는 사회집단의 유지가 확립될 수 없다.
▶ the maintenance가 '확립될 수 없는' 것이므로 주어와 동사는 수동관계이다. 조동사를 포함한 수동태의 형태는 <조동사+be+p.p.>이다.

3 요리법이 간단할 때, 요리사들은 그것을 그들이 창의력과 상상력을 사용하도록 영감을 주는 요리 실험으로 쉽게 바꿀 수 있다.
▶ that이 이끄는 관계사절의 선행사 a culinary experiment가 '영감을 주는' 것이므로 선행사와 관계사절의 동사는 능동관계이다.

4 여러분이 여러분의 예술품을 지역 미술 박람회에서 구매자에게 직접 팔든 미술관을 통해 팔려고 내놓든 간에, 가격은 영향을 받아서는 안 된다.
▶ your prices가 '영향을 받지' 않아야 하는 것이므로 주어와 동사는 수동관계이다.

5 강하고 내구성 있는 특성 때문에, 영국의 참나무는 유럽 전역에서 건축에 사용된다.
▶ oak trees가 '사용되는' 것이므로 주어와 동사는 수동관계이다.

어휘 antique 골동품인; 골동품 inherit 물려받다, 상속받다 exterior 외관; 외관상의 delicate 섬세한; 정교한 engraving 조각(술); 조판(彫版) craft 공들여 만들다 intricate 복잡한 gear 장치 maintenance (수준, 상태 등의) 유지 establish 확립하다; 수립하다 turn A into B A를 B로 바꾸다 culinary 요리의, 음식의 inspire 영감을 주다 durable 내구성이 있는 employ 사용하다; 고용하다

Test 2

1 A novel often loses much of its interest / the plot is known
2 Judgments about the flavor of food are influenced by predictions
3 A family where more than one language is spoken might increase the time
4 to reuse second-hand items in their local community that might be discarded
5 Each of the hundred billion neurons in our brains is programmed / creates an intricate web

1 ▶ A novel이 그것의 흥미를 '잃는' 것이므로 능동형 loses를 쓰고, the plot이 '알려지는' 것이므로 수동형 is known을 쓴다.

2 ▶ Judgments가 '영향을 받는' 것이므로 수동형 are influenced를 쓴다.

3 ▶ where가 이끄는 관계부사절 내에서는 언어가 '말해지는' 것이므로 수동형 is spoken을 쓴다. 주절에서는 A family가 시간을 '늘리는' 것이므로 능동 관계이고 앞에 조동사 might가 있으므로 동사원형 increase를 쓴다.

4 ▶ that이 이끄는 관계사절의 선행사 second-hand items가 '버려지는' 것이므로 수동관계이고 앞에 조동사 might가 있으므로 be discarded로 쓴다.

5 ▶ <each ~>는 단수 취급하므로 단수동사를 쓴다. 천억 개의 뉴런 각각이 협

력하도록 '짜이는' 것이므로 수동형 is programmed를 쓰고, 복잡한 망을 '만들어 내는' 것이므로 능동형 creates를 쓴다.

어휘 plot 줄거리 beforehand 미리, 사전에 judgment 판단 appearance 외관, 겉모습 sustainable (환경 파괴 없이) 지속 가능한 enable A to-v A가 v할 수 있게 하다 otherwise 그렇지 않으면 neuron 뉴런, 신경 세포 *cf.* neural 신경의 collaborate 협력하다

RANK 04 능동 vs. 수동_단순시제 II p.26

기출 대표 문항 & 답이 보이는 Clues

① 1, reproduced / ② 4, associated with
1 주어 2 동사 3 reproduced 4 수동태 5 emerge
6 were looked at 7 was associated with

1 고대에는, 사람들이 종종 손재주와 수년간의 헌신적인 연습에 의존하여 손으로 지도를 복사했다.
▶ by hand는 '손으로'라는 의미로 방법, 수단을 뜻한다.

2 흔히 사용되는 연료에 대한 대체 에너지가 더 깨끗한 환경을 위해 곧 등장할 것이다.
▶ emerge는 '등장하다, 나타나다'라는 뜻의 자동사이다.

3 그는 모든 입사 지원서를 주의 깊게 검토하며, 반드시 각 지원자의 자질과 경력이 상세하게 검토되도록 했다.
▶ 구동사 look at은 '검토하다, 살피다'의 뜻으로 쓰였다.

4 북미에서, 가족을 위한 옷을 바느질하는 일은 여성과 연관되어 있었는데, 이는 역사적인 성 규범과 가정의 의무를 반영했다.

어휘 ancient 고대의 reproduce 복사하다; 번식하다 rely on ~에 의존하다 craftsmanship 손재주, 솜씨 dedicated 헌신적인, 전념하는 alternative 대체의 ensure 반드시 ~하게 하다 qualification 자질, 자격 candidate 지원자; 후보자 sew 바느질하다 reflect 반영하다; 반사하다 norm 규범; 표준 household 가정의; 가정 duty 의무

Test 1

1 was laughed at　　2 disappear
3 is regarded as　　4 indicate

1 한 획기적인 발견에 대한 그의 가설은 처음에는 동료 과학자들에게 비웃음을 당했지만, 추가 연구가 그의 연구 결과의 타당성을 확인해 주었다.

2 많은 언어학자들이 현재 존재하는 전 세계의 6,000개 언어들 중 적어도 절반은 50년 이내에 사라질 것으로 예측한다.
▶ disappear는 '사라지다'라는 의미의 자동사이다.

3 오늘날 일반적으로, 건강은 개인적인 특성으로 간주되는데, 이는 유전적인 조건에서 시작하여 환경 조건과 의료의 상관적 요소로서 시간이 지남에 따라 진화한다.
▶ <regard A as B>가 수동태로 표현된 문장이다. is regarded 뒤에 전명구가 그대로 와야 하므로 as를 바로 이어 쓴다.

4 포유류와 조류 모두 일반적으로 소리로 자신의 존재를 나타내지만, 조류가 낼 수 있는 유의미한 소리의 범위와 필적할 수 있는 포유류는 거의 없다.
▶ both mammals and birds가 존재를 '나타내는' 것이므로 능동태를 써야 한다. 여기서 by sound는 문맥상 방법, 수단을 뜻한다.

어휘 hypothesis 가설 groundbreaking 획기적인 fellow 동료의; 동료 further 추가의; 더 멀리 confirm 확인해 주다, 사실임을 보여주다 linguist 언어학자 function 상관적 요소; 기능 mammal 포유류 presence 존재(함); 참석 match 필적하다, 대등하다; 어울리다

Test 2

1 the product is criticized for some drawbacks / remains one of the best sellers
2 was looked up to due to his lifelong commitment to modernizing the work culture
3 The negotiations between the two countries will take place in a neutral location
4 such things occur / your vision should be reviewed to fit
5 begin relationships by revealing relatively little about ourselves / our initial self-disclosure is received

1 ▶ Although가 이끄는 부사절은 <criticize A for B>를 이용해서 영작한다. the product가 '비난받는' 것이므로 수동형 is criticized로 쓰고, 전명구는 그대로 와야 하므로 for를 이어 쓴다. 주절은 자동사 remains를 써서 완성한다.

2 ▶ 구동사 look up to는 '~을 존경하다'의 의미로 수동태에서도 한 덩어리로 움직여야 한다.

3 ▶ take place는 '개최되다'라는 의미의 자동사이다.

4 ▶ When이 이끄는 부사절의 동사 occur는 '일어나다'라는 의미의 자동사이다. 주절의 주어 your vision이 '재검토되어야 하는' 것이므로 조동사 수동형 should be reviewed로 쓴다.

5 ▶ 첫 번째 문장에서 begin은 '시작하다'라는 의미의 타동사이고, <by v-ing>는 'v함으로써'라는 의미이다. 두 번째 문장의 If가 이끄는 부사절에서 주어인 our initial self-disclosure가 '받아들여지는' 것이므로 수동형 is received로 쓴다.

어휘 criticize 비난하다, 비판하다 drawback 결점, 문제점 lifelong 평생 동안의 commitment 헌신; 전념 modernize 현대화하다 negotiation 협상, 협의 neutral 중립의 facilitate 가능하게 하다; 촉진하다 diplomatic 외교(상)의 resolution (문제 등의) 해결

RANK 05 현재분사 vs. 과거분사_명사 수식 p.28

기출 대표 문항 1 & 답이 보이는 Clues

1 recommended　　2 connecting
1 v-ing 2 p.p. 3 recommended 4 connecting

1 만약 여러분이 한 개의 작은 초콜릿 바를 먹는다면, 여러분의 하루 당 섭취량은 이미 권장량을 초과한다.

2 지역 주민들은 통근 시간 때문에 도심과 교외를 곧장 연결하는 터널을 항상 간절히 바라왔다.

어휘 intake 섭취(량) exceed 초과하다, 넘다 resident 주민, 거주자 long 간절히 바라다 downtown 도심(지) suburb 교외 commute 통근; 통근하다

Test 1

1 preferring → preferred　　2 ○
3 conveyed → conveying　　4 ○

1 선호되는 수면 자세는 수면과 관련된 문제들과 여러분의 수면의 전반적인 질에 중대한 영향을 미칠 수 있다.
▶ 수식받는 명사 sleeping position이 '선호되는' 것이므로 수동관계이다. 과거분사 preferred는 단독으로 명사를 수식하므로 명사 앞에 왔다.

2 산업혁명 이래로, 기술의 발전은 현대 세계의 진화하고 있는 수요에 대응하여 직장에서 요구되는 기술의 본질을 변화시켜 왔다.
▶ 수식받는 명사 skills가 '요구되는' 것이므로 수동관계이고, 과거분사 needed 뒤에 딸린 어구가 있으므로 명사 뒤에 왔다. 현재분사 evolving은 '진화하고 있는'을 의미한다.

3 우리가 긍정적인 생각이나 감정을 전달하는 단어를 표현할 때, 우리의 뇌는 우리가 기쁨을 느끼게 만드는 화학 물질을 방출하도록 활성화된다.
▶ 수식받는 명사 words가 긍정적인 생각이나 감정을 '전달하는' 것이므로 능동관계이다.

4 변화하고 있는 환경에 가장 적합한 적응을 부여받은(가장 적합하게 적응한) 개체만이 살아남을 것이며, 그것이 종(種)이 계속해서 진화하는 방법이다.
▶ 수식받는 명사 individuals가 가장 적합한 적응을 '부여받은' 수동관계이므로 과거분사 endowed는 알맞다. 현재분사 changing은 '변화하고 있는'을 의미한다.

어휘 nature 본질, 본성 in response to ~에 대응하여 demand 수요; 요구 convey 전달하다 activate 활성화시키다 release 방출하다; 놓아 주다 individual (생물, 철학 등의) 개체, 개개의 구성체; 개인 endow A with B A에게 B를 부여하다 adaptation 적응; 적합

기출 대표 문항 2 & 답이 보이는 Process

Donations used to benefit the homeless are given to a charity
5 used 6 are given

어휘 benefit 이익을 주다; 혜택 charity 자선 단체

Test 2

1 The attending volunteers will participate in a two-day training session run by the volunteer coordinator
2 The success of any marketing strategy implemented by a retail business / consumers playing a large role in making purchase decisions
3 Some of them were employed workers / enjoyed benefits like healthcare and retirement plans provided by their employers

1 ▶ volunteers가 '참석한' 것이므로 현재분사 attending으로 변형하고, 딸린 어구가 없으므로 명사 앞에 쓴다. 이어서 a two-day training session이 '운영되는' 것이므로 과거분사 run을 딸린 어구와 함께 명사 뒤에 쓴다.

2 ▶ any marketing strategy가 '시행되는' 것이므로 과거분사 implemented로 변형하고 딸린 어구와 함께 명사 뒤에 쓴다. 이어서 consumers가 역할을 '하는' 것이므로 현재분사 playing으로 변형하여 딸린 어구와 함께 명사 뒤에 쓴다.

3 ▶ workers가 '고용된' 것이므로 과거분사 employed로 변형하고, 딸린 어구가 없으므로 명사 앞에 쓴다. 이어서 healthcare and retirement plans가 '제공되는' 것이므로 과거분사 provided를 딸린 어구와 함께 명사 뒤에 쓴다.

어휘 participate in ~에 참여[참가]하다 coordinator 진행자 assignment 할당된 일, 임무; 배정 implement 시행하다 retail 소매의; 소매 play a role in ~에서 역할을 하다 make a decision 결정하다 paycheck 급여, 급료

RANK 06 분사구문

p.30

1 분사 2 같다

기출 대표 문항 & 답이 보이는 Process

creating
3 능동 4 수동

수백 개의 물고기 꼬리가 반짝거리고 태양 빛을 받으면서, 황홀한 장면을 만들어 내고 있었다.
▶ Hundreds of fish tails가 장면을 '만들어 내는' 능동의 의미이다.

어휘 dazzling 황홀한; 눈부신

Test 1

1 × → allowing 2 ○
3 × → Seen, × → seen 4 × → encountering
5 ○

1 행복한 직원들이 더 열심히 일하기 때문에 업무 만족감은 생산성을 높여서, 그들이 더 낮은 비용으로 더 많은 것을 생산할 수 있게 해준다.
▶ 의미상의 주어 Job satisfaction이 그들이 생산하는 것을 '가능하게 하는' 것이므로 능동관계이다.

2 사회의 압력과 기대에 이끌려, 우리는 다른 사람들이 우리가 하기를 바라는 것을 쉽게 따르고 진정으로 우리 개인의 자아와 맞는 것을 추구하지 않는다.
▶ 의미상의 주어 we가 사회의 압력과 기대에 '이끌리는' 것으로 수동관계이다.

3 지구에서 보일 때 달은 빛나는 것처럼 보이지만, 우주에서 보일 때 그것은 거의 그렇게 밝지 않다.
▶ 첫 번째 밑줄 친 부분의 의미상의 주어 the moon이 지구에서 '보이는' 것이므로 수동관계이다. 두 번째 밑줄 친 부분의 의미상의 주어 it은 문맥상 앞의 명사 the moon을 가리키고, the moon이 우주에서 '보이는' 것이므로 수동관계이다. 과거분사 앞에 being을 쓸 수 있으나 한 단어로 고쳐야 하므로 생략한다.

4 걸어 다니는 휴머노이드 로봇인 HUBO는 차량을 빠르게 운전할 수 있었고, 장애물을 만나면 그것을 피하려고 차량을 부드럽게 돌릴 수 있었다.
▶ 의미상의 주어 it(= HUBO)이 장애물을 '만나는' 것이므로 능동관계이다.

5 가뭄이 발생하면, 첫 번째 결과는 농부들이 그만큼 물을 사용할 수 없어서, 우리가 먹어야 하는 농작물을 더 적게 생산한다는 것이다.
▶ 의미상의 주어 farmers가 농작물을 '생산하는' 것이므로 능동관계이다. 분사구문 앞에 여러 개의 절이 있는 경우, 의미상의 주어를 바르게 판단하는 것이 중요하다.

어휘 satisfaction 만족(감) productivity 생산성 societal 사회의 pressure 압력, 압박 pursue 추구하다 align 나란하다; 일직선으로 맞추다 barrier 장애물

Test 2

1 Facing a problem that is unfamiliar to us
2 preventing feelings of guilt that might arise from doing so
3 Known for their size, height, and beauty
4 forcing your body to work during the night and early hours of the morning
5 given for too little accomplishment or effort

1 ▶ 의미상의 주어 we가 문제에 '직면하는' 것이므로 현재분사 Facing으로 바꿔 쓴다. that ~ us는 a problem을 수식하는 관계사절이다.

2 ▶ 의미상의 주어 Most of us가 죄책감을 '예방하는' 것이므로, 현재분사 preventing으로 바꿔 쓴다. that ~ so는 feelings of guilt를 수식하는 관계사절이다.

3 ▶ 의미상의 주어 the Himalayas가 '알려져 있는' 것이므로 과거분사 Known으로 바꿔 쓴다.

4 ▶ 의미상의 주어 Heavy meals가 '강요하는' 것이므로 현재분사 forcing으로 바꿔 쓴다.

5 ▶ 등위접속사 but이 절 두 개를 병렬 연결하고 있으므로, 분사구문의 의미상 주어는 but 이하에서 찾는다. 의미상의 주어 it은 문맥상 앞의 명사 Praise를 가리키고, 칭찬이 '주어지는' 것이므로 과거분사 given으로 바꿔 쓴다.

어휘 relevant 관련 있는 assert (강하게) 주장하다 prevent 예방하다 digest (음식을) 소화하다 critical 대단히 중요한; 비판적인 self-esteem 자존감 accomplishment 성취

RANK 07 동사+목적어+보어 I

p.32

기출 대표 문항 1 & 답이 보이는 Clues

1 control → to control 2 to seem → seem
1 to-v 2 to control 3 v 4 seem

1 여러분의 과거 경험은 여러분이 그것들이 여러분을 통제하도록 허락하는 경우에만 오늘의 꿈을 훔치는 도둑이다.

2 우리가 말할 때, 서두르는 것은 우리의 말이 덜 중요해 보이도록 만든다.

어휘 hurry 서두르다

Test 1

1 ○ 2 ○
3 to stop → stop 4 spread → to spread

1 그들은 발코니에서 작은 허브 정원을 시작하기 위해 몇몇 식물을 원했지만, 햇빛이 부족하여 대부분의 허브가 성공적으로 자라게 할 수 없었다.
▶ to start ~ balcony는 목적을 나타내는 부사적 역할의 to부정사구이다.

2 아이작 뉴턴은 사과가 나무에서 떨어지는 것을 단지 지켜보기만 하지 않았다. 그 관찰로부터 그는 왜 그것이 떨어졌는지를 알아낼 수 있었다.

3 학급 발표를 준비함에 있어서, 그 교사는 학생들이 개별적으로 일하는 것을 멈추도록 했고 어떻게 둘씩 짝을 지어 효과적으로 협력할지에 대한 지침을 제공했다.

4 인쇄기는 손으로 쓰는 것보다 정보를 수천 배 더 빠르게 복사할 수 있었고, 그것은 지식이 이전 어느 때보다 훨씬 더 빠르고, 최대한 정확하게 퍼져 나갈 수 있게 해주었다.

어휘 lack 부족 observation 관찰 figure out 알아내다, 이해하다 in pairs 둘씩 짝을 지어 printing press 인쇄기

기출 대표 문항 2 & 답이 보이는 Process

make children feel their limitations and helplessness
5 make 6 children
7 feel their limitations and helplessness

어휘 limitation 한계 helplessness 무력함; 난감함

Test 2

1 Commercials persuade potential customers to purchase their products or services
2 Misinformation about sharks leads people to be afraid of them
3 telescopes let us see / microscopes help us (to) see
4 have inspired sedentary people to take up exercise / encouraged people who aren't very active to exercise

1 ▶ 동사 persuade의 목적격보어로 to purchase가 와야 한다.

2 ▶ 동사 leads의 목적격보어로 to be가 와야 한다.

3 ▶ 동사 let의 목적격보어로 see가, 동사 help의 목적격보어로 see 또는 to see가 와야 한다.

4 ▶ 등위접속사 and로 두 개의 동사구가 병렬 연결되어 있고 encouraged 앞에는 반복되는 조동사 have가 생략되어 있다. 동사 have inspired의 목적격보어로 to take up이, 동사 (have) encouraged의 목적격보어로 to exercise가 와야 한다. who aren't very active는 두 번째 동사구의 목적어(people)를 수식하는 관계사절이므로 people 뒤에 위치시킨다.

어휘 commercial 광고 (방송); 상업적인 misinformation 잘못된 정보 telescope 망원경 microscope 현미경 take up 시작하다; (시간, 공간을) 차지하다 consistently 지속적으로; 일관되게

RANK 08 동사+목적어+보어 II

p.34

기출 대표 문항 & 답이 보이는 Clues

1 ○ 2 involving → involved
1 v-ing 2 screaming 3 p.p. 4 involved

1 경기 도중에, 나는 구조 요원이 "물에서 나오세요!"라고 소리치고 있는 것을 들었다.

2 우리는 교육과 인식 캠페인을 통해 사람들이 멸종 위기에 처한 종을 보호하는 데 참여하도록 해야 한다.

어휘 in the middle of ~의 도중에 endangered 멸종 위기에 처한 awareness 인식; 의식

Test 1

1 ○ 2 fixing → fixed 3 ○
4 struggled → struggling[struggle] 5 ○

1 여러분의 부정적인 감정들은 긍정적인 감정들을 감춰진 채로 두면서 결국 여러분을 맥 빠지게 만들 수 있다.
▶ 동사 leave는 목적어와 목적격보어의 관계가 수동일 때, 목적격보어로 p.p.를 쓴다.

2 강 하류로 래프팅을 하는 동안, Sophia는 바위에 세게 부딪히는 물살에 주목하면서 배에 단단히 고정된 상태로 계속 있었다.
▶ 목적어인 herself가 배에 '단단히 고정된' 것이므로, 목적어와 목적격보어는 수동관계이다.

3 두 소년이 해변에서 놀다가 자신들이 담요처럼 해변을 뒤덮은 작은 바다 동물들 사이를 걷고 있는 것을 알게 되었다.

4 그들은 아무 말도 없이 서서 물고기가 거센 물살을 헤쳐 나아가려고 애쓰고 있는 것을 지켜보고 있었다.

5 일시적으로 유행하는 몇몇 다이어트는 여러분이 계속 열량이 부족하게 할지도 모르는데, 이것이 체중 감량을 촉진할지도 모르지만, 실제로 근육량의 손실을 야기할 수도 있다.

어휘 drag down ~을 맥 빠지게 만들다 downstream (강의) 하류로 firmly 단단히, 굳게 crash 부딪히다 struggle 애쓰다, 분투하다 navigate 항해하다; 길을 찾다 current (물, 공기의) 흐름; 현재의 deficit 부족 mass 양; 질량; 덩어리

Test 2

1 the city council should have the road repaired
2 The conference organizers want the abstracts for the meeting reviewed
3 you feel your heart beating[beat] or your breath quickening[quicken]
4 The unexpected malfunction in the spacecraft's communication system made the status of the mission jeopardized
5 Observing the city skyline / noticed the lights illuminating[illuminate] the buildings

1 ▶ 목적어인 the road가 '수리되는' 것이므로 목적어와 목적격보어는 수동관계이다.

2 ▶ 목적어인 the abstracts가 '검토되는' 것이므로 목적어와 목적격보어는 수동관계이다.

3 ▶ 목적어인 your heart가 '고동치고' your breath가 '빨라지는' 것이므로 목적어와 목적격보어는 능동관계이다.

4 ▶ 목적어인 the status가 '위험에 빠지는' 것이므로 목적어와 목적격보어는 수동관계이다.

5 ▶ 의미상의 주어 I가 '관찰하는' 것이므로 분사구문으로 Observing ~을 쓴다. 이어서 문장의 목적어 the lights가 건물을 '비추는' 것이므로 목적어와 목적격보어는 능동관계이다.

어휘 council 의회 conference 회의 thoroughly 철저히; 대단히 relevance 적합성; 관련성 merit 이점; 가치 quicken 빨라지다, 빠르게 하다 unexpected 예기치 않은 malfunction 오작동 illuminate (빛을) 비추다

RANK 09 등위접속사의 병렬구조

p.36

기출 대표 문항 & 답이 보이는 Process

× → emphasized
1 병렬 2 emphasized

지난주에, UN은 바이오 연료가 위험한 부작용이 있을 수 있다고 경고했고 바이오 연료 생산을 위해 전환되는 땅으로부터의 환경적 손상을 예방할 필요성을 강조했다.

e.g. 한 작곡가는 그의 연주에 감탄했고 자신의 작품을 공연하기 위해 그를 고용했다.

어휘 convert 전환하다; 바꾸다 composition 작품; 구성

Test 1

1 ○ 2 ○ 3 × → stopped
4 × → cost 5 × → (to) decrease

1 구매되기 전에 어떤 방식으로 접촉되거나 경험되는 것에서 득을 보는 많은 상품들이 있다.
▶ 문맥상 from 뒤의 동명사구 being touched와 (being) experienced가 접속사 or로 병렬 연결된다. 반복되는 being은 생략되어 있다.

2 약 6,000년 전까지, 많은 사람들은 먹이를 사냥하고 (가축이) 먹을 수 있는 충분한 식량이 있는 지역으로 그들의 가축을 이동시키기 위해 일 년 내내 다른 여러 장소에서 살았다.
▶ 문맥상 '목적'을 나타내는 to부정사인 to hunt와 (to) move가 접속사 and로 병렬 연결된다. 반복되는 to는 생략되어 있다.

3 연구원들은 대학생들에게 경기장을 가로질러 달리는 축구 선수들의 영상을 보여줬는데 그들이 선수들의 움직임에 집중하기 시작했을 때 영상을 멈췄다.
▶ 문맥상 문장의 동사 showed와 접속사 but으로 병렬 연결된다.

4 혁신에 대한 우리의 미래 책무는 현재 모델보다 상당히 더 빠른 속도를 달성하지만 상당히 더 적은 에너지를 소비하는 모델을 만드는 것을 포함한다.
▶ 문맥상 관계대명사절의 동사 achieve와 접속사 but으로 병렬 연결된다.

5 전 세계적으로, 공익 광고는 에너지 절약을 증진하거나 안전벨트의 사용을 촉진함으로써 교통사고를 감소시키는 효율적인 방법임이 판명되었다.
▶ 문맥상 앞의 명사와 동격을 이루는 to부정사인 to foster와 접속사 or로 병렬 연결된다.

어휘 benefit 득을 보다; 혜택, 이득 livestock 가축 entail 포함하다, 수반하다 significantly 상당히; 의미 있게 considerably 상당히, 많이

Test 2

1 an attempt to halt the decline of a language spoken by a minority or to revive an extinct one
2 by observing things differently and thus coming up with ideas that were original
3 are used to create a type of chemical that is safe for the environment and make biofuels
4 are muscle cells that can sustain repeated contractions / but don't generate a lot of quick power
5 without worrying about success and failure or being concerned about their position in society

1 ▶ 문장의 보어 an attempt의 동격어구인 두 개의 to부정사구가 or로 병렬 연결된다. a language가 소수의 사람들에 의해 '말해지는' 것이므로 speak는 과거분사 spoken으로 바꾸고 딸린 어구가 있으므로 명사 뒤에서 수식한다.

2 ▶ 전치사 by 뒤에는 동사원형 그대로 쓸 수 없으므로 observe와 come up with를 동명사 observing과 coming up with로 바꿔 접속사 and로 병렬 연결한다. 접속사와 coming up with 사이에 삽입어구 thus가 왔다.

3 ▶ are used 다음에 오는 두 개의 to부정사구가 접속사 and로 병렬 연결된다. '단어 추가 불가' 조건이 있으므로 and 뒤에 나오는 make 앞에는 to를 생략하고 쓴다.

4 ▶ muscle cells를 수식하는 관계사절 내의 두 개의 동사구가 접속사 but으로 병렬 연결된다.

5 ▶ 전치사 without의 목적어 두 개가 접속사 or로 병렬 연결된다. 전치사 뒤에는 동명사(v-ing) 형태가 와야 하므로 worrying, being으로 변형한다.

어휘 revitalization 되살리기; 재활성화 halt 멈추다, 중단시키다 extinct 소멸한; 멸종된 come up with ~을 떠올리다 muscle fiber 근섬유 sustain 견디다; 지속시키다 contraction 수축, 축소 prolonged 장기적인, 오래 계속되는

RANK 10 상관접속사의 병렬구조 p.38

기출 대표 문항 & 답이 보이는 Process

not only works closely with colleagues who are engaged in similar research / but also collaborates with students who contribute critical ideas

▶ 주어가 단수이므로 병렬 연결된 두 개의 동사구도 단수로 쓴다.

e.g. 점심 식사나 박물관 입장료가 가격에 포함된다. / *e.g.* 그의 이야기뿐만 아니라 그의 사진들도 전 세계적으로 신문에 실렸다.

어휘 collaborate 협력하다 contribute 기여하다

Test 1

1 × → have 2 ○ 3 × → (to) weed out

1 극단의 연출가 또는 제작자들이 캐스팅 결정에 있어 최종 결정권을 갖는다.
▶ <either A or B>가 주어일 때 동사는 B에 수일치시킨다.

2 유명한 건축가인 Frank Lloyd Wright는 건축에 대한 그의 획기적인 접근법과 그가 '형태는 기능을 따른다'라는 원칙을 따른 것 둘 다로 기억된다.
▶ for가 이끄는 두 개의 전명구가 <both A and B>로 병렬 연결된다.

3 실험은 우리로 하여금 단지 우리의 이론이 옳다는 것을 증명할 뿐만 아니라 그 증거와 맞지 않는 것들을 제거하게 해준다.
▶ 문장의 동사 allows의 목적격보어 두 개가 상관접속사 <not merely A but B>로 병렬 연결된다. 반복되는 to는 생략이 가능하므로 to weed out 또는 weed out으로 고친다.

어휘 have the final say 최종 결정권을 갖다 revolutionary 획기적인, 혁명적인 weed out (불필요한 것을) 제거하다

Test 2

1 neither checked for validity nor confirmed by external experts
2 Various outlets for emotions as well as a balanced workout for one's body are
3 both promoting kids' self-motivation to learn and developing a deeper understanding of the subject matter
4 not because they don't know how to think / but because they don't know how to stop thinking and remain open to new or unlikely possibilities
5 either by seeking the least number of principles covering all observations or by finding general patterns drawn from individual phenomena

1 ▶ 수동태를 이루는 두 개의 p.p.가 <neither A nor B>로 병렬 연결된다.

2 ▶ <B as well as A>가 주어일 때 동사는 B에 수일치시킨다. B는 Various outlets이고 현재의 일반적인 사실에 대해 말하고 있으므로 are로 바꿔 쓴다.

3 ▶ 전치사 at의 목적어인 두 개의 동명사구가 상관접속사 <both A and B>로 병렬 연결된다.

4 ▶ <not A but B>가 because가 이끄는 두 개의 절을 병렬 연결한다.

5 ▶ 'v함으로써'를 의미하는 by가 이끄는 두 개의 전명구가 <either A or B>로 병렬 연결된다. 괄호 안의 어구에 by가 두 개 주어졌으므로 접속사 or 뒤의 반복되는 by를 생략하지 않는다.

어휘 validity 타당성; 유효함 narrative 서술의; 이야기 unlikely 예상 밖의 seek 찾다; 추구하다 cover 포함하다; 씌우다 draw (결론 등을) 도출하다 phenomenon 현상((복수형 phenomena))

RANK 11 동사의 목적어가 되는 to-v, v-ing p.40

기출 대표 문항 & 답이 보이는 Clues

1 × → to imitate 2 ○ 3 × → doing
1 to-v 2 v-ing 3 to imitate 4 developing 5 doing

1 사람들이 집단적으로 행동할 때, 우리는 보통 다른 이들이 하는 것을 따라 하기를 선택한다.

2 행복으로 가는 진정한 길은 감사하는 태도를 기르는 것을 포함한다.

3 나는 영어 프로젝트에 최선을 다하지 않은 것을 후회했다. 최종 점수는 내 평균에 영향을 미쳤다.

어휘 collectively 집단적으로 imitate 따라 하다, 모방하다

Test 1

1 ○ 2 × → to stay 3 × → being
4 ○ 5 × → beating

1 어떤 건강 전문가들은 여러분의 일이나 학업에 집중하기 위해 아침을 너무 많이 먹지 않을 것을 제안한다.

2 우리가 무언가에 대해 어느 정도의 자신감이 생기면, 기분이 좋다. 우리는 거기에 머무르며 그 느낌을 계속 유지하고 싶어 한다.

3 우리 모두는 어린 시절의 특정한 기억을 소중히 여긴다. 그러나 태어난 것(때)을 기억할 수 있는가? 아니다, 사실 아무도 기억할 수 없다.
▶ remember는 to-v와 v-ing 둘 다 취할 수 있지만 의미가 다르다. 문맥상 '과거에 태어난 것을 기억하다'의 의미이므로 동명사 being이 적절하다.

4 연구는 두뇌가 청소년기에 걸쳐서 그리고 초기 성인기까지 계속해서 성숙해지고 발달한다는 것을 보여주었다.
▶ continue는 의미 차이 없이 to-v와 v-ing를 모두 목적어로 취할 수 있는 동사이다. develop 앞에는 반복되는 to가 생략되어 있다.

5 산소 호흡기는 많은 생명을 구할 수 있었지만, 심장이 계속해서 뛰었던 사람들 모두가 어떤 다른 중요한 기능을 회복한 것은 아니었다.

어휘 hold on to 계속 유지하다 cherish 소중히 여기다 mature 성숙해지다; 성숙한 adolescence 청소년기 function 기능; 기능하다

Test 2

1 we have managed to create a tiny bit more
2 Avoid making suggestions to employees about personal traits
3 I forgot to give an answer to one of his questions
4 tend to be late / Those who want to stop being late should prioritize punctuality

2 ▶ 명령문이므로 주어 You가 생략되어 있다.

3 ▶ '대답을 하는 것을 잊었다'는 의미이므로 forgot의 목적어로 to-v(to give)가 알맞다.

4 ▶ 동사 want는 목적어로 to-v를 취하므로 to stop을 쓰고, stop은 'v하는 것을 멈추다'의 의미일 때 목적어로 v-ing를 취하므로 being으로 바꿔 쓴다.

어휘 manage to-v 간신히 v하다 acceptable 용인되는; 받아들일 수 있는 remind 상기시키다 as a general rule 일반적으로 prioritize 우선시하다 punctuality 시간 엄수 circumstance 상황, 환경

서술형 대비 **실전 모의고사 1회** p.42

01 × → are reduced, × → releasing
02 ○
03 ○, × → are replaced
04 ○, × → removed, ○
05 × → (being) locked, × → to suffer, ○
06-07 ③ bring → are brought, 주어는 복수인 Young children이고, 주어와 동사 bring은 수동관계이므로 are brought로 고쳐야 한다. / ⑤ provoked → provoking, 수식받는 명사 cultural preferences가 '일으키는' 능동의 의미이므로 현재분사 provoking으로 고쳐야 한다.
08 Using inappropriate words / weakens the message that should be delivered and diminishes credibility
09 not only be organically farmed but have the best possible quality
10 (A) want to avoid getting altitude sickness
(B) Attempting to climb high peaks / the majority of mountaineers always remember to rise gradually and (to) take breaks
11 hear residents and visitors expressing[express] their frustration / the issue of the limited number of parking spaces allowed by city law
12 Making your children eat unwanted foods doesn't help them to develop / creates negative memories connected with those foods
13 be distinguished from real humans even by unsophisticated users / fool anybody by their appearance
14 (A) to watch (B) happen (C) fixed
15 warn them to duck at the right time
16 (A) doesn't have (B) competing (C) obtaining
(D) are seen
17 enables animals in conflict to make the decision to either evade the challenge or confront it / enhancing chances of survival and victory

01 스트레스를 받아 여러분의 몸이 만들어내는 많은 화학 물질들은 스트레스 호르몬의 분비를 지연시킬 수 있는 간단한 일일 운동을 통해서도 효과적으로 감소된다.
▶ 주어인 The many chemicals가 '감소되는' 수동관계이므로 are reduced로 고친다. / 밑줄 앞의 delay는 v-ing를 목적어로 취하는 동사이므로 releasing으로 고쳐야 한다. • Rank 01 주어-동사의 수일치 I, Rank 03 능동 vs. 수동_단순시제 I, Rank 11 동사의 목적어가 되는 to-v, v-ing

02 최근, 연구원들은 웃음의 목적이 단지 자신이 쾌활한 상태에 있다는 것을 전달하기 위한 것일 뿐만 아니라, 다른 사람들에게서도 이러한 상태를 유발하기 위한 것이기도 하다고 말했다.
▶ 두 개의 to부정사구가 상관접속사 <not just A but B: 단지 A뿐만 아니라 B도>로 연결된 문장으로, to communicate와 병렬구조를 이루는 to induce는 알맞다. • Rank 10 상관접속사의 병렬구조
어휘 playful 쾌활한; 장난기 많은 induce 유발하다; 설득하다

03 열대지역 홍콩의 바위가 많은 해안에서, 겨울 동안 그 지역을 지배하는 잎 모양의 조류는 계절이 여름으로 바뀜에 따라 자취를 감추고 다른 종류의 조류로 대체된다.
▶ dominating ~ winter는 algae를 수식하는 현재분사구로, 조류가 지역을 '지배하는' 능동의 의미이므로 현재분사를 쓴 것은 알맞다. / 잎 모양의 조류가 '대체되는' 수동관계이므로 are replaced가 되어야 한다. • Rank 01 주어-동사의 수일치 I, Rank 03 능동 vs. 수동_단순시제 I, Rank 05 현재분사 vs. 과거분사_명사 수식
어휘 dominate 지배하다; 우세하다 die out 자취를 감추다, 멸종되다

04 보존 목적으로 자연에서 살아 있는 물고기의 길이를 측정하는 것은 산소가 제거된 수조에 물고기를 잡아두고 그것이 움직임을 멈출 때까지 가두어 두는 과정을 포함한다.
▶ 동명사구 주어(Measuring ~ purposes)이므로 단수동사 involves를 쓴 것은 알맞다. / the oxygen이 '제거되는' 수동관계이므로 has had의 목적격보어는 과거분사 removed가 되어야 한다. / stop은 'v하는 것을 멈추다'의 의미일 때 목적어로 v-ing를 취하므로 moving은 알맞다. • Rank 02 주어-동사의 수일치 II, Rank 08 동사+목적어+보어 II, Rank 11 동사의 목적어가 되는 to-v, v-ing
어휘 conservation 보존, 보호 confine 가두다

05 일반적으로 돌아다닐 공간이 거의 없는 강철 우리에 갇힌 채로, 실험실 동물들은 심한 스트레스, 불안 및 신체적 질병으로 고통받는 경향이 있는데, 이는 연구 관행과 관련된 윤리적 문제에 스포트라이트를 비춘다.
▶ 분사구문의 의미상의 주어인 laboratory animals가 '갇히는' 수동의 의미이므로 과거분사 locked 또는 being locked가 되어야 한다. / tend는 뒤에 to-v가 오는 동사이므로 to suffer가 되어야 한다. / ethical issues가 '관련된' 수동의 의미이므로 과거분사 associated는 알맞다. • Rank 05 현재분사 vs. 과거분사_명사 수식, Rank 06 분사구문, Rank 11 동사의 목적어가 되는 to-v, v-ing

06-07
음악은 전 세계 어디에서나 인간 경험에서 떼어놓을 수 없는 부분이다. 어린아이들은 음악에 대한 경험을 통해 음악적으로 숙련되면서, 문화적 지식과 감수성 또한 키울 수 있다. 음악은 문화의 매우 중요한 측면으로, 우리의 언어, 행동, 관습, 전통, 신념, 그리고 다른 문화적 뉘앙스를 형성한다. 세계의 다양한 음악 문화에 노출된 어린아이들은 문화적 대화에 끌어들여지게 된다. 또한, 그것은 그들이 예술적으로 매력적인 방식으로 자신과 다른 사람들에 대해 배우게 해준다. 편향과 편견을 쉽게 일으키는 문화적 선호가 발달하기 이전에, 노래, 춤, 그리고 악기 연주를 통해 사람을 알 기회는 어린아이들이 열린 마음을 가진 책임감 있는 시민이 되도록 이끈다.
▶ ③ • Rank 03 능동 vs. 수동_단순시제 I / ⑤ • Rank 05 현재분사 vs. 과거분사_명사 수식
어휘 inseparable 떼어놓을 수 없는 nuance 뉘앙스, 미묘한 차이 engaging 매력적인 provoke 일으키다; 화나게 하다 bias 편향, 편견 prejudice 편견 instrument 악기; 기구

08 ▶ 동명사구 주어는 단수 취급하므로, and로 병렬 연결된 문장의 동사는 weakens와 diminishes로 변형해야 한다. the message는 관계사절의 수식을 받는데, 메시지가 '전달되어야 하는' 수동의 의미이므로 관계사절의 동사는 should be delivered의 형태로 영작한다. • Rank 02 주어-동사의 수일치 II, Rank 03 능동 vs. 수동_단순시제 I, Rank 09 등위접속사의 병렬구조
어휘 diminish 떨어뜨리다; 축소하다 credibility 신뢰성

09 ▶ <not only A but (also) B: A뿐만 아니라 B도>의 상관접속사 구문을 이용하여 영작한다. A에 해당하는 어구는 '유기농으로 경작된다'는 수동의 의미이고 must 뒤에 오므로 be organically farmed의 형태가 된다. B에 해당하는 어구는 주어와 능동관계이므로 have를 그대로 써서 영작한다. • Rank 03 능동 vs. 수동_단순시제 I, Rank 10 상관접속사의 병렬구조

10 ▶ (A) • Rank 11 동사의 목적어가 되는 to-v, v-ing
(B) 분사구문의 의미상 주어인 the majority of mountaineers가 '시도하는' 능동의 의미이므로 현재분사 Attempting으로 쓰고, attempt는 to-v를

목적어로 취하는 동사이므로 to climb을 쓴다. 부분표현 The majority of 다음에 나오는 명사에 동사를 수일치하고, '올라갈 것과 ~ 취할 것'을 기억한다는 의미이므로 동사 remember의 목적어로 to rise와 (to) take가 병렬 연결된다. • Rank 01 주어-동사의 수일치 I, Rank 06 분사구문, Rank 09 등위접속사의 병렬구조, Rank 11 동사의 목적어가 되는 to-v, v-ing

11 ▶ 지각동사 hear의 목적어(residents and visitors)가 '표하는' 능동의 의미이므로 목적격보어로 expressing이나 express를 쓴다. 주차 공간이 시의 법에 의해 '허용되는' 것이므로 allowed가 이끄는 과거분사구가 명사를 뒤에서 수식하는 형태로 영작한다. • Rank 05 현재분사 vs. 과거분사_명사 수식, Rank 08 동사+목적어+보어 II

어휘 frustration 불만; 좌절감 navigate 돌아다니다; 항해하다

12 만약 당신이 접시를 깨끗이 비울 때까지 앉아 있어야 했다면, 당신만 그런 것은 아니다. 대부분의 성인 인구가 어느 시점에서 이것을 겪어보았다. 어떤 사람은 그것이 건강한 식습관을 기르는 유일한 방법이라고 생각할지도 모른다. 하지만, 특히 그들이 접시 위에 있는 것을 좋아하지 않는다면, 아이들이 먹도록 강요하는 것은 완전히 역효과를 낳는다. 다음에 대해 생각해 보아라. 원치 않는 양배추 더미를 먹은 경험은 아마 다음에 그것이 제공될 때 아이들이 기뻐 날뛰게 하지는 않을 것이다.

[요약문] 당신의 아이들이 원치 않는 음식을 먹게 하는 것은 그들이 건강한 식습관을 기르는 데 도움이 되지 않는데, 그것이 그 음식과 연관된 부정적인 기억을 만들어 내기 때문이다.

▶ 주어는 Making이 이끄는 동명사구로 만드는데, make는 목적격보어로 v를 취하는 동사이므로 <making+목적어+v>의 형태로 쓴다. 동사 help는 목적격보어로 to-v나 v를 모두 쓸 수 있지만 주어진 어구에 to가 있으므로 목적격보어로 to develop을 쓴다. as가 이끄는 부사절에서 negative memories는 과거분사구 connected ~ foods의 수식을 받는다. • Rank 05 현재분사 vs. 과거분사_명사 수식, Rank 07 동사+목적어+보어 I

어휘 counterproductive 역효과를 낳는

13 인간을 닮은 돌봄 로봇에 대한 반응으로, 많은 전문가들은 인간-로봇 상호 작용이 치매 환자에 대한 도덕적 위험을 만들어 낸다고 비난한다. 로봇 친구가 있는 자폐성 스펙트럼을 가진 아이들이 로봇을 친구로 여기도록 쉽게 속아 넘어갈 수 있는 것처럼, 인지적 결함이 있는 노인들도 그럴 수 있다. 한 비평가는 로봇이 상징적이거나 만화적으로 남아 있어야 한다고 주장한다. 그것들의 겉모습은 아무리 순진한 사용자에 의해서라도 실제 인간과 구별되어야 하고 그것들의 모습으로 누구도 속일 수 있어서는 안 된다. 로봇을 명백히 가짜로 만드는 것은 또한 이른바 '불쾌한 골짜기'를 피하게 해주는데, 이는 로봇이 우리를 완전히 닮은 것은 아니지만 아주 근접하게 닮았기 때문에 무서운 것으로 인식되는 현상이다.

▶ 첫 번째 빈칸에서 로봇의 겉모습이 실제 인간과 '구별되어야 하는' 수동관계이므로 should be distinguished가 되어야 한다. 두 번째 빈칸에서 누군가를 '속이는' 능동의 의미이므로 fool이 되어야 한다. by unsophisticated users는 수동태에서 행위의 '대상'을 나타내고, by their appearance는 '수단'을 나타낸다. • Rank 03 능동 vs. 수동_단순시제 I, Rank 04 능동 vs. 수동_단순시제 II

어휘 charge 비난하다; 청구하다 moral 도덕의 hazard 위험 fool[deceive] A into v-ing A가 v하도록 속이다[기만하다] deficit 결함; 결손 iconic 상징이 되는; 우상의 unsophisticated 순진한; 세련되지 못한 uncanny 불쾌한; 이상한

[14-15]

과거 19세기에는, 기차가 멈추기에 그리 쉽지는 않았다. 기관사가 그저 브레이크를 밟는 것이 아니었고, 대신 '브레이크맨'이 객차의 지붕 위에서 브레이크 휠을 가지고 속도를 수동으로 조절했다. 달리는 기차 위에서 일하는 데는 집중력이 필요했다. 객차가 심하게 요동쳤고, 바람이 굉음을 내며 지나갔으며, 브레이크맨은 최고 속도의 객차에서 객차를 뛰어넘어 다녀야 했다. 종종 그들은 너무 심하게 집중한 나머지 다가오는 터널이나 다리를 봐야 할 것을 잊어버렸다. 브레이크맨에게 그런 것들에 대해 경고할 것이 없고 그가 몸을 숙이지 않았을 때 어떤 일이 일어났을지 상상할 수 있다. 거기서 '경고용 밧줄', 즉 선로 위에 고정되어 있는 일련의 밧줄이 도입되었다. 터널과 낮게 드리워진 다리로부터 약 100피트 앞에 걸려 있어서, 밧줄이 그들(브레이크맨들)이 적절한 때에 몸을 숙이도록 경고하기 위해 브레이크맨들의 머리를 스치곤 했다.

어휘 manually 수동으로 duck (머리나 몸을) 숙이다; (머리나 몸을 움직여) 피하다

14 ▶ (A) forget+to-v: v해야 할 것을 잊다 • Rank 11 동사의 목적어가 되는 to-v, v-ing

(B) happen은 '일어나다, 발생하다'라는 의미의 자동사로 수동태로 쓸 수 없으므로, happen을 그대로 쓴다. • Rank 04 능동 vs. 수동_단순시제 II

(C) 밧줄이 '고정되는' 수동의 의미이므로 과거분사 fixed가 적절하다. • Rank 05 현재분사 vs. 과거분사_명사 수식

15 ▶ 문맥상 밧줄(the ropes)은 그들(브레이크맨들)이 몸을 숙이도록(duck) 경고해주는(warn) 역할을 했다. warn과 duck을 추가하여 <warn+목적어+to-v>의 형태로 완성한다. • Rank 07 동사+목적어+보어 I

[16-17]

보통, 경쟁 상대를 공격하는 것과 달아나는 것 사이에서 갈등상태에 있는 동물은 처음에는 즉시 결정을 내리게 해줄 만큼 충분한 정보가 없다. 경쟁 상대가 싸움에서 이길 것 같다면, 그러면 최선의 결정은 즉시 경쟁하기를 포기하고 부상을 당할 위험을 감수하지 않는 것일 것이다. 하지만 경쟁 상대가 약해서 쉽게 이길 만하다면, 그러면 (싸움을) 진행하고 영역, 암컷, 먹이 또는 성패가 달려 있는 어떤 것이든 얻는 것에 상당한 이익이 있다. 상대에 대한 정보를 수집하는 데 약간의 추가 시간을 들임으로써, 그 동물은 그러한 정보 없이 결정을 내리는 것보다 생존하거나 이길 가능성을 극대화하는 결정에 도달할 가능성이 더 크다. 오늘날 많은 신호들이 이러한 정보 수집 또는 '평가' 기능을 갖는 것으로 간주되어, 다양한 선택의 가능한 결과에 대한 필수적인 정보를 제공함으로써 의사 결정 과정의 메커니즘에 직접적으로 기여한다.

어휘 flee 달아나다, 도망치다 optimal 최선의, 최적의 territory 영역; 영토 at stake 성패가 달려 있는; 위태로운 vital 필수적인 outcome 결과, 성과

16 ▶ (A) 주어는 단수명사 the animal이고 현재의 일반적인 사실을 말하고 있으므로 doesn't have가 적절하다. • Rank 01 주어-동사의 수일치 I

(B) give up은 v-ing를 목적어로 취하므로 competing이 적절하다. • Rank 11 동사의 목적어가 되는 to-v, v-ing

(C) 전치사 in의 목적어로 동명사 going과 병렬 연결되므로 obtaining이 적절하다. • Rank 09 등위접속사의 병렬구조

(D) <see A as B: A를 B로 여기다>를 수동태로 바꾸면 전명구인 as B를 수동태 뒤에 그대로 써서 <A be seen as B>의 형태가 된다. many signals가 복수이고 현재의 사실이므로 are seen이 적절하다. • Rank 04 능동 vs. 수동_단순시제 II

17 [요약문] 신호를 통한 상대에 대한 전략적인 평가는 갈등상태에 있는 동물이 도전을 피하거나 그것에 맞서는 결정을 할 수 있게 해주고, 그렇게 함으로써 생존과 승리의 가능성을 높인다.

▶ 주어(The strategic assessment)가 단수이므로 동사는 enables로 쓰고, 목적격보어는 to make로 쓴다. the decision과 동격을 이루는 to-v구에서 evade the challenge와 confront it은 <either A or B>의 상관접속사로 연결된다. 콤마 뒤에 접속사 없이 동사 enhance를 그대로 쓸 수 없고, 전략적인 평가가 가능성을 '높이는' 능동관계이므로 현재분사 enhancing으로 변형하여 분사구문을 영작한다. thereby는 접속사가 아니라 '그렇게 함으로써'라는 의미의 부사임에 유의한다. • Rank 01 주어-동사의 수일치 I, Rank 06 분사구문, Rank 07 동사+목적어+보어 I, Rank 10 상관접속사의 병렬구조

어휘 strategic 전략적인 evade 피하다 confront 맞서다; ~에 직면하다

• 부분 점수

문항	배점	채점 기준
01-05	1	×는 올바르게 표시했지만 바르게 고치지 못한 경우
06-07	2	틀린 부분을 바르게 고쳤지만 틀린 이유를 쓰지 못한 경우
	1	틀린 부분을 찾았지만 바르게 고치지 못한 경우
08-11	3	어순은 올바르나 단어를 적절히 변형하거나 추가하지 못한 경우
13	4	어순은 올바르나 단어를 적절히 변형하거나 추가하지 못한 경우
16	1	알맞은 어구를 골랐으나 알맞은 형태로 바꾸지 못한 경우
17	5	어순은 올바르나 단어를 적절히 변형하지 못한 경우

Rank 12-22

RANK 12 if+가정법 p.48

기출 대표 문항 & 답이 보이는 Process

1 (A) a supernova explosion happened (B) would disappear
2 (A) hadn't[had not] helped (B) couldn't[could not] have arrived
3 (A) had brought his ID card (B) could take
1 과거 2 과거완료 3 과거 4 현재

e.g. 만약 혹시라도 복권에 당첨된다면, 당신이 가장 먼저 할 일은 무엇입니까?

Test 1

1 × → have been 2 × → wouldn't[would not] see
3 ○

1 만약 미켈란젤로 같은 르네상스 시대의 위대한 예술가들이 50년만 더 일찍 태어났다면, 그들의 뛰어난 업적을 위한 재정 지원은 없었을 텐데.
▶ If가 이끄는 절에 <had p.p.>가 쓰여 과거 사실의 반대를 가정하고 주절도 과거 사실의 반대를 가정하므로, 주절에 <조동사 과거형+have p.p.>가 와야 한다.

2 그 오래된 다리는 진정 예술 작품이다. 만약 그것이 제2차 세계대전을 견뎌내지 못했다면, 우리는 그것을 지금 보지 못할 것이다.
▶ If가 이끄는 절은 과거 사실의 반대를 가정하고 주절은 현재 사실의 반대를 가정하는 혼합가정법이므로, 주절에 <조동사 과거형+v>가 와야 한다.

3 만약 우리에게 아무런 한계 없이 바다를 탐험할 능력이 있다면, 그것(바다)의 생물에 대한 우리의 지식은 지금 우리가 가지고 있는 육상 생명체에 대한 지식만큼 확장될 텐데.
▶ 현재 일어날 가능성이 매우 희박하거나 불가능한 일을 가정하고 있으므로 가정법 과거시제는 적절하다.

어휘 financial 재정의 remarkable 뛰어난, 주목할 만한 biology 생물(학) expand 확장되다 terrestrial 육상의, 육지의

Test 2

1 could not have invented the solution if she had focused solely on her initial hypothesis
2 came into contact and exchanged all cultural items / would be no cultural differences
3 had not learned the effective parenting skills / she would be using ineffective techniques
4 if Shakespeare were to materialize in London / would not understand more than five out of every nine words

1 ▶ 과거 사실의 반대를 가정하고 있으므로 주절에는 <조동사 과거형+have p.p.>, if절에는 <had p.p.>를 써서 가정법 과거완료 구문을 완성한다.

2 ▶ 현재 일어날 가능성이 매우 희박하거나 불가능한 일을 가정하고 있으므로 If절에는 과거시제, 주절에는 <조동사 과거형+v>를 써서 가정법 과거 구문을 완성한다.

3 ▶ If절은 과거 사실의 반대를 가정하고, 주절은 현재 사실의 반대를 가정하고 있으므로, If절에는 <had p.p.>, 주절에는 <조동사 과거형+v>를 써서 혼합 가정법 구문을 완성한다.

4 ▶ 주어진 우리말은 현재 일어날 가능성이 매우 희박하거나 불가능한 일을 가정하는데, 주어진 어구에 be to가 있으므로 be를 were로 바꿔 가정법 구문을 완성한다. 일어날 가능성이 매우 희박한 일을 나타낼 때는 if절에 should나 were to를 쓰기도 한다.

어휘 solely 오로지, 단지 initial 초기의 hypothesis 가설 exchange 교환하다; 교환 parenting 육아의; 양육 estimation 추정; 판단

RANK 13 to부정사의 부사적 역할 p.50

기출 대표 문항 1 & 답이 보이는 Process

To[In order to, So as to] prevent procrastination

▶ 'v하기 위해, v하도록'이라는 의미의 목적을 나타내는 부사적 역할의 to부정사구로 영작한다.

어휘 procrastination 미루기, 지연 commit to v-ing v하는 데 전념하다

Test 1

1 everyone will be very happy to see your performance
2 only to realize that we forgot our keys and phone on the kitchen table
3 we must be careful to consider individual differences
4 must be inspiring to draw a lot of attention

1 ▶ 'v해서'의 의미로 감정의 원인을 나타내는 부사적 역할의 to부정사를 이용하여 <감정을 뜻하는 어구+to-v> 구문을 영작한다.

2 ▶ '(그러나) 결국 v(할 뿐)'의 의미로 결과를 나타내는 부사적 역할의 to부정사 <only to-v>를 이용하여 영작한다.

3 ▶ 'v하도록'의 의미로 목적을 나타내는 부사적 역할의 to부정사를 이용하여 영작한다.

4 ▶ 'v하는 것을 보니'의 의미로 판단의 근거를 나타내는 부사적 역할의 to부정사를 이용하여 영작한다.

어휘 reputation 명성, 평판 influence 영향을 미치다 perception 인식; 자각 conflict 갈등, 충돌

기출 대표 문항 2 & 답이 보이는 Clues

was powerful enough to alleviate her severe pain

어휘 severe 심각한

Test 2

1 × → low enough
2 × → too fragile and valuable to display
3 ○

1 칠면조 독수리는 썩어가는 동물의 몸에서 생성되는 가스를 감지할 수 있을 만큼 충분히 낮게 난다.
▶ 'v할 만큼 충분히 ~하게'라는 의미의 <부사 enough to-v> 구문이므로, low enough의 어순으로 고치는 것이 적절하다.

2 그 골동품 꽃병은 우리 집에서 드러내 놓고 진열하기에는 너무 깨지기 쉽고 귀중해서, 우리는 그것의 보존을 확실히 하기 위해 그것을 안전한 캐비닛에 조심스럽게 보관했다.
▶ 'v하기에는 너무 ~한'이라는 의미의 <too 형용사 to-v> 구문이 쓰여야 하므로 어순을 바꾼다. too와 to 사이에는 두 개의 형용사가 접속사 and로 병렬 연결되어 있다.

3 불리한 기상 조건 속에서 비행하겠다는 조종사의 결정은 승객과 승무원의 생명을 위험에 빠뜨릴 만큼 무모했다.
▶ 'v할 만큼 ~한'의 의미이므로 <so 형용사 as to-v>가 적절하게 사용되었다.

어휘 decay 썩다, 부패하다 antique 골동품인; 골동품 fragile 깨지기 쉬운; 허약한 preservation 보존, 보호 adverse 불리한, 부정적인 reckless 무모한, 신중하지 못한 endanger 위험에 빠뜨리다

Test 3

1 so unexpectedly as to leave readers in shock
2 too intensely to find common ground that could satisfy both sides
3 be flexible enough to eat a variety of foods / cautious enough not to accidentally ingest harmful ones

1 ▶ 주어진 어구에 so와 as가 있으므로 '(매우) ~해서 v하는'이라는 의미의 <so 부사 as to-v> 구문을 활용한다.

2 ▶ 주어진 어구에 too가 있으므로 'v하기에는 너무 ~하게'라는 의미의 <too 부사 to-v> 구문을 활용한다.

3 ▶ 주어진 어구에 enough가 있으므로 'v할 만큼 충분히 ~한'이라는 의미의 <형용사 enough to-v> 구문을 활용하여 접속사 but으로 병렬 연결된 두 개의 보어를 영작한다. but 뒤에는 'cautious enough not to accidentally ingest ~'의 어순이 적절하다. to-v의 부정형을 만드는 not과 never는 not[never] to-v로 쓰는 것에 주의한다.

어휘 unexpectedly 예상 밖으로, 예기치 못하게 debate 토론, 토의 intensely 격렬하게, 치열하게 resolution 해결; 결의안 flexible 융통성 있는 cautious 조심스러운, 신중한

RANK 14 가주어-진주어(to부정사) p.52

기출 대표 문항 & 답이 보이는 Process

it is important for marketers to contact them through various forms of communication
1 for 2 it is important 3 for marketers 4 to contact them through various forms of communication 5 of

Test 1

1 this → it 2 use → to use
3 college students → for college students

1 때때로, 우리의 기대를 낮추고 우리 아이들이 자신이 원하는 무엇이든지 하도록 해주는 것은 아주 중요하다.
▶ 문맥상 to부정사가 이끄는 부분이 진주어이므로 주어 자리에 가주어 it을 써야 한다.

2 컬러 사진을 이용할 수 없던 시기 동안에는, 오늘날 우리가 그러는 것처럼 '사진'이라는 말 앞에 '흑백'이라는 형용사를 사용하는 것이 불필요했다.
▶ 문맥상 '~ 형용사를 사용하는 것이 불필요했다'는 의미이므로, it은 가주어이고 to부정사구인 to use the adjective ~가 진주어이다. it이 대명사 주어인지 가주어인지 구분하는 것이 중요하다.

3 대학생들이 강의 또는 수업 토론을 하는 동안 자신의 노트북 컴퓨터를 사용하는 것은 대개 허용된다.
▶ to use ~가 진주어이고, 문두의 It은 가주어이다. 문맥상 college students는 to use의 의미상의 주어이므로 <for+목적격>의 형태로 바꿔 쓴다.

어휘 expectation 기대, 예상 period 시기, 기간 adjective 형용사 lecture 강의 discussion 토론, 토의

Test 2

1 it is crucial not to hesitate to express your opinions
2 It might be impossible for historians to assess and (to) interpret past events
3 It is foolish of anyone to engage in a heated argument over trivial matters
4 it is easy to make children feel that they are losers
5 It is dangerous for ecologists to assume that all other organisms sense the environment
6 It is difficult for people to change who they are / it is much easier for them to change how they act

1 ▶ to부정사의 부정형은 <not[never]+to-v> 형태이다. hesitate는 목적어로 to부정사를 취한다.

2 ▶ 의미상의 주어 for historians를 to부정사 앞에 쓴다. 두 개의 to부정사구 (to assess, to interpret ~)가 접속사 and로 병렬 연결되었는데, and 뒤 이어지는 반복되는 to는 대개 생략한다.

3 ▶ 사람에 대한 '비난'을 의미하는 형용사 foolish가 쓰였으므로, 의미상의 주어 of anyone을 to부정사 앞에 쓴다.

4 ▶ 진주어인 to부정사구를 이끄는 make가 사역동사이므로 목적격보어로 원형부정사 feel을 쓴다.

5 ▶ 의미상의 주어 for ecologists를 to부정사 앞에 쓴다.

6 ▶ 두 개의 절 모두 <가주어(it)-진주어(to부정사)>를 사용하여 영작한다. 각 절의 의미상의 주어인 for people과 for them을 to부정사 앞에 쓴다.

어휘 hesitate 주저하다, 망설이다 assess 평가하다 interpret 해석하다 objectively 객관적으로 subjective 주관적인 perspective 관점, 견해 engage in ~에 관여[참여]하다 trivial 사소한 rarely 드물게, 좀처럼 ~하지 않는 outcome 결과 take advantage of ~을 이용하다 own 소유하다 ecologist 생태학자 assume 추정하다

RANK 15 주어로 쓰이는 동명사

p.54

기출 대표 문항 & 답이 보이는 Process

Overstructuring a child's environment limits creative and academic development

1 단수 2 Overstructuring a child's environment
3 limits creative and academic development 4 앞

어휘 academic 학문적인

Test 1

1 challenge → challenging	2 foster → fosters
3 has → have	4 are → is

1 스스로에게 도전하지 않는 것은 우리가 인생에서 새로운 가능성을 마주하는 것을 막는다.
▶ 동명사의 부정형은 not이나 never를 동명사 앞에 쓴다.

2 많은 십 대들에게, 무리 지어 노래를 연습하는 것은 기쁨, 동기 부여, 협동심을 길러 준다.

3 일하는 부모들은 양질의 가족 시간의 중요성을 인지해야 하고 공유된 활동과 외출을 통해 오래가는 추억을 만들기 위해 노력해야 한다.
▶ Working은 뒤에 있는 명사를 수식하는 현재분사로, 주어가 복수명사(parents)이므로 복수동사 have가 오는 것이 적절하다.

4 침묵을 가치 있게 여기는 문화에서, 말하는 사람이 자신의 차례를 끝낸 후 (그에) 너무 빨리 반응하는 것은 말하는 사람의 말과 생각에 충분치 않은 주의와 생각을 기울인 것으로 여겨진다.

어휘 challenge 도전하다 keep A from v-ing A가 v하는 것을 막다 motivation 동기 부여 lasting 오래가는, 지속적인 outing 외출, 소풍 consider A as B A를 B로 여기다 devote (주의, 노력을) 기울이다 consideration 생각, 심사숙고

Test 2

1 Exploring the historical origins of myths enhances
2 Having friends with diverse interests and backgrounds keeps your life exciting
3 not setting regulations and clear conditions will bring about confusion
4 Recognizing your strengths and weaknesses is the key to determining a suitable career
5 It is no use dwelling on missed opportunities
6 Being virtuous means finding a balance
7 it is worth noting that habits may be broken by our intentions

1 ▶ 주어가 '탐구하는 것은'이고, 조건상 to는 추가할 수 없으므로 explore를 동명사 Exploring으로 쓰고, 동명사구 주어이므로 동사는 단수동사 enhances로 바꿔 쓴다.

3 ▶ 동명사의 부정형은 <not[never]+v-ing> 형태로 쓴다.

4 ▶ the key 다음의 to는 전치사이므로 뒤에 동명사 determining이 왔다.

5 ▶ 동명사 관용 표현 <it is no use v-ing(v해도 소용없다)>를 사용하여 영작한다.

6 ▶ 주어로 동명사구 Being virtuous를 쓰고, 이어지는 동사에 대한 목적어로 동명사 finding을 쓴다. mean은 to부정사를 목적어로 가질 수 있지만 조건상 to는 추가할 수 없으며, 우리말 의미와도 맞지 않는다. (mean to-v: v할 의도이다)

7 ▶ 동명사 관용 표현 <it is worth v-ing(v하는 것은 가치가 있다)>를 사용하여 영작한다.

어휘 myth 신화 enhance 향상시키다 imaginative 창의적인, 상상력이 풍부한 condition 조건 bring about ~을 초래[유발]하다 confusion 혼란 suitable 적합한, 알맞은 dwell on ~을 곱씹다, ~을 깊이 생각하다 virtuous 덕이 있는, 고결한 *cf.* virtue 미덕; 선 midpoint 중간점 recklessly 무모하게 intention 의도; 마음가짐

RANK 16 진행·완료시제의 능동 vs. 수동

p.56

기출 대표 문항 & 답이 보이는 Clues

1 was building → was being built
2 have been written → have written
1 be being p.p. 2 have[has/had] p.p. 3 was being built
4 have written

1 4월에, 그는 그것(집)이 지어지고 있던 동안 집의 영상을 유튜브에 게시했고, 4일 만에 조회수가 600만 건에 달했다.
▶ 접속사 while이 이끄는 절에서 it은 앞에 나온 명사 the house를 지칭한다. 집이 '지어지고 있던' 것이므로 주어와 동사는 수동관계이고, 진행시제는 그대로 유지해야 하므로 was being built가 적절하다. 주어가 관계사나 대명사일 경우에는 무엇을 지칭하는지 정확하게 파악해야 한다.

2 역사를 통틀어 많은 유명한 시인들은 열정, 비통함, 그리고 지속되는 헌신이라는 주제를 탐구하면서 모든 형태의 사랑에 대한 시를 써 왔다.
▶ 시인이 '써 온' 능동관계이다. love in all its forms는 전치사 about의 목적어이며 여기에서 write는 자동사로 목적어를 필요로 하지 않는다. 뒤에 목적어의 유무만으로 능수동을 판단하지 말자.

어휘 renowned 유명한, 명성 있는 passion 열정 heartbreak 비통함 enduring 지속되는, 오래가는 devotion 헌신

Test 1

1 × → been restored	2 ○
3 ○	4 × → being presented
5 × → been used	6 × → being employed
7 ○	8 × → paying

1 3일간의 정전 후, 목요일 아침에 전력이 그 수리공들에 의해 마침내 복구되었다.

2 열대 우림이 소 사육과 옥수수 재배를 확장시키려는 목적으로 훼손되고 있다.

3 폼페이의 화산재 속에서 발견된 많은 시신들은 화산 폭발의 순간에 그 사람들이 무엇을 하고 있었는지를 보여주었다.

4 옛날에 연극이 주된 오락의 형태였을 때, 관객들은 무대에서 공연이 상연되고 있던 동안에 (환호나 야유로) 솔직하게 반응했다.
▶ while이 이끄는 부사절의 주어 it은 앞에 나온 a performance이다. 공연이 '상연되고 있던' 것이므로 주어와 동사는 수동관계이다. 과거진행 수동형인 was being presented가 적절하다.

5 사냥과 채집은 수천 년 동안 이용되어 온 야생 식량 자원들을 찾는 수단이다.
▶ 관계대명사 that이 이끄는 절이 수식하는 선행사는 a means이다. 수단이 '이용되어 온' 것이므로 주어와 동사는 수동관계이다. 현재완료 수동형인 has been used가 적절하다.

6 인간 노동자는 더 적은 수로 고용되고 있는 한편, 로봇의 공장 도입은 걱정과 두려움을 불러일으킨다.

7 인터넷으로 우리가 무엇을 하는지를 추적하는 쿠키가 우리의 사생활을 침해하고 있을 수 있다는 우려가 오랫동안 제기되어 왔다.
▶ that절(that cookies ~ privacy)은 앞의 명사 Concerns의 동격절인데, 동격절이 길어서 명사와 동격절이 멀어진 경우이다.

8 한 어린이집이 아이를 데리러 늦게 도착한 부모에게 벌금을 부과하자, 더 많은 부모가 늦게 도착하기 시작했는데, 어린이집이 운영 시간 후에도 아이를 돌보도록 자신들이 비용을 지불하고 있다고 생각했기 때문이었다.
▶ 문맥상 they는 앞에 나온 명사 parents를 지칭한다.

어휘 blackout 정전 cattle 소; 가축 cultivation 재배, 경작 eruption (화산의) 폭발, 분출 react 반응하다 gathering 채집; 수집 a means of ~의 수단 resource 자원 employ 고용하다 keep track of ~을 추적하다; ~을 파악하다 violate 침해하다; 위반하다 fine 벌금을 부과하다; 벌금

Test 2

1 have been told that praise is vital for happy and healthy children
2 Services using electrically assisted delivery tricycles have been implemented / are being adopted

1 ▶ 문장의 주어 people이 '들어 온' 것이므로 tell과 수동관계이다. 주어진 어구의 have와 be를 활용하여 현재완료 수동형 have been told로 쓰고, 뒤에는 직접목적어 역할을 하는 that절을 이어 쓴다.

2 ▶ 문장의 주어 Services가 '시행되어 온' 것이므로 첫 번째 동사 implement와 수동관계이다. 주어진 어구의 have와 be를 활용하여 현재완료 수동형 have been implemented로 쓴다. and로 병렬 연결된 두 번째 동사 adopt 또한 주어와 수동관계인데, 우리말이 '도입되고 있다'이므로 주어진 어구에서 두 개의 be를 활용하여 현재진행 수동형 are being adopted로 쓴다.

어휘 vital 필수적인 nurture 기르다, 양육하다 self-esteem 자존감 electrically 전기로 assist 보조하다, 돕다 varied 다양한, 다채로운 parcel 소포 catering 음식 (공급)

RANK 17 의문사가 이끄는 명사절의 어순 p.58

기출 대표 문항 & 답이 보이는 Clues

1 how modern technology has made our lives more convenient

2 What do you think can be done with this old stuff in the attic
1 주어 **2** 동사 **3** how **4** modern technology
5 has made our lives more convenient **6** 의문사 **7** What
8 do you think **9** can be done with this old stuff in the attic

1 주위를 둘러보면, 현대 기술이 어떻게 우리 삶을 더 편리하게 만들어 왔는지를 알 수 있다.

2 다락방의 이 오래된 물건으로 무엇을 할 수 있다고 생각하니?

e.g. 무엇이 예술 작품을 특별하게 만드는지는 예술 애호가들 사이에서 항상 논의의 주제였다. / *e.g.* 포장 라벨은 어떤 색의 크레용이 상자 안에 들어 있는지를 명확하게 보여준다. / *e.g.* 나는 북극고래가 얼마나 오래 살 수 있는지에 놀랐다. 그것은 200년 넘게 살 수 있다.

어휘 attic 다락방 enthusiast 애호가; 열광적인 팬

Test 1

1 ○　　　　　　　　　　**2** should what → what should
3 did ancient people live → ancient people lived
4 Do you believe why → Why do you believe

1 많은 사람들에게, '능력'은 지적 능력을 의미하기 때문에, 그들은 자신이 하는 모든 것이 자신이 얼마나 똑똑한지 보여주기를 원한다.
▶ how ~ are는 reflect의 목적어로 쓰였으며 how와 형용사 smart의 의미가 강하게 연결되므로 <의문사(how)+형용사+주어+동사>의 어순이 적절하다.

2 여러분이 어려움에 마주했을 때 중점을 두어야 할 가장 중요한 것은 누구를 탓해야 할지가 아니라 다음으로 어떤 행동이 취해져야 하는가이다.
▶ is의 보어인 두 개의 명사절이 <not A but B>로 병렬 연결되어 있다. A에 해당하는 명사절은 <의문사+주어+동사>의 어순이다. 그러나 B에 해당하는 명사절에서는 의문사 what이 주어 역할이므로 <의문사+동사>의 어순이 되어야 한다.

3 선사시대의 쓰레기 더미는 그들이 버린 것으로부터 고대 사람들이 어떻게 살았는지에 대한 많은 것을 고고학자가 알게 될 수 있기 때문에 특히 흥미롭다.
▶ how ~ lived는 전치사 about의 목적어로 쓰였으며 <의문사+주어+동사>의 어순이 적절하다.

4 효율적인 AI 알고리즘을 개발하는 데 행동 심리학이 왜 그렇게 중요하다고 생각하나요?
▶ <do you believe> 뒤에 의문사절이 이어지는 경우, 의문사가 문장 맨 앞으로 간다.

어휘 competence 능력 prehistoric 선사시대의 fascinating 흥미로운 archaeologist 고고학자 behavioral 행동에 관한, 행동의

Test 2

1 What causes peanut allergies to become more common in younger age groups is
2 the librarian will tell you where you can find the book that you want
3 a science to understand which signals and cues work most
4 how quickly they can reset their biological clocks to overcome jet lag
5 Who do you believe is the most qualified candidate for this position / What specific skills do you believe differentiate top candidates

1 ▶ 의문사절이 문장의 주어로 쓰였다. 의문사절 내에서 의문사가 주어 역할이므로 <의문사+동사>의 어순으로 영작하고, 의문사절은 단수 취급하므로 단수동사 is를 이어 쓴다.

2 ▶ 의문사절이 동사 tell의 직접목적어이다.

3 ▶ 의문사 which가 뒤의 명사를 수식하므로 <의문사(which)+명사(signals and cues)+동사(work)>의 어순으로 영작한다.

4 ▶ how가 부사 quickly와 의미가 강하게 연결되므로 <의문사(how)+부사(quickly)+주어(they)+동사(can reset)>의 어순으로 영작한다. to overcome jet lag는 '목적'을 나타내는 to부정사구이다.

5 ▶ may ask의 목적어로 쓰인 의문사절 두 개가 접속사 or로 병렬 연결되어 있다. or 뒤의 두 번째 의문사절에서는 의문사 What이 뒤의 명사를 수식한다.

어휘 allergy 알레르기 librarian 사서 direct (길을) 안내하다, 알려 주다 jet lag 시차증(시차로 인한 피로감) recovery 회복 travel 이동; 여행하다 competitive 경쟁적인 qualified 자격을 갖춘 differentiate 구분 짓다, 구별하다

RANK 18 부정어구 강조+의문문 어순 p.60

1 부정어구

기출 대표 문항 & 답이 보이는 Process

Not only does squatting help people avoid the harmful effects
2 의문문

스쾃을 하는 것은 사람들이 앉아있음으로 인해 야기되는 해로운 영향을 피하도록 도울 뿐만 아니라, 그 움직임은 또한 척추를 늘리고 근육을 당긴다.

e.g. 건강을 잃을 때까지 우리는 그것의 가치를 알지 못한다.

어휘 squat 스쾃을 하다; 스쾃((양발을 벌리고 서서 등을 펴고 무릎을 구부렸다 펴는 운동)) extend 늘리다; 연장하다 spine 척추

Test 1

1 does → do 2 I realized → did I realize
3 any factories can consume → can any factories consume
4 do → does 5 does → is

1 어떤 사람들은 많은 교통량에 의해 생기는 소음 공해가 우리의 정신 건강에 심각한 위협을 제기한다는 것을 거의 이해하지 못한다.
▶ 주어가 복수(some people)이므로 부정어 다음에 오는 조동사를 do로 고쳐야 한다.

2 역에 들어오고 나서야 나는 택시 트렁크 안에 내 짐을 두고 내렸다는 것을 깨달았다.
▶ 부정부사가 부사절을 이끄는 경우, 주절은 의문문 어순이 되어야 하며, 동사가 일반동사이자 과거시제(realized)이므로 조동사 did를 사용한다.

3 제조 공정에서, 어느 공장이든 상당한 양의 천연자원을 소비할 수 있을 뿐만 아니라, 환경 문제의 원인이 될 수도 있다.

4 어느 정도의 시간과 노력이 있은 후에만 학생은 논리적 사고의 중요성을 알 수 있게 해주는 통찰력과 직관력을 발달시키기 시작한다.

5 우리의 열등함을 인정하는 것은 고통스러울 뿐만 아니라, 우리가 그것을 느끼고 있다는 것을 다른 사람들이 알게 될 때는 훨씬 더 나쁘기도 하다.
▶ 주어는 it(가주어)이고, 보어로 painful이 쓰였으므로 does가 아닌 be동사 is로 고친다.

어휘 pose (위협, 문제 등을) 제기하다 contribute to ~의 원인이 되다; ~에 기여하다 insight 통찰력 intuition 직관(력) inferiority 열등함

Test 2

1 Never has any other natural disaster done
2 Not until she figured out / did she photograph
3 Rarely do initial observations exhibit
4 Not only can science fiction movies encourage students to identify

1 어떤 자연재해도 이 태풍보다 더 큰 피해를 준 적이 없다.
▶ 부정어구 Never를 문두에 쓰고 주어(any other natural disaster)와 조동사(has)를 도치시킨다.

2 그녀는 새 카메라를 사용하는 방법을 알아내고 나서야 아이슬란드의 아름다운 풍경을 찍었다.
▶ 부정부사가 이끄는 부사절은 정상어순으로 쓰고, 뒤에 오는 주절을 <조동사(did)+주어(she)+동사(photograph)>의 어순으로 도치한다.

3 초기의 관측들은 분명한 규칙적인 패턴을 거의 드러내지 않으므로, 관측한 것으로부터 자연의 숨겨진 질서를 발견하는 것이 과학자의 과업이다.
▶ 부정부사 Rarely를 문두에 쓰고 동사는 일반동사의 현재형이므로 <조동사(do)+주어(initial observations)+동사(exhibit)>의 어순으로 도치한다.

4 공상 과학 영화들은 학생들이 장면 속에서 과학적인 원리를 확인하도록 장려할 수 있을 뿐만 아니라, 창의성과 비판적인 사고도 발전시킬 수 있다.

어휘 natural disaster 자연재해 typhoon 태풍 scenery 풍경, 경치 figure out ~을 알아내다[이해하다] exhibit 드러내다; 전시하다 explicit 분명한, 명쾌한 regularity 규칙적인 패턴

Test 3

1 Only when you operate from a combination of your strengths and self-knowledge can you achieve
2 Not only is carbon dioxide nonpoisonous / Nor has atmospheric carbon dioxide necessarily been

1 ▶ 부정부사가 부사절을 이끄는 문장이므로 부사절의 어순은 정상어순으로, 주절의 어순은 도치된 어순으로 영작한다.

어휘 operate 움직이다; 작동하다 excellence 탁월함, 뛰어남 nonpoisonous 독성이 없는, 무해한 necessarily 반드시, 필연적으로 mirror 반영하다; 비추다

RANK 19 if절을 대신하는 여러 표현 p.62

기출 대표 문항 & 답이 보이는 Clues

it were not for / Were it not for
1 if it were not for 2 had it not been for

전기가 없다면, 세상은 어둠에 빠지게 될 것이다.

e.g. 내가 공항에 한 시간 일찍 도착했다면, 나는 그 비행기를 탈 수 있었을 텐데.

어휘 plunge into ~에 빠지다

Test 1

1 it had not been for my father's encouragement / it not been for my father's encouragement
2 the influence of minorities / it not for the influence of minorities
3 it were not for refrigeration / it not for refrigeration

1 우리 아버지의 격려가 없었다면, 나는 그렇게 긴 마라톤 경주를 완주할 수 없었을 것이다.

2 소수 집단의 영향이 없다면, 우리에게 어떤 혁신이나 사회 변화도 없을 것이다.

3 냉장(기술)이 없다면, 음식과 백신이 상해서, 경제적 재앙과 수많은 죽음으로 이어질 것이다.

어휘 refrigeration 냉장

Test 2

1 Were it not for the tireless efforts / would lack access to
2 If it hadn't[had not] been for the groundbreaking research / would have been significantly limited
3 Had it not been for the formation and maintenance of social bonds / would not have been able to cope with or adapt to their physical environments
4 without the service of pollination which they provide / humankind might cease to exist

1 ▶ 주어진 어구에 if가 없으므로 조건절에서 if를 생략하고 주어와 동사를 도치하여 쓴다.

3 ▶ 가정법 과거완료 시제이므로 if를 생략하면 Had it not been for ~의 형태가 된다.

4 ▶ 여기서 without은 if it were not for(가정법 과거)의 의미로 쓰였다.

어휘 tireless 지칠 줄 모르는 charitable 자선(단체)의 disadvantaged 사회적으로 혜택을 받지 못한, 빈곤한 formation 형성 bond 유대(감); 접착시키다 cope with ~에 대처하다 adapt 적응하다; 맞추다 pest 해충 humankind 인류 cease 끝내다, 중단하다 *cf.* cease to exist 소멸하다

RANK 20 주의해야 할 분사구문

p.64

기출 대표 문항 & 답이 보이는 Clues

3, having warned → (having been) warned
1 분사 앞 2 having p.p. 3 (having been) p.p.

1 Nick이 늦어서, 나는 기차를 놓칠까 봐 불안했다.

2 완공되면, 그 새 다리는 도시의 교통 흐름을 상당히 개선할 것이다.

3 누구로부터도 폭우에 대해 경고 받지 않았기 때문에, 나는 전혀 준비되지 않았다.

4 자신감으로 가득 차서, 그 야구 선수는 홈 관중 앞에서 홈런을 쳤다.

cf. 자신의 처지에 만족하여, 그는 하루하루를 웃으며 받아들였다. / *e.g.* 지하철에 빈자리가 없어서, 그 소년은 40분 동안 서 있었다.

어휘 crowd 관중; 무리

Test 1

1 Being passionate about investigating the crime
2 After having two healthy children of their own
3 Not having been published
4 passing from ocean to land

1 범죄를 수사하는 것에 대해 열정적이어서, 그 경찰관은 가능한 한 많은 증거를 찾고 있다.
▶ 부사절의 동사 is를 Being으로 바꿔 쓴다. 만약 빈칸이 5개라면 Being은 생략이 가능하다.

2 두 명의 건강한 아이를 낳은 후, Bill과 Monica는 고아가 된 아이를 그들의 가정에 데려오기로 결정했다.
▶ 주절의 주어와 부사절의 주어가 같으므로, had를 having으로 바꿔 쓴다. 빈칸 개수로 보아 접속사를 생략하지 않고 분사 앞에 써 준다.

3 공식적으로 출판되지는 않았지만, 지난번의 성공 덕분에 그의 새 작품은 상당한 관심을 끌고 있다.
▶ 부사절의 동사가 완료형이므로 has를 having으로 바꾸고, 부정어 not을 분사 having 앞에 쓴다.

4 대부분의 담수 생명체는 담수에서 생겨나지 않았다. 그것은 바다에서 육지로, 그런 다음 다시 담수로 이동했을 때 담수 환경에 적응해야 했다.
▶ 주절의 시제(had to adapt)와 부사절의 시제(passed)가 같으므로 분사구문을 passing ~으로 쓴다.

어휘 passionate 열정적인, 열렬한 investigate 수사하다, 조사하다 orphan 고아로 만들다; 고아 considerable 상당한, 많은 originate 생기다, 유래하다

Test 2

1 ○ 2 × → hiked 3 ○

1 녹색 신호등이 켜져 있어서, 모든 차들이 앞으로 움직이기 시작했다.
▶ 원문장 As there was a green light, ~.에서 접속사 As가 생략되고, was가 being으로 바뀐 문장이다. 이 경우 there는 그 위치에 그대로 쓴다.

2 몇 시간을 등산한 후에, Kevin은 Vincent 산 정상에 이르러 아주 기뻤다.
▶ 분사구문의 의미상의 주어인 Kevin이 '등산을 한' 능동관계이므로 hiked로 고친다.

3 오후 내내 비가 와서, 그들은 실내에 머물면서 보드게임을 하기로 결정했다.
▶ 주절의 주어(they)와 분사구문의 의미상의 주어(It)가 다르므로, 비인칭주어 It을 being 앞에 쓴 것은 적절하다.

어휘 thrilled 아주 기쁜, 아주 흥분한 indoors 실내에서

Test 3

1 Having built the library by using traditional methods and local materials
2 There being a drop in economic activities or a recession
3 some consisting almost entirely of water
4 While commonly recognized as powerful emblems of national identity

1 ▶ 부사절이 주절보다 앞선 일을 나타내므로 having p.p. 형태의 분사구문으로 쓴다.

2 ▶ 부사절에 <there+is[are]> 구문이 있는 문장을 분사구문으로 표현한 것이므로, there는 그 위치에 그대로 쓴다.

3 ▶ 주절과 부사절의 주어가 다르므로 분사구문 앞에 의미상의 주어 some을 써 주어야 한다. consist는 '구성되다'라는 의미의 자동사이므로 수동형으로 쓸 수 없음에 주의하자.

4 ▶부사절 While they(= flags) are commonly recognized ~를 분사구문으로 바꾸면 (Being) Commonly recognized ~가 된다. 주어진 어구에 be동사가 없고 접속사는 있으므로 While commonly recognized ~로 쓴다.

어휘 preserve 보존하다; (특색을) 지키다 consist of ~로 구성되다 emblem 상징 division 분열; 분배

RANK **21** 주의해야 할 시제 Ⅰ p.66

⚬━ 기출 대표 문항 & 답이 보이는 Clues

① ○ ② × → have ③ × → jump
1 과거 2 현재완료 3 was 4 have encouraged 5 현재
6 jump

① 호주는 45,000년 전에 아시아 해안을 따라 아프리카에서 동쪽으로 퍼져 나간 개척자들에 의해 발견되었다.

② 지난 30년 동안, 프라이부르크의 교통 정책은 더 많이 걷고, 자전거를 타고, 대중교통 수단을 이용하는 것을 장려해 왔다.

③ 발포 고무는 쉽게 압축되기 때문에 부드럽게 느껴진다. 만일 당신이 발포 고무 매트리스 위로 뛰어오르면, 그것이 당신의 체중에 압축되는 것을 알 수 있을 것이다.

어휘 pioneer 개척자, 선구자 shore 해안 decade 10년 transport 교통 (수단) compress 압축하다; 압축되다

Test 1

1 will come → comes 2 passes → passed
3 is → has been 4 begins → began
5 will take → takes

1 출장에서 돌아오시는 대로 제가 곧 있을 일정을 사장님께 알려드리겠습니다.

2 비록 그는 오래전에 세상을 떠났지만, 사람들은 여전히 그를 가난한 사람들을 돕기 위해 부와 명성을 포기한 위대한 사람으로 기억한다.

3 스페인 기술자의 예상치 못한 발견 덕분에, 폼페이는 지금까지 250년 넘게 관광 명소가 되어 왔다.
　▶부사구 for over 250 years now가 과거부터 현재까지 계속되었음을 나타내므로 현재완료시제가 적절하다.

4 환경에 대한 인간의 지배의 실현은 1700년대 후반에 산업 혁명과 함께 시작되었다.

5 분석가들은 정부가 건설적인 조치를 빨리 취하지 않는 한 국가 부채가 위험한 수준까지 계속 증가할 것이라고 경고한다.

어휘 upcoming 곧 있을, 다가오는 pass away 사망하다 fame 명성 domination 지배 warn 경고하다 debt 부채, 빚 constructive 건설적인

Test 2

1 If your children make foolish decisions and experience failure
2 the Dutch government adopted a policy designed to cut pesticide use in half
3 motorization rates have stayed the same / carbon dioxide emissions from transportation have fallen

4 have been some agreements made to reduce the debt of poor nations / other economic challenges like trade barriers remain

1 조건을 나타내는 접속사 If가 이끄는 부사절에서는 현재시제가 미래시제를 대신한다.

2 부사구 In 1991이 과거를 나타내므로 과거시제 adopted로 바꿔 쓴다. 정책이 '고안된' 것이므로 design은 과거분사 designed로 바꿔 딸린 어구와 함께 a policy를 뒤에서 수식한다.

3 부사구 Since 1990이 과거부터 현재까지 계속되었음을 나타내므로 현재완료시제 have stayed, have fallen으로 바꿔 쓴다. 조건상 been을 추가해도 된다면 현재완료진행시제인 have been staying, have been falling을 써도 문맥상 알맞다.

4 부사구 Over the past several decades가 과거부터 현재까지 계속되었음을 나타내므로 첫 번째 절의 동사는 현재완료시제 have been이 적절하다. but 이후의 절에서는 현재(today)의 일을 말하고 있으므로 현재시제 remain으로 쓴다.

어휘 adopt 채택하다; 입양하다 pesticide 살충제 emission 배출; 배기가스 transportation 차량; 운송 수단 agreement 합의; 협정

RANK **22** 주의해야 할 시제 Ⅱ p.68

⚬━ 기출 대표 문항 & 답이 보이는 Clues

① × → had ② × → was
1 과거완료 2 had installed 3 was

① 장거리 자동차 여행을 하는 동안, 나는 내 여행 동반자가 가는 도중에 멈출 흥미로운 장소를 찾기 위해 장거리 자동차 여행 플래너 앱을 설치했다는 것을 발견했다.

② 현재 유전자 편집으로 알려진 방법론은 1900년대 후반에 한 유전학자들의 팀에 의해 처음 도입되었다.
　▶부사구 in the late 1900s는 과거를 나타내므로 과거시제 was가 적절하다. 전치사 for의 목적어 역할을 하는 what이 이끄는 절의 시제(is)나 부사(now)로 판단하지 말자.

cf. 내 여행 동반자가 장거리 자동차 여행 플래너 앱을 설치했고, 나는 그것을 발견했다.

어휘 companion 동반자, 동행 install 설치하다 methodology 방법론 introduce 도입하다; 소개하다 geneticist 유전학자

Test 1

1 ○ 2 × → has 3 × → had
4 ○ 5 ○

1 1493년에, 크리스토퍼 콜럼버스는 왕과 왕비에게 자신이 발견했던 것을 전하기 위해 병에 담긴 메시지를 보냈다.

2 변호사들은 때때로 소유권을 '막대 다발'로 묘사하는데, 이는 자원이 분배 가능하다는 것을 시사한다. 이 비유는 약 1세기 전에 도입되었고, 그때부터 법학 교육과 실무를 극적으로 변화시켜 왔다.

3 최초의 천문 카메라로 작업을 한 19세기 초 천문학자들은 그들이 생각했던 것보다 우주가 훨씬 더 혼잡하다는 것을 발견하고 깜짝 놀랐다.

4 수세기 전에, 토스카나의 공작은 소금에 세금을 부과했다. 토스카나의 제빵업

자들은 그들의 조리법에서 소금을 없애고 우리가 오늘날 즐겨 먹는 맛있는 토스카나 빵을 우리에게 선사하는 것으로 응수했다.

5 16세기와 17세기에 제기되었던 수학의 중요한 문제들은 정수론에 대한 기여로 알려진 Leonhard Euler와 같은 몇몇 수학자들에 의해 다음 세기 동안 해결되었다.

어휘 bottle 병에 담다; 병 ownership 소유(권) distributable 분배 가능한 metaphor 비유, 은유 dramatically 극적으로 practice 실무; 실행 astonished 깜짝 놀란 impose (세금 등을) 부과하다 eliminate 없애다, 제거하다 contribution 기여; 기부(금)

Test 2

② goes on → went on, 과거를 나타내는 부사구 In 1928이 쓰였으므로 과거시제가 적절하다.
/ ③ has → had, 곰팡이가 박테리아를 죽인(kill) 것은 플레밍이 그것을 발견한(find) 것보다 먼저 일어난 일이므로 과거완료시제가 적절하다.

지금까지 우연히 만들어졌던 과학적 발명의 예는 셀 수 없이 많다. 그러나 자주 이러한 우연은 그것을 해석할 수 있는 그 분야에서 평균 이상의 지식을 가진 사람을 필요로 해 왔다. 우연과 연구자 사이의 협력에 대해 더 잘 알려진 예 중 하나는 페니실린의 발명이다. 1928년, 스코틀랜드 생물학자 알렉산더 플레밍이 휴가를 떠났다. 다소 부주의한 사람으로, 플레밍은 책상 위에 몇몇 박테리아 배양균을 두고 갔다. 그가 돌아왔을 때, 그는 배양균들 중 하나에서 곰팡이를 발견했는데 그 주변에는 박테리아가 없었다. 플레밍은 그 곰팡이가 페트리 접시 위의 박테리아를 죽였다는 것을 알아차렸다. 이것은 운 좋은 우연의 일치였다. 전문적 지식이 없는 사람에게는, 박테리아가 사라진 부분이 크게 중요하지 않았겠지만, 플레밍은 그 곰팡이의 마법 같은 작용을 이해했다. 그 결과는 오늘날까지 지구상의 수많은 사람들을 구해 온 약인 페니실린이었다.

▶ ① 부사구 so far가 쓰여 지금까지 계속되는 일을 말하므로 현재완료시제는 알맞다.
④ 플레밍이 그 곰팡이의 마법 같은 작용을 이해한 것은 과거의 일이므로 understood는 적절하다.
⑤ 과거에 플레밍이 발견한 이래로 오늘날까지(to this day) 지구상의 수많은 사람들을 구해 온 것이므로 현재완료시제는 적절하다.

어휘 by accident 우연히 above-average 평균 이상의 cooperation 협력, 협동 careless 부주의한, 조심성 없는 coincidence 우연의 일치 significance 중요성; 의미 medication 약; 약물 치료

서술형 대비 **실전 모의고사 2회** p.70

01 × → When do you think, ○
02 × → being, × → to demonstrate
03 ○, × → can you use
04 ○, × → had managed
05 × → have been recognized, ○
06-07 ③ do sports refer to → sports refer to, 의문사가 이끄는 명사절의 어순은 <의문사+주어+동사>가 되어야 한다. / ⑤ are → is, 동명사구 주어는 단수 취급하므로 동사를 단수동사로 고친다.
08 you practice using your remembered understanding do you achieve mastery
09 The popularity of classical music has declined / got too sacred for the audience to openly express their approval or disapproval
10 have been exposed to a number of competitions / we would never know how far we could push ourselves
11 Having been trained as a pilot in order to fulfill / it is no use trying to accomplish anything / decided to find out what he really wanted
12 It is important to learn from experiences
13 in terms of the physics of image formation do the eye and camera have anything in common
14 (A) armed (B) was hunted down (C) are
15 it not been for the Ice Age / could have stayed uninhabited
16 (A) sharp enough to always make (B) too fast to pause
17 rushing our speech carries inherent risks and potential downsides / only to disturb effective communication

01 우리 팀이 곧 있을 프로젝트를 위한 예산에 대해 언제 논의하는 것이 적절하다고 생각하세요?
▶ <do you think> 뒤에 의문사절이 이어지는 경우, 의문사가 문장 맨 앞으로 간다. / <가주어-진주어(to부정사)> 구문의 진주어 to discuss는 알맞게 쓰였다. • Rank 14 가주어-진주어(to부정사), Rank 17 의문사가 이끄는 명사절의 어순

02 배송에 지연이 있어서, 그 가게는 인내심에 대한 감사를 표하기 위해 고객들에게 미래 구매에 대한 할인을 제공했다.
▶ 두 문장을 연결하는 접속사가 없으므로 첫 번째 밑줄 친 부분은 being으로 고쳐 분사구문을 만든다. <there+is[are]> 구문을 분사구문으로 바꾸면 there는 그 위치에 그대로 남는다. / 'v하기 위해, v하도록'이라는 의미의 목적을 나타내는 부사적 역할의 to부정사가 쓰여야 한다. • Rank 13 to부정사의 부사적 역할, Rank 20 주의해야 할 분사구문

어휘 shipment 배송 demonstrate (감정 등을) 표시하다; 논증하다, 증명하다 patience 인내심

03 친구들에게 긍정적인 감정을 표현할 때, 여러분은 언어적 신호를 사용할 수 있을 뿐만 아니라, 미소, 따뜻한 눈 마주침, 그리고 다른 얼굴 표정과 같은 비언어적 신호를 사용할 수도 있다.
▶ 분사구문의 의미상의 주어인 you가 '표현하는' 것이므로 의미상의 주어와 express는 능동관계이다. expressing은 알맞다. / 콤마 뒤 문장에서는 부정어구 not only가 문두에 왔으므로 <조동사(can)+주어(you)+동사(use)>의 어순으로 고친다. • Rank 18 부정어구 강조+의문문 어순, Rank 20 주의해야 할 분사구문

어휘 verbal 언어의, 말의 nonverbal 비언어적인, 말을 사용하지 않는 facial 얼굴의

04 심한 부상이 있는 한 남자가 며칠 동안 정글을 힘겹게 헤쳐 나아가지만 마을에 도달하기 직전에 죽는다고 가정해 보라. 여러분은 "만약 그가 마을까지 어떻게든 걸어갔다면, 그는 구조되었을 텐데"라고 생각할지도 모르지만, 여러분이 그 피해자의 친척들을 위로할 때는 다르게 말할 것이다.
▶ that이 생략된 명사절의 주어는 a man이므로 단수동사 struggles는 알맞다. / 과거 사실의 반대를 가정하고 있으므로 if절에는 <had p.p.>가 와야 한다. • Rank 01 주어-동사의 수일치 I, Rank 12 if+가정법

어휘 suppose 가정하다 manage to-v 어떻게든 v하다 console 위로하다

05 고대 이래로, 임상 치료와 공공 보건이라는 건강관리 서비스의 두 가지 동등하게 중요한 측면이 인식되어 왔다. 현대 사회에서 임상 치료의 사회적 우세에도 불구하고 공공 보건 서비스는 언제나 필수적이었으며, 결코 그 가치를 잃지 않았다.
▶ 부사구 Since ancient times가 과거부터 현재까지 계속되었음을 나타내고, 두 가지 측면이 '인식되어 온' 것이므로 have been recognized로 고친다. / 분사구문의 의미상의 주어인 공공 보건 서비스가 가치를 '잃지' 않은 것이므로 의미상의 주어와 lose는 능동관계이다. 현재분사 losing은 알맞다. • Rank 06 분사구문, Rank 16 진행·완료시제의 능동 vs. 수동, Rank 21 주의해야 할 시제 I

어휘 clinical 임상의 ascendancy 우세, 지배력을 행사할 수 있는 지위

06-07

누군가에게 세 가지 스포츠의 이름을 대도록 요청한다면, 그 사람은 쉽게 대답할 수 있을 가능성이 크다. 어쨌든, 거의 모든 사람은 어떤 유형의 활동들이 스포츠로 여겨지고 어떤 것들이 그렇지 않은지에 대한 생각을 갖고 있다. 우리 대부분은 우리가 스포츠가 무엇을 나타내는지 안다고 생각한다. 하지만 스포츠, 여가, 그리고 놀이의 예시들 사이에 그려진 선은 항상 분명하지는 않다. 사실, 어떤 유형의 활동들이 포함되어야 하고 제외되어야 하는지에 대한 분명하고 정확한 한도를 설정하는 정의를 고안하는 것은 비교적 하기 어렵다. 오늘날 놀이로 여겨지는 활동들이 미래에는 스포츠의 지위를 얻을 수도 있다. 예를 들어, 한때 많은 이들이 뒤뜰에서 배드민턴을 했지만 이 활동은 스포츠로 거의 여겨지지 않았다. 하지만 1992년부터 배드민턴은 올림픽 스포츠가 되었다!

▶ ③ • Rank 17 의문사가 이끄는 명사절의 어순 / ⑤ • Rank 02 주어-동사의 수일치 II, Rank 15 주어로 쓰이는 동명사

어휘 with ease 쉽게 devise 고안하다, 창안하다

08 ▶ 부정부사 only가 이끄는 부사절이 강조되어 앞으로 왔으므로 부사절은 정상어순으로 쓰고, 주절을 <조동사(do)+주어(you)+동사(achieve)>의 어순으로 도치시킨다. • Rank 18 부정어구 강조+의문문 어순

어휘 mastery 통달, 숙달

09 ▶ 대중성이 최근 수십 년간 계속 쇠퇴해 온 것이므로 주절의 동사는 현재완료 시제 has declined로 쓰고, 클래식 음악이 신성해진 것은 과거 한 시점의 일이므로 because가 이끄는 부사절의 동사는 과거시제 got으로 쓴다. '너무 ~해서 A가 v할 수 없는'이라는 의미의 <too 형용사 for A to-v> 구문을 써서 부사절을 완성한다. • Rank 13 to부정사의 부사적 역할, Rank 22 주의해야 할 시제 II

어휘 sacred 신성시되는; 성스러운 approval 호감; 승인 disapproval 반감; 불승인

10 ▶ 우리가 경쟁에 '노출되어 온' 수동관계이므로 첫 번째 문장의 동사는 현재완료 수동형인 have been exposed로 쓴다. If가 이끄는 절에 과거시제가 쓰여 현재 사실의 반대를 가정하고 있으므로, 주절에는 <조동사 과거형+v>를 쓴다. 이어서 목적어 자리에는 의문사 how가 이끄는 명사절을 영작하는데, how와 부사 far의 의미가 강하게 연결되므로 <how+부사+주어+동사>의 어순으로 쓴다. • Rank 12 if+가정법, Rank 16 진행·완료시제의 능동 vs. 수동, Rank 17 의문사가 이끄는 명사절의 어순

11 ▶ 첫 번째 빈칸은 주절보다 앞선 일을 나타내며 의미상의 주어 he가 '교육받은' 수동관계이므로 Having been trained와 '목적'을 나타내는 <in order to-v> 구문을 이용하여 영작한다. Having been은 생략할 수 있지만 주어진 어구를 모두 사용해야 하므로 살려서 쓴다. 두 번째 빈칸은 동명사 관용 표현 <it is no use v-ing(v해도 소용없다)>를 사용해 영작한다. 마지막 빈칸에는 동사 decide의 목적어로 to find out을 쓰고, 의문사 what이 이끄는 명사절을 to부정사의 목적어로 쓴다. • Rank 11 동사의 목적어가 되는 to-v, v-ing, Rank 13 to부정사의 부사적 역할, Rank 15 주어로 쓰이는 동명사, Rank 17 의문사가 이끄는 명사절의 어순, Rank 20 주의해야 할 분사구문

12 배우기 위한 최고의 방법은 성공뿐만 아니라 실패도 경험하는 것이다. 스스로 무언가를 해보고 실패로부터 회복해보지 않고서는 거의 아무것도 배울 수 없다. 리더들이 겪는 것에 대해 생각해 보아라. 당신은 리더십에 관한 책을 수십 권 읽을 수 있지만, 당신이 실제 리더들이 직면하는 문제들을 경험해볼 때까지는 당신은 결코 스스로 리더가 되기 위한 준비가 되지 않을 것이다.

[요약문] 그것들(경험)이 책보다 훨씬 더 좋은 배움을 제공하기 때문에 경험에서 배우는 것이 중요하다.

▶ • Rank 14 가주어-진주어(to부정사)

13 눈을 카메라에 비유하여, 초급 생물학 교과서들은 지각이 무엇을 수반하는지에 대해 오해의 소지가 있는 인상을 만들어 내는 데 일조한다. 오직 상 형성의 물리학 측면에서만 눈과 카메라는 무언가를 공통적으로 지닌다(공통점을 갖는다). 눈과 카메라 모두 외부 세계로부터 오는 광선을 상에 집중시키는 렌즈가 있고, 둘 다 그 상의 초점과 밝기를 조정하는 수단이 있다. 눈과 카메라 모두 상이 드리워지는 빛에 민감한 막(각각 망막과 필름)이 있다. 하지만 상 형성은 보는 것으로 향하는 첫 번째 단계일 뿐이다. 눈과 카메라 사이의 피상적인 유사점은 그 둘의 훨씬 더 근본적인 차이를 보기 어렵게 하는데, 그 차이는 카메라는 상을 단순히 기록하는 것이고, 반면 시각 체계는 그것을 해석한다는 것이다.

▶ 부정어 Only가 이끄는 부사구를 문두에 쓰고, <조동사(do)+주어(the eye and camera)+동사(have)>의 어순으로 도치시킨다. • Rank 18 부정어구 강조+의문문 어순

어휘 liken 비유하다 elementary 초급의; 기본적인 misleading 오해의 소지가 있는 have A in common A를 공통적으로 지니다 cast (빛, 그림자 등을) 드리우다, 던지다 retina (눈의) 망막 respectively 각각, 각자 superficial 피상적인, 표면적인 analogy 유사점; 비유 obscure 보기 어렵게 하다, 모호하게 하다

[14-15]

사냥꾼들은 원시적인 무기로만 무장되어서, 화난 매머드의 실제 적수가 되지 않았다. 많은 이들이 이 거대한 동물 중 한 마리를 죽이기 위해서 필요했던 가까운 접촉 중에 죽임당하거나 심각하게 상처를 입었을 것이다. 하지만 인간들의 협력에 의해 한 마리가 사냥되었을 때 그 보상은 엄청났다. 단 한 마리의 매머드가 한 무리를 오랫동안 먹이고, 입히고, (필요한 것을) 공급해줄 수 있었다. 사냥꾼들은 아시아에서부터 지금의 베링 해를 가로질러 동쪽으로 매머드와 다른 큰 동물들을 따라갔다. 그들 중 일부는 작은 배를 타고 해안을 따라 이동했을지도 모르지만, 다수는 걸어서 이동했다. 2만 년 전, 마지막 빙하기가 한창일 때, 해수면이 매우 낮아서 육지가 지금은 분리된 대륙인 것들과 합쳐졌다. 천천히, 모르는 사이에, 그리고 아마도 무의식적으로, 사냥꾼들은 그 육지의 다리를 건너 이동했고 새 땅의 첫 이주민이 되었다. 빙하기가 없었다면, 북아메리카는 수천 년 더 사람이 살지 않는 채로 남아 있었을 것이다.

어휘 primitive 원시적인; 원시 사회의 slay 죽이다 at the height of ~이 한창일 때 glacial 빙하기의 imperceptibly 모르는 사이에; 근소하게, 미세하게 uninhabited 사람이 살지 않는

14 ▶ (A) 접속사 없이 문장이 이어지고 있으므로 분사구문이 되어야 한다. 의미상의 주어인 사냥꾼들이 '무장된' 것이므로 의미상의 주어와 arm은 수동관계이다. 과거분사 armed로 쓴다. • Rank 06 분사구문

(B) when이 이끄는 부사절의 주어 one은 a mammoth를 가리킨다. 매머드가 인간들의 협력에 의해 '사냥되는' 것이므로 주어와 동사는 수동관계이다. 수동태 was hunted down을 쓴다. • Rank 04 능동 vs. 수동_단순시제 II

(C) 현재(now)의 일이므로 현재시제 are를 쓴다. was, joined의 시제와는 별개임에 유의하자. • Rank 22 주의해야 할 시제 II

15 ▶ '~이 없었다면'이라는 의미로 과거 사실을 반대로 가정한다. Had로 시작하므로 if가 생략되고 주어와 조동사가 도치된 형태인 Had it not been for를 써서 영작한다. 주절에는 <조동사 과거형+have p.p.>를 쓴다. • Rank 19 if절을 대신하는 여러 표현

[16-17]

빠르게 말하는 것은 위험 부담이 큰 일이다. 입이 속도 제한을 훨씬 초과해 움직이고 있을 때 설득력 있고, 잘 말하며, 효과적이기 위한 이상적인 조건을 유지하는 것은 거의 불가능하다. 비록 우리는 우리의 지성이 항상 최고의 효율로 좋은 결정을 내릴 만큼 충분히 예리하다고 생각하고 싶어 하지만, 그렇지 않다. 실제로, 뇌는 네다섯 개의 말할 수 있는 것들의 교차 지점에 도착해서 몇 초 동안 빈둥거리며 선택지를 고려한다. 뇌가 입으로 항해 지시를 보내는 것을 멈추고 입은 너무 빨리 움직이고 있어서 멈출 수 없을 때, 그것이 여러분이 가벼운 언어적 사고, 달리 말해 필러라고도 알려진 것을 겪는 때이다. '음, 아, 알다시피, 말하자면'은 여러분의 입이 갈 곳이 없을 때 하는 말들이다.

어휘 proposition 일; 제의 persuasive 설득력 있는 intersection 교차 지점, 교차로 idle 빈둥거리다, 특별히 하는 일 없이 보내다 navigational 항해의

filler 필러; (중요하지는 않고, 시간이나 공간 등을) 채우기 위한 것

16 ▶ (A) 형용사 enough to-v: v할 만큼 충분히 ~한 • Rank 13 to부정사의 부사적 역할
(B) too 부사 to-v: 너무 ~해서 v할 수 없는 • Rank 13 to부정사의 부사적 역할

17 [요지] 우리 뇌의 의사 결정 과정을 앞지르기 때문에, 우리의 말을 서두르는 것에는 내재된 위험과 잠재적인 불리한 면이 있으며, 결국 효과적인 의사소통을 방해할 뿐이다.
▶ 문장의 주어가 되도록 rush를 rushing으로 바꿔 쓰고, 동명사구 주어는 단수 취급하므로 단수동사 carries를 쓴다. 두 번째 빈칸은 '(그러나) 결국 v(할 뿐)'의 의미로 결과를 나타내는 <only to-v>를 이용하여 영작한다.
• Rank 13 to부정사의 부사적 역할, Rank 15 주어로 쓰이는 동명사

어휘 outpace 앞지르다 rush 서두르다 inherent 내재된; 타고난 downside 불리한 면

• 부분 점수

문항	배점	채점 기준
01-05	1	×는 올바르게 표시했지만 바르게 고치지 못한 경우
06-07	2	틀린 부분을 바르게 고쳤지만 틀린 이유를 쓰지 못한 경우
	1	틀린 부분을 찾았지만 바르게 고치지 못한 경우
08-11	3	어순은 올바르나 단어를 적절히 변형하지 못한 경우
15	4	어순은 올바르나 단어를 적절히 변형하지 못한 경우
17	5	어순은 올바르나 단어를 적절히 변형하지 못한 경우

Rank 23-33

RANK 23 명사절을 이끄는 접속사 that

p.76

기출 대표 문항 1 & 답이 보이는 Clues

1 what → that 또는 삭제 2 ○
1 완전한 2 불완전한 3 that

1 우리는 모두 팀워크와 협업이 우리 프로젝트의 성공에 필수적이라는 것을 안다.

2 여러분은 전문가로부터 여러분의 유전자 이력이 여러분을 특정 건강 위험에 빠뜨린다는 것을 알게 될지도 모른다.

어휘 specialist 전문가 genetic 유전(자)의

Test 1

1 ○ 2 that → what
3 ○ 4 what → that

1 셰익스피어는 온 세상이 무대이고, 우리는 그 안의 배우들일 뿐이라고 말했다.
▶ 문장의 목적어인 명사절을 이끄는 접속사 that이 알맞게 쓰였다.

2 그 책의 결말을 읽고 나서, 나는 마침내 작가가 우리에게 무엇을 말하려고 했는지 깨달았다.
▶ that 뒤에 to say의 목적어가 없는 불완전한 구조의 절이 이어지고, '무엇'으로 해석되므로 that을 의문사 what으로 고쳐야 한다.

3 비록 현대 과학은 그것(도덕적 우수성)이 선천적, 유전적인 요소를 가질 수 있다고도 제안하지만, 아리스토텔레스에 따르면 도덕적 우수성은 습관과 반복의 결과물이다.
▶ suggests 뒤에는 목적어인 명사절을 이끄는 접속사 that이 생략되었다.

4 완벽함은 종종 속도와 정확성의 전략적 균형을 요구하기 때문에, 일을 더 느리게 함으로써 여러분이 완벽하게 일을 끝낼 것이라고 가정하는 것은 오류가 있다.
▶ 주어가 되는 동명사 assuming의 목적어인 명사절을 이끌며, 뒤에 완전한 구조의 절이 이어지므로 what을 접속사 that으로 고쳐야 한다. 목적어로 쓰인 that절을 이끄는 접속사 that은 생략할 수 있으나, 주어진 조건에서 한 단어로 고치라고 했으므로 생략하지 않고 that을 답으로 쓴다.

어휘 conclusion 결말, 결론 moral 도덕적인, 도덕의 excellence 우수(성); 뛰어남 innate 선천적인, 타고난 component (구성) 요소 precision 정확성; 신중함 assume 가정하다, 추정하다 inaccurate 오류가 있는, 부정확한

기출 대표 문항 2 & 답이 보이는 Process

The laboratory test verifies that the new drug is effective in treating the disease

어휘 verify 증명하다, 입증하다 treat 치료하다; 다루다

Test 2

1 That we hold the ability to influence other people's lives / that there are always considerations
2 agree it is the responsibility of government to take care of people who can't take care of themselves
3 can transform it into what is helpful to you / remind yourself that the stress response gives you access

1 ▶ 주어와 목적어를 모두 접속사 that이 이끄는 명사절로 영작한다. 주어진 어구에 that이 하나만 있다면 목적어로 쓰인 절의 that은 생략할 수 있다.

2 ▶ 주어진 어구에 that이 없으므로 접속사가 생략된 명사절이 목적어 자리에 오도록 영작한다. 명사절 내에 <가주어-진주어(to-v)> 구문이 쓰였다.

3 ▶ 첫 번째 문장에는 전치사 into의 목적어로 관계대명사 what이 이끄는 명사절이 오고, 두 번째 문장에는 동사 remind의 직접목적어 자리에 접속사 that이 이끄는 명사절이 온다. 뒤에 오는 절이 완전한지 확인하여 what과 that의 위치를 정한다.

어휘 consideration 고려 사항 mindful 염두에 두는; 염려하는 responsibility 책임 take care of ~을 돌보다 tension 긴장; 팽팽하게 하다

RANK 24 동사 자리 vs. 준동사 자리 p.78

1 한 2 동사

기출 대표 문항 & 답이 보이는 Process

× → practiced
3 practiced

역사에 영향을 준 많은 역사적인 인물들은 생각하고 계획하기 위해 일찍 일어나는 규율을 실천했다.

e.g. 문법은 한 언어에서 문장을 구성하기 위해 알아야 할 일련의 규칙이다.

어휘 historic 역사적인, 역사적으로 중요한 figure 인물; 숫자 discipline 규율; 훈육

Test 1

1 × → acting 2 ○, × → ensuring
3 × → Taking 4 ○, ○
5 × → charged

1 외계인을 연기한 그 배우들은 특수 분장을 했고, 그들의 연기는 창고에서 촬영되었다.
▶ and로 연결된 두 개의 절 각각에 동사 wore와 were filmed가 있으므로 밑줄 친 부분은 준동사 자리이다. 배우들이 외계인을 '연기하는' 능동관계이므로 현재분사 acting으로 고친다.

2 재난 여파를 지원하는 그 자선단체는 어려움에 처한 사람들에게 필수품이 효과적으로 전달되는 것이 확실하게 하면서, 내구성이 있는 플라스틱으로 만들어진 구호 상자를 배부하는 것에 중점을 두었다.
▶ 구호 상자가 '만들어진' 수동관계이므로 과거분사 crafted는 알맞게 쓰였다. 두 번째 밑줄 앞에 접속사가 없고, 문장의 동사는 focused이므로 분사구문을 이끄는 분사 자리이다. 그 자선 단체가 '확실하게 하는' 것이므로 현재분사 ensuring으로 고친다.

3 익숙하지 않은 지하철을 이용하는 것은 특히나 외국인들에게 큰 도전이 될 수 있다.
▶ 문장의 동사 can be가 있으므로 밑줄 친 부분은 준동사 자리이고, 문장의 주어가 필요하다. 주어 역할을 할 수 있는 동명사나 to부정사를 쓸 수 있는데, 여기서는 조건에 따라 동명사만 가능하다.

4 스포츠팀이 좋은 성과를 내는 데 도움이 되도록 고안된 특정 플레이들을 담고 있는 플레이 북을 갖고 있는 것과 마찬가지로, 여러분의 회사는 직원들이 최대 잠재력을 발휘하도록 지원하는 데 필요한 핵심 정책을 담은 플레이 북을 갖고 있어야 한다.
▶ 부사절과 주절 각각에 동사가 있으므로 밑줄 친 부분은 모두 준동사 자리이다. 명사 specific plays와 the key policies를 각각 뒤에서 수식하는 과거분사 designed와 needed가 알맞게 쓰였다.

5 과거에는, 많은 공공 부문 레크리에이션 공급 기관이 낚시나 승마와 같은 다양한 오락 활동의 양 혹은 시기를 조절하기 위해 사람들에게 무료입장을 허용하거나 허가증에 요금을 청구하였다.
▶ 밑줄 친 부분은 allowed와 등위접속사 or로 병렬 연결되는 동사 자리이다. 많은 공공 부문 레크리에이션 공급 기관이 '요금을 청구하는' 것이고 과거의 일을 말하고 있으므로 charged로 고쳐야 한다. access는 동사와 명사의 형태가 같은 단어로 여기서는 명사로 쓰였음에 유의한다.

어휘 warehouse 창고 aftermath (전쟁, 사고 등의) 여파 distribute 배부하다, 분배하다 craft 만들다; 기술 durable 내구성이 있는 in need 어려움에 처한 recreation 레크리에이션, 오락 *cf.* recreational 오락의 permit 허가(증); 허가하다

Test 2

1 makes the helpers proud of themselves by providing them
2 Explaining why certain behavior must conform to family norms enables children to learn
3 imitating people you aspire to / focus on the traits only you possess and strive for progress
4 Useful attributes tending to develop with age include / the ability to support other people
5 the surrounding temperature increases / the activity in the hive decreases / generated by insect metabolism

1 ▶ 동명사구 주어는 단수 취급하고, 우리말이 현재이므로 동사는 makes로 쓴다. 동사 provide는 전치사 by의 목적어이므로 동명사로 변형한다.

2 ▶ 우리말에서 주어는 '설명하는 것은'이므로 explain을 동명사로 바꿔 쓴다. 동명사구 주어는 단수 취급하므로 동사는 enables로 쓴다.

3 ▶ 구전치사 Instead of 뒤에 동명사가 오도록 imitate는 imitating으로 변형한다. 주절은 주어 you가 생략된 명령문이므로 등위접속사 and로 병렬 연결된 동사 focus와 strive는 동사원형으로 쓴다. people과 the traits를 수식하는 각 관계사절은 모두 목적격 관계대명사가 생략된 형태로 영작한다.

4 ▶ 문장의 주어는 Useful attributes, 동사는 include이다. 현재분사구 tending to develop with age는 주어를 뒤에서 수식한다. 명사 the ability 뒤에는 의미상 동격을 이루는 to부정사구인 to support other people을 이어 쓴다.

5 ▶ 일반적인 사실을 말하므로 부사절과 주절의 동사를 현재형 increases, decreases로 쓴다. 신진대사에 의해 열이 '발생되는' 수동관계이므로 generate는 과거분사 generated로 변형한다.

어휘 conform (규칙, 법 등을) 따르다, 순응하다 norm 《복수형》 규범; 기준 manner 《복수형》 예절; 태도 imitate 따라 하다, 모방하다 aspire 열망하다 possess 소유하다 strive 노력하다; 분투하다 attribute 특성 ego 자아; 자존심 surrounding 주변의 hive 벌집 metabolism 신진대사

RANK 25 주격 관계대명사 who, which, that p.80

1 주어

기출 대표 문항 1 & 답이 보이는 Process

who[that]
2 who[that] 3 who[that] 4 which[that]

우리는 쌍방향 위성 네트워크에 관한 수업을 해주시는 풍부한 기술을 갖춘 선생님들을 존경한다.

어휘 abundant 풍부한 interactive 쌍방향의; 상호적인 satellite 위성

Test 1

1 they → which[that] 2 who → which[that]
3 it → which[that] 4 which → who[that]

1 항해는 오직 해로로만 접근할 수 있었던 나라들과 무역하는 것을 가능하게 해주었다.
▶ 절을 잇는 접속사 역할과 동시에 앞의 선행사 countries를 수식하는 절을 이끌 수 있는 주격 관계대명사가 필요하다. they를 which 또는 that으로 바꿔 쓴다.

2 요거트는 필수 단백질과 유익한 박테리아를 제공하는, 사람들에게 필요한 유제품이다.
▶ 선행사가 a dairy product이므로 who를 which 또는 that으로 바꿔 쓴다.

3 런던의 최신 호텔은 손님들이 환영받는다고 느끼게 해줄 편안함과 디자인에 중점을 둔다.

4 연구에서 식전에 두 잔의 물을 마신 사람들은 더 빨리 배가 불렀고, 더 적은 칼로리를 섭취했으며, 더 많은 체중을 감량했다.
▶ 선행사가 사람인 The people이므로 which를 who 또는 that으로 바꿔 쓴다.

어휘 approach 접근하다; 접근 dairy 유제품의 protein 단백질 beneficial 유익한, 이로운 comfort 편안함; 안락

기출 대표 문항 2 & 답이 보이는 Process

A fashion blogger who wants to launch an online store
5 A fashion blogger 6 who 7 wants
8 to launch an online store

어휘 launch 개시하다, 시작하다; 출시하다 cost-effective 비용 효율이 높은

Test 2

1 Breathing becomes an automatic action which is performed without conscious thought
2 Individuals who consistently excel in their chosen profession often get immediate credibility and respect
3 various activities which[that] allow young people / skills that[which] are meaningful and enjoyable

1 ▶ 선행사 an automatic action이 '수행되는' 것이므로 관계사절의 동사는 수동태 is performed를 쓴다.

어휘 automatic 무의식적인, 반사적인; 자동의 conscious 의식적인 consistently 지속적으로, 일관되게 excel in ~에서 뛰어나다 profession 직업 credibility 신뢰(성)

RANK 26 관계대명사 what

p.82

기출 대표 문항 & 답이 보이는 Clues

1 What[The thing which[that]]
2 the person is trying to say
1 선행사 2 불완전한

1 여러분의 대인 관계에서 정말 중요한 것은 장애를 극복하기 위해 함께 노력하려는 의지이다.
▶ 관계대명사 what은 선행사를 포함하므로 What 또는 The thing which[that]로 고쳐야 한다.

2 질문은 관심을 전달하지만, 때때로 그것들이 전달하는 관심은 그 사람이 말하려고 하는 것과는 밀접한 관련이 없다.
▶ 관계대명사 what 뒤에는 불완전한 구조의 절이 오고 대명사를 중복해서 쓸 수 없으므로 it을 삭제한다.

e.g. 그녀의 이야기가 계속해서 바뀌기 때문에 그녀가 말하고 있는 것을 믿기 어렵다. / *e.g.* 우리가 오늘날 사용하는 기술이 한때는 공상 과학이라 여겨졌다는 것은 믿기 어렵다. / *e.g.* 어젯밤에 일어난 일을 믿기 어렵다. 그것은 정말 예상 밖의 일이었다.

어휘 matter 중요하다; 문제 willingness 의지, 기꺼이 하는 마음 obstacle 장애(물)

Test 1

1 ○, × → what	2 × → which[that]
3 ○, × → what	4 ○
5 × → what, ○	

1 우리가 보는 것의 많은 부분은 우리가 볼 것이라 기대하는 것이다.
▶ 첫 번째 what은 전치사 of의 목적어 역할을 하는 절을 이끌고 뒤의 절이 불완전하므로 알맞다. 두 번째 밑줄 친 부분은 문장의 보어절이자 to see의 목적어가 없는 불완전한 절을 이끌 수 있는 관계대명사 what으로 고쳐야 한다.

2 일단 여러분이 자신을 다르게 만들어 주는 것들을 좋아하는 것을 배우면, 여러분의 다른 점을 어떻게 다른 사람들과 공유할지를 배워라.
▶ 밑줄 친 부분 앞에 선행사(the things)가 있고, 주어가 없는 불완전한 절이 이어지므로 주격 관계대명사 which[that]로 고쳐야 한다.

3 진실은 뉴스 보도가 현실 세계에서 실제로 일어나고 있는 것에 대한 정확한 반영이 아닐지도 모른다는 것이다.
▶ 보어절이자 완전한 절을 이끄는 접속사 that은 적절하다. 두 번째 밑줄은 전치사 of의 목적어절이자 주어가 없는 불완전한 절을 이끄는 관계대명사 what으로 고쳐야 한다.

4 유엔의 한 계획은 열대 우림에 의해 제공되는 생태계 서비스의 경제적 이익이 시장 이익보다 헥타르당 3배 넘게 더 크다고 추정했다.
▶ has estimated의 목적어절이자 완전한 절을 이끄는 접속사 that은 적절하다.

5 육아는 우리의 자녀가 하는 것에 관한 것이 아니라, 우리가 어떻게 반응하느냐에 관한 것이다. 대부분의 경우, 우리가 육아라고 부르는 것은 부모 자신의 성장이다.

어휘 accurate 정확한; 정밀한 reflection 반영; 반사 estimate 추정하다; 추정(치) hectare 헥타르((땅 면적의 단위)) parenting 육아

Test 2

1 our brain consolidates what it has learned
2 What you inherited and live with will become the legacy of future generations
3 we tend to modify what happened in order to make our story enjoyable
4 what had made the American Revolution possible and given the new republic vitality and hope for the future
5 that we automatically simulate others / understand their emotions by interpreting what they are experiencing
6 Associating what you are learning with what you already know helps you memorize the learning material

2 ▶ What이 이끄는 주어절에서 inherited와 live with가 접속사 and로 병렬 연결된다.

4 ▶ what이 이끄는 보어절 안에서 두 개의 동사구가 and로 병렬 연결되며, and 뒤의 반복되는 had는 생략한다. 첫 번째 동사구는 <동사+목적어+목적격보어>, 두 번째 동사구는 <동사+간접목적어+직접목적어>의 어순이다.

5 ▶ shows의 목적어 역할을 하는 that절을 영작한다. by interpreting 뒤에는 interpreting의 목적어 역할을 하며 선행사가 없는 관계대명사 what이 이끄는 절을 쓴다.

6 ▶ <associate A with B(A를 B와 관련지어 생각하다)>에서 A와 B 자리에 각각 관계대명사 what이 이끄는 절을 쓴다.

어휘 inherit 물려받다; 상속받다 legacy 유산 narrate (사건, 경험을) 이야기하다, 서술하다 first-hand 직접의; 직접, 바로 modify 수정하다 involvement 참여, 관여 citizen 시민 vitality 활력 automatically 무의식적으로; 자동으로 simulate 흉내 내다; 시뮬레이션하다 nonverbal 비언어적인

RANK 27 목적격 관계대명사 who(m), which, that p.84

기출 대표 문항 1 & 답이 보이는 Process

which[that] 또는 삭제
1 who(m)[that] 2 which[that] 3 which[that]

좋은 교사는 학생들이 복잡한 글을 더 쉽게 탐구하는 데 사용할 수 있는 양질의 질문을 자주 한다.

e.g. 그들이 어제 인터뷰한 여성이 그 일을 맡았다. / *e.g.* John은 그가 읽은 신문을 내게 건네줬다. / *e.g.* 그것들은 많은 독자들이 사랑해 온 국가의 영웅과 그의 자서전이다.

어휘 autobiography 자서전

Test 1

1 × 2 ○
3 ○ 4 ×

1 당신이 기억하려 애쓰고 있는 사실에 너무 많이 집중하는 것은 효과가 없다.
▶ 목적격 관계대명사 which가 이끄는 절이 선행사 a fact를 수식한다. 문맥상 to remember의 목적어 자리가 비어 있어야 하므로 it을 삭제해야 한다.

2 이전에는 사회가 장애를 가졌다고 여겼던 그 사람들은 이제 사회에 건설적으로 기여함으로써 자신만의 주체성을 만들어 낼 수 있다.
▶ 목적격 관계대명사가 생략된 관계사절(society ~ disabled)이 문장의 주어 The people을 수식한다. 관계사절에서 considered 다음의 to be disabled는 목적격보어이다.

3 사람들은 때때로 다른 사람들에게서 그들이 개인적 발전을 위해 유용하다고 생각하는 부정적인 특징을 찾도록 자극받는다.
▶ 목적격 관계대명사 which의 선행사는 negative qualities이며, which는 이끄는 절 내에서 동사 believe의 목적어 역할을 한다.

4 우리가 다시 만날 것으로 생각하지 않는 누군가와 일상생활에서 상호 작용을 할 때, 잠깐 동안이지만 의미 있는 연결을 공유하려는 자연스러운 경향이 있다.
▶ 문맥상 목적격 관계대명사 which의 선행사는 someone(사람)이므로 who(m) 또는 that으로 고치거나 생략하는 것이 적절하다.

어휘 concentrate on ~에 집중하다 formerly 이전에, 예전에 disabled 장애를 가진 identity 주체성; 신원, 신분 be motivated to-v v하도록 자극받다 foresee ~일 것이라고 생각하다; 예견하다 inclination 경향; 성향 fleeting 잠깐 동안의, 순식간의

기출 대표 문항 2 & 답이 보이는 Process

the challenge that we face is sending humans to Mars

어휘 exploration 탐험, 탐구

Test 2

1 can be a leader whom others can respect
2 Plants generate hundreds of compounds they use to protect themselves
3 the price supermarkets have to pay to their wholesalers / will be reflected in the price they mark on potatoes
4 can buy goods and services that you will never see but will pay for

2 ▶ 주어진 어구에 관계대명사가 없으므로 목적격 관계대명사가 생략된 형태로 영작한다. to protect 이하는 '목적'을 나타내는 부사적 역할의 to부정사구이다.

4 ▶ 목적격 관계대명사 that이 이끄는 절에서 will never see와 will pay for가 접속사 but으로 병렬 연결된다.

어휘 compound 화합물; 합성의 lead to ~로 이어지다 wholesaler 도매상 intercept 가로채다 empty 비우다; 비어 있는

RANK 28 콤마(,)+관계대명사_계속적 용법 p.86

기출 대표 문항 & 답이 보이는 Clues

1 are → is 2 them → which
1 단수 2 is 3 which

1 그녀는 가전제품을 부지런히 유지 관리하는데, 그것은 많은 비용이 드는 수리에 쓸 돈을 절약해 주는 한 방법이다.

2 내 여동생은 봉제 동물 인형이 많은데, 그것들 중 대부분은 아빠가 그 애에게 준 것이다.

e.g. 그 케이크는 맛있었고, 그것의 대부분은 아이들이 먹었다. / *e.g.* 나는 세 명의 형제가 있는데, 그중 한 명은 나와 함께 가게를 운영하고 있다.

어휘 diligently 부지런히 maintain (건물, 기계 등을 보수해 가며) 유지하다 appliance 가전제품 costly 많은 비용이 드는

Test 1

1 give → gives, The heads of tarsiers can rotate at least 180 degrees
2 them → which, the fovea at the center of your retina and your fingertips
3 is → are, countless reasons
4 who → which, to sell many tickets

1 안경원숭이의 머리는 최소 180도 회전할 수 있는데, 이는 그것에게 먹이를 찾기 위한 넓은 시야를 제공해 준다.
▶ 계속적 용법으로 쓰인 which가 선행사로 앞 절 전체를 취하는 경우에 선행사는 단수 취급하므로 단수동사 gives로 고친다.

2 망막 중심에 있는 중심와(窩)와 손가락 끝 사이에는 직접적인 유사점이 있는데, 그것들 둘 다 예민함이 높다는 것이다.
▶ 접속사 없이 두 문장이 이어지므로, 대명사 them은 관계대명사 which로 바꿔 써야 한다.

3 직업은 영구적이지 않을 수 있으며, 여러분은 무수한 이유로 일자리를 잃을지도 모르는데, 그 이유 중 몇몇은 여러분이 통제할 수 있는 범위 안에 있지 않다.
▶ 선행사가 복수(countless reasons)이므로 복수동사 are로 고쳐야 한다.

4 지난 시즌, 구단은 많은 표를 판매하는 것에 실패했는데, 이는 자연히 더 높은 수익을 가져와 그 구단이 더 높은 연봉으로 최고의 선수들을 유치하도록 해줄 수 있었던 것이었다.
▶ 문맥상 선행사는 to-v구(to sell many tickets)이므로 which로 고쳐야 한다.

어휘 rotate 회전하다 vision 시야; 시력 spot 찾다; 장소 analogy 유사점; 유추 fingertip 손가락 끝 acuity 예민함; 날카로움 permanent 영구적인 salary 연봉, 급료

Test 2

1 the attitudes of employees, who are the company's face
2 can provide numerous benefits, all of which help to make life
3 as you get older, which is why it's nice to find some ways
4 particularly notable in marine animals, whose average size has increased 150-fold
5 about 30 million people, many of whom are too poor to prioritize environmental conservation

1 ▶ 선행사가 복수(employees)이므로, 관계사절의 동사는 are로 바꿔 쓴다.

2 ▶ 선행사는 numerous benefits.

3 ▶ 선행사가 앞 절 전체일 경우 단수 취급한다.

4 ▶ 선행사인 marine animals를 보충 설명하는 관계사절의 주어는 소유격 관계대명사를 이용하여 whose average size로 표현한다.

5 ▶ 선행사가 복수(about 30 million people)이므로 관계사절의 동사는 복수동사 are로 바꿔 쓴다.

어휘 build in (계획 등의 일부로) 고정시키다; 붙박이로 넣다 numerous 많은 manageable 관리할 수 있는, 다루기 쉬운 loneliness 외로움 creep into ~에 생기기[영향을 미치기] 시작하다 notable 눈에 띄는; 중요한 -fold ~배의[겹의] prioritize 우선시하다 conservation 보호; 보존

RANK 29 전치사+관계대명사 p.88

e.g. 이것은 내가 가장 좋아하는 오븐이다. 나는 그것으로 디저트용 사과 타르트를 만든다. → 이것은 내가 디저트용 사과 타르트를 만드는, 내가 가장 좋아하는 오븐이다.

기출 대표 문항 1 & 답이 보이는 Clues

1 with which　　2 whom
1 whom　2 which

1 유럽 문화는 그가 익숙한 한국 문화와 매우 다르다.

2 그 코치는 팀의 핵심을 구성하기 위해 그가 이전 시즌에 긴밀하게 협력했던 선수들을 선발했다.

어휘 core 핵심

Test 1

1 to which you should pay attention
2 with which computers tackle multiple tasks

1 그 웹사이트는 여러분이 산업 동향에 대한 최신 정보를 계속 알고 있기 위해 주의를 기울여야 하는 수많은 기사를 제공한다.

2 컴퓨터가 다수의 일을 다루는 속도는 모든 것이 동시에 일어난다는 착각을 만들어 낸다.

어휘 update 가장 최근의 정보를 알려주다; 갱신하다 tackle (문제 등을) 다루다 illusion 착각; 환상

Test 2

1 ×　　2 ○　　3 ×

1 감정은 식사 동기, 음식 선택, 함께 식사하는 사람, 그리고 식사하는 속도를 포함하여, 여러분의 식사의 여러 측면에 영향을 줄 수 있다.
▶ 전치사 바로 뒤에 관계대명사 who는 올 수 없으므로 whom으로 고치거나 전치사 with를 관계대명사절 안(the people who(m) you eat with)으로 이동해야 맞는 표현이다. 전치사를 관계대명사절 안으로 이동한 경우에는 목적격 관계대명사인 who(m)를 생략할 수도 있다.

2 비유는 두 가지 상황 사이에서 비교가 이루어지는 수사법(修辭法)이다.
▶ An analogy is a figure of speech. + A comparison is made between two situations **in** the figure of speech.

3 여러분은 여러분이 거절할 수 없을 것 같은 사람에게 분개할 것인데, 그것은 여러분이 다른 누군가가 여러분의 삶에 대한 통제권을 갖도록 허락하고 있는 것처럼 느끼게 만들기 때문이다.
▶ You will resent the person. + You feel you cannot say no **to** the person. 두 문장이 관계대명사를 사용해 한 문장으로 이어진 것으로 whom으로 고치거나, say no 뒤 전치사 to가 있어야(who(m) you feel you cannot say no to) 한다. 관계사절 내의 you feel은 삽입된 것으로 다음 내용을 참고하자.

> <관계대명사+I think류>에서 I think류는 괄호로 묶어 없는 것으로 생각해도 무방하다. 이 같은 구조를 취하는 I think류는 원래 뒤에 목적어절을 취하는 '주절'이어서 다른 삽입절들과는 달리 콤마를 앞뒤에 두지 않는 경우가 대부분이다.
> ~ *her necklace*. + I think (that) *it* is very beautiful ...
> → ~ *her necklace*, **which** I think is very beautiful ...
>
> 이런 구조를 취하는 절들은 대개 뒤에 that절을 목적어로 취하는 것들로, 빈출되는 삽입절을 알아두자.
> • I think[believe, suppose, feel], it seems (to me), I'm sure [certain], they said 등

어휘 figure of speech 수사법(修辭法); 비유적 표현 comparison 비교 resent 분개하다, 분하게 여기다

기출 대표 문항 2 & 답이 보이는 Process

received a job offer from the consulting firm to which I submitted my resume[which I submitted my resume to]
3 to

어휘 resume 이력서

Test 3

1 an engaging representation of the past from which general audiences may learn[which general audiences may learn from]
2 by colleagues, subordinates, and even clients with whom they interact[whom they interact with]
3 potential excuses which might be accepted / the circumstances in which we find ourselves[which we find ourselves in]

1 ▶ Historical fiction is an engaging representation of the past. + General audiences may learn from the engaging representation.

2 ▶Employees are rated ~ clients. + They interact with the clients regularly.

3 ▶We tend to consciously weigh ~, given the circumstances. + We find ourselves in the circumstances.

어휘 engaging 매력적인, 호감이 가는 representation 묘사, 표현 supervisor 관리자, 감독관 colleague 동료 subordinate 부하, 하급자 consciously 의식적으로 weigh 따져 보다; 무게를 달다 potential 가능성이 있는, 잠재적인 excuse 변명, 이유 circumstance 상황, 환경

RANK 30 관계부사 when, where, why, how p.90

1 관계부사 2 완전한

e.g. 나는 우리가 만난 곳을 기억한다.

기출 대표 문항 & 답이 보이는 Process

the point where it does not restrict someone else's basic human rights

어휘 restrict 제한하다; 방해하다 human right 인권

Test 1

1 where the average income was very low
2 how they behave, solve problems, and make decisions
3 why the definitions of words have changed over time

1 그녀는 평균 소득이 매우 낮은 작은 공장의 사회복지사였다.

2 청소년들은 그들이 행동하고, 문제를 해결하고, 의사 결정을 하는 방식에서 어른들과 다르다.
▶관계부사 how는 선행사와 관계부사 중 하나만 쓰는데, 지시문으로 보아 관계부사를 사용해야 하므로 선행사(the way)는 쓰지 않는다.

3 시간이 흐름에 따라 단어들의 정의가 변해 온 한 가지 이유는 단지 그것들(단어들)의 오용 때문이다.

어휘 income 소득, 수입 adolescent 청소년 misuse 오용, 남용

Test 2

1 how → why[for which, that] 또는 삭제
2 ○
3 which → where[in which]

1 기업의 마케팅과 광고의 매력은 고객이 기업에 대한 선호도를 키우는 이유들 중 하나가 될 수 있다.
▶선행사가 the reasons이므로 관계부사 why 또는 for which가 올바르다. 선행사가 일반적이기 때문에 관계부사를 생략하거나 that을 쓸 수도 있다.

2 우리는 컴퓨터 지식과 성공이 밀접하게 연관되어 있는 기술의 시대에 산다.

3 원주민 문화의 한 가지 두드러진 측면은 '토테미즘'의 개념인데, 그 개념에서 부족의 구성원은 태어날 때 자연의 일부로서의 영혼과 정체성을 취한다.
▶뒤에 완전한 구조의 절이 이어지고 앞에 콤마가 있으므로, which는 계속적 용법으로 쓰인 관계부사가 들어갈 자리이다. 선행사 the concept of "totemism"은 추상적인 장소를 의미하므로 where 또는 in which로 고치는 것이 적절하다.

어휘 appeal 매력; 관심을 끌다 preference 선호(도) aboriginal 원주민의 tribal 부족의 assume 추정하다; (특질, 양상을) 취하다, 띠다

Test 3

1 a context where infants can easily notice the effect of their behavior
2 The way that we behave in a given situation is influenced by
3 has its roots in the period when humans first began to switch
4 one of the main reasons why technology is often resisted / why some perceive it as a threat

2 ▶관계부사 how는 선행사와 함께 쓰일 수 없지만, that은 선행사 the way와 함께 사용할 수 있으므로 The way that ~으로 영작한다.

어휘 context 맥락, 문맥 infant 유아; 초기의 agriculture 농업 resist 저항하다, 반대하다 perceive A as B A를 B로 여기다

RANK 31 the+비교급~, the+비교급... p.92

기출 대표 문항 & 답이 보이는 Process

The more ethically the products are made / the higher prices the consumers are willing to pay
1 the products are made ethically
2 the consumers are willing to pay high prices
3 비교급 4 The more ethically the products are made
5 the higher prices the consumers are willing to pay

e.g. 도서관이 더 조용할수록, 학생들은 더 집중하게 된다. / *e.g.* 행성의 중력이 더 클수록, 당신은 무게가 더 나갈 것이다.

어휘 ethically 윤리적으로 be willing to-v 기꺼이 v하다

Test 1

1 The more certain we are / the better chance we have
2 The higher you go up / the thinner the atmosphere is going to be

1 ▶비교급 형용사가 뒤에 있는 명사를 수식하므로 the better chance는 한 덩어리로 쓴다.

어휘 make a choice 선택하다 thin (공기 등이) 희박한; 얇은, 가는 atmosphere 대기; 분위기

Test 2

1 The more isolated people feel / the more obsessed they are with
2 The more familiar you become / the wider your perspective on the world will be
3 The more confidently teachers give instructions / the higher the possibility of a positive class response (is)
4 the more challenges you complete / the more points you will gain
5 the more surface area you have / the more diligently you must work
6 The older we are / the longer it takes our brain and body to remove caffeine / the more sensitive we are

3 ▶ 두 번째 빈칸의 동사인 is는 간략한 표현을 위해 생략할 수 있다.

4 ▶ 여기에서 complete는 '완전한'이라는 의미의 형용사가 아니라 '완수하다'라는 의미의 동사로 쓰였다.

6 ▶ it takes + A + 시간 + to-v: A가 v하는 데 (시간이) 걸리다

어휘 isolated 고립된; 외딴 be obsessed with ~에 사로잡히다 familiar 친숙한, 익숙한 instruction 가르침, 지도 athletic 운동 경기의, 체육의 volume 부피; (TV, 라디오 등의) 음량 disrupt 방해하다

RANK 32 가목적어-진목적어

p.94

1 it

기출 대표 문항 & 답이 보이는 Clues

1 will make it easy for you to learn other foreign languages
2 often find it amazing that some animals can adapt to
2 to-v 3 부사

e.g. 그 선생님은 많은 학생들이 결석한 것이 이상하다고 생각한다.

어휘 adapt 적응하다 extreme 극심한, 극도의

Test 1

1 it challenging 2 to survive 3 it
4 surprising 5 find it difficult

1 여러분은 대화를 들으며 동시에 잘 짜인 에세이를 쓰는 것이 어렵다는 것을 알게 될지도 모른다.
▶ <동사(find) + 가목적어 it + 목적격보어(challenging)> 어순으로 써야 한다.

2 동물, 강한 바람, 그리고 폭우와 같은 자연의 많은 요인들이 씨앗이 살아남는 것을 어렵게 한다.
▶ <동사(make) + 가목적어 it + 의미상의 주어(for seeds) + 진목적어>의 구조로 진목적어의 자리에는 to-v가 오는 것이 적절하다.

3 많은 연구가들은 두뇌 발달을 돕기 위해 아기들이 클래식 음악을 가능한 한 일찍 듣는 것이 필요하다고 믿었다.

4 사고 영상에 반복적으로 노출되는 것은 우리가 그것을 처음 봤을 때보다 다시 보는 것을 덜 놀랍게 만들었다.
▶ 목적격보어 자리에 부사는 올 수 없으므로 형용사 surprising으로 고친다.

5 만약 내가 당신에게 "북극곰을 떠올리지 마시오."라고 말한다면, 당신은 북극곰을 떠올리지 않는 것이 어렵다는 것을 알게 되는데, 이는 사고 억제의 역설적 효과를 보여준다.
▶ 진목적어(not to think of ~)가 목적격보어 뒤에 나오므로 해석되지 않는 가목적어 it을 목적어 자리에 추가한다.

어휘 organized 조직된; 체계적인 repetitive 반복적인 exposure (유해한 환경 등에) 노출; 폭로 ironic 역설적인 suppression 억제

Test 2

1 people may think it absurd for English speakers to use a single word
2 makes it clear that only a few of us are likely to travel to space
3 it does not consider it valuable to remember all of the details of every experience
4 have made it possible for us to live private lives unforeseen by previous generations
5 find it deeply moving that individuals can display extraordinary kindness and dedicate themselves to helping others

2 ▶ be likely to-v: v할 가능성이 있다

3 ▶ and 이하 절의 주어로 쓰인 it은 the brain을 지칭하는 대명사이고, consider 뒤의 it은 to remember ~를 대신하는 가목적어이다.

4 ▶ 의미상의 주어 for us가 to-v구 앞에 위치하도록 영작한다.

5 ▶ <find + 가목적어 it + 목적격보어(deeply moving) + 진목적어(명사절)> 구문이다.

어휘 refer to ~을 나타내다 excessive 과도한, 지나친 efficiently 효과적으로, 효율적으로 filter 거르다, 여과하다 prosperity (특히 재정적인) 번영 private 개인적인 unforeseen 예측하지 못한 extraordinary 대단한; 비범한 dedicate oneself to v-ing v하는 데 헌신하다 adversity 역경 hardship 어려움

RANK 33 대명사의 수일치

p.96

기출 대표 문항 & 답이 보이는 Process

× → them
1 them

역사상 가장 위대한 작가들과 예술가들 중 일부는 위대한 것들이 실현되는 것을 실제로 보기 전에 그것들을 마음속에 그려 보았다.

어휘 visualize 마음속에 그려 보다, 상상하다

Test 1

1 × → them 2 ○ 3 × → ones
4 × → their 5 ○ 6 ○, × → one

1 시간과 에너지를 낭비하는 나의 나쁜 습관들을 발견한 후, 나는 그것들을 깨뜨릴 방법을 찾으려고 노력한다.
▶ 문맥상 my bad habits를 가리키므로 복수형 them으로 고친다.

2 예술의 표상 이론은 예술가가 하는 일을 과학자가 하는 일과 유사한 것으로 취급하는데, 둘 다 외부 세계를 묘사하는 것과 관련이 있기 때문이다.
▶ 문맥상 the work를 가리키므로 단수형 that은 적절하다.

3 몇몇 연구들은 스트레스가 많은 상황 후에, 자연의 소리가 인공적인 것보다 사람들을 더 빠르게 회복시켜 준다는 것을 보여주었다.
▶ 자연의 소리(the sounds of nature)와 인공적인 소리(artificial sounds)를 비교하는 것이므로 복수형 ones로 쓴다.

4 출생 시부터, 유아들은 사람의 얼굴 쪽으로 향하는 경향이 있는데, 이 근원(사람의 얼굴)에서 비롯된 자극이 그들의 생존에 특히 의미가 있음을 알고 있는 것처럼 보인다.
▶ 복수명사 infants를 지칭하는 소유격 대명사의 자리이므로 their로 고친다.

5 오랫동안, 관광업은 한 지역의 토착민들에게 부정적으로 영향을 미치고 그들에게 현대 세계의 폐해를 접하게 한 거대한 괴물로 여겨졌다.
▶ the indigenous peoples를 지칭하는 복수형 them은 알맞게 쓰였다.

6 기아는 자신들의 새끼를 위한 먹이를 찾는 기략이 모자라서 결국 살아남기에 덜 적합한 생물들을 걸러내는 데 도움을 준다. 몇몇 환경에서, 그것(기아)은 유전적 변화가 종의 개체군을 장악하고 결국에는 이전의 종을 대신하여 새로운 종이 출현하는 것을 가능하게 할 길을 닦아줄지도 모른다.

▶ 복수명사 creatures를 받는 소유격 대명사 their는 적절히 쓰였다. 문맥상 두 번째 밑줄 친 대명사가 가리키는 것은 species이다. species는 단수형과 복수형이 같은데, 여기에서는 관사 a와 함께 쓰였으므로 단수형임을 알 수 있다. 따라서 ones는 one으로 고친다.

어휘 identify 발견하다, 찾다; 확인하다 external 외부의 indigenous 토착의; 원산의 resourceful 기략이 있는, 수완이 비상한 pave the way 길을 닦다, 상황을 조성하다 take (a) hold 장악하다, 사로잡다 emergence 출현, 발생 in place of ~을 대신해서

Test 2

1 made up a major part of their diet
2 assess the solidity of a piece of furniture by applying pressure to its parts
3 leads us beyond our own lives and allows us to understand those of others
4 there is nothing competing with them / your brain tries to access them from its storehouse

1 ▶ its는 복수명사 People을 받는 복수형 소유격 대명사인 their로 변형하여 영작한다.

2 ▶ a piece of furniture를 지칭하므로 its는 변형 없이 그대로 영작한다.

3 ▶ 문맥상 복수명사 lives를 대신하므로 복수형 대명사 those로 변형하여 영작한다.

4 ▶ 밑줄 친 두 개의 it은 모두 Events or experiences를 가리키므로 복수형 them으로 변형한다.

어휘 make up ~을 구성하다 assess 가늠하다, 재다 solidity 견고함, 탄탄함 have A in common A를 공통적으로 지니다 storehouse 창고

서술형 대비 **실전 모의고사 3회** p.98

01 × → are brought, × → is
02 ○, × → which[that] 또는 삭제
03 × → that, ○
04 ○, × → which[that]
05 × → are, × → contributing, × → their
06-07 ③ generated → generating, 문장의 동사는 has mitigated이며 접속사가 없으므로 분사구문 자리이고, 의미상의 주어 it이 '발생시키는' 것이므로 현재분사 generating으로 고쳐야 한다. / ④ enjoy → to enjoy, <동사(making)+가목적어 it+의미상 주어(for people ~ little money)+진목적어>의 어순으로 진목적어의 자리에는 to-v가 오는 것이 적절하다.
08 The positive thoughts that you have during the break / the way in which you view yourself
09 The more frequently we watch television / the more reluctant we are to volunteer our time
10 to embrace immigrants lies in recognizing that people from other cultures think and act differently and that they have the right to do so
11 Buying a good in a store triggers a chain of events / which generates demand for activities / What stimulates upstream economic activity is
12 makes it more difficult for the predator to focus on a single target
13 ② them → which / ③ which → where[in which]
14 the reason why[that] recorded music holds such a strong appeal
15 The more diverse backgrounds individuals within a workplace have / the more likely inspiration is to flourish
16 (A) who (B) which (C) that
17 What defines true scientific discovery is not the results it yields but the new questions and unknowns it reveals

01 인간에 의해 만들어진 해양 쓰레기와 폐기물이 북태평양 환류를 통해 한 쓰레기 섬으로 옮겨지는데, 이것이 해양 오염의 순환이 악화되는 방식이다.
▶ 문장의 동사가 필요한데, 쓰레기와 폐기물이 '옮겨지는' 수동관계이므로 are brought로 고쳐야 한다. / 콤마 뒤 which의 선행사가 앞의 절 전체이므로 are는 단수동사 is로 고쳐야 한다. • **Rank 03** 능동 vs. 수동_단순시제 Ⅰ, **Rank 24** 동사 자리 vs. 준동사 자리, **Rank 28** 콤마(,)+관계대명사_계속적 용법
어휘 debris 쓰레기; 잔해 exacerbate 악화시키다

02 언어는 혁신의 문화적 확산을 가능하게 할 뿐만 아니라 또한 그것의 사용자들이 자신들이 식별하고 표현할 수 있는 감정들에 대해 생각하고, 인지하고, 이름을 붙이는 방식을 형성하는 것을 돕는다.
▶ 뒤에 완전한 절이 오고 관계부사 how는 선행사와 관계부사 중 하나만 써야 하므로 알맞게 쓰였다. / 선행사(the emotions)가 있고 뒤에 목적어가 없는 불완전한 절이 이어지므로 what은 목적격 관계대명사 which[that]로 고치거나, 목적격 관계대명사를 생략한 형태가 되도록 삭제해야 한다. • **Rank 27** 목적격 관계대명사 who(m), which, that, **Rank 30** 관계부사 when, where, why, how
어휘 facilitate 가능하게 하다, 용이하게 하다 diffusion 확산; 보급

03 우리가 누군가가 실제 나이에 비해 '젊어 보인다'라고 놀라워하며 말할 때, 우리는 우리가 모두 다른 속도로 생물학적으로 나이 든다는 것을 목격하고 있는 중이다.
▶ 두 밑줄 친 부분 모두 뒤에 완전한 구조의 절이 이어지고 '~하는 것'으로 해석되므로 명사절 접속사 that의 자리이다. that이 이끄는 두 명사절은 각각 동사 remark, are observing의 목적어 역할을 한다. • **Rank 23** 명사절을 이끄는 접속사 that
어휘 chronological age 실제 나이 *cf.* chronological 연대순의, 발생 순서대로 된

04 미래의 계획을 위해, 뇌는 이전 경험의 특정 요소들을 취하고 직접적으로 어떤 실제 과거 사건이나 현재의 현실을 모방하지 않는 방식으로 그것들을 변경하는 것을 필수적으로 여긴다.
▶ <동사(considers)+가목적어 it+목적격보어(necessary)+진목적어(to take ~ and (to) reconfigure ~)> 구조에서 가목적어 it은 알맞게 쓰였다. / 밑줄 앞에 선행사(a way)가 있고 뒤에 주어가 없는 불완전한 절이 이어지므로 주격 관계대명사 which[that]로 고쳐야 한다. • **Rank 25** 주격 관계대명사 who, which, that, **Rank 32** 가목적어-진목적어
어휘 reconfigure 변경하다

05 직원 이직률은 직원들이 한 조직을 떠나고 새로운 사람들로 대체되는 비율이다. 이직률의 원인이 되는 요인들을 이해하는 것은 유지 비율을 향상하고 안정적이며 숙련된 노동력을 유지하고자 하는 조직들에게 매우 중요하다.
▶ 관계사절 내에 두 개의 동사구가 접속사 and로 병렬 연결되어 있는데, 주어는 employees이므로 복수동사 are로 고쳐야 한다. / 문장의 동사 is가 있으므로 contribute는 the factors를 수식하는 분사로 고치는데, 요인들이 '원인이 되는' 능동관계이므로 현재분사 contributing으로 고친다. / 밑줄 친 부분은 복수명사 organizations를 가리키는 소유격의 자리이므로 their로 고친다. • **Rank 05** 현재분사 vs. 과거분사_명사 수식, **Rank 09** 등위접속사의 병렬구조, **Rank 24** 동사 자리 vs. 준동사 자리, **Rank 33** 대명사의 수일치
어휘 turnover 이직률 contribute to ~의 원인이 되다; ~에 기여하다 retention 유지 workforce 노동력

06-07
요리하는 일의 많은 부분을 기업에 위탁하는 것은 여성들에게서 전통적으로 가족들을 먹이는 그들만의 책무였던 것을 덜어주었다. 이 외부 위탁은 여성들에게 몇 가지 이점을 주었는데, 그중 하나는 집 밖에서 일하고 직업을 가질 능력이 늘어난 것이다. 그것은 잠재적인 가정의 갈등을 줄여주었으며, 성 역할과 가족 역학에 변화를 발생시켰다. 예를 들어, 전자레인지는 우리가 식단을 상당히 다양하게 만들게 해주었고, 요리 기술이 없고 돈이 거의 없는 사람들조차 완전히 다른 요리를 즐기는 것을 가능하게 만들었다. 결과적으로, 그것은 가정 내 다른 압박을 경감시켰고 우리가 이제 다른 일에 투자할 수 있는 시간을 우리에게 남겨 주었다.

▶ ③ •Rank 06 분사구문, Rank 24 동사 자리 vs. 준동사 자리 / ④ •Rank 32 가목적어-진목적어

어휘 outsourcing 외부 위탁(업무 일부를 외부에 위탁하는 것) relieve A of B A에게서 B를 덜어주다 exclusive 전용의, 독점적인; 배타적인 mitigate 줄이다; 완화하다 diversify 다양하게 만들다 substantially 상당히 alleviate 경감하다, 완화하다 pursuit (시간과 에너지를 들여 하는) 일, 활동; 추구

08 ▶ 목적격 관계대명사 that이 이끄는 절이 선행사 The positive thoughts를 수식하는 형태로 영작한다. and 뒤에는 in which가 이끄는 절이 선행사 the way를 수식하는 형태로 영작한다. •Rank 27 목적격 관계대명사 who(m), which, that, Rank 29 전치사+관계대명사

09 ▶ <the+비교급~, the+비교급...> 구문을 사용해서 영작한다. 두 번째 빈칸의 원래 구조는 'we are reluctant to volunteer our time ~'이다. •Rank 31 the+비교급~, the+비교급...

어휘 be reluctant to-v v하기를 꺼리다

10 ▶ 명사 The challenge와 동격을 이루는 to embrace immigrants를 써서 주어를 완성한다. 문장의 동사는 주어에 수일치하여 단수동사 lies로 쓴다. lies in의 목적어로 동명사 recognizing을 쓰고 그 뒤에 접속사 that이 이끄는 두 개의 명사절을 접속사 and로 병렬 연결하여 쓴다. 각 명사절의 동사는 think and act, have이다. •Rank 01 주어-동사의 수일치 I, Rank 09 등위접속사의 병렬구조, Rank 23 명사절을 이끄는 접속사 that, Rank 24 동사 자리 vs. 준동사 자리

어휘 embrace 수용하다, 받아들이다

11 ▶ 동명사구 Buying ~ store를 주어로 쓰고 문장의 동사로 단수동사 triggers를 쓴다. 콤마 뒤에는 선행사 a chain of events를 보충 설명하는 which를 사용하여 영작하는데, which가 이끄는 절의 동사는 단수동사 generates로 쓴다. 두 번째 문장의 주어는 관계대명사 What이 이끄는 절로 영작하고 동사는 단수동사 is로 쓴다. •Rank 02 주어-동사의 수일치 II, Rank 15 주어로 쓰이는 동명사, Rank 24 동사 자리 vs. 준동사 자리, Rank 26 관계대명사 what, Rank 28 콤마(,)+관계대명사_계속적 용법

어휘 trigger 촉발하다 extraction 추출 stimulate 활발하게 하다, 자극하다

12 혼자인 동물들은 자신을 방어하기 위해 자신만의 감각에 의존하지만, 무리에 있는 동물은 위험을 경계하는 많은 다른 동물들의 눈, 귀, 코를 갖는 데서 득을 본다. 무리에 있는 동물은 또한 포식자에게 선택되는 불행한 개체가 될 가능성이 더 작다. 게다가, 포식자에게서 달아나는 동물 무리는 혼란을 일으킬 수 있는데, 이것은 포식자가 단 하나의 목표물에 집중하는 것을 더 어렵게 만든다. 예를 들어, 얼룩말 무리는 검은색과 하얀색 줄무늬들의 눈부신 진열이 될 수 있고, 그래서 사자가 어디서 한 마리의 얼룩말이 끝나고 다른 얼룩말이 시작되는 것인지 보는 것이 더 어렵게 된다.

▶ <동사(makes)+가목적어 it+목적격보어(more difficult)+의미상의 주어(for the predator)+진목적어(to focus ~)> 구조로 영작한다. •Rank 32 가목적어-진목적어

어휘 pick out ~을 선택하다 flee 달아나다 herd 무리 dazzling 눈부신

[13-14]
녹음 기술자와 음악가는 우리 청각 환경의 중요한 특징들을 식별하도록 진화한 신경회로를 이용함으로써 우리의 뇌를 자극하는 특수 효과를 만들어 내는 것을 배워 왔다. 이러한 특수 효과들은 원리상 3-D 미술, 영화, 또는 착시와 비슷하지만, 그것들 중 어느 것도 우리의 뇌가 그것들을 처리하기 위한 특정한 방법을 발달시킬 만큼 충분히 오랫동안 주변에 있지는 않았다. 오히려 3-D 미술, 영화, 그리고 착시는 우리의 뇌가 이미 다른 목적을 위해 연결되어 있는 지각 체계를 이용한다. 그것들이 이러한 신경회로를 새로운 방식으로 사용하기 때문에, 우리는 그것들을 인지하는 것을 특히 흥미롭다고 여긴다. 동일한 것이 현대의 음반들이 만들어지는 방법에도 들어맞는다. 그것들은 우리의 뇌가 소리에 대해 이미 아는 것을 이용한다.

어휘 tickle 자극하다; 간지럽히다 exploit 이용하다; 착취하다 circuit 회로; 순환 discern 식별하다; 알아보다 perceptual 지각의, 지각력의 hold true 들어맞다, 유효하다 play on (남의 감정 등을) 이용하다

13 ▶ ② 접속사 없이 두 문장이 이어지므로 대명사 them은 관계대명사 which로 고쳐야 한다. •Rank 28 콤마(,)+관계대명사_계속적 용법 / ③ 뒤에 완전한 절이 오고 선행사가 추상적인 공간을 나타내므로 관계부사 where 또는 in which로 고쳐야 한다. •Rank 30 관계부사 when, where, why, how

14 [주제] 녹음된 음악이 많은 사람들에게 그토록 강한 매력을 가지는 이유
▶ 선행사가 the reason이므로 관계부사 why를 추가하여 영작한다. 선행사가 일반적인 것이므로 관계부사 that을 추가해도 된다. •Rank 30 관계부사 when, where, why, how

15 한 연구는 직장 내에서 동료들이 기회를 포착하고 그에 따라 행동하도록 서로에게 영향을 미친다는 것을 보여주었다. 한 직장 내의 개인들이 더 다양한 배경을 가질수록, 직원들 사이에서 영감이 번창할 가능성이 더 크다는 것이다. 스탠퍼드대학교 졸업생들에 관한 한 연구에서는 '다양한 업무 및 교육 배경을 가진 사람들이 직장에서 한 가지 역할에 집중했거나 학교에서 한 가지 과목에 집중한 사람들보다 자기 자신의 사업을 시작할 가능성이 훨씬 더 크다'는 것을 발견했다. 기업가적 문화를 배양하기 위해, 단과대학과 종합대학은 학생들에게 경험의 폭넓은 선택과 다양한 생각에의 폭넓은 노출을 제공할 필요가 있다. 그것들(단과대학과 종합대학)은 학업 프로그램 편성, 주거 생활, 학생 집단, 동창회 네트워크라는 자원들을 결합하여 이것을 할 수 있는 유일한 위치에 있다.

▶ <the+비교급~, the+비교급...> 구문을 사용해서 영작한다. 첫 번째 빈칸의 형용사가 명사를 수식하므로 The more diverse backgrounds는 한 덩어리로 연결하여 쓴다. 두 번째 빈칸에는 <be likely to-v> 구문에서 likely를 <the+비교급>으로 쓰고 뒤에 나머지 <주어+be to-v>를 이어서 쓴다. •Rank 31 the+비교급~, the+비교급...

어휘 act on ~에 따라 행동하다 flourish 번창하다 cultivate 배양하다 residential 주거의

[16-17]
과학자들, 특히 젊은 과학자들은 결과에 너무 집착하게 될 수 있다. 사회는 그들이 이런 터무니없는 추구를 계속하도록 돕는다. 큰 발견들이 언론에 보도되고, 대학의 홈페이지에 나타나고, 보조금을 얻는 데 도움을 주고, 승진을 위한 논거를 만든다. 그러나 이것은 잘못된 것이다. 위대한 과학자들, 즉 우리가 존경하는 선구자들은 결과가 아니라 다음 의문에 관심이 있다. 아주 존경받는 물리학자인 Enrico Fermi는 자신의 학생들에게 가설을 성공적으로 입증하는 실험은 측정이며, 그렇지 않은 것은 발견이라고 말했다. 새로운 무지를 발견하고 드러내는 것이라고 말이다. 과학적 성취의 정점인 노벨상은 평생의 과학적인 업적이 아니라 하나의 발견, 한 결과에 대해 수여된다. 노벨상 위원회조차도 이것이 실제로 과학의 진정한 의미 속에 있지 않다는 것을 어떤 식으로는 인식하고 있으며, 그들의 상의 인용구들은 흔히 '한 분야를 열었거나' '한 분야를 변화시켰거나' 혹은 '한 분야를 새롭고 예상치 못한 방향으로 이끈' 것에 대하여 그 발견에 경의를 표한다.

어휘 show up 나타나다, 눈에 띄다 grant (정부나 단체에서 주는) 보조금 case 논거; 경우 promotion 승진; 홍보 pioneer 선구자, 개척자 hypothesis 가설 citation 인용구, 인용문

16 ▶ (A) 선행사가 사람인 the pioneers이고 뒤에 목적어가 없는 불완전한 구조의 절이 이어지므로 목적격 관계대명사 who가 적절하다. that을 써도 되지만 (C)에서 that이 사용되므로 who를 쓴다. •Rank 27 목적격 관계대명사 who(m), which, that

(B) 선행사 one은 an experiment를 가리키며, 뒤에 주어가 없는 불완전한 구조의 절이 이어지므로 주격 관계대명사 which가 적절하다. that을 써도 되지만 (C)에서 that이 사용되므로 which를 쓴다. •Rank 25 주격 관계대명사 who, which, that

(C) realizes의 목적어 자리이며 뒤에 완전한 구조의 절이 이어지고 '~하는 것'으로 해석되므로 명사절 접속사 that이 적절하다. •Rank 23 명사절을 이끄는 접속사 that

17 [요지] 진정한 과학적 발견을 규정하는 것은 그것이 내는 결과가 아니라 그것이 밝히는 새로운 의문들과 미지의 것들이다.

▶ 문장의 주어는 관계대명사 what이 이끄는 절로 영작한다. 보어 the results와 the new questions and unknowns는 상관접속사 <not A but B>로 연결한다. 각 보어 뒤에는 관계대명사가 생략된 목적격 관계대명사절을 이어 쓴다. •Rank 10 상관접속사의 병렬구조, Rank 26 관계대명사 what, Rank 27 목적격 관계대명사 who(m), which, that

어휘 define 규정하다; 정의하다 yield (수익, 결과, 농작물 등을) 내다, 생산하다 unknown 미지의 것; 알려지지 않은

• 부분 점수

문항	배점	채점 기준
01-05	1	×는 올바르게 표시했지만 바르게 고치지 못한 경우
06-07	2	틀린 부분을 바르게 고쳤지만 틀린 이유를 쓰지 못한 경우
	1	틀린 부분을 찾았지만 바르게 고치지 못한 경우
08-11	3	어순은 올바르나 단어를 적절히 변형하지 못한 경우
13	1	틀린 부분을 찾았지만 바르게 고치지 못한 경우
15	5	어순은 올바르나 단어를 적절히 변형하지 못한 경우

Rank 34-44

RANK 34 목적·결과의 부사절 p.104

기출 대표 문항 & 답이 보이는 Clues

1 practiced the piano so consistently that he became a virtuoso
2 such a great opportunity that I couldn't miss it
3 so[in order] that you may improve your life
1 so 2 such

1 ▶ so를 추가하여 영작한다. 만약 주어진 어구에 that이 없다면 that은 생략할 수 있다.

2 ▶ <such (a/an) (형용사) 명사 ~ that ...>에서는 that을 생략할 수 없으므로 that을 추가한다.

어휘 consistently 꾸준히, 한결같이

Test 1

1 × → so 2 × → that 3 ○
4 × → such a rapid pace[so rapid a pace]

1 지진이 아주 자주 일어나서 그 지역의 건물들은 내진(지진에 잘 견디는) 설계로 지어진다.

2 운동은 그것들(부정적인 감정들)이 더 이상 여러분의 삶을 망치지 않도록 여러분의 부정적인 감정들을 덜어주는 분명히 긍정적인 방법이다.
▶ 뒤에 주어와 동사가 있는 절이 이어지므로 접속사 that으로 고쳐야 한다.

3 Jamie는 Chris의 말에 아주 격노해서 스스로를 진정시키기 위해 눈을 감고 열까지 세야 했다.

4 기술 발전은 오늘날 아주 빠른 속도로 일어나서 우리는 최신의 것들을 쉽게 따라갈 수 없다.

어휘 resistant ~에 잘 견디는; 저항하는 furious 격노한, 몹시 화가 난 advancement 발전, 진보 take place 일어나다, 발생하다 keep up with (~의 진도, 증가 속도 등을) 따라가다

Test 2

1 are so fundamental to democracy that it cannot exist
2 in order that each tree can grow into the best tree
3 the road is in such bad repair that it negatively impacts drivers
4 topics build on one another / so that a learner must master one topic
5 so closely that their pervasive use raises concerns
6 was such a boring experience that many students never wanted to take her class
7 so little confidence in his ability to write that / so that nobody would laugh at him

어휘 election 선거 fundamental 근본적인; 핵심적인 democracy 민주주의 optimally 최적으로, 최선으로 grow into 자라서 ~이 되다 in good[bad] repair 손질이 잘되어[잘 안되어] 있는; 상태가 좋은[나쁜] deadly 치명적인; 몹시 build on ~을 기반으로 하다 fashion 방식; 유행 pervasive 만연하는, 스며드는 sustainability 지속 가능성 literary 문학의

RANK 35 시간·조건의 부사절 p.106

기출 대표 문항 & 답이 보이는 Process

Policy-making becomes more objective when the public is involved in the process[When the public is involved in the process, policy-making becomes more objective]
1 when the public is involved in the process

어휘 policy 정책 objective 객관적인; 목표 involve 개입시키다, 참여시키다

Test 1

1 × → before 2 ○
3 × → than 4 × → Unless

1 만약 네가 밖에 나갈 때 장갑을 끼지 않는다면 머지않아 너의 손이 얼어붙을 것이다.

2 침대에 빈대가 있었고 난방이 작동하지 않았던 점을 고려하면, 나는 도저히 그 호텔을 추천할 수 없다.

3 기술 환경은 끊임없이 진화하고 있다. 우리가 새로운 혁신을 수용하자마자 다음의 획기적 발전이 나타난다.

4 식물이 잘 관리되지 않는다면, 그것은 토양의 더 먼 부분에서 미네랄을 구하기 위해 뿌리를 길게 하고 뿌리털을 발달시키려고 애쓸 것이다.
▶ 문맥상 식물이 잘 관리되지 않을 경우, 식물 스스로 미네랄을 구하기 위한 노력을 할 것이므로 If가 아닌 Unless를 쓰는 것이 적절하다.

어휘 possibly 도저히; 아마 landscape 환경; 풍경 evolve 진화하다, 발전하다 embrace 수용하다 innovation 혁신 breakthrough 획기적 발전; 돌파구 emerge 나타나다; 드러나다 lengthen 길게 하다 distant (거리가) 먼 patch 부분; 조각

Test 2

1 Once racial and ethnic segregation is eliminated and people come together
2 When the object of desire is finally gained / for the object rapidly decreases
3 cannot make independent decisions or formulate steps for solving problems unless it is programmed to do so
4 do not receive fees or payment until the case is settled
5 As long as the importance of sustainable practices keeps increasing / it won't be long before consumers demand greater transparency

2 ▶ 콤마(,)를 기준으로 앞에는 종속절이, 뒤에는 주절이 오도록 영작한다.

4 ▶ not A until B: B할 때까지 A하지 않다, B하고 나서야 비로소 A하다

5 ▶ as[so] long as: ~하는 한, ~하기만 하면 / it will not be long before: 머지않아 ~할 것이다

어휘 racial 인종의 ethnic 민족의 segregation 분리; 차별 eliminate 제거하다 come together 합치다 thrive 번영하다 diverse 다양한 perspective 시각, 관점 independent 독립적인 formulate 만들어 내다 payment 지불금; 지급 settle 해결하다 sustainable 지속 가능한

RANK 36 양보·대조의 부사절 p.108

기출 대표 문항 & 답이 보이는 Clues

1 Although[Though] 2 as it is
3 No matter who

1 심장 박동 수의 엄청난 차이에도 불구하고, 거의 모든 포유동물은 만약 그것들이 평균 수명을 산다면 약 8억 회의 심장 박동을 한다.

2 비록 믿기 어렵겠지만, 코끼리는 쥐와 같은 작은 생물체에 대한 겉보기에 비이성적인 두려움을 보인다.

3 누가 팀 리더 역할을 맡더라도, 리더가 효율적인 프로젝트 관리를 위해 열린 소통을 촉진하는 것이 중요하다.

어휘 heart rate 심장 박동 수 exhibit 보이다, 드러내다 seemingly 겉보기에는, 외견상으로 irrational 비이성적인 take on (일 등을) 맡다 foster 촉진하다; 기르다

Test 1

1 No matter what style of music you write
2 as they are to observe

1 당신이 어떤 종류의 음악을 작곡하더라도, 당신은 화음과 리듬의 사용뿐만 아니라 강약법과 속도를 이해할 필요가 있다.

2 비록 그것들(원자들)이 광학현미경 없이 관찰하기에 불가능하지만, 우주는 원자들로 이루어져 있다.

어휘 be made up of ~로 이루어지다[구성되다] atom 원자

Test 2

1 However precisely an AI teacher mimics the language of the best teachers
2 while people who are angry are "mad as a hornet"
3 No matter who or what is being assessed in your organization
4 whether it imitates something original or explores a new vision
5 Surprising as it is to believe / most messages between companies were being faxed
6 Even though all of our brains contain the same basic structures / as unique as our fingerprints

1 ▶ however+부사+S′+V′: 아무리 ~하더라도

2 ▶ 관계사절 who are angry가 people을 수식하도록 영작한다. 종속절의 동사 are와 "mad as a hornet" 사이에 반복되는 said to be가 생략되었다.

3 ▶ no matter who[which, what]: 누가[어느 것이, 무엇이] ~하더라도

4 ▶ whether A or B: A이든 B이든

5 ▶ 형용사+as+S′+V′: 비록 ~이지만

6 ▶ A as 형용사 원급 as B: A는 B만큼 ~한

어휘 precisely 정확하게 mimic 흉내 내다, 모방하다 tailor 맞추다, 조정하다 varying 다양한 variation 변화 assess 평가하다 imitate 모방하다, 흉내 내다 reproduction 복제; 번식 perish 소멸하다; 죽다 neural 신경의

RANK 37 형용사 자리 vs. 부사 자리 p.110

기출 대표 문항 & 답이 보이는 Clues

1 O 2 × → fully 3 × → hard
1 형용사 2 부사 3 difficult 4 fully 5 hard

1 몇몇 아프리카 국가들은 자국민을 부양하거나 안전한 식수를 공급하는 것이 어렵다는 것을 안다.

2 한 실험에서, 참가자들은 영화 한 편을 보고 그것을 가능한 한 완전하게 설명하도록 요청받았다.

3 한국 펜싱팀은 올림픽에서 금메달을 따기 위해 아주 열심히 연습해 왔다.

e.g. 더 인내심이 강할수록, 어려운 상황을 더 현명하게 처리할 수 있다.

어휘 handle 처리하다; 다루다

Test 1

1 ○, × → sensible 2 × → stressful 3 × → vulnerable
4 ○, × → late 5 × → legally, ○

1 네가 매우 감정적일 때, 갈등에 관한 대화를 미루는 것이 더 합리적일 수 있다.
▶ 문맥상 형용사 emotional을 수식하는 부사 highly는 적절히 쓰였고, could be 뒤에는 보어가 와야 하므로 형용사 sensible로 고쳐야 한다.

2 연구에 따르면, 사람들이 친한 친구와 있을 때 업무는 스트레스를 덜 주는 것으로 여겨진다.
▶ 5문형이 수동태로 바뀐 형태로, 보어 자리에 부사는 쓸 수 없으므로 stressfully는 형용사 stressful로 고쳐 써야 한다.

3 영화를 보기 시작할 때 아이들이 더 어릴수록, 그들은 폭력적인 장면에 더 취약하다.
▶ 두 번째 절의 원래 문장 구조는 they are more vulnerable ~이므로 보어 자리에 올 수 있는 형용사 vulnerable로 고쳐야 한다.

4 만약 당신이 아침에 일에 더 효율적으로 집중할 수 있는 유형의 사람이라면, 늦게까지 깨어 있지 말고 일찍 일어나 당신의 피크 시간대를 최대한 활용하라.
▶ 동사 can concentrate를 수식하는 부사 efficiently는 적절하다. 두 번째 밑줄은 의미상 '늦게'가 되어야 하므로 late로 고쳐야 한다.

5 몇 세기 전 프랑스에서, 재산세는 보통 집에 있는 방의 개수에 법적으로 부과되었다. 따라서 2층이나 3층에 있는 방들도 꼭 1층에 있는 것들처럼 과세할 수 있는 것으로 여겨졌다.
▶ 첫 번째 밑줄은 동사 were imposed를 수식해야 하므로, 부사 legally로 고쳐야 한다. 두 번째 밑줄은 보어 자리이므로 형용사 taxable은 알맞다.

어휘 sensible 합리적인 conflict 갈등, 충돌 duty 업무; 의무 vulnerable 취약한 violent 폭력적인 make the most of ~을 최대한 활용하다 property tax 재산세 legally 법적으로 impose (세금 등을) 부과하다 taxable 과세할 수 있는, 세금이 붙는

Test 2

1 it's nearly impossible to maintain the ideal conditions
2 People living at high altitudes can breathe normally
3 decrease noise as effectively as cement barricades do
4 the more precisely concepts and terms are described / the easier it is to avoid conflicts and disputes
5 Writers consistently attempted to make it clear that visiting the theater wasn't merely

1 ▶ 주절을 <가주어-진주어(to부정사)> 구문을 사용하여 영작한다. near는 형용사 impossible을 수식하고 '거의'의 의미이므로 부사 nearly로 고치고, ideal은 명사 conditions를 수식하므로 형용사 그대로 쓴다.

2 ▶ high는 명사 altitudes를 수식하는 형용사이므로 그대로 쓰고, normal은 동사 can breathe를 수식하므로 부사로 변형하여 영작한다. 현재분사가 이끄는 분사구 living at high altitudes가 주어 People을 뒤에서 수식하는 형태로 쓴다.

3 ▶ 주어진 어구에 as가 있으므로 원급 비교구문으로 영작해야 하는데, as를 제외한 문장 구조에서 effective는 동사 decrease를 수식해야 하므로 부사 effectively로 고쳐 쓴다.

4 ▶ <the+비교급~, the+비교급...> 구문으로 영작한다. 첫 번째 절에서 precise는 동사 are described를 수식하므로 부사 precisely로 고치고, 두 번째 절은 <가주어-진주어(to부정사)> 구문을 이용하여 영작한다.

5 ▶ consistent는 동사 attempted를 수식하는 부사 consistently로 변형한다. attempted의 목적어인 to부정사구는 <가목적어-진목적어>구문을 활용하여 영작하는데, 가목적어 it 뒤의 목적격보어 자리에는 형용사가 와야 하므로 clear를 그대로 쓴다. 진목적어인 that절에서 mere는 부사 merely로 변형한다. 형용사 mere는 명사를 수식하는 역할로만 쓰이므로 여기서는 부사 형태가 알맞다.

어휘 meet a deadline 마감 기일을 맞추다 ideal 이상적인 thorough 철저한 meticulous 세심한, 꼼꼼한 detail-oriented 꼼꼼한 altitude (해발) 고도 adjust 적응하다; 조절하다 absorb 흡수하다; 받아들이다 barricade 방어벽; 바리케이드를 치다 contract 계약(서); 계약을 체결하다 term 용어; 기간; 조건 dispute 분쟁, 갈등 consistently 지속적으로 attempt 시도하다; 시도 merely 단지, 그저 entertainment 오락, 즐거움

RANK 38 주어+동사+보어(2문형)

p.112

기출 대표 문항 & 답이 보이는 Process

1 many reservoirs in the region ran dry
2 People feel more emotionally connected to each other

1 ▶ <동사+보어>가 짝을 이뤄 같이 잘 쓰이는 어구

come true 실현되다	turn pale 창백해지다
go wrong 잘못되다	go bad 상하다
run short 부족하다, 떨어지다	run dry 마르다, 고갈되다
fall asleep 잠이 들다	look young 젊어 보이다
remain silent 침묵을 지키다	

e.g. 그 디저트는 딸기 맛이 난다.

어휘 prolonged 장기적인, 오래 지속되는 persist 계속되다, 지속되다 reservoir 저수지 prohibit 금지하다

Test 1

1 ○ 2 × → astonished 3 × → large

1 그 프로젝트의 완료는 시기적절하여, 계획한 대로 모든 마감 기일을 맞췄다.
▶ 다음과 같이 -ly로 끝나는 형용사를 부사로 착각하지 않도록 주의한다.

- <명사+-ly>: lovely 사랑스러운, friendly 친절한, elderly 나이 든, costly 값비싼, manly 남자다운, timely 시기적절한
- 기타: lonely 외로운, lively 활기찬, deadly 치명적인, likely 일어날 듯한

2 그 식사하는 손님들은 유명한 영화배우가 자신들의 옆 테이블에 앉아 있는 것을 보고는 깜짝 놀란 것 같았다.
▶ 식사하는 손님들이 '깜짝 놀란' 것이므로 과거분사 astonished가 적절하다. 현재분사 astonishing은 '깜짝 놀랄 만한'의 의미이다.

3 양궁 선수들은 자기 팀이 이기고 있을 때, 과녁의 크기가 믿을 수 없을 만큼 커 보인다고 종종 말한다.
▶ 감각동사 looks의 보어 자리이므로 형용사 large로 고쳐야 한다. 부사 very는 형용사 large를 수식한다.

어휘 archery 양궁, 활쏘기

Test 2

1 is a powerful way to help you realize your goals
2 The way the books were categorized looked so complex
3 refuses to remain silent on the issue of wildlife conservation and stands firm in its mission

4 The advertised item appears relatively more appealing
5 lucky people always take notice of what's going on around them and stay open
6 The most important change you can make in your working habits is switching to creative work

1 ▶ 주어가 Visualization이므로 동사를 is로 고친다. 보어인 a powerful way는 to help ~ goals와 동격 관계이다.

2 ▶ 생략된 관계부사 how가 이끄는 절(the books were categorized)이 주어 The way를 수식하도록 영작한다. 동사 looked 뒤에는 <so 형용사[부사] ((a/an) 명사) ~ (that) ...: 아주 ~해서 …하다> 구문이 사용되었다.

3 ▶ 보어 자리에는 부사가 올 수 없으므로 각각 형용사인 silent, firm을 그대로 쓴다. and 뒤 stand는 문맥상 동사 refuses와 병렬 연결되므로 stands로 고쳐 쓴다.

4 ▶ 광고되는 제품이 '매력적인' 것이므로 현재분사 appealing을 그대로 쓴다. relative는 보어 more appealing을 수식하는 부사 relatively로 바꿔 쓴다.

5 ▶ that절의 동사 take와 stay가 등위접속사 and로 병렬 연결되어 있다. and 뒤의 동사 stay의 보어로 형용사 open을 쓴다.

6 ▶ is가 동사, 동명사 switching 이하가 보어인 문장이다.

어휘 visualization 시각화 figure out 이해하다, 알아내다 in the face of ~에도 불구하고; ~에 직면하여 stand 서다; (어떤 태도를) 취하다 firm 단호한, 확고한 relatively 비교적, 상대적으로 appealing 매력적인

RANK 39 to부정사와 동명사의 태

p.114

기출 대표 문항 & 답이 보이는 Clues

1 ○ 2 × → being given
3 × → to be motivated
1 to be p.p. 2 being p.p. 3 to be passed
4 being given 5 to be motivated

1 감독관은 수험생들이 지정된 시험지를 즉시 건네받도록 준비했다.

2 Emma는 그녀가 멘토들에게 충분한 기회를 받았음에도 불구하고 경쟁적인 환경에서 (남들보다) 뛰어나기 위해 고군분투했다.

3 몇몇 사람들은 야망을 위해 자기 자신을 들여다보고, 다른 사람들은 외부의 힘에 의해 동기를 부여받기를 기다린다.

cf. 건강한 일과 삶의 균형은 개인적인 일과 직업적인 일 모두에서 동기를 부여받기 위해 중요하다.

어휘 arrange 준비하다 designated 지정된 promptly 즉시 excel 뛰어나다, 탁월하다 ample 충분한 pursuit 일; 추구

Test 1

1 ○ 2 × → being awarded
3 × → to be discussed 4 ○
5 × → to be seen

1 개인적으로, 나는 스스로는 발견하지 못했을지도 모르는 새로운 음악 쪽으로 안내받는 것을 정말 좋아한다.

2 그가 학교에서 장학금을 받을 가능성은 그가 자신의 학업에 추가로 시간을 바치도록 격려했다.
▶ 밑줄 친 동명사의 의미상의 주어인 '그(his)'가 장학금을 '받을' 가능성이 그를 격려한 것이므로 동명사의 수동형 being awarded로 고쳐야 한다. 뒤의 목적어 the scholarship은 4문형에서의 직접목적어가 수동태로 바뀌며 남은 것이다.

3 증가하는 문화적 다양성과 세계적인 상호 연결성으로 인해, 오늘날의 세상에서 우리의 사회적 규범이 자주 논의될 필요가 있다는 것은 분명하다.
▶ 밑줄 친 to부정사의 의미상의 주어는 that절의 주어인 '우리의 사회적 규범(our social norms)'이고, 이것이 자주 '논의될' 필요가 있는 수동관계이므로 to be discussed로 고쳐야 한다.

4 비밀번호는 사람들이 전자식 신분증으로 사용하는 개개인의 지문과 연결되어 있다.

5 블랙 아이스는 사실상 투명하며, 그것을 통해 보이도록 아래에 있는 검은색 아스팔트 도로나 표면을 드러내기에 '블랙 아이스'라는 용어를 쓴다.
▶ 밑줄 친 to부정사의 의미상의 주어는 분사구문 내 revealing의 목적어인 '아래에 있는 검은색 아스팔트 도로나 표면(the black asphalt roadways or surface below)'이고, 이것이 '보이는' 수동관계이므로 to be seen으로 고쳐야 한다.

어휘 scholarship 장학금; 학문 dedicate (시간, 노력을) 바치다; 전념하다 interconnectedness 상호 연결 transparent 투명한

Test 2

1 Confronting the fear of being rejected
2 Language variations are more likely to be found in border areas
3 spent hours identifying where packages were supposed to be delivered
4 tend to be forgotten easily even though we make an effort to repeat them
5 has a low chance of being accepted for publication / most publishers will not want to invest time

1 ▶ 주어가 '맞서는 것'이므로 confront를 동명사 confronting으로 바꿔 주어로 쓰고, 동명사에 이어지는 어구를 마저 영작한다. 우리말이 '거절당하는' 것에 대한 두려움을 의미하고, 이것이 전치사 of의 목적어가 되어야 하므로 reject는 동명사의 수동형 being rejected로 변형한다. 일반인이 동명사의 의미상의 주어인 경우이다.

2 ▶ 문장의 주어인 '언어 변이(Language variations)'가 의미상의 주어이고, 이것이 '발견될' 가능성이 더 큰 것이므로, to부정사의 수동형 to be found로 변형한다.

3 ▶ <spend 시간[돈] v-ing: v하는 데 시간[돈]을 쓰다>를 사용하여 identify는 identifying으로 바꾼다. where가 이끄는 의문사절에서는 '소포(packages)'가 '배달되는' 것이므로 were supposed 뒤에 to be delivered가 온다.

4 ▶ 문장의 주어인 '이름들(Names)'이 첫 번째 to부정사의 의미상의 주어이다. 이름이 '잊히는' 수동관계이므로 tend 뒤에는 to부정사의 수동형 to be forgotten을 쓴다. even though가 이끄는 절에서는 우리가 그것들(이름들)을 '반복하는' 노력을 하는 것이므로 의미상의 주어 we와 repeat은 능동관계이다. an effort 뒤에 동격을 나타내는 to repeat ~을 이어 쓴다.

5 ▶ 의미상의 주어는 문장의 주어인 '원고(A manuscript)'이다. 원고가 '받아들여지는' 것이고, 전치사 of 뒤에 쓰여 a low chance와 동격을 이루어야 하므로 동명사의 수동형 being accepted의 형태로 변형한다. as가 이끄는 절에서는 출판사가 시간을 '투자하는' 능동의 의미이므로 want의 목적어는 to invest로 쓴다.

어휘 confront 맞서다 variation 변이 border 국경; (국경, 경계를) 접하다 ethnic 민족의 malfunction 오작동, 기능 불량 manuscript 원고; 필사본 publication 출판 *cf.* publisher 출판사

RANK 10 to부정사와 동명사의 완료형 p.116

기출 대표 문항 & 답이 보이는 Clues

to have seen
1 to have p.p 2 having been p.p. 3 to have seen

경찰이 도착했을 때, 한 목격자는 10분 전에 용의자가 현장에서 달아나는 것을 봤다고 주장했다.

어휘 witness 목격자; 목격하다 suspect 용의자; 의심하다 flee 달아나다, 도망치다

Test 1

1 × → having been 2 × → to have lost
3 ○ 4 ○
5 × → to have composed

1 그는 작년까지 한국 펜싱 국가대표팀의 코치로 있었던 것을 자랑스러워하는데, 그는 그들을 올림픽 금메달로 이끌었었다.
▶ 그가 자랑스러워하는 것(현재)보다 작년까지 한국 펜싱 국가대표팀의 코치였던 것(과거)이 먼저 일어난 일이므로 동명사의 완료형을 쓴다.

2 나폴레옹은 고통스러운 병 때문에 워털루 전투에서 패배했다고 알려져 있지만, 이것은 한 영화에서 시작된 근거 없는 믿음이다.

3 매일 (영양) 보충제만 먹으며 생존할 수는 없으므로, 여러분의 신체에 영양가 높은 식품을 공급하는 것은 필수적이다.
▶ 시제와 관련 없이 일반적인 사실을 나타내므로 동명사의 일반형은 알맞게 쓰였다.

4 알렉산더 대왕은 그의 주치의가 그를 독살하도록 뇌물을 받았다고 고발하는 편지를 받았다.
▶ 편지를 받은 것보다 그의 주치의가 '뇌물을 받은' 것이 먼저 일어난 일이므로 동명사의 완료 수동형은 알맞게 쓰였다.

5 19세기 노르웨이의 가장 유명한 음악가 중 한 명인 Ole Bull은 70곡 넘게 작곡했던 것으로 여겨지나 현재 대략 10곡만 남아있다.

어휘 myth 근거 없는 믿음; 신화 fuel 연료를 공급하다 nutritious 영양가 높은 supplement 보충(물); 보충하다 accuse 고발하다 bribe 뇌물을 주다; 뇌물 poison 독살하다; 독 renowned 유명한, 명성 있는

Test 2

1 is said to have obtained its name from the desire Christopher Columbus felt
2 they want to be recognized for having said it
3 multicelled organisms were found to have evolved before single-celled organisms
4 The antique clock is thought to have been passed down
5 appear to have gained increased mobility and power
6 was made at the end of having been thoroughly discussed

1 ▶ Deseada섬이 일컬어지는 것(현재)보다 그것이 그 이름을 얻은 것(과거)이 먼저 일어난 일이므로 to부정사의 완료형을 써서 영작한다.

4 ▶ to부정사의 시제가 문장의 동사보다 이전의 일을 나타내고, 시계가 '전해졌던' 수동관계이므로 to부정사의 완료 수동형을 써서 영작한다.

6 ▶ of 뒤에 이어지는 동명사구의 시제가 문장의 동사보다 이전의 일을 나타내고, 중요한 결정이 '논의된' 것이므로 수동관계이다. 동명사의 완료 수동형을 써서 영작한다.

어휘 voyage 항해 antique 골동품인; 골동품 pass down (후대에) ~을 전해주다[물려주다] ironically 역설적으로 mobility 이동성, 기동성 thoroughly 철저히 board 이사회

RANK 11 비교급+than~ p.118

기출 대표 문항 & 답이 보이는 Process

repairing a bad reputation is much harder than maintaining a good one
1 repairing a bad reputation 2 maintaining a good one
3 비교급 4 is much harder than 5 to

e.g. 개의 후각은 인간의 그것(후각)보다 훨씬 더 좋다.

어휘 reputation 평판, 명성

Test 1

1 × → playing 2 × → greater 3 ○
4 × → much[even, still, (by) far, a lot]

1 어린아이들은 혼자 노는 것보다 자신들의 장난감들을 다른 사람들과 공유하는 것에 현저하게 더 많이 저항한다.
▶ 문맥상 두 개의 전명구가 비교되므로 전치사 to의 목적어인 동명사 playing으로 고친다.

2 행동에 옮기는 것은 그저 그것에 대해 생각하는 것보다 훨씬 더 큰 변화를 야기할 수 있다.

3 나의 기호에 대해 말하자면, 인도네시아 커피의 맛이 브라질 커피의 것(맛)보다 더 우수하다.
▶ superior는 than 대신 to를 써서 비교급을 만든다.

4 농부가 도매상에게서 받는 가격은 소매상이 소비자에게 청구하는 가격보다 날마다 훨씬 더 유연하다.

어휘 noticeably 현저하게 resistant 저항하는 take action 행동에 옮기다 result in (결과적으로) ~을 야기하다[낳다] preference 기호, 선호 wholesaler 도매상 retailer 소매상 charge (요금, 값을) 청구하다

Test 2

1 the powers of large-scale enterprises are far stronger than those of governments
2 is no more than unclear summaries of lengthy articles
3 better to disappoint a few people / than to abandon your dreams to meet the demands of others
4 are more attracted to individuals who are consistently negative than to individuals who initially seem positive and then switch to negative attitudes

1 ▶ 형용사 strong을 비교급으로 변형하고 비교급 수식 어구 far는 비교급 앞에 위치시킨다. 문맥상 'the powers of large-scale enterprises'와 비교 대상인 'the powers of governments'에서 반복되는 the powers는 복수형 대명사 those로 대신한다.

2 ▶ no more than: 겨우 ~인, 단지(= only, as few[little] as)

3 ▶ <가주어-진주어(to부정사)> 구문에서 두 개의 to부정사구가 비교 대상이 되도록 영작한다.

4 ▶ 전치사 to의 목적어인 두 개의 individuals가 각각 주격 관계대명사 who

가 이끄는 관계사절의 수식을 받도록 영작한다.

어휘 enterprise 기업, 회사 acquire 얻다, 습득하다 lengthy 매우 긴, 장황한 abandon 포기하다; 버리다 demand 요구; 요구하다

RANK 12 원급을 이용한 비교 표현 p.120

기출 대표 문항 & 답이 보이는 Process

Driving slowly on the highway is as dangerous as racing in cities
1 Driving slowly on the highway 2 racing in cities
3 원급 4 is as dangerous as

e.g. 그 식료품점은 대형 슈퍼마켓만큼 많은 선택 가능한 것들을 제공했다.

Test 1

1 the group of undergraduate students didn't describe the storyline as fully as the group of high school students
2 how the pictures and words tell a story / comics are just as complex as any other kind of literature
3 you should aim not so much for short-term gains as for long-term profits
4 not so strict as they used to be / we can express ourselves as freely as possible
5 causes metabolic and cognitive problems as significantly as processed carbs do
6 are more than twice as likely to be involved in starting a new firm as those

2 ▶ how가 이끄는 명사절은 <how+주어+동사>의 어순으로 영작한다. / A just[exactly] as ~ as B: A는 꼭[정확히] B만큼 ~한 (A=B)

3 ▶ not so much A as B: A라기보다는 오히려 B인(= B rather than A, rather B than A, more B than A)

4 ▶ 첫 번째 빈칸은 <A *not* as[so] 원급 as B: A는 B만큼 ~하지는 않은(A<B)>를 활용해 영작한다. 주어진 어구에 strict가 하나만 있으므로, B에 해당하는 they used to be strict에서 반복되는 strict는 생략해서 표현한다. 두 번째 빈칸은 <as 원급 as possible: 가능한 한 ~한[하게]>를 활용해 영작한다.

5 ▶ as 뒤의 do는 앞에 나온 causes ~ problems를 대신한다.

6 ▶ A 배수/분수 as ~ as B: A는 B의 …배만큼 ~한

어휘 undergraduate 대학(생)의; 대학생 conclude 결론을 내리다 investment 투자 aim 목표로 하다 societal 사회의 excessive 과도한 metabolic 신진대사의 cognitive 인지의, 인식의 entrepreneur 기업가, 사업가 acquaintance 지인, 아는 사람

RANK 13 최상급을 나타내는 여러 표현 p.122

기출 대표 문항 1 & 답이 보이는 Clues

1 large → largest 2 test → tests
1 최상급 2 복수

e.g. 그녀는 정직, 청렴, 그리고 무엇보다도 친절을 가장 중요하게 여겼다.

어휘 situate 위치시키다; (어떤 장소, 처지에) 놓다 integrity 청렴; 온전함 neurology 신경학

Test 1

1 ○ 2 selection → selections

1 텔레비전은 새로운 캠페인에 대한 대중의 인식을 형성하는 단연코 가장 빠른 방법으로 남아 있다.
▶ 최상급 강조 어구: much, by far, quite, the very 등

2 집의 내부를 어떻게 꾸밀지 결정하는 것은 집주인이 하는 가장 힘든 선택들 중 하나이다.
▶ one of the+최상급+복수명사: 가장 ~한 것들 중 하나

어휘 awareness 인식 demanding 힘든, 큰 노력을 요구하는

Test 2

1 by far the hottest area that she has ever been to
2 One of the biggest misconceptions about becoming self-confident is

1 ▶ 우리말이 최상급을 나타내므로 밑줄 친 hot을 최상급의 형태 hottest로 바꾸고, <the+최상급+that+주어(she)+has ever p.p.>의 어순으로 영작한다. 최상급을 강조하는 어구 by far는 <the+최상급> 앞에 쓴다.

2 ▶ 주어는 <one of the+최상급+복수명사> 순으로 영작한다. 주어가 단수이고, 우리말이 일반적인 사실을 나타내므로 be는 is로 바꿔 쓴다.

어휘 misconception 오해 fearlessly 두려움 없이, 대담무쌍하게

기출 대표 문항 2 & 답이 보이는 Clues

as[so] impressive as / more impressive than / more impressive than any other story

그의 성공에 관한 이야기가 가장 인상적이다.
= 다른 어떤 이야기도 그의 성공에 관한 이야기만큼 인상적이지 않다.
= 다른 어떤 이야기도 그의 성공에 관한 이야기보다 더 인상적이지 않다.
= 그의 성공에 관한 이야기는 다른 어떤 이야기보다 더 인상적이다.

e.g. (다른) 어떤 것도 그의 성공에 관한 이야기만큼/이야기보다 더 인상적이지 않다. / *e.g.* 그의 성공에 관한 이야기는 다른 어떤 것보다 더 인상적이다.

Test 3

1 no other plant was as[so] valuable as pine trees / were the most valuable plant
2 are more dangerous than any other car / no other car / as[so] dangerous as electric cars

1 한국의 전통적인 궁궐을 짓는 데 있어서, 소나무는 다른 어떤 식물보다 더 귀중했다.
= ~, 다른 어떤 식물도 소나무만큼 귀중하지 않았다.
= ~, 소나무가 가장 귀중한 식물이었다.

2 보행자가 길을 걸어갈 때, 전기 자동차가 가장 위험한 차인데 그것들은 소음을 거의 내지 않기 때문이다.
= ~, 전기 자동차가 다른 어떤 차보다 더 위험한데 그것들은 소음을 거의 내지 않기 때문이다.
= ~, 다른 어떤 차도 전기 자동차만큼 위험하지 않은데 그것들은 소음을 거의 내지 않기 때문이다.

어휘 palace 궁궐; 왕실 pedestrian 보행자

RANK 11 4문형·5문형의 수동태 p.124

기출 대표 문항 & 답이 보이는 Clues

1 ○ **2** × → to answer

1 주어 2 was given 3 to-v 4 to answer

1 제1차 세계대전은 우리가 제2차 세계대전에 깊이 휘말린 후에야 비로소 그 이름을 받았다.

2 연구 참가자들은 연구자에 의해 기억 보존을 평가하기 위한 일련의 인지 질문에 답하게 되었다.

e.g. 그녀는 아이가 상점에서 장난감을 고르도록 해주었다. → 그 아이는 상점에서 장난감을 고르도록 허락받았다.

어휘 embattled 전쟁에 휘말린; 싸움 중인 retention 보존, 보유

Test 1

1 ○ 2 × → have been taught
3 × → is seen 4 ○, × → were told
5 × → considered, × → was considered

1 중앙아시아 지역의 남동쪽 가장자리에 있는 거대한 부피의 얼음은 지금 제3극이라고 불린다.
▶ 거대한 부피의 얼음이 사람들에 의해 '불리는' 것이므로 수동태가 적절히 쓰였다.

2 그 부서의 신입 직원들은 오리엔테이션 동안 상급자들로부터 회사의 정책과 절차를 배웠다.
▶ 신입 직원들이 회사의 정책과 절차를 '배운' 것이므로 수동태가 적절하다. 완료시제의 수동형은 <have[has/had] been p.p.>이다.

3 영화에서 주인공이 항구를 떠나고 있는 배를 향해 달려가고 있는 것이 보인다.
▶ 주인공이 '보이는' 수동의 의미이므로 is seen이 적절하다. 능동태 문장의 목적격보어인 분사 running이 수동태 문장에서도 보어 자리에 그대로 쓰인 문장이다.

4 매달, 그 담당자는 공장에 자재를 제공했고, 모든 직원들은 정해진 수의 신발을 생산하라는 말을 들었다.
▶ 담당자가 자재를 '제공하는' 것이므로 능동태는 적절하다. 모든 직원들이 담당자에 의해 신발을 생산하라는 말을 '듣는' 것이므로 were told로 고쳐 쓴다.

5 1960년대에 많은 사람들은 살충제가 인류에게 유익한 것으로 여겼다. 새롭고 널리 효과적인 살충제를 개발하는 것은 그 당시에는 농작물에 영향을 끼치는 해충을 통제하는 최고의 방법으로 여겨졌다.

어휘 volume 부피, 양 department (조직의) 부서 procedure 절차 senior 상급자; 연장자 harbor 항구 pesticide 살충제 *cf.* pest 해충 beneficial 유익한, 이로운 mankind 인류, 사람들 broadly 널리; 대체로 affect 영향을 끼치다

Test 2

1 are thought (to be) very small but fuel-efficient
2 The space rocket was observed to take off and (to) go up into the sky
3 All the nations taking part in the Olympics were asked to fly their national flags
4 was called a "horseless" carriage / allowed the public to understand the concept
5 three different boxes of detergent were given / were expected to try them all and (to) provide feedback

1 ▶ 소형 자동차들이 '여겨지는' 수동의 의미이므로 밑줄 친 think를 are thought로 쓴다. 동사 think의 목적격보어 자리에는 to-v와 형용사가 모두 올 수 있는데, 두 경우의 의미 차이가 거의 없으므로 to be를 추가하거나 생략할 수 있다.

2 ▶ 우주 로켓이 '목격되는' 수동의 의미이므로 observe는 was observed로 쓴다. 5문형의 능동태 문장에서 목적격보어가 원형부정사인 경우 수동태에서는 to-v가 되므로 to take off와 (to) go up으로 써야 한다. 만약 조건상 take off와 go up을 변형해도 된다면 observe는 목적격보어로 v-ing도 취하므로 현재분사 taking off와 going up으로 써도 올바른 문장이 된다.

3 ▶ 모든 나라가 '요청받은' 수동의 의미이므로 ask는 were asked로 쓴다.

4 ▶ 첫 번째 절에서 최초의 자동차가 '불리는' 것이므로 수동형이 적절하다. 명사인 목적격보어(a "horseless" carriage)는 수동태 문장에서도 그 자리에 그대로 쓴다. 두 번째 절에서는 그 명칭이 '대중이 ~하도록 해준' 능동의 의미이므로 동사는 능동태 allowed로 쓴다.

5 ▶ 첫 번째와 두 번째 절 모두 세제가 '주어지고' 피드백 제공을 '요구받은' 수동의 의미이므로 밑줄 친 동사는 모두 수동형으로 쓴다.

어휘 fuel-efficient 연료 효율이 좋은 take off 이륙하다 spectator 관중 take part in ~에 참가[참여]하다 host 주최국, 주최 측; 주최하다 carriage 마차; 운반 transportation 수송, 운송 detergent 세제 performance 성능; 수행

서술형 대비 **실전 모의고사 4회** p.126

01 × → strong, × → to
02 × → risks, × → unfair
03 × → to fall, ○
04 × → encouraging[to encourage], ○, × → be interpreted
05 ○, × → fewer, × → so intensive that
06-07 ③ hardly → harder, becomes의 보어이고 <the+비교급~, the+비교급...> 구문이므로 harder로 고쳐야 한다. / ④ to call → to be called, 주어 it(= a rumor)가 '불리는' 수동관계이므로 to be called로 고쳐야 한다.
08 are generally considered to be competent individuals / committing blunders will make one's humanity endearing
09 participants' memories were much more susceptible to memory distortion / than by being given false information
10 Unintuitive as it may seem / To demonstrate this principle as accurately as possible / astronauts simultaneously dropped
11 if the goal is studying a textbook / if you apply this same method for taking lecture notes / so slowly that you'll miss most of what the instructor says
12 physically attractive candidates received more than two and a half times as many votes as unattractive candidates
13 Whether we are driving or managing our lives / to create space not to be dangerously exposed to unforeseen circumstances
14 been left
15 who fail to adapt to the changes in their field have a greater risk of facing limitation / who stay updated
16 ③ possibly → possible / ④ have → have had
17 Although we might consider the Earth's atmosphere today merely as a setting where organisms are allowed to live / a product of their activity that has changed

01 한 국가의 GDP 성장이 아무리 강력해 보이더라도, 지속적인 구조적 불평등은 그 나라의 사회적 발전을 더 큰 형평성을 가진 사회의 발전보다 열등하게 만들 수 있다.
▶ 양보를 나타내는 No matter how가 이끄는 부사절에서 동사 appears의 보어가 필요하므로 형용사 strong으로 고쳐야 한다. / inferior는 than 대신 to를 써서 비교급을 만든다. • Rank 36 양보·대조의 부사절, Rank 37 형용사 자리 vs. 부사 자리, Rank 41 비교급+than~
어휘 persistent 지속적인 inequality 불평등 render (어떤 상태가 되게) 만들다 equity 형평성, 공정

02 글쓰기의 가장 큰 위험들 중 하나는 단어 선택이나 문장부호에 관한 것들 중 가장 간단한 선택조차도 때로는 부당해 보일 수 있는 방식으로 독자가 여러분에 대한 편견을 갖게 할 수 있다는 것이다.
▶ <one of the+최상급+복수명사> 구문이므로 risks로 고쳐야 한다. / 2문형으로 자주 쓰이는 동사 seem의 보어 자리이므로 형용사 unfair로 고친다. • Rank 37 형용사 자리 vs. 부사 자리, Rank 38 주어+동사+보어(2문형), Rank 43 최상급을 나타내는 여러 표현
어휘 wording 단어 선택 prejudice 편견을 갖게 하다; 편견

03 만약 장벽을 만듦으로써 하나의 생태계가 부분들로 나뉜다면, 다른 것들이 동일할 때, 부분들의 생산성의 합계가 전체의 그것(생산성의 합계)보다 떨어질 것으로 대개 예상될 것이다.
▶ expect는 목적격보어로 to-v를 가지는 동사인데, 수동태로 쓰이면 목적격보어는 to-v 형태 그대로 온다. / 두 번째 밑줄은 분사구문 자리인데, 의미상의 주어 other things가 앞 절의 주어(the sum ~ parts)와 달라 분사구문의 주어를 생략하지 않았다. • Rank 20 주의해야 할 분사구문, Rank 44 4문형·5문형의 수동태
어휘 barrier 장벽, 장애물 productivity 생산성

04 신경학자이자 교사인 Judith Willis는 수업에서 적극적인 발견을 장려하는 것은 학생들이 새로운 자료와 상호 작용을 하도록 하고, 작업 기억을 넘어 그것(새로운 자료)을 이동시켜 그것이 고급 인지 기능에 전념하는 뇌의 부분인 전두엽에서 해석될 수 있게 한다고 저술했다.
▶ that절의 주어가 필요하므로 encouraging 또는 to encourage로 고친다. / 사역동사 let은 목적격보어로 v를 취하므로 interact는 알맞게 쓰였다. / 문맥상 it(= new data)이 '해석되는' 수동관계이므로 allowing의 목적격보어로는 to be interpreted가 알맞다. • Rank 07 동사+목적어+보어 I, Rank 24 동사 자리 vs. 준동사 자리, Rank 39 to부정사와 동명사의 태
어휘 neurologist 신경학자 interpret 해석하다

05 일부 어종들은 어획으로 인한 죽음의 위험이 나이가 듦에 따라 커지기 때문에 더 일찍 번식하도록 진화했는데, 더 어린 물고기는 몸집이 큰 물고기보다 더 적은 알을 낳으므로 이제 미래 세대를 확보할 가능성이 줄어들었다. 게다가, 많은 산업적 어업은 매우 집중적이어서 성숙기를 넘어 살아남는 물고기가 거의 없다.
▶ 문맥상 주절의 시제(have)보다 앞서 '진화한' 것이므로 Having evolved는 알맞다. / 뒤에 비교 대상(large-bodied ones)과 than이 있으므로 few는 비교급 fewer로 고친다. / <so 형용사[부사] that: 아주 ~해서 …하다> 구문에서 are의 보어가 필요하므로 intensively를 intensive로 고쳐야 한다. • Rank 20 주의해야 할 분사구문, Rank 34 목적·결과의 부사절, Rank 37 형용사 자리 vs. 부사 자리, Rank 41 비교급+than~
어휘 reproduce 번식하다; 재생산하다 intensive 집중적인; 집약적인 maturity 성숙(기)

06-07
등골이 오싹한 유령 이야기들은 그것들이 정말 무섭다면 들려주기에 재밌고, 만약 당신이 그 이야기들이 사실이라고 주장하면 훨씬 더 그렇다. 사람들은 그런 이야기들을 전달하는 것에서 전율을 느낀다. 같은 것은 기적 이야기들에도 적용된다. 기적에 대한 소문이 더 일찍 기록될수록, 특히 그것을 담은 책이 고대의 것이라면, 그것에 이의를 제기하기가 더욱 어려워진다. 만약 소문이 충분히 오래된 것이라면, 그것은 대신 '전통'으로 불리는 경향이 있고, 그러고 나서 사람들은 그것을 한결 더 믿는다. 그들이 묘사하는 사건들에 연대순으로 더 가까운 새로운 소문들에 비해 오래된 소문들이 왜곡될 더 많은 시간이 있었기 때문에 이는 터무니없는 것처럼 보인다.
▶ ③ • Rank 31 the+비교급~, the+비교급..., Rank 37 형용사 자리 vs. 부사 자리 / ④ • Rank 39 to부정사와 동명사의 태
어휘 spine-tingling 등골이 오싹한 dispute 이의를 제기하다, 반박하다 illogical 터무니없는, 비논리적인 distorted 왜곡된 chronologically 연대순으로

08 ▶ 유명 인사들이 '여겨지는' 수동관계이므로 수동태 are generally considered를 쓰고 능동태에서의 목적격보어 to be ~ individuals를 이어 쓴다. 주절의 주어가 없으므로 동명사 committing으로 변형하여 주어를 완성한다. 주어진 어구에 to가 있다면 주어로 to commit도 쓸 수 있다. 부사는 목적격보어로 쓸 수 없으므로 분사형 형용사 endearing으로 변형한다. • Rank 15 주어로 쓰이는 동명사, Rank 37 형용사 자리 vs. 부사 자리, Rank 44 4문형·5문형의 수동태
어휘 competent 능력 있는, 유능한 endearing 사랑스러운

09 ▶ 비교급 수식 어구 much는 비교급 more susceptible 앞에 쓴다. 두 번째 빈칸의 by 뒤에는 문맥상 참가자들이 '받는' 수동관계이므로 동명사의 수동형인 being given으로 변형하여 쓴다. 이때 4문형 동사인 give가 수동태로 바뀌며 남은 직접목적어 false information은 그대로 쓴다. • Rank 39 to부정사와 동명사의 태, Rank 41 비교급+than~, Rank 44 4문형·5문형의 수동태
어휘 susceptible 영향을 받기 쉬운; 민감한

10 ▶ <형용사+as+S'+V': 비록 ~이지만>을 활용하여 첫 번째 문장의 부사절을 영작한다. 두 번째 문장에서는 목적을 나타내는 부사적 역할의 to부정사구를 쓰는데, 문맥상 accurate는 동사 demonstrate를 수식하므로 부사 accurately로 변형하여 <as ~ as possible: 가능한 한 ~하게> 구문을 완성한다. 주절에서는 simultaneous를 동사 dropped를 수식하는 부사로 변형하여 영작한다. • Rank 13 to부정사의 부사적 역할, Rank 36 양보·대조의 부사절, Rank 37 형용사 자리 vs. 부사 자리, Rank 42 원급을 이용한 비교 표현
어휘 simultaneously 동시에

11 ▶ 첫 번째 빈칸에는 if가 이끄는 조건의 부사절을 쓰는데, 보어로 동명사 studying이 이끄는 구를 쓴다. 주어진 어구에 to가 있다면 보어로 to study도 쓸 수 있다. 두 번째 문장의 주절에서 문맥상 slow는 주절의 동사 will move를 수식하므로 slowly로 변형하여 <so 부사 that ...> 구문을 완성한다. 이때 that절의 목적어 자리에 <most of+관계대명사 what절>을 써서 영작한다. • Rank 26 관계대명사 what, Rank 34 목적·결과의 부사절, Rank 35 시간·조건의 부사절, Rank 37 형용사 자리 vs. 부사 자리, Rank 38 주어+동사+보어(2문형)

12 연구는 우리가 재능, 상냥함, 정직 그리고 지성과 같은 좋은 특성들을 잘생긴 사람들에게 무의식적으로 부여한다는 것을 보여줬다. 게다가, 우리는 그 과정에서 신체적인 매력이 역할을 한다는 것을 알지 못한 채 이러한 판단을 한다. '잘생긴 것이 좋은 것이다'라는 이 무의식적인 가정의 어떤 결과들은 대체로 무섭다. 예를 들어, 1974년 캐나다 연방 선거에 대한 한 연구는 신체적으로 매력적인 후보자들이 매력적이지 않은 후보자들보다 2.5배가 넘는 만큼 많은 표를 얻었다는 것을 알아냈다.
▶ <A 배수/분수 as ~ as B> 구문을 활용한다. 형용사 many가 명사인 votes를 수식하므로 <as 형용사 원급+명사 as>의 어순으로 영작한다. • Rank 42 원급을 이용한 비교 표현
어휘 automatically 무의식적으로; 자동적으로 favorable 좋은; 호의적인

13 한번은 내가 아이들에게 완충 지대의 개념을 설명하려고 했다. 우리는 그때 차에 함께 있었고 나는 게임을 이용하여 그 개념을 설명하려고 했다. 나는 우리가 멈추지 않고 3마일 떨어진 목적지까지 도착해야 한다고 상상해 보라고 말했다. 우리는 우리 앞과 주위에서 무슨 일이 일어날지 예측할 수 없었을 것이다. 우리는 신호등이 얼마나 오랫동안 녹색으로 켜 있을지, 아니면 앞차가

갑자기 브레이크를 밟을지 몰랐다. 추돌을 막는 유일한 방법은 우리 차와 우리 앞에 있는 차 사이에 여분의 공간을 두는 것이었다. 이 공간은 완충 지대로 작용한다. 그것은 우리에게 다른 차들의 어떤 갑작스러운 움직임에도 반응하고 적응할 시간을 준다. 마찬가지로, 우리는 단지 완충 지대를 만듦으로써 우리의 일과 삶에서 필수적인 일을 할 때의 마찰을 줄일 수 있다.

[요지] 우리가 운전을 하고 있든 우리의 삶을 관리하고 있든지 간에, 예측하지 못한 상황에 위험하게 노출되지 않기 위해 공간을 만드는 것이 중요하다.

▶ 첫 번째 빈칸에는 <whether A or B: A이든 B이든>을 활용하여 양보의 부사절을 쓰고, 두 번째 빈칸에는 <가주어-진주어(to부정사)> 형태로 영작한다. 의미상의 주어 we가 '노출되는' 수동관계이고, to부정사의 부정형은 not이나 never를 to-v 앞에 쓰므로 목적을 나타내는 to부정사는 not to be dangerously exposed로 영작한다. • Rank 13 to부정사의 부사적 역할, Rank 14 가주어-진주어(to부정사), Rank 36 양보·대조의 부사절, Rank 39 to부정사와 동명사의 태

어휘 act as ~로서 작용하다 unforeseen 예측하지 못한, 뜻밖의

[14-15]

성장과 발전에 실패하는 브랜드는 적합성을 잃는다. 한때 당신의 회사에서 출세 가도에 있었는데, 더 이상 회사와 함께 하지 않거나 더 나쁘게는 경력의 정체기에 든 것처럼 보이는 당신이 알던 사람을 생각해 보라. 그 사람이 야심 찬 행동을 하지 않았다고 가정하면, 이 사람은 적합성을 유지하고 발전을 수용하는 데 실패하여, 자기 업계에서 뒤처진 희생자일 가능성이 있다. 개인용 컴퓨터 사용 기술이 그 기술에 노출된 첫 번째 물결의 경영 지도자에게 미친 영향을 생각해 보라. 기술을 수용한 사람들은 그것을 그들의 업무 방식에 통합하여 뛰어나게 잘할 수 있었다. (기술에) 저항했던 사람들은 그들의 직장 생활을 개선할 기회를 거의 찾을 수 없었고, 많은 경우 결국 적합성을 유지하고 자신의 기술을 새롭게 하는 데 실패하여 이른 은퇴를 통해 사라지게 되었다.

어휘 relevance 적합성; 관련성 *cf.* relevant 적절한; 관련 있는 fast track 출세 가도 embrace 수용하다, 포용하다 advance 발전; 개선하다 excel 뛰어나게 잘하다, 탁월하다 resistant 저항하는 let go 놓다; 해고하다

14 ▶ 동명사의 시제가 문장의 동사보다 이전의 일을 나타내고, 그 사람이 자신의 업계에서 '뒤처진' 것이므로 수동관계이다. 동명사의 완료 수동형으로 고쳐야 한다. • Rank 39 to부정사와 동명사의 태, Rank 40 to부정사와 동명사의 완료형

15 [요약문] 자신의 분야의 변화에 적응하는 데 실패하는 사람들은 변화에 대해 최신 정보가 습득되어 있는 사람들보다 한계에 직면할 더 큰 위험을 가진다.

▶ 주어를 수식하는 주격 관계대명사절을 쓴다. 관계사절의 동사 fail은 to-v를 목적어로 취한다. 주어는 Individuals이므로 문장의 동사는 복수동사 have를 쓰고, 뒤에 than이 있으므로 형용사 great은 비교급 greater로 변형해서 쓴다. 비교 대상인 those도 주격 관계대명사절의 수식을 받는다. • Rank 01 주어-동사의 수일치 I, Rank 11 동사의 목적어가 되는 to-v, v-ing, Rank 25 주격 관계대명사 who, which, that, Rank 38 주어+동사+보어(2문형), Rank 41 비교급+than~

[16-17]

45억 년도 더 전에, 지구의 원시 대기는 아마도 주로 수증기, 이산화탄소, 이산화황, 질소로 이루어져 있었을 것이다. 극도로 원시적인 생물체(박테리아 같은 미생물과 단순한 단세포 식물)의 출현과 그 다음의 진화는 산소를 유리시키고 이산화탄소와 이산화황을 분해하며 대기를 변화시키기 시작했다. 이것은 더 고등한 생물체가 발달하는 것을 가능하게 했다. 가장 최초라고 알려진 핵이 있는 식물 세포가 약 20억 년 전에 진화했을 때, 대기는 현재 산소 함량의 약 1퍼센트만을 가지고 있었던 것으로 보인다. 약 5억 년 전 최초의 육지 식물의 출현은 산소가 현재 농도의 약 3분의 1에 도달하도록 했다. 그것은 동물이 처음으로 육지로 퍼졌던 약 3억 7천만 년 전에 거의 현재 수준으로 증가했다. 그러므로 오늘날의 대기는 우리가 알고 있는 대로 생명을 살아가게 하기 위한 필요조건일 뿐만 아니라 생명의 결과이기도 하다.

어휘 subsequent 그 다음의, 그 후의 exceedingly 극도로 microbe 미생물 nucleus 핵; 중심(복수형 nuclei) content 함량; 내용물 concentration 농도; 집중 sustain 살아가게 하다; 지속시키다

16 ▶ ③ 목적격보어 자리에 부사는 올 수 없으므로 형용사 possible로 고친다. • Rank 32 가목적어-진목적어, Rank 37 형용사 자리 vs. 부사 자리 / ④ to부정사의 시제가 문장의 동사(seems)보다 이전의 일을 나타내므로 to부정사의 완료형(to have had)으로 고친다. • Rank 40 to부정사와 동명사의 완료형

17 [요지] 우리는 오늘날 지구의 대기를 단순히 생물이 살도록 허용되는 환경으로 생각할지 모르지만, 그것은 수십억 년에 걸쳐 변화해 온 생물의 활동의 산물이기도 하다.

▶ 첫 번째 빈칸은 Although가 이끄는 양보의 부사절을 영작한다. 관계부사 where가 이끄는 절의 동사는 생물이 '허용되는' 수동관계이므로 are allowed로 변형한다. 능동태 문장에서 allow의 목적격보어였던 to live는 수동태 문장에서도 그 자리에 그대로 쓴다. 두 번째 빈칸에는 that이 이끄는 주격 관계대명사절이 a product를 수식하도록 영작한다. • Rank 25 주격 관계대명사 who, which, that, Rank 30 관계부사 when, where, why, how, Rank 36 양보·대조의 부사절, Rank 44 4문형·5문형의 수동태

• 부분 점수

문항	배점	채점 기준
01-05	1	×는 올바르게 표시했지만 바르게 고치지 못한 경우
06-07	2	틀린 부분을 바르게 고쳤지만 틀린 이유를 쓰지 못한 경우
	1	틀린 부분을 찾았지만 바르게 고치지 못한 경우
08-11	3	어순은 올바르나 단어를 적절히 변형하지 못한 경우
13	4	어순은 올바르나 단어를 적절히 변형하지 못한 경우
15	5	어순은 올바르나 단어를 적절히 변형하지 못한 경우
16	2	틀린 부분을 찾았지만 바르게 고치지 못한 경우
17	6	어순은 올바르나 단어를 적절히 변형하지 못한 경우

Rank 45-55

RANK 45 it be ~ that... 강조구문 p.132

기출 대표 문항 & 답이 보이는 Process

it is the Moon that has a huge influence on the tides
1 강조구문 2 불완전한 3 완전한

e.g. 그녀는 상사에게 피드백을 받을 때까지 자신의 실수를 깨닫지 못했다. → 그녀는 상사에게 피드백을 받고 나서야 비로소 자신의 실수를 깨달았다. / *e.g.* 인간이 음식 맛을 보기 위해 미각과 후각을 모두 사용한다는 것은 놀랍지 않다.

어휘 tide 조수, 밀물과 썰물

Test 1

1 is the act of beginning that becomes the starting point
2 was in the eighteenth century that attempts to formalize spelling and punctuation of English were actively made
3 was not until he discovered some of the principles of marketing that he found increased success

1 (무언가를) 시작하는 행동이 사람들을 성공으로 이끄는 시작점이 되거나 사람들을 성공으로 이끄는 행동에 영향을 끼친다. → 사람들을 성공으로 이끄는 시작점이 되거나 사람들을 성공으로 이끄는 행동에 영향을 끼치는 것은 바로 (무언가를) 시작하는 행동이다.

2 영어의 철자와 구두법을 공식화하려는 시도는 18세기에 활발하게 이루어졌다. → 영어의 철자와 구두법을 공식화하려는 시도가 활발하게 이루어진 것은 바로 18세기였다.

3 토머스 에디슨은 정말 창의적인 천재였지만, 그는 몇몇의 마케팅 원칙을 발견할 때까지 큰 성공에 이르지 못했다. → 토머스 에디슨은 정말 창의적인 천재였지만, 그는 몇몇의 마케팅 원칙을 발견한 후에야 비로소 큰 성공에 이르렀다.
▶원 문장의 did find를 강조구문에서는 found로 바꿔 써야 한다.

어휘 formalize 공식화하다 punctuation 구두법; 구두점 principle 원칙

Test 2

1 our inherent ambitions that motivate us and focus our senses
2 around the age of three that most children start to use complete sentences
3 the skilled artisan whom the company hired to create a unique sculpture
4 the temperature at the surface of the body which matters / the temperature deep inside the body which must be kept stable
5 It is only when a political issue affects the welfare of those in a particular group that an identity assumes importance

3 ▶강조되는 어구가 사람이면 that 대신 who(m)를 쓸 수 있다.
4 ▶강조되는 어구가 사람 이외의 것이면 that 대신 which를 쓸 수 있다.
5 ▶it is only when A that B: A할 때만 B한다, A할 때에야 비로소 B하게 된다

어휘 inherent 내재하는, 선천적인 ambition 야망; 의욕 fulfill 충족시키다; 달성하다 pursue 추구하다 engage in ~에 참여하다 identity 정체성 welfare 행복; 복지 assume (특질, 양상을) 띠다; 추정하다

RANK 46 to부정사의 명사 수식 p.134

기출 대표 문항 & 답이 보이는 Clues

1 ○ 2 × → to write on
1 뒤 2 to follow 3 전치사 4 to write on

1 프로젝트를 시작하기 전에, 리더는 효과적인 협업을 위해 따라야 할 절차의 개요를 설명할 것이다.

2 대기실에서, 환자들은 병력서 작성을 위해 위에 쓸 것으로 클립보드를 제공받았다.

e.g. 그들은 지지를 보여주기 위해서 깃발을 흔들었다.

어휘 outline 개요를 설명하다; 윤곽; 개요 procedure 절차; 과정 fill out (서식을) 작성하다 medical history 병력

Test 1

1 ○
2 × → attend
3 × → for the young
4 ○, × → to play with
5 ○

1 거주할 더 작은 마을로 이사한 것은 그들에게 공동체 의식과 더 느린 삶의 속도를 제공했다.
▶to live의 수식을 받는 a smaller town은 live에 이어지는 전치사 in의 목적어이다.

2 그녀는 아프리카계 미국인들을 위해 새로 설립된 공립학교에 다닌 최초의 흑인 학생들 중 한 명이었다.

3 만약 여러분이 자녀에게 어떻게 수영하는지를 가르치고 싶다면, 유아기부터 취학 전까지가 대개 어린아이들이 수영을 배우기에 가장 좋은 시기로 여겨진다.
▶to부정사의 의미상의 주어: for[of]+목적격

4 그들이 가지고 놀 다양한 장난감을 가지고 있었을 때에도, 혼자서 노는 아기들은 함께 상호 작용할 어른이 있던 아기들보다 감각 운동 놀이가 덜 지속되었다.
▶to interact의 수식을 받는 an adult와 to play의 수식을 받는 a variety of toys는 각각 interact와 play에 이어지는 전치사 with의 목적어이다.

5 해가 지평선 너머로 질 때, 산꼭대기에서 바라본 숨이 턱 막히는 광경은 진정 기억될 무언가였다.
▶무언가가 '기억되는' 것이므로 to부정사의 수동형이 쓰였다.

어휘 infancy 유아기 preschool 취학 전의; 유치원 sustain 지속되다 breathtaking (아름답거나 놀라워서) 숨이 턱 막히는

Test 2

1 consumers can gain information to help them in making purchasing decisions

2 The bathroom is not a good place to store medicine

3 have a tendency to stick with the initial impression of someone they meet

4 exercising or cleaning can be a positive activity for you to focus on / a great way for you to cope with your negative emotions

5 had some new findings to share about the deposit of bronze statues / didn't have to do much to gain a lot of spotlight

3 ▶ 수식받는 명사 a tendency와 to stick ~ meet은 동격 관계이다.

4 ▶ 명사구 a positive activity와 a great way 뒤에 각각 <for+목적격+to-v>가 이어지도록 영작한다. to-v의 수식을 받는 a positive activity는 구동사 focus on의 목적어이고, 수식받는 명사 a great way와 to cope ~ emotions는 동격 관계이다.

5 ▶ to share는 some new findings를 수식하고, to gain ~ spotlight는 '~하기 위해'라는 의미의 부사적 역할의 to부정사구이다.

어휘 accelerate 가속하다 breakdown 분해; 고장 stick with ~을 계속하다 initial 처음의, 초기의 subsequent 그 이후의 contradict 모순되다 cope with ~에 대처하다; ~을 다루다 deposit 매장물; 침전물

RANK 17 자동사로 오해하기 쉬운 타동사 p.136

☞ 기출 대표 문항 & 답이 보이는 Clues

1 × → Approach **2** ○
1 타동사 2 전치사 3 approach 4 to

1 호기심을 가지고 새로운 경험들에 다가가라. 그것들이 여러분의 시야를 넓히고 여러분의 삶을 풍요롭게 할 수 있다.

2 그 유명한 미국인 건축가는 건축에 대한 그의 특이한 접근법으로 기억된다.

e.g. 그 성공한 사업가는 재능 있는 예술가와 결혼했다. / *e.g.* 해야 할 일 목록에 있는 긴급한 사항들에 먼저 주의를 기울여 주세요.

어휘 broaden 넓히다 perspective 시야, 관점 enrich 풍요롭게 하다

Test 1

1 × → explain 2 ○ 3 ○
4 × → resembles 5 × → Consider 6 ○

1 나는 부모들이 아이들에게 개념에 대해 설명할 시간을 잘못 선택하는 것을 많이 보았다.
▶ explain은 전치사 없이 목적어를 바로 취하는 타동사이다.

2 특정 상황에서, 직원들은 개인적인 이유로 결근 허가를 받을 수 있다.
▶ 여기에서 leave는 '허가'를 뜻하는 명사로 뒤에 전치사가 알맞게 쓰였다.

3 그 화가의 그림은 광범위한 영향력을 가지고 있어, 새로운 세대의 창작자들에게 영감을 주었다.
▶ 여기에서 reach는 '범위'를 뜻하는 명사로 뒤에 전치사가 알맞게 쓰였다.

4 인간 사회 간의 상호 작용은 박테리아 간의 관계와 닮았다. 꼭 박테리아가 상호 작용을 통해 서로를 형성하는 것처럼, 인간 사회는 접촉할 때 서로 영향을 미친다.

5 무슨 말을 할지와 어떻게 그 말을 할지를 정할 때 각 개인의 긍정적 성격 특징과 부정적 성격 특징, 삶의 상황, 그리고 그 순간의 사고방식에 대해 고려하라.

6 나이가 들면서, 사람들은 친밀한 사회적 관계를 우선시하고, 정서적 행복을 성취하는 데 더 주력하고, 부정적인 정보는 무시하는 반면에 긍정적인 정서적 정보에 더 주의를 기울이는 경향이 있다.
▶ 여기에서 attend는 '주의를 기울이다'를 뜻하는 자동사로 목적어가 오기 위해 전치사가 적절히 쓰였다.

어휘 eligible ~을 가질 수 있는 inspire 영감을 주다 mindset 사고방식, 태도 prioritize 우선시하다

Test 2

1 explore and reconcile conflicting positions in order to reach an acceptable outcome

2 can be an answer to diverse needs that emerge in the modern urban environment

3 any question of fairness and accuracy should be discussed with an editor to maintain unbiased and accurate reporting

4 we will leave our boring lives, put on goggles and body suits, and enter a virtual reality realm

2 ▶ 여기에서 answer는 '해답'을 뜻하는 명사이므로 전치사 to 뒤에 목적어를 쓴다.

3 ▶ discuss는 타동사인데, 문맥상 수동태로 쓰였으므로 are discussed로 쓰고 뒤이어 전명구 with an editor를 쓴다.

어휘 reconcile 조화시키다; 화해시키다 reliance 의존(도) fairness 공정성 unbiased 편파적이지 않은, 선입견[편견] 없는 virtual (컴퓨터를 이용한) 가상의; 사실상의 realm 영역; 왕국

RANK 18 S+wish/as if 가정법 p.138

☞ 기출 대표 문항 & 답이 보이는 Process

1 I could express my beliefs
2 there had been a recent argument
1 과거 2 과거완료

어휘 tense 긴장된; 긴장한

Test 1

1 were 2 had gone 3 had visited

1 그의 노고에 대해 인정을 받으면, 그는 마치 자신이 세상의 꼭대기에 있는 것처럼 느낀다.
▶ 주절의 시제와 동일한 때의 일을 가정하므로 가정법 과거 형태인 were를 쓴다.

2 우리 할아버지는 지난주에 돌아가셨다. 내가 지난 겨울방학 동안 할아버지와 함께 여행을 떠났다면 좋았을 텐데.
▶ 주절보다 이전의 때의 소망을 나타내므로 가정법 과거완료 형태인 had gone을 쓴다.

3 그곳을 두루 살피는 관리인이 항상 있었지만, 그 작은 집은 마치 수년간 아무도 그곳을 방문하지 않았던 것처럼, 전혀 깔끔해 보이지 않았다.
▶ 주절보다 이전의 때를 가정하므로 가정법 과거완료 형태인 had visited가 적절하다.

어휘 recognition 인정; 인식 pass away 돌아가시다, 사망하다 oversee 두루 살피다; 감독하다 cottage (특히 시골의) 작은 집 tidy 깔끔한, 잘 정돈된

Test 2

1 I could reset my whole life and go back to my childhood
2 looked so severely damaged as if a big monster had invaded and (had) smashed it
3 wish they had chosen a different job rather than the current one
4 children often worship their parents as if they were flawless and powerful figures

1 ▶ 주절의 시제와 동일한 때의 소망을 나타내므로 가정법 과거 형태가 되도록 can을 과거형 could로 바꿔 쓴다.

2 ▶ 우리말의 시제가 과거이므로 주절의 동사를 과거시제로 쓰고, 종속절은 그보다 앞선 때를 가정하므로 <as if+S′+had p.p.>의 형태로 영작한다.

3 ▶ 우리말의 시제가 현재이므로 주절의 동사를 현재시제로 쓰고, 종속절의 내용은 주절보다 이전의 때를 나타내므로 had를 추가하여 had chosen의 형태로 영작한다.

4 ▶ 우리말의 시제가 현재이므로 주절의 동사를 현재시제로 쓰고, 종속절은 주절과 동일한 때를 가정하므로 <as if+S′+were>의 형태로 영작한다.

어휘 bustling 북적거리는 surround 둘러싸다 invade 침입하다 field 분야 current 현재의 harbor (생각 등을) 품다; 항구 standpoint 관점, 견지 worship 우러러보다; 예배하다 flawless 결점이 없는, 흠이 없는 figure 인물, 사람; 수치, 숫자

RANK 49 used to / be used to-v / be used to v-ing p.140

기출 대표 문항 & 답이 보이는 Clues

1 × → used 2 ○
3 × → enduring or adapting
1 to-v 2 v-ing 3 used 4 used to
5 enduring or adapting

1 Clara는 예전에는 재능 있는 수영선수였지만, 어깨 부상으로 인해 수영에서 올림픽 메달리스트가 되는 꿈을 포기해야만 했다.

2 의류에서 얼룩을 제거하는 데 사용되는 세제는 잠재적으로 유해한 화학물질이 있어서 환경에 해로울 수 있다.

3 우리 현대 사회에서, 사람들은 불편함을 견디거나 (불편함에) 적응하는 것에 익숙하지 않다.

어휘 injury 부상 detergent 세제 presence 있음, 존재 contemporary 현대의; 동시대의 endure 견디다, 참다 discomfort 불편

Test 1

1 ○	2 × → improve
3 × → used to	4 × → carry

1 나는 20개국을 여행해서, 연결 항공편 때문이든, 연착 때문이든, 아니면 단지 일찍 도착해서든 공항에서 기다리는 것에 익숙하다.

2 사람들의 자세를 개선하기 위해 일반적으로 사용되는 스트레칭은 모든 경주 전에 유명한 마라톤 주자에 의해 실행된다.
▶ typically used to ~ posture는 Stretches를 수식하는 과거분사구로, 앞에 which[that] are가 생략된 것으로 볼 수도 있다. 문맥상 'v하기 위해 사용되다'라는 의미인 <be used to-v>가 적절하므로 improve로 고쳐 쓴다.

3 법이 그것을 불법으로 만들 때까지 매년 수천 마리의 코끼리들이 상아 때문에 사냥꾼에게 죽임을 당하곤 했다.

4 네덜란드와 같이 자전거 사용이 많은 지역에서, 배달 자전거는 식료품과 같은 개인 짐을 운반하는 데 사용된다.

어휘 posture 자세 ivory 상아 cargo 짐; 화물

Test 2

1 is used to fixing electronic devices
2 a popular term used to describe eating
3 people who used to wait to receive letters
4 is used to convince an audience to take action
5 are used to buying fish caught by commercial fishermen
6 introduce new and uncomfortable behaviors that you are not used to

6 ▶ <be used to 명사>를 활용하여 new and uncomfortable behaviors를 선행사로 하는 관계사절을 영작한다. 선행사가 복수이고 우리말이 현재형이므로 are를 추가하고, 전치사 to의 목적어 자리는 관계대명사가 대신하므로 비워둔다.

어휘 electronic 전자의 convince 설득하다; 납득시키다 commercial 상업적인; 광고 (방송)

RANK 50 with+명사+v-ing/p.p. p.142

기출 대표 문항 & 답이 보이는 Process

couldn't drive well with my eye bandaged
1 couldn't drive well 2 v-ing 3 p.p.
4 with my eye bandaged

e.g. 콘서트에서, 관객들은 두 손을 허공에 두고 음악에 맞춰 흔들렸다.

어휘 bandage 붕대를 감다; 붕대 sway 흔들리다; 흔들다

Test 1

1 × → attached	2 × → approaching
3 ○	4 ○

1 아이들은 아무런 조건이 붙지 않은 채로 무조건적인 지지와 사랑을 받아야 한다.
▶ 조건이 '붙지 않은' 수동관계이므로 attached로 고쳐야 한다. 우리말이 능동으로 해석되어도, 명사와 분사의 관계에 따라 능동/수동을 결정해야 한다.

2 주자가 결승선에 다다르자, 관중들 사이에 흥분이 차올랐고 그들의 환호성은 더욱 커졌다.

3 Susan과 Patricia는 끝없이 펼쳐진 바다에 시선을 고정하고, 해변 도로에 나란히 서 있었다.
▶ 시선이 바다에 '고정된' 수동관계이므로 fixed는 알맞다.

4 산비탈이 산 정상에서 주변 해역에 이르기까지 나아가면서, 하늘에서 보면 나라 전체가 거대한 화산처럼 보였다.

어휘 unconditional 무조건적인 attach 붙이다 bubble (감정이) 차오르다; 가득 차 있다 boundless 끝없는 slope (산)비탈, 경사면 advance 나아가다, 전진하다; 전진

Test 2

1 With about 50% of Asian Americans graduating from university
2 with animals beautifully engraved on them
3 With more people attracted to trekking
4 with the associated infrastructure invariably constituting the backbone of urban form
5 with older stories now regularly cited to provide context for more current ones

1 ▶ 약 50%의 아시아계 미국인들이 '졸업하는' 능동관계.

2 ▶ 동물들이 '새겨진' 수동관계.

3 ▶ 사람들의 마음이 '끌리는' 수동관계.

4 ▶ 관련 사회 기반 시설이 도시 형태의 중추를 '구성하는' 능동관계.

5 ▶ 더 오래된 기사들이 '인용되는' 수동관계.

어휘 racial 인종의 engrave 새기다 facility 시설 mobility 이동성, 유동성 dynamic 동력; 활동적인 urbanization 도시화 *cf.* urban 도시의 associated 관련된 infrastructure 사회 기반 시설 invariably 변함없이 constitute 구성하다; 설립하다 extend 연장하다 shelf life 저장 수명, 유통기한 cite 인용하다

RANK 51 주의해야 할 부정구문

p.144

기출 대표 문항 & 답이 보이는 Clues

1 Not all of the actions people take in their daily lives have obvious causes
2 meaningful success will not come without dedicated practice

어휘 dedicated 전념하는, 헌신적인

Test 1

1 never embark on a new day without meticulously planning ahead
2 not every child who is obsessed with smartphones will have poor social skills
3 do not[don't] necessarily have a higher success rate than other individuals
4 they cannot[can't] always understand how those nutrients will be utilized
5 cannot[can't] be moved out of forests / unless the wood has been dried

1 ▶ never A without B: B해야만 A한다, A하려면 반드시 B한다 (이중부정)

2 ▶ not every: 모두 ~한 것은 아니다 (부분부정)

3 ▶ not necessarily: 반드시 ~한 것은 아니다 (부분부정)

4 ▶ not always: 항상 ~한 것은 아니다 (부분부정). 문장의 목적어 자리에 의문사 how가 이끄는 명사절을 <의문사+주어+동사>의 어순으로 영작한다.

5 ▶ not과 unless 두 개의 부정어가 사용되어 강한 긍정을 나타낸다.

어휘 embark on ~을 시작하다[착수하다] admit 인정하다 be obsessed with ~에 빠져있다[사로잡히다] rate 비율; 속도 a range of 다양한 seemingly 겉보기에는 beneficial 유익한, 이로운 nutrient 영양소 utilize 활용하다, 이용하다

RANK 52 동격을 나타내는 구문

p.146

기출 대표 문항 & 답이 보이는 Clues

1 × → of 2 × → that 3 ○
1 of 2 that 3 to

1 한국에 있는 산에서 곰을 맞닥뜨릴 실제 가능성은 아주 작다.

2 나는 Joshua가 지난번 시험에서 부정행위를 했었다는 소문을 들었다.

3 감성 지능을 발달시키는 것은 가치가 있는데, 그것(감성 지능)은 자신의 감정과 다른 사람의 감정을 이해하고 다루는 능력을 길러주기 때문이다.

어휘 cheat 부정행위를 하다; 속이다 examination 시험; 조사 navigate 다루다, 처리하다; 길을 찾다

Test 1

1 ○ 2 × → contribute 3 × → that
4 ○ 5 × → that

1 많은 종교적 전통들은 다른 사람들을 향한 연민과 친절의 중요성을 강조하는 믿음을 심어준다.
▶ 여기에서 which는 관계대명사로 주어가 없는 불완전한 절을 이끈다.

2 많은 사람들이 자원봉사를 통해 자기 지역 사회에 긍정적으로 기여하려는 공통된 소망을 공유한다.

3 여러분은 하루도 거르지 않고 적어도 하나의 소셜 네트워킹 사이트에 로그인할 가능성이 높다.

4 몽골 제국의 건국자인 칭기즈 칸은 동북아시아와 중앙아시아 전역의 많은 부족을 통합시킴으로써 권력을 장악하게 되었다.

5 자기 일을 친구, 가족, 그리고 행복보다 우선시하는 것은 그가 일 중독자가 되었다는 하나의 징후일 수 있다.

어휘 emphasize 강조하다 compassion 연민, 동정심 contribute 기여하다 unite 통합시키다; 연합하다 tribe 부족

Test 2

1 hints at the notion that individuals frequently underestimate the value of their current circumstances
2 The ability of immigrant families to reconnect to their old culture / has changed their approach
3 the question whether the curriculum meets the diverse learning needs of students
4 is the worry that they might look silly, improper, or dumb
5 a young British artist who specialized in drawing cartoon scenes for clients / had the idea of publishing his illustrations in book form

1 ▶ 문장의 주어(The old saying)가 단수이고, 현재의 일반적인 사실을 나타내므로 hint를 hints로 변형한다. the notion 뒤에는 동격을 나타내는 that절을 이어 쓴다. 주어 The old saying과 that "the grass ~ the other side" 역시 동격 관계이다.

2 ▶ 주어 The ability 뒤에 수식하는 전명구를 쓰고 동격어구를 to부정사구 형태로 쓴다. 주어인 The ability가 단수이므로 현재완료시제의 have는 has로 변형한다.

3 ▶ the question과 동격을 나타내는 whether절 내의 주어(the curriculum)가 단수이고, 현재의 일반적인 사실을 나타내므로 밑줄 친 동사를 meets로 변형한다. 참고로 curriculum의 복수형은 curricula 또는

curriculums이다.

5 ▶콤마 뒤에는 Martin Handford에 대한 동격어구가 오고, the idea 뒤에는 <of+명사구> 형태의 동격어구가 오도록 영작한다. of 뒤에는 명사나 동명사가 올 수 있는데, publish에 딸린 목적어가 있으므로 동명사 publishing으로 변형한다.

어휘 underestimate 과소평가하다 immigrant 이민자; 이민자의 reconnect 다시 연결되다[하다] integration 통합 mainstream 주류의; 주류, 대세 improper 부적절한; 부당한 specialize in ~을 전문으로 하다

RANK 53 가주어-진주어(명사절) p.148

기출 대표 문항 & 답이 보이는 Process

It is better that you make your mistakes
1 It is better 2 that you make your mistakes

어휘 early on 초기에 rather than ~보다는

Test 1

1 × → It　　2 × → that
3 ○　　4 ○

1 전기 자동차 및 에너지 저장 배터리에 대한 증가하는 수요를 충족시키기 위해 향후 10년 동안 약 300개의 새로운 리튬 광산이 지어져야 할 것으로 추산된다.
▶문맥상 that절이 진주어이므로 가주어 It이 주어 자리에 나와야 한다.

2 음식의 질을 분석하기 위해 인간의 오감이 모두 협력하여 작용한다는 것은 놀랍지 않다.
▶뒤에 완전한 절이 이어지므로 접속사 that이 적절하다.

3 인류 역사에 걸쳐 북쪽 지방의 주민들이 어떻게 겨울에 식량을 저장했는지는 여전히 불분명하다.

4 과학을 독립, 자유, 이의를 주장할 권리, 그리고 관용의 가치를 포함하는 활동으로서 살펴본다면, 사회적 활동으로서 과학은 권위주의적인 분위기에서 번영할 수 없는 것이 분명하다.

어휘 mine 광산 inhabitant 주민 enterprise (목적을 가진) 활동; 사업 tolerance 관용, 인내 flourish 번영하다, 번창하다 climate 분위기, 풍조

Test 2

1 It is important where the resolve to become a better global citizen originates
2 it is crucial whether or not the system has the capability to potentially save many lives[whether the system has the capability to potentially save many lives or not]
3 It is indeed very striking how similar the ideas of twins are
4 it is truly incredible that they can survive or even live so long
5 It is likely that aging begins in different parts of the body / (that) the rate of annual change varies

1 ▶우리말의 주어가 '~ 어디에서 비롯되는지가'이므로 의문사 where가 이끄는 절을 진주어 자리에 쓴다.

2 ▶우리말의 주어가 '~ 있는지 없는지는'이므로 접속사 whether가 이끄는 절을 진주어 자리에 쓴다. or not은 whether 뒤에 바로 올 수도, 절의 맨 뒤에 올 수도 있다.

3 ▶의문사 how가 형용사 또는 부사와 함께 '얼마나 ~한[하게]'의 의미로 쓰이는 경우 명사절의 어순은 <how+형용사[부사]+주어+동사>가 된다.

5 ▶진주어인 두 개의 that절이 접속사 and로 병렬 연결된다.

어휘 resolve 결심; 다짐하다 habitat 서식지 tissue (세포들로 이루어진) 조직 organ (체내의) 기관, 장기

RANK 54 감정을 나타내는 분사 p.150

기출 대표 문항 & 답이 보이는 Clues

1 amazed　　2 exciting
1 v-ing 2 p.p. 3 amazed 4 v-ing 5 p.p. 6 exciting

1 얼마나 많은 영어 표현들이 동물들을 포함하는지 알게 되면 놀랄지도 모른다.
2 사막의 사파리에서 낙타를 타는 것은 정말로 신나는 경험이었다.

e.g. 생일파티에 놀란 아이는 기쁨을 억누를 수 없었다.

어휘 contain (감정을) 억누르다, 참다

Test 1

1 fascinating　2 amazing　3 surprising
4 interested　5 confusing
6 annoying / irritated / frustrated

1 가장 흥미를 끄는 사진들은 진실한데, 사람들의 진정한 모습을 포착하는 사진들이다.

2 사그라다 파밀리아는 건축가 안토니 가우디에 의해 설계된 굉장한 로마 가톨릭 성당이다.

3 놀랄 만큼 많은 나라들에 국민 영웅의 날이 있는데, 예를 들어 필리핀, 스리랑카, 우간다, 잠비아와 같은 나라들이 있다.

4 건강한 삶에 관심이 있는 사람들은 요가, 명상, 그리고 달리기 같은 활동에 자주 참여한다.

5 그 수학 문제는 혼란을 주도록 의도적으로 고안되어, 비판적으로 사고하고 복잡한 퍼즐을 푸는 학생들의 능력을 시험한다.

6 붐비는 열차에 탄 승객이 통화하며 소리를 질러 다른 사람들을 짜증 나게 하고 있었다. 다른 승객들은 끊임없는 소란에 짜증이 나서, 불만스러운 눈짓을 주고받았다.
▶첫 번째 문장은 승객이 다른 사람들을 '짜증 나게 하고 있었다'는 과거에 진행 중인 상황을 나타낸다. 주어진 단어를 annoying으로 바꿔서 과거진행시제 was annoying을 완성한다.

어휘 truthful 진실한 engage in ~에 참여하다 meditation 명상 aboard 탑승한 disturbance (공공장소에서의) 소란; 방해 glance 눈짓; 흘낏 봄

Test 2

1 Well prepared people are rarely embarrassed by sudden changes
2 we are frustrated or experience negative emotions
3 A night in the deserted house / one of the most terrifying experiences of my life
4 Children participating in a community event were surprised by
5 children experience a disappointing or scary moment / can be overwhelmed

1 ▶ 주어(Well prepared people)가 '당황함을 느끼는' 것이므로 과거분사 embarrassed가 적절하다.

3 ▶ 집이 '버려진' 것이므로 과거분사 deserted로 변형한다. 또한, 경험들이 '무서운 감정을 일으키는' 것이므로 현재분사 terrifying이 알맞다. '가장 ~한 것들 중 하나'는 <one of the+최상급+복수명사>로 표현한다.

4 ▶ 아이들이 '놀라움을 느끼는' 것이므로 과거분사 surprised로 변형한다.

5 ▶ 순간이 누군가에게 '실망스러움을 일으키는' 것이므로 현재분사 disappointing으로 변형한다. 두 번째 빈칸에서는 그들(아이들)이 '감당하기 힘들다고 느끼는' 것이므로 과거분사 overwhelmed로 변형한다. 이때 they가 가리키는 것이 무엇인지 문맥과 구조를 통해 정확히 파악해야 한다.

어휘 rarely 좀처럼 ~하지 않는 desert 버리다, 떠나다 participate in ~에 참여하다 costumed 의상을 입은 intense 격렬한, 강렬한 sensation 느낌; 감각 flood 물밀듯이 밀려들다, 쇄도하다; 범람하다

RANK 55 인칭대명사, 재귀대명사 p.152

기출 대표 문항 & 답이 보이는 Clues

1 × → yours **2** × → ourselves, ○
1 소유대명사 2 yours 3 재귀대명사 4 ourselves 5 us

1 모든 사람의 의견이 당신의 것과 같기를 기대해서는 안 된다.

2 우리가 우리 자신을 어떻게 보는지는 우리가 믿기에 다른 사람들이 우리를 어떻게 보는지에서 기인한다.

e.g. Jane은 휴식을 취하기 위해 스파데이를 즐기기로 결정했다.

어휘 treat 대접하다 *cf.* treat oneself to ~을 즐기다; ~을 큰맘 먹고 사다

Test 1

1 × → theirs, ○ 2 ○ 3 × → them
4 ○ 5 ○, × → himself

1 몇 년 전에 우리 가족이 그것을 심었는데도 불구하고, 내 이웃들은 우리 집 옆에 서 있는 나무가 그들의 것이라고 계속 주장한다.
▶ that절의 보어 자리이고 '그들의 것'을 의미하므로 소유격이 아닌 소유대명사를 써야 한다.

2 가르치는 것에 대한 그녀의 열정은 나의 것만큼 강하지 않지만, 그녀는 그것에 많은 노력을 들이지 않고도 좋은 선생님인 것 같다.

3 우리의 뇌는 우리가 위협에 주의를 기울이고, 그것들에 가까이 가지 않고, 그 후에 살아남는 데 도움을 주도록 진화했다.
▶ 문맥상 우리의 뇌는 우리가 위협(threats)에 가까이 가지 않도록 진화한 것이므로 them으로 고쳐야 한다.

4 어린 소녀였을 때, Susan은 자신이 붐비는 도시, 교통 체증, 시끄러운 사람들로부터 벗어나 평화로운 시골 지역에서 살고 있는 것을 자주 상상하곤 했다.

5 아이들이 아주 어릴 때, 당신은 그들을 위험에서 보호하기 위해 자주 '안 돼'라고 말한다. 당신이 그렇게 말하는 것은 당신의 아이를 사랑하기 때문이고 아이가 자신을 보호할 수 있을 때까지 당신이 아이를 가르쳐야 하기 때문이다.
▶ 밑줄 친 them은 문맥상 children을 의미하므로 적절히 쓰였다. 밑줄 친 him은 until이 이끄는 절의 주어인 he(= your child)와 같은 대상이므로 재귀대명사 himself로 고쳐야 한다.

어휘 evolve 진화하다 attend 주의를 기울이다; 참석하다 keep away from ~에 가까이 가지 않다, ~을 멀리하다

Test 2

1 to separate themselves from their everyday life and recharge their minds and bodies
2 his memories about their childhood home did not match hers
3 to stop myself from forgetting any important events or appointments
4 we want our children to grow up in a happier world than ours
5 People who describe themselves as dog people / people who describe themselves as cat people
6 make interpersonal comparisons to evaluate ourselves / improve our standing / enhance our self-esteem

3 ▶ <stop A from B: A가 B하지 못하게 하다>가 쓰였다. to stop의 의미상의 주어와 목적어가 일치하므로 I는 재귀대명사 myself로 변형한다.

4 ▶ '우리의 것'은 문맥상 our world를 의미한다. 주어진 we를 소유대명사 ours로 변형하여 쓴다.

6 ▶ 세 개의 to부정사구가 콤마와 접속사 and로 병렬 연결된 구조이다. 반복되는 to는 생략이 가능하므로 두 번째와 세 번째 to부정사의 to는 생략한다. 첫 번째 to부정사구에서는 의미상의 주어(we)와 목적어가 일치하므로 목적어를 재귀대명사 ourselves로 쓴다.

어휘 match 일치하다 extroverted 외향적인 introverted 내향적인 interpersonal 사람과 사람 사이의; 대인 관계의 standing 지위, 평판

서술형 대비 실전 모의고사 5회 p.154

01 × → knows, × → that[which]
02 × → had done, × → established, ○
03 ○, ○, × → interesting
04 × → approach, ○, × → itself
05 × → which[that], × → rely, × → those
06 (A) include (B) referring
07 talks as if she were an experienced airplane traveler / how remarkable the view from the window is
08 Much of the information that is available to your eyes / does not always reach your brain's conscious awareness
09 it is undeniable that agriculture made it possible for the human population to be larger
10 a continual desire to communicate our feelings and the need to conceal them / With these counterforces opposing each other / cannot completely control what we communicate
11 it might actually be people's beliefs in the power of hypnosis that lead them to recall more things
12-14 ① Embarrassing → Embarrassed, 의미상의 주어인 she(Jane)가 당황한 감정을 느낀 것이므로 과거분사 Embarrassed로 고쳐야 한다. / ④ explain about → explain, explain은 타동사이므로 전치사 없이 목적어를 바로 취한다. / ⑤ herself → her, 문장의 주어인 The woman이 Jane에게 희망을 준 것이며, 주어와 목적어가 일치하지 않으므로 재귀대명사를 목적격 대명사 her로 고친다.
15 (A) not entirely true that parenting is about controlling (B) cannot exist without parents' realization that they should learn to control themselves

16 (A) tossed (B) paid (C) considering
17 put their focus solely on each object's own property / the effects coming from outside / embraced the notion that events always occur within the entire field

01 아이들에게 이야기를 해준 적이 있는 사람은 종종 아이들의 관심을 가장 사로잡는 것이 바로 말하는 동물이나 마법의 땅 같은 터무니없는 요소들이라는 것을 안다.
▶ 주절의 주어가 A person이므로 단수동사 knows로 고쳐야 한다. / that이 이끄는 명사절에는 주어 the absurd elements가 강조된 <it be ~ that...> 구문이 쓰였다. 강조되는 어구가 사람 이외의 것이므로 that 대신 which를 쓸 수도 있다. • Rank 01 주어-동사의 수일치 I, Rank 45 it be ~ that... 강조구문
어휘 absurd 터무니없는, 우스꽝스러운 captivate (~의 마음을) 사로잡다

02 한 설문조사에서, 최고 경영자들 및 비즈니스 전문가들은, 시간이나 돈에 대한 제한이 설정되지 않은 채로, 그들이 살면서 더 일찍이 무엇을 더 많이 했었기를 바라는지에 관하여 질문을 받았다. 그 질문에 대한 한 가지 공통된 대답은 더 자주 여행하는 것이었다.
▶ 주절보다 이전의 때의 소망을 나타내므로 가정법 과거완료 형태인 had done이 적절하다. / 제한이 '설정되는' 수동관계이므로 established로 고친다. / 명사로 쓰인 answer 뒤에 전치사가 온 것이므로 알맞다. • Rank 47 자동사로 오해하기 쉬운 타동사, Rank 48 S+wish/as if 가정법, Rank 50 with+명사+v-ing/p.p.
어휘 establish 설정하다, 설립하다

03 만약 여러분이 마음속으로 자신에게 수업에서 듣고 있는 내용에 대하여 적극적으로 질문하면, 여러분은 그것을 듣기만 할 때보다 수업이 조금 더 흥미로워지는 것을 알게 될 것이다.
▶ If절의 주어(you)와 목적어가 동일하므로 yourself는 알맞다. / will find의 목적어 자리에 접속사 that이 이끄는 명사절이 쓰였다. / 수업이 '흥미로운' 것이므로 현재분사 interesting으로 고쳐야 한다. • Rank 23 명사절을 이끄는 접속사 that, Rank 54 감정을 나타내는 분사, Rank 55 인칭대명사, 재귀대명사
어휘 inwardly 마음속으로

04 외부 요인을 검토하는 대신, 문학의 자율성을 존중하는 독자는 글을 이해하는 데 있어 핵심적인 요소가 그것(글)이 그 안에 담고 있는 것들이라는 추정으로 내부 요인에 초점을 두면서 글에 접근할 것이다.
▶ approach는 전치사 없이 목적어를 바로 취하는 타동사이므로 전치사 to는 없어야 한다. / 앞의 명사 the assumption과 동격을 이루는 절을 이끄는 접속사 that은 알맞게 쓰였다. / 목적격 관계대명사가 생략된 관계대명사절의 주어(it = the text)와 전치사 within의 목적어가 동일하므로 itself로 고쳐야 한다. • Rank 47 자동사로 오해하기 쉬운 타동사, Rank 52 동격을 나타내는 구문, Rank 55 인칭대명사, 재귀대명사
어휘 autonomy 자율성; 자치권

05 부유한 나라에서 널리 퍼져 있는 (수출입) 한도나 보조금과 같은 비관세 무역 조치들은 그들이 의존할 자원이 부족한 나라들의 수출에 차별적인 효과가 있으며, 빈곤한 국가의 농부들이 부유한 국가의 농부들과 경쟁하는 것을 매우 어렵게 만든다.
▶ 앞에 선행사(countries)가 있고 뒤에 주어가 없는 불완전한 절이 이어지므로 where는 주격 관계대명사 which[that]로 고쳐야 한다. / to부정사구 to rely on이 the resources를 수식하는 형태가 되어야 한다. / 문맥상 farmers를 지칭하므로 those로 고쳐야 한다. • Rank 25 주격 관계대명사 who, which, that, Rank 33 대명사의 수일치, Rank 46 to부정사의 명사 수식
어휘 prevalent 일반적인, 널리 퍼져 있는 subsidy 보조금, 장려금 discriminatory 차별적인

06 우리는 우리의 단어들을 잃는다. '지능'은 한때 어떤 인공지능이 의미하는 것 이상을 의미했다. 그것은 예전에는 감수성, 감성, 의식, 이성, 재치 등을 포함했다. 그렇지만 이제 우리는 기계들이 지능이 있다고 선뜻 말한다. '정서적인'은 한때 어떤 기계가 전달할 수 있는 것보다 훨씬 더 많은 것을 의미했던 또 다른 단어이다. 하지만 우리는 감정 상태를 나타내거나 우리의 감정 상태를 감지할 수 있는 기계들을 '감성 컴퓨팅(affective computing)'의 전형으로 말하는 것에 익숙해졌다. 이러한 새로운 의미들은 우리의 새로운 표준이 되며, 우리는 다른 의미들을 잊는다. 우리는 잃어버린 언어, 잃어버린 의미, 그리고 어쩌면 장차 잃어버린 경험을 되찾기 위해 고투해야 한다.
▶ (A) used to+동사원형: 예전에는 v했다; v하곤 했다
(B) become used to v-ing: v하는 것에 익숙해지다
• Rank 49 used to / be used to-v / be used to v-ing
어휘 sensibility 감수성, 감성 sensitivity 감성; 세심함 reason 이성, 사고력 wit 재치, 기지 readily 선뜻, 기꺼이 affective 정서적인 exemplar 전형, 모범 recapture 되찾다 in time 장차, 조만간

07 ▶ 우리말의 시제가 현재이므로 주절의 동사를 현재시제로 쓰고, 주절의 시제와 동일한 때를 가정하므로 as if가 이끄는 절에는 가정법 과거 형태인 were를 써서 영작한다. describing의 목적어 자리에는 의문사 how가 이끄는 명사절을 영작하는데, how와 형용사 remarkable의 의미가 강하게 연결되므로 <how+형용사+주어+동사>의 어순으로 쓴다. • Rank 17 의문사가 이끄는 명사절의 어순, Rank 48 S+wish/as if 가정법

08 ▶ 주어를 that이 이끄는 주격 관계대명사절이 수식하는 형태로 영작한다. 동사는 부분표현 Much of 뒤의 명사(the information)에 수일치시키고 <not always: 항상 ~한 것은 아니다 (부분부정)> 구문을 사용하여 does not always reach로 쓴다. 이때 reach는 타동사이므로 전치사 없이 목적어가 바로 이어진다. • Rank 01 주어-동사의 수일치 I, Rank 25 주격 관계대명사 who, which, that, Rank 47 자동사로 오해하기 쉬운 타동사, Rank 51 주의해야 할 부정구문
어휘 subtle 미묘한 fleeting 잠깐 동안의, 순식간의

09 ▶ 우리말의 주어가 '~ 것'이므로 접속사 that이 이끄는 명사절을 진주어로 영작한다. that절에는 <동사(made)+가목적어 it+목적격보어(possible)+진목적어(to be ~)> 구조를 쓰는데, 뒤에 than이 있으므로 to be 뒤에는 비교급 larger를 쓴다. • Rank 32 가목적어-진목적어, Rank 41 비교급+than~, Rank 53 가주어-진주어(명사절)
어휘 regardless of ~에 상관없이 undeniable 부인할 수 없는

10 ▶ 첫 번째 문장은 두 개의 목적어가 상관접속사 <both A and B>로 연결된 구조이다. 두 목적어 a continual desire와 the need 뒤에는 각각 동격을 나타내는 to부정사구를 이어서 영작한다. 이때 to conceal의 목적어 자리에는 our feelings를 지칭하는 목적격 대명사 them을 쓴다. 두 번째 문장에서는 반대 경향이 '대치하는' 능동관계이므로 현재분사 opposing으로 바꿔서 <with+명사+v-ing> 구문을 영작한다. 주절에서는 complete를 동사 control을 수식하는 부사로 변형하여 <not completely: 완전히 ~한 것은 아니다 (부분부정)> 구문을 영작하고, 목적어 자리에 관계대명사 what이 이끄는 명사절을 쓴다. • Rank 10 상관접속사의 병렬구조, Rank 26 관계대명사 what, Rank 37 형용사 자리 vs. 부사 자리, Rank 50 with+명사+v-ing/p.p., Rank 51 주의해야 할 부정구문, Rank 52 동격을 나타내는 구문, Rank 55 인칭대명사, 재귀대명사
어휘 counterforce 반대 경향[세력]

11 최면은 사람들이 더 많은 정보를 떠올리도록 이끌지만, 반드시 더 정확한 정보를 떠올리도록 이끄는 것은 아니다. 실제로, 그들이 더 많은 것을 기억해 내도록 이끄는 것은 사실 바로 최면의 힘에 대한 사람들의 믿음일지도 모른다. 만약 사람들이 그들이 최면에 걸린 상태에서 더 잘 기억해 낼 것이라고 믿으면, 그들은 최면에 걸렸을 때 더 많은 기억을 되찾으려고 더 열심히 노력할 것이다. 안타깝게도, 최면에 걸린 사람들이 되찾은 기억이 사실인지 아닌지를 알 방법은 없다.
▶ 주어 people's beliefs ~ hypnosis를 강조하는 문장으로 영작한다. lead는 목적격보어로 to-v를 취하므로 to recall을 쓴다. • Rank 07 동사+목적어+보어 I, Rank 45 it be ~ that... 강조구문

어휘 retrieve 되찾다 hypnotize 최면을 걸다

12-14

어느 날 Jane은 아래를 보면서 완전한 절망의 눈물을 참으며, 집으로 가는 버스를 타기 위해 교실에서부터 캠퍼스를 가로질러 걷고 있었는데, 그때 한 여자가 인도를 따라 그녀를 향해 왔다. Jane은 이전에 그녀를 본 적이 없었다. 그렇게 감정적으로 엉망인 상태로 보이는 것에 당황하여 그녀는 고개를 돌렸고 빨리 지나가기를 바랐다. 그러나 그 여자는 Jane의 바로 앞으로 왔고, 그녀가 올려다볼 때까지 기다리고는 미소 지었다. 그녀의 눈을 들여다보며, 그 여자는 조용한 목소리로 말했다. "잘못된 건 무엇이든 지나갈 거예요. 괜찮아질 거예요. 조금만 버티세요." 그러고 나서 그녀는 다시 미소 짓고는 떠나 버렸다. Jane은 그 순간이 준, 즉 그 여자의 예상치 못한 친절과 무조건적인 관심이 준 충격을 설명할 수가 없다. 그 여자는 그녀에게 그녀가 완전히 잃어버렸던 한 가지, 바로 희망을 주었다. Jane은 그녀에게 감사하기 위해 캠퍼스에서 그녀를 찾았지만, 다시는 그녀를 보지 못했다.

▶ ① • Rank 06 분사구문, Rank 54 감정을 나타내는 분사 / ④ • Rank 47 자동사로 오해하기 쉬운 타동사 / ⑤ • Rank 55 인칭대명사, 재귀대명사

어휘 hang on (역경에도) 계속 버티다; 기다리다 unconditional 무조건적인

15 부모로서, 우리 대부분은 우리 아이가 '예의 바르게 행동하기'만 한다면 우리가 침착함을 유지할 수 있을 것이라고 생각한다. 사실은 우리 자신의 감정과 행동을 관리하는 것이 우리가 부모로서 평온함을 느끼게 해주는 것이라는 점이다. 궁극적으로 우리는 우리 아이들이나 아이들이 직면할 장애물을 통제할 수 없지만, 우리는 언제나 우리 자신의 행동을 통제할 수 있다. 사실, 우리가 육아라고 부르는 것의 대부분은 부모와 아이 사이에서 일어나는 것이 아니라, 부모의 안에서 일어난다. 폭풍이 일려고 할 때, 부모의 반응은 그것을 진정시키거나 엄청난 규모의 해일을 촉발할 것이다. 모든 아이 같은 행동, 그리고 그 뒤에 있는 격렬한 감정들에 건설적으로 반응하기에 충분히 침착한 상태를 유지하는 것에는 우리가 성장하는 것 또한 필요하다. 만약 우리가 우리의 반응이 유도된 시간을 단지 반응하는 것만이 아니라 깊이 생각하기 위해 쓸 수 있다면, 우리가 언제 평정을 잃고 우리 자신을 다시 정상 궤도에 들어서게 이끄는지 알아챌 수 있다. 이러한 내면의 성장은 가장 힘든 일이지만, 그것이 우리가 하루하루 더 평온한 부모가 될 수 있게 해주는 것이다.

[요지] 육아가 아이들의 행동을 통제하는 것에 대한 것이라는 점이 전적으로 사실인 것은 아니며, 효과적인 육아는 그들이 자신을 통제하는 것을 배워야 한다는 부모의 깨달음 없이는 있을 수 없다.

▶ (A) <not entirely: 전적으로 ~한 것은 아니다 (부분부정)> 구문을 쓰고, 접속사 that이 이끄는 명사절로 진주어를 영작한다. • Rank 51 주의해야 할 부정구문, Rank 53 가주어-진주어(명사절)

(B) <not ~ without ...: …없이는 ~아니다 (이중부정)> 구문을 쓰고, parents' realization 뒤에 동격을 나타내는 that절을 이어서 영작한다. • Rank 51 주의해야 할 부정구문, Rank 52 동격을 나타내는 구문

어휘 behave 예의 바르게 행동하다 brew (폭풍우나 불쾌한 일이) 일려 하다, 태동하다 stormy 격렬한; 폭풍우가 몰아치는 push A's buttons A의 반응을 유도해 내다 steer 이끌다, 몰고 가다 back on track 다시 정상 궤도에 들어선

[16-17]

두드러진 물체와 그 속성에 맞춘 그리스인의 초점은 인과 관계의 근본적인 본질을 이해하는 데 있어서의 실패로 이어졌다. 아리스토텔레스는 공중에서 떨어지는 돌은 돌이 '중력'이라는 특성을 가지고 있기 때문이라고 설명했다. 하지만 물론 물에 던져진 나무 조각은 가라앉는 대신 뜬다. 이 현상을 아리스토텔레스는 나무가 '가벼움'이라는 특성을 가지고 있기 때문인 것으로 설명했다! 두 경우 모두 그 물체 밖에 있는 어떤 힘이 관련 있을지도 모른다는 가능성에 주의를 기울이지 않은 채, 초점은 오로지 그 물체에 맞춰져 있다. 그러나 중국인은 세계를 계속해서 상호 작용하는 물질들로 구성된 것으로 보았고, 그래서 그것을 이해하려는 그들의 시도는 그들로 하여금 많은 관점에서 전체적인 '장(場)', 즉 전체로서의 맥락이나 환경의 복잡성을 고려하는 데 익숙해지게 했다.

어휘 attribute 속성, 자질 causality 인과 관계 property 특성, 속성 toss 던지다 float (물에) 뜨다 exclusively 오로지; 배타적으로 relevant 관련 있는 substance 물질; 실체; 본질

16 ▶ (A) 나무 조각이 '던져지는' 수동관계이므로 tossed로 바꿔 쓴다. • Rank 05 현재분사 vs. 과거분사_명사 수식

(B) 주의가 '기울여지는' 수동관계이므로 paid로 바꿔 쓴다. • Rank 50 with+명사+v-ing/p.p.

(C) be used to v-ing: v하는 것에 익숙하다 • Rank 49 used to / be used to-v / be used to v-ing

17 [요약문] 그리스인은 외부에서 오는 영향을 고려하지 않고 오로지 각 물체 자체의 특성에 초점을 둔 반면, 중국인은 사건들이 항상 전체적인 장 안에서 일어난다는 개념을 수용했다.

▶ coming이 이끄는 현재분사구가 considering의 목적어인 the effects를 수식하는 형태로 쓴다. 주절에는 목적어 the notion 뒤에 동격을 나타내는 that절을 이어서 쓴다. • Rank 05 현재분사 vs. 과거분사_명사 수식, Rank 52 동격을 나타내는 구문

어휘 embrace 수용하다, 받아들이다

• **부분 점수**

문항	배점	채점 기준
01-05	1	×는 올바르게 표시했지만 바르게 고치지 못한 경우
07-10	3	어순은 올바르나 단어를 적절히 변형하지 못한 경우
12-14	2	틀린 부분을 바르게 고쳤지만 틀린 이유를 쓰지 못한 경우
	1	틀린 부분을 찾았지만 바르게 고치지 못한 경우

Rank 56-66

RANK 56 소유격 관계대명사 whose, of which p.160

기출 대표 문항 1 & 답이 보이는 Process

whose
1 whose 2 whose

형사가 범죄 현장에서 발견한 지문을 가진 여자가 조사받는 중이다.

e.g. 나는 창문이 모두 깨진 차를 보았다.

어휘 detective 형사, 탐정 investigate 조사하다, 수사하다

Test 1

1 ○ 2 × → whose[of which the]
3 × → whose
4 × → whose aim[the aim of which, of which the aim]

1 Julian은 최근에 식단이 완전히 채소, 곡물, 과일, 견과류로 구성된 채식주의자가 되었다.
▶ 선행사(a vegetarian)와 밑줄 뒤의 명사(diet)가 소유 관계이고, 접속사 자리이므로 소유격 관계대명사 whose는 알맞게 쓰였다.

2 탈공업화 사회의 대중은 생산이 윤리적 기준을 위반하는 상품의 구매를 거부하는 것과 같은 '정치적 소비'에 점점 더 많은 중점을 둔다.
▶ 선행사(goods)와 밑줄 뒤의 명사(production)가 '상품의 생산'으로 해석했을 때 자연스러운 소유 관계이며, 두 절을 연결하는 접속사가 필요하므로 소유격 관계대명사 whose를 쓴다. 또는 of which를 쓰고 명사 production 앞에 the를 붙여 쓸 수도 있다.

3 내 여동생은, 그녀의 아이들을 아기였을 때 내가 돌보곤 했는데, 종종 그 시절을 즐겁게 회상하며 내가 주었던 도움에 대해 고마움을 표현한다.

4 그 빈곤국의 정부는 목표가 식량 생산을 늘리는 것뿐만 아니라 환경친화적인 것도 보장하는 것인 기술을 도입할 것이다.

어휘 vegetarian 채식주의자 consist of ~로 구성되다 consumerism 소비; 소비자 운동 violate 위반하다 ethical 윤리적인 gratitude 고마움, 감사 aim 목표; 목표하다

기출 대표 문항 2 & 답이 보이는 Process

will get the scholarship whose purpose is to support their tuition

어휘 fulfill 충족시키다 criterion 기준(복수형 criteria) tuition 수업료

Test 2

1 whose mind and body have been overworked / that will give you a more positive and energetic life
2 whose sole food source was the trees' roots / emerged as adults earlier than usual
3 which has more than a single meaning / of which the context[the context of which] does not clearly indicate

어휘 overwork 혹사하다; 과로하다 energetic 활기찬 exposure 노출; 폭로 emerge 나타나다 ambiguous 모호한, 애매한 context 문맥, 맥락 indicate 보여주다; 가리키다 intend 의도하다

RANK 57 관계대명사의 선행사에 수일치 p.162

1 선행사

기출 대표 문항 & 답이 보이는 Process

is → are
2 are

우주에는 태양보다 수천 배 더 뜨거운 많은 별들이 있다.

e.g. Jimmy는 아이디어가 언제나 비상한 직원이다.

어휘 extraordinary 비상한, 뛰어난

Test 1

1 × → keep 2 ○ 3 ○
4 × → are, ○ 5 × → weakens

1 사랑은 언제나 인간의 경계를 넘어서 흐르고 우리를 분리시키는 마음속의 두려움을 허물어뜨린다.
▶ 선행사는 복수인 the fears이므로 관계사절의 동사를 복수동사 keep으로 고쳐 쓴다.

2 아마존강의 가뭄은 카리브해와 대서양의 높은 해수 온도 때문인데, 그것은 지구 온난화의 결과일 가능성이 높다.
▶ 문맥상 선행사는 복수인 high ocean temperatures이다.

3 과학적 진보를 이루기 위해 회의적인 태도가 요구되는 과학자들과는 달리, 운동선수들은 그들이 이길 수 있는지에 대한 불확실의 감정을 없애야 한다.
▶ whose skeptical attitude가 관계사절 내에서 주어이고 skeptical attitude는 단수이므로 단수동사 is는 적절하다.

4 교육과 일자리 배치 모두에서 자신에게 맞지 않는 방식으로 일하도록 강요받는 개인들은 그들의 실제 능력보다 낮게 수행할지도 모른다.
▶ 첫 번째 관계대명사절(who ~ fit them)의 선행사는 복수(Individuals)이므로 관계대명사절 내 동사를 are로 고쳐야 한다. 두 번째 관계대명사절(that ~ fit them)의 선행사는 a style로, 단수 does는 적절하다.

5 약해진 면역 체계는 감염으로 이어질 수 있고, 이 감염은 결국 면역 체계를 손상시키는데, 이는 저항력을 한층 더 약화시킨다.
▶ 관계대명사 which의 선행사는 앞의 절 전체이므로 관계사절 내 동사를 단수동사 weakens로 고쳐야 한다.

어휘 border 경계 break down ~을 허물어뜨리다 skeptical 회의적인, 의심 많은 eliminate 없애다 uncertainty 불확실(성) capability 능력 immune system 면역 체계 infection 감염 resistance (감염 등에 대한) 저항력; 저항

Test 2

1 face a barrier at some point in their lives that prevents good choices
2 that produce the light are already millions of years older
3 allows access to certain educational and economic opportunities / which is the primary reason
4 a man whose thoughts move / whose achievements are measured / who are able to follow his reasoning

1 ▶ 선행사는 단수인 a barrier이므로 단수동사 prevents로 변형하여 영작한다.

2 ▶ 문장의 주어이자 관계대명사절의 선행사가 복수명사 the stars이고 현재의 일반적인 사실을 말하므로, 관계대명사절 내의 동사와 문장의 동사 모두 복수동사(produce, are)로 변형하여 영작한다.

3 ▶ 관계대명사 which의 선행사는 앞의 절 전체이므로 관계사절 내 동사를 단수동사 is로 변형한다.

4 ▶ 첫 번째와 두 번째 빈칸의 관계대명사절 내에서 각각 whose thoughts와 whose achievements가 주어이고 thoughts, achievements는 복수이므로 각 절의 동사를 복수동사 move, are로 쓴다. 세 번째 빈칸 앞의 the few는 복수 취급하므로 the few를 선행사로 하는 관계대명사절 내의 동사 또한 복수동사 are로 변형한다.

어휘 barrier 장벽, 장애물 primary 주된 range 한계, 범위

RANK 58 3문형 ⇌ 4문형 전환　　p.164

☞ 기출 대표 문항 & 답이 보이는 Process

give a chance to recall my past memories to
1 to **2** of **3** give **4** a chance to recall my past memories
5 to

내 어린 시절의 사진들은 내게 지난 추억을 회상할 기회를 준다.

e.g. 친절한 여행 가이드가 우리에게 그 성의 역사를 설명해 주었다.

Test 1

1 ○
2 × → a new perspective to people[people a new persepctive]
3 × → for

1 공동의 목표를 달성하기 위해서는 동료들에게 부탁하고 그들과 충분히 협력하는 것이 필수적이다.
　▶ <ask +IO +DO>를 3문형으로 전환하면, 간접목적어 앞에 전치사 of를 쓴다.

2 예술작품은 사람들에게 새로운 관점을 제공해 주는데, 이는 그들이 세상을 창의적으로 그리고 새로운 방식으로 경험하도록 도울 수 있다.

3 비록 그렇지 않기를 바라는 때도 있겠지만, 궁극적으로 돈이 당신에게 행복을 사줄 수 없다는 것을 인정하는 것이 중요하다.
　▶ <buy +IO +DO>를 3문형으로 전환하면, 간접목적어 앞에 전치사 for를 쓴다.

어휘 attain 달성하다, 이루다 cooperate 협력하다 acknowledge 인정하다

Test 2

1 a healthy and delicious meal for
2 promised substantial bonuses to

1 어버이날에 나는 집을 청소하고 부모님께 건강에 좋고 맛있는 식사를 요리해 드렸다.
　▶ <cook +IO +DO>를 3문형으로 전환하면, 간접목적어 앞에 전치사 for를 쓴다.

2 회사 이사회는 조직 내 성과와 우수성을 육성하기 위해 모든 직원에게 상당한 보너스를 약속했다.
　▶ <promise +IO +DO>를 3문형으로 전환하면, 간접목적어 앞에 전치사

to를 쓴다.

어휘 board 이사회, 위원회 substantial 상당한 foster 육성하다, 촉진하다

Test 3

1 Giving liberty and flexibility to your team members / to show your trust to them
2 you enter details about yourself / will find all suitable jobs for you
3 The wildlife expert described to the public the beauty of marine life[the beauty of marine life to the public]
4 the colleagues that the emotionally based tears contain high levels of cortisol
5 someone who can say something unpleasant to you[can say to you something unpleasant] or point out your faults

1 ▶ <give/show +IO +DO>를 3문형으로 전환하면, 간접목적어 앞에 전치사 to를 쓴다.

2 ▶ <find +IO +DO>를 3문형으로 전환하면, 간접목적어 앞에 전치사 for를 쓴다.

3 ▶ describe는 4문형으로 쓰이지 않는 동사이므로 '~에게'로 해석되는 the public 앞에 전치사 to를 쓴다.

4 ▶ showed의 간접목적어 자리에 the colleagues를 쓰고 이어서 직접목적어 자리에 that절을 쓴다.

5 ▶ say는 4문형으로 쓰이지 않는 동사이므로, '~에게'로 해석되는 you 앞에 전치사 to를 쓴다.

어휘 flexibility 융통성, 유연성 suitable 적합한 fault 잘못; 결점

RANK 59 조동사+have p.p.　　p.166

☞ 기출 대표 문항 & 답이 보이는 Clues

1 must have reached
2 may have originated
3 should not have wasted
1 must **2** should[ought to]

어휘 be associated with ~와 연관되다 originate 유래하다 resource 자원

Test 1

1 ○
2 × → should[ought to]
3 ○
4 × → have been
5 × → been used

1 그렇게 큰 팬클럽 행사를 개최하다니 많은 팬들이 그녀를 사랑했음이 틀림없다.

2 마케팅팀은 지금 직면하고 있는 것과 같은 문제를 피하기 위해 새로운 전략을 실행하기 전에 잠재적인 위험을 철저히 고려했어야 했는데, 그러지 않았다.

3 한 교수에 따르면, 우리의 선조는 정신적인 개념과 관련된 상당히 많은 어휘 목록을 가지고 있었을지도 모른다.

4 고대 도자기 파편의 발견은 수천 년 전 이 지역에 번성하는 문명이 있었음이 틀림없다는 것을 시사한다.

5 그녀는 심사숙고의 시간이 자신의 아이디어에 생명력을 불어넣고 더 의미 있는 결과를 내는 데 사용되었을 수도 있다는 것을 깨달았다.

어휘 hold 개최하다 thoroughly 철저히 implement 실행하다; 시행하다 strategy 전략 civilization 문명 reflection 심사숙고; 반성; 반영

Test 2

1 can't have written this poem
2 entered the area that he should have guarded
3 more clearly defined grammatical rules might have decreased ambiguity in language
4 The talented workers may have used simple tools
5 may not be intentionally created / must have been some value or benefit to performing that particular behavior
6 The confidential information shouldn't have been disclosed / can pose a serious threat

2 ▶the area를 선행사로 하는 목적격 관계대명사절을 영작한다.

5 ▶ 여기에서 to는 전치사로 동명사구(performing that particular behavior)를 목적어로 취한다.

6 ▶<조동사+have p.p.>의 수동형은 <조동사+have been p.p.>로 쓴다.

어휘 burglar 절도범 cognitive 인지의 grammatical 문법의 ambiguity 모호함 talented 재능 있는 expertise 전문 기술, 전문 지식 elegant 우아한 intentionally 의도적으로, 일부러 confidential 기밀의 disclose 공개하다; 폭로하다 *cf.* disclosure 공개; 폭로 authorization 허가 *cf.* unauthorized 허가받지 않은 pose (위협, 문제 등을) 제기하다 integrity 무결성, 완전한 상태; 진실성 operation 운영; 기업

RANK 60 부사구 강조 도치 / 기타 도치 p.168

기출 대표 문항 & 답이 보이는 Clues

1 × → come 2 ○ 3 × → is
1 come 2 was 3 the fact 4 is

1 이 게임에서는, 새로운 레벨마다 새로운 도전과 보상이 나온다.

2 덜 알려진 것은 프로이트가 자신의 개가 환자들에게 얼마나 도움이 되는지 알아냈다는 사실이었다.

3 우정은 균형을 맞추는 행동이고, 우리의 친절함도 역시 그렇다.

e.g. 강둑을 따라서 그가 걸었다. / *e.g.* 분출하는 화산을 본 뒤에 우리는 너무 놀라서 한마디도 할 수 없었다. / *e.g.* 그는 너무 화가 나서 결국 방에서 뛰쳐나갔다.

어휘 erupt 분출하다 storm out of ~에서 뛰쳐나가다

Test 1

1 × → was 2 × → did
3 ○ 4 ○

1 계단 맨 위에 검을 차고 망토를 입은 남자의 커다란 초상화가 있었다.
▶장소를 나타내는 부사구(At the top of the stairs)가 문두로 나가 주어와 동사가 도치된 문장이다. 문장의 주어(a big portrait)는 단수이므로 동사를 was로 고쳐야 한다. 바로 앞의 the stairs를 주어로 착각하지 않도록 주의한다.

2 인간의 말하는 능력이 발전하면서, 다른 인간들에게 거짓말하는 우리의 능력도 역시 그랬다(발전했다).
▶<so+V+S: S도 역시 그렇다> 구문이 사용된 문장이다. V는 대동사의 성격을 가지는데, 종속절의 동사가 일반동사(developed)이므로, 대동사로 과거형인 did를 써야 한다.
(= Our ability to lie to other humans developed, too.)

3 라섹 수술 후, 조명이 좋지 않은 상태에서 보는 능력에 저하가 있을지도 모른다. 마찬가지로 심각한 것은 안구 건조증이 발생할 수 있다는 것이다.
▶보어(Equally serious)가 문두로 나가 주어와 동사가 도치된 문장이다. 주어가 명사절이므로 단수동사 is는 알맞게 쓰였다.

4 아무도 이유를 몰랐지만, 소파에 있던 아이는 전혀 행복해 보이지 않았고, 그 옆에 있던 다른 아이도 역시 그렇지 않았다(행복해 보이지 않았다).
▶<neither+V+S: S도 그렇지 않다> 구문이 바르게 쓰였다.
(= The other child next to her didn't look happy at all, either.)

어휘 portrait 초상화 capacity 능력; 용량 poorly 좋지 못하게, 저조하게

Test 2

1 In a place filled with friendship and love vanish the barriers of distance and nationality
2 Rare are the artists that can afford to produce a painting
3 More surprising than the announcement of the discovery was the speed
4 Through continuous hard work, perseverance, and unwavering determination come happiness and joy

1 우정과 사랑으로 가득 찬 곳에서 거리와 국적의 장벽은 사라진다.

2 어떠한 지불금 요구도 없이 그림을 창작할 여유가 되는 예술가는 드물다.
▶that 이하는 주어 the artists를 수식하는 주격 관계대명사절이다.

3 과학계가 그 획기적인 연구를 받아들인 속도는 그 발견의 발표보다 더 놀라웠다.
▶at which ~ the groundbreaking research는 the speed를 수식하는 관계사절이다.

4 지속적인 노력과 인내, 그리고 확고한 결단을 통해 행복과 기쁨이 온다.

어휘 distance 거리 nationality 국적 vanish 사라지다 afford (금전적, 시간적) 여유가 되다 embrace 받아들이다 groundbreaking 획기적인 continuous 지속적인 perseverance 인내(심) unwavering 확고한, 변함없는

Test 3

1 is the fact that personal opinions of judges can affect their decisions
2 was I to find out / so was my sister
3 lies the sudden industrialization boom prompted by reforms of the economy

1 ▶문장의 보어(Concerning)가 문두에 나왔으므로, 주어(the fact that ~ decisions)와 동사(is)가 도치된 형태로 영작한다. 주어에서 the fact와 that절은 동격관계이다.

2 ▶I was so excited to find out that ~에서 보어인 So excited가 문두에 나왔으므로 주어(I)와 동사(was)를 도치하고 감정의 원인을 나타내는 부사적 역할의 to부정사구를 이어 쓴다. that절은 to find out의 목적어로 쓰인 명사절이다. 두 번째 문장은 <So+V+S: S도 역시 그렇다> 구문을 이용하여 영작한다.

3 ▶장소를 나타내는 부사구(Behind China's economic growth)가 문두에 나왔으므로, <부사구+(조)동사+주어>의 어순으로 영작한다. prompted가 이끄는 과거분사구가 주어를 뒤에서 수식한다.

어휘 affect 영향을 미치다 economic 경제의 industrialization 산업화 prompt 촉발하다; 즉각적인 reform 개혁; 개혁하다

RANK 61 여러 가지 조동사 표현

p.170

기출 대표 문항 & 답이 보이는 Clues

1 × → disconnect　　2 ○
3 × → feeling[but feel]　　4 ○
1 동사원형　2 동사원형　3 v-ing　4 to-v

1 만일 당신이 무언가에 대해 진지하게 생각하고 싶다면, 집중을 방해하는 것들에서 자신을 분리하는 편이 낫다.

2 예측할 수 없는 날씨에 대해 알고 있기 때문에, 그들은 비를 만날 위험을 감수하기보다는 차라리 실내에서 피크닉을 하고 싶어 한다.

3 예상치 못한 칭찬을 받았을 때, 그녀는 자신감이 솟아오르는 것을 느끼지 않을 수 없었다.

4 어젯밤에 눈이 얼마나 많이 내렸는지를 고려한다면, 오늘 아침에 버스는 아마 늦을 것 같다[버스가 늦는 것도 당연하다].

어휘 disconnect 분리하다; 연결을 끊다　distraction 집중을 방해하는 것; 주의 산만　indoors 실내에서　compliment 칭찬; 칭찬하다　boost (신장시키는) 힘; 신장시키다, 북돋우다　confidence 자신감

Test 1

1 × → have　　2 ○
3 × → well　　4 × → cannot be too
5 × → cut down, × → ruin　　6 ○

1 대부분의 아이들이 충분히 엄하지 않은 것보다 차라리 약간 더 엄격한 부모님을 갖고 싶어 한다는 것을 알면 여러분은 놀랄지도 모른다.
▶ would rather+동사원형 (than ...): (…하느니) 차라리 ~하고 싶다

2 많은 운동선수들이 세계적인 무대에서 자국을 대표하고 싶어 하며, 그것을 자신들의 스포츠 경력의 정점으로 여긴다.
▶ would like to-v: v하고 싶다

3 모든 부모는 아마 자신의 아이가 미술이나 음악에 가장 뛰어나다고 생각하겠지만, 진실은 이것이 항상 사실이지는 않다는 것이다.
▶ may well+동사원형: 아마 ~일 것 같다; ~하는 것도 당연하다

4 효과적인 의사소통에 관한 한, 오해를 피하기 위해 여러분의 생각을 전달함에 있어 아무리 분명해도 지나치지 않다.
▶ cannot+동사원형+too ...: 아무리 ~해도 지나치지 않다

5 개간 과정에서, 사람들은 수백 그루의 나무를 잘라서 결국 주변의 생태계를 파괴하지 않을 수 없다.
▶ cannot (help) but+동사원형: ~하지 않을 수 없다

6 재능을 가지고 있지만 그것을 성장시키는 것을 거부하는 것은 당신이 접근할 수 없는 숨겨진 보물을 가지고 있는 것과 같다. 그것을 가지고 있으면서 사용하지 않느니 그것이 없는 것이 더 낫다.
▶ may as well+동사원형 (as[than] ...): (…하느니) ~하는 게 더 낫다

어휘 pinnacle 정점　cultivation (토지 등의) 개간; 경작　ruin 파괴하다; 망치다

Test 2

1 so boring that I can't help yawning and dozing off
2 We cannot emphasize too much
3 You may as well start training for the marathon
4 had better not neglect the rigorous methodology required for accurate and reliable results
5 Thinking about the size and type of business which you would like to work for is helpful

1 ▶ <so 형용사[부사] ((a/an) 명사) ~ (that) ...: 아주 ~해서 …하다> 구문과 <cannot help v-ing: v하지 않을 수 없다> 구문을 활용하여 영작한다.

3 ▶ may as well+동사원형 (as[than] ...): (…하느니) ~하는 게 더 낫다

4 ▶ had better not+동사원형: ~하지 않는 편이 낫다

5 ▶ 목적격 관계대명사 which가 이끄는 절이 동명사 Thinking about의 목적어 the size and type of business를 수식하도록 영작한다.

어휘 yawn 하품하다; 하품　doze off 졸다　endurance 지구력; 인내(력)　neglect 무시하다; 소홀히 하다　rigorous 엄격한, 철저한　accurate 정확한　reliable 신뢰할 수 있는

RANK 62 전치사를 동반하는 동사 쓰임 I

p.172

기출 대표 문항 & 답이 보이는 Process

stops organisms that could make food go bad from entering the container
1 stops　2 organisms that could make food go bad
3 from entering the container

e.g. 우리는 소수 언어의 소멸을 막아야 한다. / *e.g.* 우리는 소수 언어가 소멸되는 것을 막아야 한다.

어휘 seal 밀봉하다　minor 소수의; 작은　extinction 소멸, 멸종

Test 1

1 separates human brains from those of every other animal
2 criticized the food company for its lack of transparency
3 may blame us for borrowing future environmental capital and wasting it

1 ▶ separate A from B: A를 B로부터 분리하다[구분 짓다]

2 ▶ criticize A for B: A를 B의 이유로 비판하다

3 ▶ blame A for B: A를 B의 이유로 비난하다

어휘 advocacy 옹호, 지지; 옹호하다, 지지하다　transparency 투명성　capital 자본　without regard for[to] ~을 고려하지 않고　consequence 결과

Test 2

1 Fear can keep you from stepping into unknown territory
2 often mistook the robin for a similar-looking species
3 thanked their manager for implementing flexible work hours
4 are striving to ban electronic devices from being sent

1 ▶ keep A from B: A가 B하지 못하게 하다[B하는 것을 막다]

2 ▶ mistake A for B: A를 B라고 오인[혼동]하다

3 ▶ <thank A for B: A에게 B에 대해 감사하다>를 사용하여 영작한다. B는 전치사의 목적어 자리이므로 명사 또는 동명사가 올 수 있는데, 뒤에 목적어(flexible work hours)가 있으므로 implement를 동명사로 변형해야 한다.

4 ▶ <ban A from B: A가 B하는 것을 막다>를 사용하여 영작한다. A 자리에

쓰이는 electronic devices가 '보내지는' 수동관계이므로 전치사의 목적어 자리에는 동명사의 수동형인 being p.p. 형태를 써야 한다.

어휘 territory 영역, 분야; 영토 unfulfilling 성취감이 없는 resemblance 유사함, 닮음 coloration (생물의) 천연색 novice 초보자 strive 노력하다 landfill 쓰레기 매립지

RANK 63 전치사를 동반하는 동사 쓰임 II p.174

기출 대표 문항 & 답이 보이는 Process

should provide students with clean and safe drinking water
1 should provide 2 students
3 with clean and safe drinking water

어휘 institution 기관, 단체

Test 1

1 Some Asians tend to view modesty as a necessary and appropriate part
2 milk and meat provide people with notable sources of essential nutrients
3 you can substitute regular coffee with herbal tea
4 encountered thieves and was robbed of all his belongings
5 many African Americans are reminded of their ancestral ties to the continent
6 have preferred a play of proven merit and past success to a new and untried play
7 should recognize noise as a form of pollution / to prevent it from polluting our community
8 have been attributed to dangerous downward wind bursts known as wind shear

1 ▶view A as B: A를 B로 여기다[간주하다]

2 ▶provide A with B: A에게 B를 제공[공급]하다(= provide B for A)

3 ▶substitute A with B: A를 B로 대체하다, A 대신 B를 쓰다(= substitute B for A)

4 ▶<rob A of B: A에게서 B를 빼앗다>의 수동형은 <A be robbed of B>이다.

5 ▶ <remind A of B: A에게 B를 상기시키다>의 수동형은 <A be reminded of B>이다.

6 ▶prefer A to B: A를 B보다 선호하다[더 좋아하다]

7 ▶recognize A as B: A를 B로 인식[인정]하다 / prevent A from B: A가 B하는 것을 막다

8 ▶<attribute A to B: A를 B의 덕분[탓]으로 돌리다>의 수동형은 <A be attributed to B>인데, 우리말이 '탓으로 돌려져 왔다'의 현재완료형이므로 <A have been attributed to B>의 형태로 영작한다.

어휘 modesty 겸손 appropriate 적절한 interaction 상호 작용 notable 중요한 relatively 비교적 intake 섭취(량) soothing 진정시키는 famine 기근 ancestral 조상의 recover 회수하다, 되찾다; 회복되다 downward 하강의, 아래쪽으로 내려가는

RANK 64 의문사+to부정사 p.176

기출 대표 문항 & 답이 보이는 Clues

how to conduct
1 how 2 to 3 conduct

과학 선생님이 반 학생들에게 어떻게 과학 실험을 해야 하는지를 보여주었다.

어휘 demonstrate 보여주다

Test 1

1 When to use 2 how to manage
3 which classes to take

1 ▶영어에서 언제 콤마를 써야 하는지는 문장 요소 간의 관계를 명확히 하고 글에서 모호함을 피하기 위해 중요하다.

2 ▶감정을 밀어내거나 억누르려고 노력하는 데 시간을 보내는 대신, 어떻게 그것(감정)을 잘 관리할 수 있는지를 배우는 편이 훨씬 더 낫다.

3 ▶내가 꿈꾸는 직업에 대해 논의하기 위해 멘토를 만났을 때, 그녀는 내게 다음 학기에 어느 수업을 수강해야 하는지 충고해 줬다.

어휘 clarify 명확하게 하다 element 요소 ambiguity 모호함 suppress (감정을) 억누르다, 참다; 진압하다

Test 2

1 when to play an instrument
2 you can check where to park your car
3 they have difficulty knowing what to focus on
4 which marketing strategies to employ to enhance brand awareness
5 learn how to control not only their bodies but also their fear

어휘 dormitory 기숙사 instrument 악기; 기구 location 위치 nearby 근처에 confront 닥치다; 맞서다 have difficulty (in) v-ing v하는 데 어려움을 겪다 entrepreneur 기업가 employ (기술, 방법 등을) 이용하다 attract 유치하다, 끌어들이다 expose 노출시키다

RANK 65 원인·이유의 부사절 p.178

기출 대표 문항 & 답이 보이는 Process

is not easy to see mangosteens / because they are tropical fruits
1 because they are tropical fruits

Test 1

1 × → Because[Since, As] 2 ○
3 × → seeing[in] 4 ○

1 연설하는 것은 많은 준비를 요구하기 때문에, 발표자는 연설을 준비하는 동안 종종 자신의 주제에 대한 깊은 이해를 얻는다.
▶밑줄 친 부분 뒤에 주어와 동사가 있는 절이 이어지므로 접속사 자리이다.

2 주 4일제는 충분한 휴식을 취한 직원들이 더 열심히 일하기 때문에 그들이 더 적은 시간에 더 많은 업무를 해낼 수 있게 하여 생산성을 높인다.

3 우리가 육지에 사는 종으로서 광대한 수중 세계를 항상 포기해야 했다는 점에서 지구상의 우리의 생활공간은 매우 제한되어 있다.
▶ that 이하의 내용이 주절의 내용에 대한 이유를 나타내므로 접속사 seeing[in] that(~라는 점에서, ~을 보면)으로 고쳐야 한다.

4 이제 휘발유 가격이 내려가고 있으므로, 운전자들은 그것이 훨씬 더 내려갈 때까지 차에 연료를 채우는 것을 미루고 있다.

어휘 preparation 준비

Test 2

1 is differentiated from other brands in that it transparently reveals its manufacturing process
2 As weather forecasters expect more rainfall this summer / some areas could experience
3 if you could see a single star / since light pollution is so intense
4 Now that Halloween is over / you may notice that
5 not only because it is beautiful but also because it is very difficult to obtain
6 partly because of their high degree of contact with patients / because they have well-developed relationships with other professionals

5 ▶ 상관접속사 <not only A but also B>가 because가 이끄는 두 개의 부사절을 병렬 연결하도록 영작한다.

6 ▶ 전치사 because of 뒤에는 명사구가, 접속사 because 뒤에는 절이 오도록 영작한다.

어휘 differentiate 차별화하다 transparently 투명하게 excessive 과도한 light pollution 빛 공해 intense 심한 desirable 가치 있는; 바람직한 pivotal 중추적인, 중심(축)이 되는

RANK 66 양태의 부사절 p.180

기출 대표 문항 & 답이 보이는 Process

Just as a lack of vitamins may result in disease
1 Just as a lack of vitamins may result in disease

e.g. 꼭 사회가 발전하는 것처럼, 지식과 이해에 대한 탐구도 그렇다(발전한다).

어휘 result in ~을 초래하다 progress 발전하다 quest 탐구; 탐구하다

Test 1

1 it seems as if urgent action is the only solution
2 designed the modern house just the way the client envisioned
3 when you live each moment as if every step you take is bringing you closer to your goals
4 Just as reading lots of books is helpful for / so traveling to different countries contributes to
5 act as though their actions can change how it lands
6 Just as the body weakens / just as a lack of physical activity makes our body rigid / a lack of intellectual stimulation makes our mind rigid

어휘 envision 상상하다 sleek 세련된; 윤이 나는 intellectual 지적인, 지능의 flip (손가락으로) 톡 던지다 rigid 경직된, 뻣뻣한 stimulation 자극

서술형 대비 실전 모의고사 6회 p.182

01 × → because[since, as], × → happen
02 × → is, × → whose[of which the], × → us with
03 × → should have turned, × → should not have left
04 × → be, ○, × → experiencing
05 × → have been, ○, × → to
06 (A) improve (B) is (C) doing
07 that is deprived of subjectivity / that can be quantified and whose values will thus never change
08 To create a list of discussion items / allows participants to decide what to present to ensure all important points are covered
09 as if it is too slow to arrive / are we that we wander in the time that is not yet ours and do not consider the time that belongs to us
10 prefer stepping outside the culturally prescribed behaviors to conforming to them / tasks that most people in society view as an impossible thing
11 Since technology offers instant ease and convenience to us / can't be patient enough to commit the time required to achieve genuine success
12 their → whose
13 How to Thrive / While Maintaining Authenticity / Overcoming Social Perceptions
14 because at no point will the buyer see possession of them as an absolute necessity
15-17 ② because of → because[since, as], 뒤에 주어와 동사가 있는 절이 이어지므로 접속사 because[since, as]로 고친다. / ③ fall → falls, 선행사인 the innocent messenger가 단수명사이므로 관계사절 내의 동사를 단수동사로 고친다. / ⑥ to sound → sound, 사역동사 make는 목적어와 목적격보어의 관계가 능동일 때 목적격보어 자리에 원형부정사를 쓴다.
18 because we don't want to be the person who is blamed for reporting unpleasant news

01 장거리 비행 동안, 항공기 오작동으로 인한 추락이 그러한 여정(장거리 비행)에서 발생하는 사고의 주요 원인이기 때문에 조종사는 항공기 상태를 가늠하는 데 많은 시간을 할애한다.
▶ 주어와 동사가 있는 절이 이어지므로 because of는 접속사로 고쳐 써야 한다. / 주격 관계대명사절의 선행사가 복수 accidents이므로 복수동사 happen으로 고쳐야 한다. • Rank 57 관계대명사의 선행사에 수일치, Rank 65 원인·이유의 부사절
어휘 malfunction 오작동; (기계 등이) 제대로 작동하지 않다 leading 주요한

02 대부분의 도덕적 접근 방식에 근본적인 것은 우리는 가치가 사리사욕이 우리에게 단순히 제공할 수 있는 것보다 더 큰 특별한 존엄성을 지니고 있다는 생각이다.
▶ 보어(Fundamental to ~ approaches)가 문두에 나와 주어와 동사가 도치된 문장인데, 주어는 the idea이므로 단수동사 is가 적절하다. / 문맥상 앞의 선행사 a special dignity와 뒤따르는 명사 worth가 소유 관계이고 두 절을 잇는 접속사가 필요하므로 소유격 관계대명사 whose가 알맞다. 또는 of which를 쓰고 명사 worth 앞에 the를 붙여 쓸 수도 있다. / what이

이끄는 관계대명사절에 <present A with B: A에게 B를 제공하다>가 쓰였으므로 with와 us의 순서를 바꿔야 한다. • Rank 56 소유격 관계대명사 whose, of which, Rank 60 부사구 강조 도치 / 기타 도치, Rank 63 전치사를 동반하는 동사 쓰임 II

어휘 fundamental 근본적인, 본질적인 dignity 존엄성; 위엄

03 David가 방에 들어섰을 때, 그는 불이 켜져 있고 비가 쏟아져 들어오고 있다는 것을 알아차렸다. 그는 떠나기 전에 불을 껐어야 했고 창문을 열어두지 말았어야 했다는 것을 깨달았다.

▶ should have p.p.: ~했어야 했는데 (하지 않았다) / shouldn't have p.p.: ~하지 말았어야 했는데 (했다) • Rank 59 조동사+have p.p.

04 우리는 자만을 조심하는 편이 나은데 왜냐하면 그것은 개인이 어디에서 행복을 찾아야 하는지와 어떻게 자기 인식을 형성할 것인지라는 현실을 이해하지 못하게 하고, 또한 개인이 자기 자신이나 타인의 진정한 가치를 경험하지 못하게 하기 때문이다.

▶ had better+동사원형: ~하는 편이 낫다. / 문맥상 <where to-v: 어디서[어디에] v할지[v해야 하는지]>는 알맞게 쓰였다. / prevent A from B: A가 B하지 못하게 하다 • Rank 61 여러 가지 조동사 표현, Rank 62 전치사를 동반하는 동사 쓰임 I, Rank 64 의문사+to부정사

어휘 be out of touch with (특정 주제, 분야에서 일어나는 일을) 이해하지 못하다[모르다]

05 인류에게 지리에 대한 안내를 줄 수 있는 물리적인 지도 없이 이동하는 동물들의 경로와 그것들을 사냥할 최고의 장소를 알아야 했던 초기 인류에게 머릿속 지도를 형성하는 능력은 필수적이었음이 틀림없다.

▶ 문맥상 과거 사실에 대한 강한 추측을 나타내므로 must have been으로 써야 한다. / 문맥상 to hunt의 의미상의 주어는 관계대명사절이 수식하는 선행사인 early humans(초기 인류)이고 to hunt의 목적어는 the migratory animals(이동하는 동물들)이므로 주어와 목적어가 다르다. 목적어 the migratory animals를 받는 대명사 them은 알맞다. / <give+IO+DO>를 3문형으로 전환하면, 간접목적어 앞에 전치사 to를 쓴다. • Rank 55 인칭대명사, 재귀대명사, Rank 58 3문형 ⇄ 4문형 전환, Rank 59 조동사+have p.p.

어휘 capacity 능력 migratory 이동하는; 철새의

06 만약 연기되면 많은 생각과 결정이 개선되는 것도 당연하다는 것을 시사하는 길고 명예로운 지연의 역사가 있다. 결정을 미루는 것이 그 자체로 하나의 결정이라는 것은 일종의 자명한 이치이다. 의회 절차는 본질적으로 지연과 숙고의 체계이고, 그래서 그 점에서는, 위대한 그림이나 앙트레, 책, 또는 Marlborough 공작의 건축가와 인부들이 건축하는 데 15년이 걸린 Blenheim 궁과 같은 건물의 창조 또한 그렇다. 그 과정에서, 디자인은 부드러워지고 양념 될 수 있다. 확실히, 서두르는 것은 우아함의 암살자가 될 수 있다. 그러므로 오늘 반드시 해야 하는 것은 아닌 일은, 무슨 수를 쓰더라도 내일까지 하기를 미뤄라.

▶ (A) may well+동사원형: ~하는 것도 당연하다; 아마 ~일 것 같다 • Rank 61 여러 가지 조동사 표현

(B) <so+V+S: S도 역시 그렇다> 구문이 사용된 문장이다. V는 대동사의 성격을 가지는데, 앞 절의 동사가 be동사이고, 주어(the creation)가 단수이므로 대동사 is를 써야 한다. • Rank 60 부사구 강조 도치 / 기타 도치

(C) • Rank 11 동사의 목적어가 되는 to-v, v-ing

어휘 honorable 명예로운 procrastination 지연 parliamentary 의회의 deliberation 숙고, 신중함 mellow 부드러워지다; 그윽한 assassin 암살자 by all means 무슨 수를 쓰더라도, 결단코

07 ▶ 선행사 a thing이 주관성이 '박탈되는' 수동관계이므로 관계사절의 동사는 is deprived of로 바꿔 쓴다. 두 번째 빈칸에는 선행사 those aspects를 수식하는 두 개의 관계대명사절을 병렬 연결한다. 측면들이 '정량화될 수 있는' 수동관계이므로 첫 번째 관계사절의 동사는 can be quantified로 바꿔 쓰고, and 뒤에는 선행사와 뒤따르는 명사 values가 소유 관계이므로 whose values로 시작하는 관계사절을 영작한다. • Rank 03 능동 vs. 수동_단순시제 I, Rank 04 능동 vs. 수동_단순시제 II, Rank 09 등위접속사의 병렬구조, Rank 25 주격 관계대명사 who, which, that, Rank 56 소유격 관계대명사 whose, of which

어휘 deprive A of B A에게서 B를 박탈하다[빼앗다] ideally 이상적으로 quantify 정량화하다, 양을 나타내다

08 ▶ 우리말에서 주어가 '만드는 것'이므로 To create로 쓰고 to부정사구 주어는 단수 취급하므로 문장의 동사는 allows를 쓴다. 목적을 나타내는 부사적 역할의 to부정사 to ensure의 목적어 역할을 하는 that이 생략된 명사절에서는 all important points가 '다뤄지는' 수동관계이므로 동사는 are covered를 쓴다. • Rank 02 주어-동사의 수일치 II, Rank 03 능동 vs. 수동_단순시제 I, Rank 07 동사+목적어+보어 I, Rank 13 to부정사의 부사적 역할, Rank 23 명사절을 이끄는 접속사 that, Rank 64 의문사+to부정사

09 ▶ 첫 번째 빈칸에는 '마치 ~인 것처럼'이라는 의미의 접속사 as if가 이끄는 부사절을 영작한다. 이때 부사절에는 <too 형용사 to-v: v하기에는 너무 ~한>이 사용된다. 두 번째 문장은 We are so imprudent that ~에서 보어인 So imprudent가 문두에 나왔으므로 주어(we)와 동사(are)를 도치한다. 선행사가 단수 the time인 관계사절에서는 동사도 단수동사(is, belongs)로 바꿔 쓴다. • Rank 34 목적·결과의 부사절, Rank 55 인칭대명사, 재귀대명사, Rank 57 관계대명사의 선행사에 수일치, Rank 60 부사구 강조 도치 / 기타 도치, Rank 66 양태의 부사절

어휘 anticipate 고대하다, 기대하다 imprudent 경솔한 wander 헤매다; 거닐다

10 ▶ <prefer A to B: A를 B보다 선호하다[더 좋아하다]>를 활용하여 첫 번째 빈칸을 완성한다. 전치사 to 뒤 B자리에는 동명사 conforming으로 변형하여 쓴다. 두 번째 빈칸의 tasks를 수식하는 관계사절에서는 <view A as B: A를 B로 여기다[간주하다]>를 활용하여 영작한다. • Rank 27 목적격 관계대명사 who(m), which, that, Rank 55 인칭대명사, 재귀대명사, Rank 63 전치사를 동반하는 동사 쓰임 II

어휘 prescribe 규정하다; 지시하다 conform (관습 등에) 순응하다

11 너무 많은 경우 사람들은 일이 하루아침에 일어나기를 기대한다. 오늘날의 첨단 기술 사회에서, 우리가 원하는 모든 것은 우리의 편안함과 편리함의 한도 안에 있는 경향이 있다. 만약 일이 충분히 빨리 일어나지 않으면, 우리는 흥미를 잃고 계속 앞으로 나아가지 못하도록 유혹받는다. 그래서 많은 사람들은 성공하는 데 필요한 시간을 쓰고 싶어 하지 않는다. 성공은 단순한 욕망의 문제가 아니다. 여러분은 그것을 성취하기 위해 인내심을 길러야 한다. 여러분은 성급함의 희생자가 된 적이 있는가? 위대한 일들은 만들어 내는 데 시간이 걸린다.

[요지] 기술이 우리에게 즉각적인 편의성과 편리함을 제공해 주기 때문에, 많은 이들이 너무 서둘러서 진정한 성공을 이루기 위해 필요한 시간을 쓸 만큼 충분히 인내할 수 없다.

▶ 이유의 부사절을 이끄는 접속사 Since를 활용하여 부사절을 영작하고, 주절은 <so 형용사 (that) ...: 아주 ~해서 …하다>와 <형용사+enough to-v: v할 만큼 충분히 ~한>을 활용해 영작한다. 과거분사 required는 딸린 어구와 함께 수식받는 명사(the time) 뒤에 쓴다. • Rank 05 현재분사 vs. 과거분사_명사 수식, Rank 13 to부정사의 부사적 역할, Rank 34 목적·결과의 부사절, Rank 58 3문형 ⇄ 4문형 전환, Rank 65 원인·이유의 부사절

어휘 parameter (일정하게 정한) 한도 tempt 유혹하다; 유도하다 fall prey to ~의 희생자[피해자]가 되다 impatience 성급함, 조급함 instant 즉각적인 commit (시간, 돈 등을) 쓰다; 전념하다

[12-13]

내성적인 사람이 되는 것은 어려움이 따르는 반면, 장점도 분명히 있다. 예를 들어, 내성적인 사람은 사회적 상황에서 받아들일 수 없는 의견을 가진 다른 사람을 무심코 모욕하는 것과 같은 실수를 저지를 가능성이 훨씬 더 작다. 만약 당신이 내성적인 사람이라면, 내성적인 사람으로서 당신이 직면하게 될 유일한 위험은 당신을 모르는 사람들이 당신이 냉담하다고 또는 당신이 스스로가 그들보다 낫다고 생각한다고 여길 수 있다는 것이다. 당신의 의견 및 생각

과 관련하여 약간이라도 마음을 여는 방법을 배운다면, 두 세계 모두에서 잘 될 수 있을 것이다. 그러면 당신은 비사교적으로 보이지 않으면서 자신의 개성에 계속 충실할 수 있다.

어휘 introvert 내성적인 사람 *cf.* introverted 내성적인 insult 모욕하다 agreeable 받아들일 수 있는; 선뜻 동의하는 thrive 잘되다, 성공하다; 번창하다 antisocial 비사교적인; 반사회적인

12 ▶ 문맥상 another person's opinions의 의미이고, 두 절을 연결하는 접속사가 필요하므로 their를 소유격 관계대명사 whose로 고쳐야 한다. • Rank 56 소유격 관계대명사 whose, of which

13 [제목] 진정성을 유지하고 사회적 인식을 극복하면서 내성적인 사람으로 성공하는 방법

▶ How를 추가하여 <의문사+to-v>를 영작한다. 그 뒤에는 접속사 While이 생략되지 않은 분사구문을 쓴다. • Rank 20 주의해야 할 분사구문, Rank 64 의문사+to부정사

어휘 authenticity 진정성 perception 인식

14 상점가 경제는 공유되는 문화라는 더 지속적인 유대 위에 자리 잡은 겉으로 보기에 유연한 가격 설정 메커니즘을 특징으로 한다. 구매자와 판매자 모두 서로의 제약을 알고 있다. 델리의 상점가에서, 구매자와 판매자는 다른 행위자들이 그들의 일상생활에서 가지는 재정적인 압박을 상당 부분 평가할 수 있다. 특정 경제 계층에 속하는 각 행위자는 상대방이 무엇을 필수품으로 여기고 무엇을 사치품으로 여기는지를 이해한다. 비디오 게임과 같은 전자 제품의 경우, 그것들은 식품 같은 다른 가정 구매품과 동일한 수준의 필수품이 아니다. 따라서 델리의 상점가에서 판매자는 비디오 게임에 대해 직접적으로 매우 높은 가격을 요구하지 않으려 주의하는데, 그 어떤 점에서도 구매자가 그것들(비디오 게임)의 소유를 절대적인 필수품으로 여기지 않을 것이기 때문이다. 이러한 지식의 유형에 대한 접근은 비슷한 문화적, 경제적 세상에의 소속에서 비롯한 서로의 선호와 한계를 이해함으로써 가격 일치를 형성한다.

▶ 접속사 because를 이용하여 이유의 부사절을 영작한다. 부정부사가 이끄는 부사구(at no point)가 문두에 오므로 <조동사(will)+주어(the buyer)+동사(see)> 어순으로 도치시킨다. 이때 동사는 <see A as B: A를 B로 여기다[간주하다]>를 활용하여 영작한다. • Rank 18 부정어구 강조+의문문 어순, Rank 63 전치사를 동반하는 동사 쓰임 II, Rank 65 원인·이유의 부사절

어휘 feature 특징으로 하다 atop ~ 위에 restriction 제약 constraint 압박; 제약 necessity 필수품 relate to ~을 이해하다; ~와 관련되다

[15-18]

아마도 나쁜 소식부터 먼저 이야기하고 넘어가려고 하는 것보다 더 나쁜 것은 그것을 완화시키거나 단순히 전혀 다루지 않으려고 하는 것이다. 1970년대 초반에 심리학자 Sidney Rosen과 Abraham Tesser가 만든 용어인 이 '침묵 효과'는 일상생활을 하는 일반인들이 다른 사람들의 부정적인 감정의 표적이 되는 것을 피하고 싶어 하기 때문에 발생한다. 우리 모두는 변화를 이끌 기회를 가지고 있으나, 그것은 종종 상사에게 나쁜 소식을 전달할 용기를 우리에게서 필요로 한다. 우리는 사선 앞에서 쓰러지는 무고한 전령이 되고 싶어 하지 않는다. 우리의 생존 본능이 기능을 발휘하면, 그것(생존 본능)은 어떤 상황의 진상이 축소될 때까지 우리의 용기를 무시할 수 있다. "침묵 효과와 그로 인해 발생하는 여과는 가파른 위계 관계에서 파괴적인 결과를 가져올 수 있다"라고 조직 심리학자 Robert Sutton은 서술한다. "나쁜 소식으로 시작한 것이 단계를 올라갈수록 점점 더 나아지는데, 그 이유는 각 (단계의) 상사가 자신의 부하직원으로부터 그 소식을 듣고 나서 그것을 위쪽으로 넘기기 전에 다소 덜 나쁘게 들리도록 만들기 때문이다."

어휘 coin (새로운 낱말, 어구를) 만들다 firing line 사선(탄알이나 화살이 지나가는 선) *cf.* be in the firing line 비난을 받을 처지에 있다 kick in 기능을 발휘하다; 효과가 나타나기 시작하다 override 무시하다, 기각하다 devastating 대단히 파괴적인 steep 가파른 hierarchy 위계 관계, 계층제

15-17 ▶ ② • Rank 65 원인·이유의 부사절 / ③ • Rank 57 관계대명사의 선행사에 수일치 / ⑥ • Rank 07 동사+목적어+보어 I

18 [요약문] 우리는 불쾌한 소식을 보고한 것에 대해 비난받는 사람이 되고 싶지 않기 때문에 나쁜 소식에 대해 논의하는 것을 축소하거나 회피하는 경향이 있다.

▶ 접속사 because를 이용하여 이유의 부사절을 영작한다. the person은 주격 관계대명사절의 수식을 받는데, 선행사 the person이 '비난받는' 것이므로 관계대명사절 내의 동사는 수동태로 써야 한다. <blame A for B: A를 B의 이유로 비난하다>가 수동태로 바뀌면 <A+be p.p.+전치사+B>의 형태가 된다. • Rank 04 능동 vs. 수동_단순시제 II, Rank 11 동사의 목적어가 되는 to-v, v-ing, Rank 25 주격 관계대명사 who, which, that, Rank 57 관계대명사의 선행사에 수일치, Rank 62 전치사를 동반하는 동사 쓰임 I, Rank 65 원인·이유의 부사절

어휘 evade 회피하다

• 부분 점수

문항	배점	채점 기준
01-05	1	×는 올바르게 표시했지만 바르게 고치지 못한 경우
07-10	3	어순은 올바르나 단어를 적절히 변형하지 못한 경우
12	1	틀린 부분을 찾았지만 바르게 고치지 못한 경우
15-17	2	틀린 부분을 바르게 고쳤지만 틀린 이유를 쓰지 못한 경우
	1	틀린 부분을 찾았지만 바르게 고치지 못한 경우
18	5	어순은 올바르나 단어를 적절히 변형하지 못한 경우

Rank 67-77

RANK 67 do 동사의 쓰임

p.188

기출 대표 문항 & 답이 보이는 Clues

1 × → save　2 × → do
1 save　2 do

1 여러분의 스마트폰을 비행기 모드로 두는 것은 배터리 전력을 정말로 절약해 준다.

2 우리 선조들은 오늘날 우리가 그러한 것처럼, 거짓말하는 것에 대해 복잡한 감정을 가졌던 것으로 여겨진다.

cf. 그 도시의 스카이라인은 10년 전에 그랬던 것보다 현재 훨씬 더 인상적이다.

어휘 complicated 복잡한

Test 1

1 × → do　2 ○　3 × → provide
4 × → does　5 × → were

1 우리 엄마는 비록 내가 보통 (엄마의 도움 없이) 결정을 내림에도, 마치 내가 엄마의 도움을 요청하지 않고는 결정을 내리지 않는 것처럼 항상 나를 대하신다.
▶앞에 나온 일반동사구(make decisions ~ her help)를 대신하는 대동사로는 do가 적절하다.

2 순환계는 행복과 분노 같은 감정에 반응하는 것과 같은 방식으로 갑자기 표출된 스트레스에 반응하는 것 같다.
▶앞에 나온 일반동사 react를 대신하는 대동사를 써야 하는데, 주어가 단수(it)이고 현재시제이므로 does는 알맞다.

3 근무일 내내 규칙적인 휴식을 취하는 것은 많은 에너지를 정말 제공하지만, 밤에 잠을 잘 자는 것은 훨씬 더 (많은 에너지를) 제공한다.
▶동사를 강조하는 does 다음에는 동사원형이 와야 한다.

4 우리의 발은 카펫보다 타일 바닥에서 더 차갑게 느끼는데, 타일은 카펫이 전달하는 것보다 더 높은 속도로 열에너지를 전달하기 때문이다.
▶앞에 나온 일반동사구(transfers heat energy)를 대신하면서 일반적인 사실을 나타내는 현재시제를 반영한 does가 와야 한다.

5 여러분의 감정을 더 평범하고 더 간단한 말로 바꿔 보는 것은 여러분이 처음 상상하기에 그것(여러분의 감정)이 과거에 (정말로) 무엇이었는지가 아니라 여러분의 감정이 실제로 무엇인지 알아내는 데 도움이 될 수 있다.
▶앞에 나온 be동사구(really are)를 대신하면서, 문맥상 과거시제가 되어야 하므로 were가 알맞다.

어휘 circulatory (혈액) 순환의　throughout ~내내　transfer 전달하다　term 말, 용어　figure out 알아내다　as opposed to ~가 아니라; ~와는 대조적으로

Test 2

1 make　2 like
3 get　4 work

1 부모는 자녀가 자신이 어렸을 때 저질렀던 같은 실수를 저지르는 것을 원하지 않는다.
▶대동사 did는 앞에 나온 일반동사구(make the same mistakes)를 대신하면서 과거시제를 반영한 것이다.

2 아버지는 우리 가족을 위해 요리하는 것과 손수 만든 아버지의 특선 요리를 우리가 맛있게 먹는 것을 보는 것을 정말 좋아하신다.
▶does는 일반동사 like를 강조한다.

3 우리는 다른 이들의 창의성을 관찰하는 데서 얻는 같은 종류의 기쁨을 창의적이 되는 것으로부터 얻는다.

4 여러분의 자동차 정비공은 단지 여러분의 차가 작동하지 않는 것을 관찰하기만 하는 것이 아니다. 그는 어떻게 그것이 평상시에 정말 작동하는지에 대한 지식을 사용하여 왜 그것이 작동하지 않는지를 알아낸다.

Test 3

1 If pain or fatigue does strike / don't hesitate to change your daily schedule
2 mentally change your outlook on life / you'll notice things you never did before
3 If you do choose to put off discussion about a conflict
4 Despite abundant warnings that we shouldn't measure ourselves against others / most of us still do
5 transfer sound waves much better than air typically does / are much closer and more tightly packed together than they are

2 ▶밑줄 친 do는 앞에 나온 동사 notice를 대신하는 대동사인데, 문맥상 대동사가 포함된 절의 시제는 과거이므로 did로 변형하여 영작한다.

4 ▶밑줄 친 do는 앞에 나온 동사구 measure ourselves against others를 대신하는 대동사인데, 주어가 복수(most of us)이고 시제가 현재이므로 변형 없이 그대로 영작한다.

5 ▶밑줄 친 do는 앞에 나온 동사구 transfer sound waves를 대신하는 대동사인데, than 뒤의 주어가 단수(air)이고 현재시제이므로 does로 변형한다. 밑줄 친 be는 앞에 나온 be동사구(are ~ together)의 대동사로, than 뒤의 주어가 복수(they)이고 현재시제이므로 are로 변형하여 영작한다.

어휘 fatigue 피로　strike (재난, 질병 등이 갑자기) 발생하다; 치다　hesitate 주저하다, 망설이다　outlook 관점; 인생관　perspective 관점　put off 미루다　take up 계속하다　abundant 많은, 풍부한　measure 평가하다, 재다　molecule 분자　substance 물질　packed 꽉 들어찬

RANK 68 생략구문

p.190

기출 대표 문항 & 답이 보이는 Clues

1 Remember that if you don't value yourself, no one else will ✔. / value you
2 Clams have a particularly short shelf life, so they should be fresh when ✔ consumed. / they[clams] are
3 The freedom to check social media whenever we want to ✔ causes us to feel more connected but also more anxious. / check social media[it]
1 value you　2 they[clams] are　3 check social media[it]

1 만약 여러분이 자신을 소중히 여기지 않는다면, 다른 누구도 여러분을 소중히 여기지 않을 것이라는 것을 기억해라.

▶ 생략된 어구가 있는 절의 주어는 no one이므로, 생략된 어구를 쓸 때는 yourself(재귀대명사)를 you로 바꾼다.

2 조개는 특히 짧은 유통 기한을 가지므로, 그것들이 섭취될 때는 신선해야 한다.

3 우리가 원할 때마다 소셜 미디어를 확인할 자유는 우리가 더 연결된 느낌을 갖게 해 주지만 또한 더 불안하게 만든다.

어휘 value 소중히 여기다 clam 조개 shelf life 유통 기한

Test 1

1 Poisonous chemicals can leak into the air if ✔ not handled properly. / poisonous chemicals[they] are
2 You'd better take the supplement as often as you have to ✔. / take the supplement[it]
3 My goal is to run the marathon someday, but I haven't decided when to ✔ yet. / run the marathon[it]
4 The important thing is not just how much water you drink, but also how frequently ✔. / you drink water[it]
5 People should not attempt to walk or drive through floodwater unless ✔ instructed to do so by the emergency services. / people[they] are
6 In the case of chess, it has been proven that a computer can store and handle unlimited chess moves, while a human brain can't ✔. / store and handle unlimited chess moves[them]

1 독성이 있는 화학 물질은 적절히 취급되지 않으면 공기 중으로 누출될 수 있다.
▶ if가 이끄는 부사절과 주절의 주어가 같으므로 부사절의 poisonous chemicals[they] are가 생략된 형태로 쓰였다.

2 너는 네가 그래야 하는 만큼 자주 보충제를 섭취하는 편이 낫다.
▶ 조동사 have to 뒤에는 반복되는 어구 take the supplement[it]가 생략되었다.

3 내 목표는 언젠가 마라톤을 뛰는 것인데, 아직 언제 마라톤을 뛸지 결정하지 않았다.
▶ to 뒤에 반복되는 어구 run the marathon[it]이 생략되었다.

4 중요한 것은 여러분이 단순히 얼마나 많은 물을 마시는지뿐만 아니라, 얼마나 자주 물을 마시는지이다.
▶ 앞에 쓰인 의문사절에서는 how much의 수식을 받는 명사 water가 앞으로 나갔지만, 두 번째 의문사절에서는 how frequently you drink water의 어순이 되므로 생략된 어구는 you drink water[it]이다.

5 사람들은 긴급 구조대에서 그렇게 하라는 지시를 받지 않는 한 홍수로 불어난 물을 걸거나 운전해서 지나가려고 해서는 안 된다.

6 체스 게임의 경우, 컴퓨터는 무한한 체스 말의 움직임을 저장하고 처리할 수 있지만, 인간의 뇌는 그럴 수 없다는 것이 입증되었다.

어휘 poisonous 독이 있는 supplement 보충(물); 보충하다 instruct 지시하다

Test 2

1 when asked to distinguish
2 not on what the person has not
3 when you can / you will meet challenges that encourage you to grow
4 involvement in vigorous physical activity was
5 works more slowly if it tries to

1 ▶ 접속사 when이 이끄는 부사절에서 <주어+be동사>인 a young child[he or she] is가 생략된 문장으로 영작한다.

2 ▶ 반복되는 어구 to focus와 done이 생략된 문장으로 영작한다.

3 ▶ 조동사 can 뒤에 반복되는 어구 contribute your skills ~ possible이 생략된 문장으로 영작한다.

4 ▶ 반복되는 어구 related to academic achievement가 생략된 문장으로 영작한다.

5 ▶ 문맥상 to 뒤에 반복되는 어구 concentrate on two things at once가 생략된 문장으로 영작한다.

어휘 distinguish 구별하다 contribute 기여하다; 기부하다 enrollment 등록 involvement 참여, 관여 vigorous 활발한, 활기찬 point out 지적하다

RANK 69 보어로 쓰이는 to부정사 p.192

1 주격보어

기출 대표 문항 1 & 답이 보이는 Process

Our goal is to prevent cyberattacks
2 원형부정사

e.g. 그가 점심 식사 후에 한 일은 커피를 마시는 것이 전부였다. / *e.g.* 네가 해야 할 일은 사과하기 위해 그녀에게 전화를 거는 것이다. / *e.g.* 내가 하고 싶은 것들 중 하나는 중국어를 배우는 것이다.

어휘 enhance 강화하다, 향상시키다 security 보안; 보장

Test 1

1 All you can do / is not to forget the importance
2 was to position the most frequently used keys as far apart as possible

1 ▶ 주어 All이 목적격 관계대명사가 생략된 관계사절의 수식을 받도록 영작한다. to부정사의 부정형은 not[never] to-v이다.

2 ▶ as ~ as possible: 가능한 한 ~한[하게]

어휘 proofread 교정보다 position 배치하다, 두다; 위치 stick together 서로 들러붙다; 단결하다

기출 대표 문항 2 & 답이 보이는 Clues

1 seems that the girl is lost in the park
2 seemed to have known of his cheating on the test
3 to-v 4 to have p.p.

1 그 소녀는 공원에서 길을 잃은 것 같다.

2 그 선생님은 그가 시험에서 부정행위를 한 것을 알고 계셨던 것 같았다.

cf. 그 소녀는 공원에서 길을 잃은 것 같았다. / *cf.* 그 선생님은 그가 시험에서 부정행위를 한 것을 알고 계셨던 것 같다.

어휘 cheat 부정행위를 하다; 속이다

Test 2

1 seems that cell phones achieved the status
2 seems to have evolved from the custom

1 휴대 전화는 모든 소비자 전자 제품 중 가장 짧은 수명을 갖는 지위를 획득했던 것 같다.
▶ 주어진 문장에서 to have p.p.가 쓰였으므로 that절의 시제를 주절보다 앞서도록 쓴다. 주절의 시제가 현재(seems)이므로 that절의 시제는 과거인 achieved를 쓴다.

2 고대 메소포타미아와 같은 몇몇 지역에서, 글쓰기는 농업 거래를 추적하기 위해 작은 점토 조각을 사용하는 관습으로부터 발달했던 것 같다.
▶ 주어진 문장에서 that절의 시제(evolved)가 주절의 시제(seems)보다 앞서므로 to have evolved를 쓴다.

어휘 life cycle (제품 따위의) 수명; 《생물》 생활 주기 evolve 발달하다; 진화하다 custom 관습, 풍습 track 추적하다 agricultural 농업의 transaction 거래

RANK 70 that절이 목적어인 문장의 수동태 p.194

기출 대표 문항 & 답이 보이는 Clues

is thought that / is thought to have
1 is thought that 2 is thought to have

사람들은 인생의 경험이 지능에 큰 영향을 끼친다고 생각한다. → 인생의 경험은 지능에 큰 영향을 끼친다고 생각된다.

어휘 intelligence 지능

Test 1

1 are known to possess an exceptional memory
2 is said to have built her reputation / is said that the girl whom everyone underestimated built her reputation
3 is supposed that the lost artifact was discovered / is supposed to have been discovered

1 코끼리는 뛰어난 기억력을 가지고 있다고 알려져 있는데, 이는 수년이 지나도 그것들이 수원의 위치를 기억해 낼 수 있게 해준다.

2 사람들은 모두가 과소평가했던 그 소녀가 자신의 강점에 집중함으로써 명성을 쌓았다고 말한다. → 모두가 과소평가했던 그 소녀는 자신의 강점에 집중함으로써 명성을 쌓았다고 언급된다.
▶ 주절의 시제가 현재(say)이고, that절의 시제는 과거(built)이므로 to부정사의 완료형(to have built)을 쓴다.

3 그들은 그 잃어버린 유물이 최근 탐사 중에 고고학자들에 의해 발견되었던 것으로 추정한다. → 그 잃어버린 유물은 최근 탐사 중에 고고학자들에 의해 발견되었던 것으로 추정된다.
▶ 주절의 시제(suppose)보다 that절의 시제(was discovered)가 앞서고, that절의 동사가 수동태이므로 to have been discovered로 쓴다.

어휘 exceptional 뛰어난; 예외적인 recall 기억해 내다 underestimate 과소평가하다, 얕보다 reputation 명성 artifact 유물 archaeologist 고고학자 expedition 탐사, 탐험

Test 2

1 are estimated to need more physical activity
2 is believed to have become extinct
3 is known that the Maldives is worth visiting
4 discovered in the hidden chamber / is believed to have contained mystical powers that protected its bearer
5 proposed by the physicist is considered to have been accepted widely within the scientific community

1 ▶ 학생들이 '추정된다'는 수동의 의미이므로 문장의 동사는 수동형 are estimated로 쓰고, 문맥상 동사의 시점과 to-v의 시점이 동일하므로 to need로 쓴다.

2 ▶ 도도새가 '여겨진다'는 수동의 의미이므로 문장의 동사는 is believed로 쓴다. 문맥상 동사의 시제보다 to-v의 시제가 앞서므로 to have become extinct의 형태로 영작한다.

3 ▶ 몰디브가 '알려져 있는' 수동의 의미이므로 주절의 동사는 is known을 쓴다. that절도 문맥상 현재시제이므로 동사는 is로 쓴다.

4 ▶ 그 고대 부적이 '여겨지는' 수동의 의미이므로 동사는 is believed로 쓴다. 문맥상 동사의 시제보다 to-v의 시제가 앞서므로 to have contained의 형태로 영작한다.

5 ▶ 그 획기적인 이론이 '생각되는' 수동의 의미이므로 문장의 동사는 is considered로 쓴다. 문맥상 동사의 시제보다 to-v의 시제가 앞서고, to-v의 내용이 수동을 나타내므로 to have been accepted의 형태로 영작한다.

어휘 extinct 멸종한 habitat 서식지 invasive species 침입종, 외래 유입종 chamber 방, 공간 mystical 신비로운, 초자연적인 bearer 소지자; 전달자 groundbreaking 획기적인, 놀라운

RANK 71 전치사의 의미와 쓰임 p.196

기출 대표 문항 & 답이 보이는 Clues

1 Unlike 2 Because 3 Like
1 명사(구) 2 절

1 두 눈이 독립적으로 움직일 수 없는 인간과 달리, 카멜레온은 두 방향을 동시에 볼 수 있다.

2 바닷속 플라스틱 입자 대부분은 너무 작기 때문에, 바다를 청소할 실질적인 방법이 없다.

3 완벽한 장난감을 기다리지 않는 아이처럼, 예술가는 자신의 주변에 있는 것들로 예술을 만든다.

cf. 그 쌍둥이는 너무 비슷해 보여서 그들의 가장 친한 친구들조차도 그들을 구분하는 데 가끔 애를 먹었다.

어휘 independently 독립적으로 particle (아주 작은) 입자, 조각 clean up ~을 청소하다[치우다]

Test 1

1 × → during 2 ○
3 × → except for 4 × → With

1 신선한 농산물을 저장하는 동안 건조를 막기 위해 공기 중에 약간의 수분이 필요하다.
▶ 뒤에 명사구(storage of fresh produce)가 이어지고, 문맥상 '~ 동안에'라는 뜻의 전치사가 필요하므로 during으로 고쳐 쓴다. 여기서 produce는 '생산하다'라는 동사가 아니라 '농산물'이라는 명사로 쓰였음에 유의한다.

2 비록 그들이 양호한 건강 상태일지라도, 그 소년들은 모두 관찰을 위해 병원에서 5일을 보내고 나서, 한 달은 집에서 쉬어야 한다.
▶ 뒤에 주어(they)와 동사(are)를 갖춘 절이 이어지며 문맥상 '비록 ~할지라도'라는 의미의 접속사가 필요하므로 Although는 알맞다.

3 다양한 영역에 걸친 100개가 넘는 연구에서, 전체 사례의 절반은 간단한 공식이 인간 전문가보다 더 나은 중요한 예측을 한다는 것을 보여주고, 아주 적은 소수를 제외한 나머지는 둘 사이의 무승부를 보여준다.
▶ 뒤에 명사구(a very small handful)가 이어지므로 구전치사 except for로 고친다. 콤마 뒤의 show는 주어 the remainder의 동사라는 점에 주의한다.

4 고도화된 인공지능 알고리즘의 등장과 함께, 컴퓨터는 이제 얼굴을 인식하고, 언어를 번역하고, 여러분을 대신해 전화를 받고, 세계에서 가장 복잡한 보드게임에서 선수들을 이길 수 있다.
▶ 뒤에 명사구(the advent of advanced AI algorithms)가 이어지므로 전치사의 자리인데, 주절의 내용은 '고도화된 인공지능 알고리즘의 등장과 함께' 이루어지는 것이므로 문맥상 With로 고쳐 쓰는 것이 알맞다.

어휘 moisture 수분 domain 영역, 분야 formula 공식 remainder 나머지 handful 소수; 한 줌 tie 무승부; 묶다 advent 등장, 도래, 출현

Test 2

1 including heat generated in the muscles during exercise
2 The human body has an effective response mechanism against parasites that is called the immune system
3 While the oceans themselves are continually moving / marine organisms are carried from place to place
4 Despite the expectation that we would like the freedom to change our minds / because the brain has a kind of built-in defense system

1 ▶ 뒤에 명사구(heat ~ exercise)가 이어지므로 '~을 포함하여'를 뜻하는 전치사 including을 사용하고, 마찬가지로 명사(exercise)가 이어지므로 전치사 during을 사용한다. 이때 generated는 동사가 아니라 앞의 명사 heat을 수식하는 과거분사이고, exercise는 '운동'이란 뜻의 명사로 사용되었다.

2 ▶ '~에 대항하는'이라는 의미의 전치사 against를 써서 영작한다. 선행사 an effective response mechanism이 '불리는' 수동관계이므로 that이 이끄는 주격 관계대명사절의 동사는 is called로 쓴다.

3 ▶ 뒤에 주어(the oceans themselves)와 동사(are ~ moving)가 이어지므로 '~하는 동안'이라는 의미의 접속사 While을 써서 부사절을 완성한다. 해양 생물들이 '옮겨지는' 수동관계이므로 주절의 동사는 are carried로 변형하여 쓴다.

4 ▶ 뒤에 명사구(the expectation ~ minds)가 이어지므로 '~에도 불구하고'라는 의미의 전치사 Despite를 사용하고, the expectation 뒤에는 동격의 that절을 이어 쓴다. 두 번째 빈칸에는 주어(the brain)와 동사(has)가 이어지므로 '~ 때문에'를 뜻하는 접속사 because를 사용한다.

어휘 internal 체내의, 내부의(↔ external 외부의) mechanism 기제, 구조 parasite 기생균, 기생충 immune system 면역 체계 organism 생물(체) dispersal 분산; 확산 larva 유충, 애벌레(《복수형 larvae》) built-in 내장된 undo(-undid-undone) 원상태로 돌리다

RANK 72 전치사+동명사 p.198

1 동명사

기출 대표 문항 & 답이 보이는 Clues

1-2 reducing, protecting
2 동명사 3 reducing 4 protecting

1-2 에너지 소비를 줄임으로써, 우리 가족은 지구를 보호하는 데 헌신해 왔다.

어휘 consumption 소비

Test 1

1 ○	2 × → creating
3 × → take	4 ○, × → decline
5 × → clinging to, ○	6 ○, × → avoiding

1 그 아버지는 자신의 첫째이자 하나뿐인 아이의 탄생을 사진에 담는 데 진지하게 몰두했다.

2 비록 우리가 상업주의 시대에 살고 있지만, 단지 물건을 사기보다는 새로운 물건을 만들어 내는 데에서 즐거움을 발견하려고 노력해라.
▶ 뒤에 목적어(new things)가 이어지므로 명사 creation을 동명사 creating으로 고쳐야 한다.

3 항상 여러분에게서 간절히 무언가 얻어가고 싶어 하면서 사소하게라도 어떤 것도 돌려주기를 꺼리는 친구를 조심하라.

4 우리가 나이가 들면서, 환경의 변화에 적응하는 우리의 능력은 반드시 감소한다.
▶ adjust to(~에 적응하다)에서 to는 전치사이므로 명사 changes가 쓰인 것은 알맞다. <be sure to-v>는 '반드시 v하다'라는 의미로, 이때 to는 to부정사를 이끌므로 decline으로 고쳐 쓴다.

5 다양한 관점을 수용하지 않고 융통성 없는 이념을 고수하는 관행은 건설적인 대화와 타협을 방해할 수 있다.
▶ 전치사 of의 목적어 자리이므로 cling을 동명사 clinging으로 바꿔 쓴다. cling to는 '~을 고수하다'라는 의미의 구동사로, 뒤에 목적어(rigid ideologies)가 왔다. 전치사 without 뒤에는 명사 acceptance가 알맞게 쓰였다. 명사 뒤에 목적어가 바로 이어질 수 없으므로 사이에 전치사 of가 쓰였다.

6 불편함을 이해하고 (불편함에) 반응하는 우리의 능력은 우리 몸에 가해지는 신체적인 손상을 피하는 데 대단히 중요하다.
▶ react to(~에 반응하다)에서 to는 문맥상 전치사이고 discomfort 뒤에 이어지는 어구가 없으므로 명사 discomfort는 알맞다. 전치사 for 뒤 밑줄 친 부분은 목적어(physical damage to our body)를 취하므로 명사 avoidance를 동명사 avoiding으로 고쳐야 한다.

어휘 earnestly 진지하게, 진정으로 be reluctant to-v v하기를 꺼리다 capability 능력, 역량 decline 감소하다; 거절하다 cling to ~을 고수하다, ~에 매달리다 rigid 융통성 없는; 단단한 ideology 이념; 관념 perspective 관점, 시각 hinder 방해하다 constructive 건설적인 compromise 타협; 타협하다 discomfort 불편함; 불편하게 하다

Test 2

1 object to using single-use plastic straws / will be helpful for reducing environmental damage
2 is dedicated to improving the lives of children in need / providing education for them
3 are looking forward to seeing loved ones, sharing festive meals, and creating cherished memories
4 Investment in renewable energy technologies is likely to contribute to decreasing greenhouse gas emissions

1 ▶ 첫 번째 빈칸은 'v하는 것에 반대하다'라는 의미의 <object to v-ing>를 사용하여 영작한다. 두 번째 빈칸은 reduce의 목적어가 이어지므로 전치사 for 뒤에 동명사 reducing을 쓴다.

2 ▶ 첫 번째 빈칸은 'v하는 데 헌신하다'라는 의미의 <be dedicated to

v-ing>를 사용하여 영작한다. 두 번째 빈칸은 provide의 목적어가 이어지므로 전치사 on 뒤에 동명사 providing을 쓴다.

3 ▶ 'v하기를 고대하다'라는 의미의 <look forward to v-ing>를 사용하되 우리말에 맞게 현재진행형으로 영작한다. 전치사 to 뒤에 세 개의 v-ing구가 콤마와 접속사 and로 병렬 연결되도록 영작한다.

4 ▶ 'v할 것으로 예상되다'라는 뜻의 <be likely to-v>와, 'v하는 데 기여하다'의 의미인 <contribute to v-ing>를 사용하여 영작한다.

어휘 single-use 일회용의 assert (강하게) 주장하다 eliminate 제거하다 non-profit 비영리적인 festive 축제의 renewable 재생 가능한 emission (빛, 열, 가스 등의) 배출

RANK 73 당위성 동사+that+S'+(should+)동사원형 p.200

기출 대표 문항 & 답이 보이는 Process

× → (should) try
1 (should) try

그 물리 치료사는 그녀가 어깨가 낫는 데 도움이 되도록 수영을 시도해 봐야 한다고 제안했다.

e.g. 그 연구는 매일 한 개의 사과를 먹는 것이 당신을 건강하게 유지한다는 점을 시사한다.

Test 1

1 × → (should) revise　2 ○
3 ○　4 × → (should) work
5 ○, × → are

1 교수는 그 학생이 과제 기준에 맞게 에세이를 수정해야 한다고 요청했다.

2 마을을 도적들로부터 보호하고 사람들을 안전하게 하기 위해서, 그 왕은 높은 문이 지어져야 한다고 명령했다.

3 최근 연구는 수요 증가, 지정학적 복잡성, 그리고 재생 가능 에너지로의 지속적인 세계적 전환과 같은 요인들의 상호 작용을 고려할 때, 휘발유 부족이 심화될 가능성이 있다고 시사한다.
▶ that절의 내용이 당위성이 아닌 사실을 나타내므로 are는 알맞다.

4 오늘날, 전 세계의 과학자들은 우리가 대기 오염을 줄이려는 노력으로 함께 애써야 한다고 권고한다.

5 그 시인은 삶이 행복과 즐거움으로 충만해야 한다고 주장하지만, 역경과 슬픔이 (삶의) 여정에서 피할 수 없는 동반자임을 인정한다.
▶ 첫 번째 that절의 내용은 당위성을 나타내므로 be는 적절히 쓰였고, 두 번째 that절의 내용은 있는 그대로의 사실을 나타내므로 주어(adversity and sorrow)의 수와 시제에 맞는 동사 are로 고쳐야 한다.

어휘 revise 수정하다, 개선하다 criterion 기준, 척도((복수형 criteria)) shortage 부족 intensify (정도가) 심해지다 interplay 상호 작용 heighten 높이다; (감정 등이) 고조되다 geopolitical 지정학적인 complexity 복잡성, 복잡함 ongoing 지속적인, 진행 중인 adversity 역경 inevitable 피할 수 없는 companion 동반자

Test 2

1 commanded that each employee attend the mandatory training session
2 asked that the artist submit a brief statement explaining the inspiration
3 proposes that people should reduce their intake of sodium
4 insists that consumers are not merely participants in the marketplace / but they are also the product
5 requires that a person's fate be determined by things within that person's control

1 ▶ 우리말의 시제가 과거이므로 문장의 동사를 commanded로 바꿔 쓰고, that절의 내용이 당위성을 의미하므로 that절의 동사는 <(should+)동사원형>이 되어야 하는데, 주어진 어구에 should가 없으므로 attend로 쓴다.

2 ▶ explaining the inspiration ~ artwork는 a brief statement를 뒤에서 수식하는 현재분사구이다.

3 ▶ 우리말의 시제가 현재이므로 문장의 동사를 proposes로 변형하고, that절의 내용이 당위성을 의미하고 주어진 어구에 should가 있으므로 that절의 동사는 should reduce를 쓴다.

4 ▶ 우리말의 시제가 현재이므로 문장의 동사를 insists로 변형하고, that절의 내용이 당위성이 아닌 일반적인 사실을 나타내므로 시제와 주어의 수에 맞춰 밑줄 친 be는 are로 변형하여 쓴다.

5 ▶ that절의 내용이 당위성을 나타내고 주어진 어구에 should가 없으며, 운명이 '결정되는' 수동의 의미이므로 that절의 동사는 be determined를 쓴다.

어휘 supervisor 관리자, 감독 mandatory 의무적인 submit 제출하다 statement 설명서; 진술, 서술 inspiration 영감 intake 섭취(량) systematic 체계적인 deployment 배치 fate 운명

RANK 74 혼동하기 쉬운 동사 p.202

기출 대표 문항 & 답이 보이는 Clues

1 × → lay　2 × → rose　3 ○

1 암컷 모기는 한 번에 무려 300개나 되는 수의 알을 낳을 수 있다.

2 무장 경찰이 순찰을 시작하면서 그 지역 주변의 긴장이 올랐다(고조되었다).

3 다행히도, 그 결백한 남성은 배심원에 의해 무죄로 밝혀졌다.

어휘 tension 긴장 patrol 순찰을 하다 innocent 결백한, 무죄의 guilty 유죄의

Test 1

1 × → raise　2 × → sits　3 ○
4 × → arise　5 ○

1 팀 스포츠에 적극적으로 참여하는 것은 여러분이 체력을 기르도록 도와줄 뿐만 아니라 다른 사람들과 함께 목표를 달성할 수 있게도 해준다.

2 알프스산맥의 가장 높은 정상이자 유럽에서 가장 높은 산인 몽블랑산은 프랑스와 이탈리아 마을에 걸쳐 있다.

3 그는 작은 아기 새를 찾기 위해 장미 덩굴 밑으로 기어 들어갔다. 그 새는 둥지에서 떨어졌음이 틀림없다.

4 범죄와 관련된 문제들이 붐비는 지역에서 발생할 수 있다. 그러므로 여러분의 소지품들이 도난당하지 않도록 그것들을 주의 깊게 지켜봐야 한다.

5 1944년에, 2,000개가 넘는 폭탄이 런던 도시에 떨어져, 5,000명이 넘는 사람들의 목숨을 앗아갔고 그보다 더 많은 사람들에게 부상을 입혔다.

어휘 crawl 기어가다 possession 소지품

Test 2

1 the focus lies on developing healthy relationships with others
2 The new school was founded about a century ago
3 was wounded so severely[so severely wounded] that it couldn't swim
4 you can rise to the top of your chosen field
5 A concert hall which seats almost two thousand people
6 the word stereotype arouses a sense of discomfort and unease

3 ▶결과를 나타내는 <so 형용사[부사] ~ (that) ...: 아주 ~해서 …하다> 구문을 사용하여 영작한다.

어휘 prominent 저명한 intellectual 지식인; 지적인 by oneself 혼자서 ambition 야망 motivation 동기 부여 stereotype 고정관념 unease 불안, 우려 notion 개념, 생각 oversimplify 지나치게 단순화하다 generalization 일반화

RANK 75 명사와 수식어의 수일치 p.204

기출 대표 문항 & 답이 보이는 Clues

× → little
1 있는 2 없는 3 little

그 당시 우리 작은 마을에서 이용 가능한 전기가 거의 없었고, 우리는 또한 라디오를 (듣기) 위한 배터리를 살 여유도 없었다.

어휘 afford (~을 살[할] 금전적, 시간적) 여유가 되다

Test 1

1 ○ 2 × → amount[deal] 3 ○
4 × → a few 5 × → little, × → few

1 냉동식품의 분자들은 덜 활동적이어서, 분자들이 공기 중으로 거의 방출되지 않았다.
▶복수 molecules 앞에 셀 수 있는 명사의 수식어인 few는 적절하다.

2 태평양에서 육지로 이동하는 공기는 대개 많은 수분을 그 안에 가지고 있다.
▶셀 수 없는 명사 moisture를 수식하는 자리이므로 a great amount[deal] of를 써야 한다.

3 대부분의 피부과 의사들은 만약 사람들이 자외선 차단 제품들을 주기적으로 사용하지 않는다면 많은 태양의 피해로 고통받을 것이라고 경고한다.
▶a lot of는 셀 수 있는 명사와 셀 수 없는 명사를 모두 수식할 수 있다.

4 정상 체온보다 조금이라도 높거나 낮을 때, 우리 신경계는 원활하게 기능할 수 없다.
▶셀 수 있는 명사 degrees를 수식하는 자리이므로 a few로 고쳐야 한다.

5 인간을 제외하고는, 포유류는 대체로 노래하지 못하며 그것들이 그렇게 하고자 한다는 증거도 거의 없다. 몇몇 포유류가 큰 소리로 울부짖기는 하지만, 인간과 아마도 고래를 제외하고는 노래하는 포유류는 거의 없다.
▶첫 번째 밑줄 친 부분은 셀 수 없는 명사 evidence를 수식하는 little로 고쳐야 한다. 두 번째 밑줄 친 부분은 셀 수 있는 명사 mammals를 수식하는 few가 적절하다.

어휘 molecule 분자 apart from ~을 제외하고, ~외에는 on the whole 대체로 melodious 선율이 있는, 음악적인

Test 2

1 few public areas for swimming
2 he regretted having devoted little effort
3 Relying on only a few types of cultivated crops can leave humankind vulnerable
4 Experts have identified a large number of ways to promote energy efficiency
5 Loneliness has nothing to do with how many friends are physically around us

1 ▶there were로 절이 시작하므로 주어는 셀 수 있는 명사의 복수형이 되어야 한다. 밑줄 친 명사를 areas로 변형하고, 그 앞에 셀 수 있는 명사를 수식하는 few를 쓴다.

2 ▶effort는 셀 수 없는 명사이므로 변형 없이 그대로 쓰고, 그 앞에 셀 수 없는 명사를 수식하는 little을 쓴다.

3 ▶type은 셀 수 있는 명사이므로 types로 변형하고 a few의 수식을 받도록 영작한다.

4 ▶way는 셀 수 있는 명사이므로 ways로 변형하고 a large number of의 수식을 받도록 영작한다.

5 ▶many가 셀 수 있는 명사 friend를 수식하므로 many friends로 쓰는데, how와 many의 의미가 강하게 연결되므로 <how many + 명사(friends)>가 주어 역할을 하는 의문사절을 영작한다. 주어가 복수이므로 의문사절의 동사는 복수 are가 쓰였다.

어휘 colony 식민지 devote (노력, 시간 등을) 기울이다, 바치다 rely on ~에 의존하다 cultivate 재배하다 vulnerable 취약한 starvation 기아, 굶주림 efficiency 효율 cost-effective 비용 효율이 높은 have nothing to do with ~와 아무 관련이 없다

RANK 76 There + V + S p.206

기출 대표 문항 & 답이 보이는 Process

There is a little space
1 There 2 is 3 a little space

Test 1

1 × → stands 2 ○ 3 ○
4 × → has 5 × → were

1 독일 남서쪽의 바위투성이 언덕에 '노이슈반슈타인 성'이라고 불리는 아름다운 성이 서 있다.
▶주어(a beautiful castle)가 단수이므로 단수동사 stands로 고쳐야 한다.

2 인간이 과학에 대한 불신을 극복해야 한다고 말하는 흥미로운 철학 이론이 존재한다.
▶주어(a fascinating philosophical theory)가 단수이므로 단수동사 exists는 알맞다.

3 그곳에 살면서 알을 낳는 특유의 독을 가진 포유류가 있기 때문에 호주에 갈 때 조심하라.
▶since가 이끄는 부사절의 주어(unique, poisonous mammals)가 복수이므로 복수동사 are는 알맞다.

4 1970년대 이래로, 국경을 넘나드는 더 자유로운 자본 흐름을 향한 추세가 있어 왔는데, 이는 빈곤국들의 발전을 도울 것으로 기대된다.
▶주어(a trend)가 단수이므로 조동사 have를 has로 고쳐야 한다.

5 우리는 종종 '어림수'를 사용함으로써 근사치를 낸다. 예를 들어, 우리는 그 숫자가 정확하지 않더라도 시장에 백 명의 사람이 있었다고 말할 수도 있다.
▶ say의 목적어절의 주어(a hundred people)가 복수이므로 복수동사 were로 고친다.

어휘 rugged 바위투성이의 distrust 불신 disadvantaged 빈곤한; 사회적으로 혜택을 받지 못한 approximate 근사치를 내다; 대략적인 precise 정확한

Test 2

1 because there exists no vacuum
2 there were only three competitive swimming strokes / each had specific rules that described
3 there have always been recommendations about what foods athletes should eat
4 regions where there was little security from raids / as there was little incentive to do so

어휘 vacuum 진공 stroke 수영법 discipline (학문) 분야 recommendation 권고, 추천 raid 습격, 급습 stockpile 비축하다; 비축 incentive 유인(책), 동기

RANK 77 명사절을 이끄는 복합관계대명사 p.208

1 명사절

기출 대표 문항 & 답이 보이는 Process

she could do whatever she wanted
2 she 3 could do 4 whatever she wanted

e.g. 나는 엄마가 저녁으로 만드는 어떤 음식이든 정말 맛있게 먹는다.

Test 1

1 × → whatever 2 × → however 3 ○
4 × → whoever 5 × → Whatever 6 ○

1 인터넷의 힘은 우리가 배우고 싶거나 원하는 것은 무엇이든지 찾는 것을 가능하게 만든다.
▶ to learn과 desire의 목적어가 없는 불완전한 구조의 절이 이어지므로 복합관계대명사 whatever로 고친다.

2 이것들(문화적 패턴)이 아무리 무의식적일지라도, 사람들은 그들이 내면화해 온 문화적 패턴에 의해 제공된 형태 안에서 일을 한다.
▶ 완전한 구조의 절이 이어지므로 복합관계부사의 자리이다. <however+형용사+주어+동사>의 어순이 되도록 however로 고친다.

3 사람들이 개인으로서 가질 수 있는 어떤 편견이든지 그들이 집단으로 어떤 일들에 대해 논의할 때 증가된다.
▶ 명사 bias를 앞에서 수식하는 Whatever는 알맞게 쓰였다.

4 장학금은 탁월한 학업 성취와 지역 사회 참여를 입증하는 누구에게든 수여될 것이다.
▶ 주어가 없는 불완전한 구조의 절이 이어지므로 복합관계대명사의 자리인데, 사람을 나타내는 대명사가 필요하므로 whoever로 고쳐야 한다.

5 디지털 형태로 전달될 수 있는 것은 무엇이든 온라인에서 성공할 가능성이 있고, 우리는 이미 전통적인 음반 가게들과 사진 현상기들의 쇠퇴를 목격했다.

6 올림픽 선수가 세계 신기록을 세울 때마다, 그것은 다른 사람들이 그들 안에서 최대치를 이끌어 내고 그 성취를 넘어 인간의 성과에 대한 신기록을 세우도록 고무시킨다.
▶ 완전한 구조의 절이 이어지므로 복합관계부사 Whenever는 알맞게 쓰였다.

어휘 internalize 내면화하다 unconscious 무의식적인 bias 편견 multiply 증가시키다; 곱하다 exceptional 탁월한 involvement 참여 do well 잘하다, 성공하다 decline 쇠퇴; 감소하다 bring out ~을 이끌어 내다

Test 2

1 Whatever prevents you from achieving your dream must be ignored
2 Do not fight with whomever you dislike
3 whichever approach aligns with the objectives of their study
4 maintaining a calm and focused attitude toward whatever you are doing
5 Whoever has ever achieved any degree of success / anything in life worth doing doesn't come easily

1 ▶ prevent A from B: A가 B하지 못하게 하다[B하는 것을 막다]

어휘 methodology 방법론 align 나란하다; ~을 조정하다 attitude 태도 intense 극심한

서술형 대비 실전 모의고사 7회 p.210

01 × → coming, ○
02 × → arises, ○
03 × → are, ○
04 ○, × → are, × → few
05 × → is, ○, × → retain
06 (A) interesting (B) (should) be (C) hearing
07 seem to be programmed to overvalue what we own / have been given something / we are hesitant to give it up
08 maintaining good social relationships requires being motivated to apologize sincerely / a violation of respect does occur
09 is known that some bird species exhibit / in which they lay an egg in the nest of another bird and leave it to be raised by a deceived host
10 (A) is no immediate danger / to let children play without stepping in (B) made with good intentions / efforts to assist them may discourage them from seeking the solution
11 whatever is required for you to learn it prior to moving on to the next one
12 there is little basis for comparison
13 was thought to have lost
14 insists that individuals should address problems directly in order to prevent them from creating confusion
15 it, 목적어로 해석되는 to부정사구가 뒤에 있으므로, 이를 대신할 수 있는 가목적어 it이 와야 한다.
16 noticing, 전치사 of의 목적어 역할을 하면서, 뒤에 목적어를 취하는 동명사가 알맞다.
17 do, 앞의 일반동사구(places a premium on vision)를 대신하므로 대동사 do가 알맞다.

18 whatever, from의 목적어 역할을 하는 명사절을 이끌고 뒤에 to look at의 목적어가 없는 불완전한 절이 오므로 복합관계대명사 whatever가 알맞다.
19 the evolutionary response is to enlarge the visual processing system to detect more light

01 여러분은 여러분이 가진 감정들을 부정할 수 있지만 그것들이 찾아오는 것을 막을 수 없다. (감정들이) 지나가기 위해서 감정들에 필요한 전부는 인정되고 받아들여지는 것이다.
▶ <stop A from B: A가 B하는 것을 막다>에서 전치사의 목적어 자리이므로 동명사 coming으로 고쳐야 한다. / 주격보어 to be ~는 알맞게 쓰였다. • Rank 62 전치사를 동반하는 동사 쓰임 I, Rank 69 보어로 쓰이는 to부정사, Rank 72 전치사+동명사
어휘 acknowledge 인정하다

02 우리가 사람과 기계를 공동 시스템으로 여기지 않고 그저 자동화될 수 있는 일은 무엇이든 기계에 맡기고 나머지는 사람에게 맡길 때 부조화가 발생한다.
▶ '발생하다'라는 의미의 자동사 arise가 적절하므로 arises로 고쳐야 한다. / <think of A as B: A를 B로 여기다>의 전치사 as는 알맞게 쓰였다. • Rank 63 전치사를 동반하는 동사 쓰임 II, Rank 74 혼동하기 쉬운 동사
어휘 disharmony 부조화 collaborative 공동의 assign 맡기다, 배정하다 automate 자동화하다

03 비교적 아주 흔한 언어의 틀린 의미가 원래 의도나 정의보다 더 널리 퍼진 사례들이 많아지고 있다.
▶ 주어(examples)는 복수이므로 복수동사 are가 알맞다. a growing number of는 주어를 수식하는 어구이다. / 뒤에 완전한 절이 오고 선행사 examples가 추상적인 공간을 의미하므로 관계부사 where는 적절하다. • Rank 30 관계부사 when, where, why, how, Rank 76 There+V+S
어휘 commonplace 아주 흔한; 흔히 있는 일

04 스포츠 분야에서 직업상 출세의 과정은 종종 피라미드 같은 형태인 것으로 언급된다. 즉, 넓은 맨 아랫부분에는 고등학교 운동부와 관련된 많은 직업들이 있는 반면, 좁은 끝부분에는 전문적인 조직 내에서 매우 갈망하는 몇 안 되는 직업들이 있다.
▶ 문장의 동사(is said)와 같은 때를 나타내므로 to be는 알맞다. / 두 번째 문장은 부사구 at the wide base가 강조되는 도치구문이다. 문장의 주어(many jobs)는 복수이므로 복수동사 are가 알맞다. / little은 셀 수 없는 명사를 수식하는 표현이므로, 셀 수 있는 명사 jobs를 수식할 수 있는 few로 고쳐야 한다. • Rank 60 부사구 강조 도치 / 기타 도치, Rank 70 that절이 목적어인 문장의 수동태, Rank 75 명사와 수식어의 수일치
어휘 advancement 출세, 승진

05 이민자들은 자신들만의 문화적 정체성을 지키기보다는 (이민해 온 사회의 문화에) 순응해야 한다는 압박이 있어서, 갈등을 줄이기 위해서는 다문화주의자들은 이민자들이 주류 문화의 가치관과 생활 방식에 동화되는 것과 자신들의 관습, 신념, 언어 일부를 유지하는 것 둘 다 할 수 있도록 부분적인 동화 모델이 만들어져야 한다고 제안한다.
▶ 주어(pressure)는 단수이므로 단수동사 is가 알맞다. / suggest의 목적어로 온 that절의 내용이 당위성을 나타내므로 that절의 동사로 동사원형 be를 쓴 것은 적절하다. / so that절에서는 <both A and B>가 can 뒤의 두 개의 동사구를 병렬 연결하므로 retain으로 고쳐야 한다. • Rank 10 상관접속사의 병렬구조, Rank 73 당위성 동사+that+S'+(should+)동사원형, Rank 76 There+V+S
어휘 conform (관습 등에) 순응하다, 따르다 partial 부분적인 assimilation 동화(同化) *cf.* assimilate 동화되다; 동화시키다 retain 유지하다, 보유하다

06 저는 TAC사의 이사인 Aaron Brown입니다. 저희 회사의 10주년을 기념하고 그 이상의 성장을 북돋우기 위해, 저희는 사업 동향에 대해 흥미로운 논의를 하는 작은 행사를 마련했습니다. 저는 최근에 사업상 최신 문제들에 대한 귀하의 강연에 참석했으며, 그것은 인상적이었습니다. 저는 귀하께서 오후의 초청 연사가 되어주실 것을 요청하고자 이 편지를 쓰고 있습니다. 귀하의 특별한 경험과 지식은 저희 참석자분들께 유익할 것입니다. 귀하께서 저희를 위해 시간을 조금 내주실 수 있다면 그에 진심으로 감사드리겠습니다. 곧 귀하께 연락을 받기를 고대하고 있겠습니다.
▶ (A) 논의가 '흥미로운' 감정을 일으키는 것이므로 현재분사 interesting으로 바꿔 쓴다. • Rank 54 감정을 나타내는 분사
(B) that절의 내용이 당위성을 나타내므로 동사원형 be를 그대로 쓰거나 should be로 쓴다. • Rank 73 당위성 동사+that+S'+(should+)동사원형
(C) look forward to v-ing: v하기를 고대하다 • Rank 72 전치사+동명사
어휘 boost 북돋우다, 신장시키다 arrange 마련하다; 정리하다 attendee 참석자 hear from ~에게 연락을 받다

07 ▶ 우리말의 시제가 현재이므로 주절의 동사로 현재시제 seem을 쓰고, 뇌가 '짜여 있는' 수동관계이므로 to be programmed를 이어 쓴다. 이어지는 to overvalue의 목적어 자리에는 관계대명사 what이 이끄는 절을 영작한다. 우리가 '받는' 수동관계이므로 Once가 이끄는 절의 동사는 have been given으로 쓰고 능동태에서의 직접목적어 something을 이어 쓴다. • Rank 16 진행·완료시제의 능동 vs. 수동, Rank 26 관계대명사 what, Rank 44 4문형·5문형의 수동태, Rank 69 보어로 쓰이는 to부정사
어휘 overvalue 과대평가하다 hesitant 주저하는, 망설이는

08 ▶ that절의 주어로 동명사구 maintaining ~ relationships를 쓰고, 우리말을 보아 that절의 내용이 당위성이 아니라 연구된 사실을 나타내므로 동사는 requires로 쓴다. 동명사의 의미상의 주어인 일반인(사람들)이 '동기 부여가 되는' 수동관계이므로 목적어는 being motivated로 쓴다. when절에는 동사 occur를 강조하는 does를 사용한다. • Rank 02 주어-동사의 수일치 II, Rank 11 동사의 목적어가 되는 to-v, v-ing, Rank 15 주어로 쓰이는 동명사, Rank 39 to부정사와 동명사의 태, Rank 67 do 동사의 쓰임, Rank 73 당위성 동사+that+S'+(should+)동사원형
어휘 violation 위반

09 ▶ 우리말의 '알려져 있다'는 수동의 의미이므로 주절의 동사는 is known으로 쓰고, that절의 동사도 주절과 같은 현재시제로 쓴다. in which가 이끄는 관계사절이 선행사 a reproductive strategy를 수식하도록 영작하는데, 관계사절의 두 동사구를 접속사 and로 병렬 연결한다. 이때 첫 번째 동사 lay는 '~을 낳다'라는 의미의 타동사이다. 두 번째 동사 leave의 목적어 it(= an egg)이 '길러지는' 수동관계이므로 목적격보어는 to be raised로 쓴다. 주인이 '속은' 수동관계이므로 deceive는 과거분사 deceived로 바꿔 쓴다. • Rank 05 현재분사 vs. 과거분사_명사 수식, Rank 07 동사+목적어+보어 I, Rank 09 등위접속사의 병렬구조, Rank 29 전치사+관계대명사, Rank 39 to부정사와 동명사의 태, Rank 70 that절이 목적어인 문장의 수동태, Rank 74 혼동하기 쉬운 동사
어휘 reproductive 번식의, 생식의 nest 둥지 deceive 속이다, 기만하다

10 ▶ (A) When절의 주어(immediate danger)는 단수이고 현재의 일반적인 사실을 말하므로 주어 앞에 단수동사 is를 쓴다. 주절에는 to let이 이끄는 진주어를 영작하는데, let은 목적격보어로 v를 취하므로 play는 그대로 쓴다. step in은 동명사 stepping in으로 바꿔 전치사 without의 목적어로 쓴다. • Rank 07 동사+목적어+보어 I, Rank 14 가주어-진주어(to부정사), Rank 72 전치사+동명사, Rank 76 There+V+S
(B) 첫 번째 빈칸에는 의미상의 주어 efforts가 '만들어지는' 수동관계이므로 과거분사 made를 써서 분사구문을 영작한다. 주절의 주어 efforts 뒤에는 동격을 나타내는 to부정사구를 이어 쓰고, <discourage A from B: A가 B하는 것을 막다>를 사용해 완성한다. • Rank 20 주의해야 할 분사구문, Rank 52 동격을 나타내는 구문, Rank 62 전치사를 동반하는 동사 쓰임 I, Rank 72 전치사+동명사
어휘 step in 개입하다; 돕고 나서다 serve 도움이 되다, 기여하다

11 소프트웨어 개발에서, 버그는 즉시 바로잡아야 한다. 프로젝트가 끝날 때까지 버그를 바로잡기를 기다리는 것은 그것을 고치는 데 필요한 노력을 급격히 늘

릴 수 있다. 마찬가지로, 여러분이 아마 날마다 배우는 것을 학습하지 못하는 것은 심각한 버그이다. 만약 여러분이 오늘 수업에서 배웠던 것을 이해하지 못한다면, 그것을 가능한 한 빨리 바로잡아야 하는 버그로 취급해라. 그것을 미루지 마라. 여러분이 어떤 단어, 개념, 혹은 단원을 이해하지 못한다면, 모든 것을 중단하고 다음 것으로 넘어가기에 앞서 여러분이 그것을 배우는 데 필요한 것은 무엇이든 해라.

▶ 복합관계대명사 whatever가 이끄는 명사절이 do의 목적어 역할을 하도록 영작한다. whatever 뒤에는 주어가 없는 불완전한 구조의 절이 이어진다. 이때 의미상의 주어 for you를 to learn 앞에 써서 목적을 나타내는 부사적 역할의 to부정사구를 영작한다. 구전치사 prior to의 목적어 자리에는 동명사구 moving ~ one을 쓴다. • **Rank 13** to부정사의 부사적 역할, **Rank 72** 전치사+동명사, **Rank 77** 명사절을 이끄는 복합관계대명사

어휘 bug 버그((컴퓨터 프로그램이나 시스템의 오류)) drastically 급격히 supposedly 아마 put off 미루다 drop (하던 일 등을) 중단하다, 그만두다

[12-13]

때때로 어떤 사람은 비교를 위한 근거가 거의 없기 때문에 '가장 위대하다'고 칭송받는다. 예를 들어, 바이올리니스트 Jan Kubelik는 그의 첫 번째 미국 순회공연 중에는 '가장 위대하다'고 칭송받았지만, 1923년에 기획자 Sol Hurok이 그를 미국으로 다시 데려왔을 때, 사람들은 그가 이전의 뛰어남을 조금 잃었다고 생각했다. 그러나 바이올리니스트 Mischa Elman의 아버지인 Sol Elman은 다르게 생각했다. 그는 "친애하는 친구들이여, Kubelik는 오늘 밤 그가 늘 했던 것만큼 훌륭하게 연주했습니다. 오늘 여러분은 다른 기준을 가지고 있습니다. 여러분 모두 예술가적 기교, 기법, 그리고 무엇보다 지식과 감상력에서 성장했습니다. 요점은 여러분이 더 많이 알고 있는 것이지, Kubelik가 연주를 덜 잘하는 것이 아니라는 점입니다."라고 말했다.

어휘 acclaim 칭송하다 former 이전의; 옛날의 brilliance 뛰어남, 탁월 splendidly 훌륭하게, 멋지게 artistry 예술가적 기교 appreciation 감상; 감사

12 ▶ 주어 basis는 셀 수 없는 명사이므로 little의 수식을 받고, 앞에 단수동사 is를 쓴다. • **Rank 75** 명사와 수식어의 수일치, **Rank 76** There+V+S

13 ▶ 그가 '생각된' 수동의 의미이므로 동사는 was thought로 쓴다. (A)에서 주절의 시제(thought)보다 that절의 시제(had lost)가 앞서므로 to have lost를 이어 쓴다. • **Rank 40** to부정사와 동명사의 완료형, **Rank 70** that절이 목적어인 문장의 수동태

14 가끔 사람들은 무엇이 자신을 괴롭히고 있는지를 분명히 말하지 않고, 대신 자신의 짜증을 표현하는 더 간접적인 수단을 선택한다. 한 동료가 기저에 있는 적의를 나타내는 방식으로 여러 다른 이들과 대화할 수도 있다. 다른 수많은 경우에도, 배우자들은 어떤 문제를 진정으로 다루지 않은 채 울적해하고 심지어 얼굴을 찡그릴 수도 있다. 동료들도 마찬가지로 신속하게 화제를 바꾸거나 믿을 수 없을 정도로 모호해짐으로써 어떤 문제에 대해 논의하는 것을 그저 막아버릴 수도 있다. 화를 표현하는 그런 간접적인 방식들은 유용하지 않은데 그것들이 그런 행동의 대상인 사람들에게 정확히 어떻게 반응해야 하는지에 대한 아이디어를 제공하지 않기 때문이다. 그들은 동료가 짜증이 나 있다는 것을 이해하지만, 단순명쾌함의 부재는 그들이 그 문제를 해결하기 위해 무엇을 할 수 있는지에 관한 충고가 없는 채로 있게 한다.

[주장] 필자는 사람들이 간접적인 표현을 바탕으로 혼란을 만들어 내는 것을 막기 위해 문제를 직접적으로 다뤄야 한다고 주장한다.

▶ 문장의 동사로 insists를 쓰고, 목적어인 that절의 내용이 당위성을 나타내므로 that절의 동사는 should address로 쓴다. 동사 address를 수식하므로 direct는 부사 directly로 변형한다. 그 뒤에는 목적을 나타내는 in order to-v가 오는데, 이때 to부정사구는 <prevent A from B: A가 B하는 것을 막다>를 써서 영작한다. • **Rank 13** to부정사의 부사적 역할, **Rank 37** 형용사 자리 vs. 부사 자리, **Rank 62** 전치사를 동반하는 동사 쓰임 Ⅰ, **Rank 72** 전치사+동명사, **Rank 73** 당위성 동사+that+S'+(should+)동사원형

어휘 annoyance 짜증 hostility 적의, 적대감 frown 얼굴을 찡그리다 vague 모호한 temper 화, 짜증; 성질 directness 단순명쾌함 address (문제 등에 대해) 다루다, 고심하다

[15-19]

네안데르탈인은 높은 위도에서 낮 동안 문제에 직면했을 것이다. 즉, 좋지 못한 빛의 질이 멀리에서 사물을 보는 것을 어렵게 만들었을 것이다. 사냥꾼에게 이것은 심각한 문제인데 당신이 (그 어미 코뿔소의) 새끼를 찌르려고 할 때 어미 코뿔소가 숲 구석의 어두운 모퉁이에 숨어 있는 것을 알아채지 못하는 실수를 하기를 정말로 원하지 않기 때문이다. 저조한 빛 조건 아래 사는 것은 보통 조건이 그러는 것보다 시각을 훨씬 더 중요하게 여긴다. 저조한 빛 수준에 적응하기 위해, 진화적 대응은 더 많은 빛을 감지하기 위해 시각 처리 체계를 확대하는 것이다. 그것은 전통적인 별 관측 망원경의 익숙한 원리이다. 어둑한 밤하늘의 빛 아래에서, 더 큰 거울은 당신이 보고 싶은 무엇이든 그것에서 더 많은 빛을 모으게 해준다. 마찬가지로, 더 큰 망막은 당신이 열악한 빛 수준을 보충하기 위해 더 많은 빛을 받아들이게 해준다.

어휘 latitude 위도 spear 찌르다; 창 calf (소, 코끼리, 고래 등의) 새끼 place a premium on ~을 중요하게 여기다 conventional 전통적인, 관습적인 dim 어둑한, 흐릿한 by the same token 마찬가지로, 같은 이유로 compensate 보충하다; 보상하다

15 ▶ • **Rank 32** 가목적어-진목적어

16 ▶ • **Rank 72** 전치사+동명사

17 ▶ • **Rank 67** do 동사의 쓰임

18 ▶ • **Rank 77** 명사절을 이끄는 복합관계대명사

19 ▶ 주격보어 자리에 to enlarge ~ system을 쓰고, 목적을 나타내는 부사적 역할의 to부정사구를 이어서 쓴다. • **Rank 13** to부정사의 부사적 역할, **Rank 69** 보어로 쓰이는 to부정사

• 부분 점수

문항	배점	채점 기준
01-05	1	×는 올바르게 표시했지만 바르게 고치지 못한 경우
07-10	3	어순은 올바르나 단어를 적절히 변형하지 못한 경우
12	3	어순은 올바르나 단어를 적절히 변형하지 못한 경우
14	4	어순은 올바르나 단어를 적절히 변형하지 못한 경우
15-18	2	올바른 것을 골랐으나 그 이유를 쓰지 못한 경우

서술형 대비는 이제,

올씀 서술형 시리즈

서술형 시리즈 1

ALL씀 기본 문장 PATTERN

- 16개 패턴으로 문장 구조 완전 정복
- 단계별 영작 학습으로 초보자도 쉽게
- 패턴별 꼭 나오는 문법 정리 수록!

서술형 시리즈 2

ALL씀 그래머 KNOWHOW

- 서술형 감점 없애는 문법 노하우 공개!
- 먼저 쓰고 나서 익히는 능동적인 학습
- 문법 포인트별 빈출 유형으로 실전 감각 Up!

서술형 시리즈 3

RANK 77 고등 영어 서술형

- 고난도 연습문제로 심화 기출 문항 대비
- 기출 포인트 출제 빈도순 학습
- 답이 보이는 단서·해결 프로세스 제시
- 서술형 대비를 위한 기본 표현 수록

RANK 77 고등 영어 서술형 실전문제 700제

- <RANK 77 고등 영어 서술형>과 동일한 목차 구성으로 병행학습 가능
- 풍부한 문제로 실전 완벽 대비
- 서술형 PLUS 표현 복습 및 암기

쎄듀 초·중등 커리큘럼

예비초 | 초1 | 초2 | 초3 | 초4 | 초5 | 초6

구문
- 천일문 365 일력 | 초1-3 | 교육부 지정 초등 필수 영어 문장
- 초등코치 천일문 SENTENCE — 1001개 통문장 암기로 완성하는 초등 영어의 기초

문법
- 초등코치 천일문 GRAMMAR — 1001개 예문으로 배우는 초등 영문법
- 왓츠 Grammar — Start (초등 기초 영문법) / Plus (초등 영문법 마무리)

독해
- 왓츠 리딩 30|40 / 50 / 60 / 70 / 80 / 90 / 100 — 쉽고 재미있게 완성되는 영어 독해력

어휘
- 초등코치 천일문 VOCA&STORY — 1001개의 초등 필수 어휘와 짧은 스토리
- 패턴으로 말하는 초등 필수 영단어 1 / 2 — 문장 패턴으로 완성하는 초등 필수 영단어

ELT
- Oh! My PHONICS 1 / 2 / 3 / 4 — 유·초등학생을 위한 첫 영어 파닉스
- Oh! My SPEAKING 1 / 2 / 3 / 4 / 5 / 6 — 핵심 문장 패턴으로 더욱 쉬운 영어 말하기
- Oh! My GRAMMAR 1 / 2 / 3 — 쓰기로 완성하는 첫 초등 영문법

예비중 | 중1 | 중2 | 중3

구문
- 천일문 STARTER 1 / 2 — 중등 필수 구문 & 문법 총정리

문법
- 개정 천일문 중등 GRAMMAR LEVEL 1 / 2 / 3 — 예문 중심 문법 기본서
- GRAMMAR Q Starter 1, 2 / Intermediate 1, 2 / Advanced 1, 2 — 학기별 문법 기본서
- 잘 풀리는 영문법 1 / 2 / 3 — 문제 중심 문법 적용서
- GRAMMAR PIC 1 / 2 / 3 / 4 — 이해가 쉬운 도식화된 문법서
- 1센치 영문법 — 1권으로 핵심 문법 정리

문법+어법
- 첫단추 BASIC 문법·어법편 1 / 2 — 문법·어법의 기초

문법+쓰기
- EGU 영단어&품사 / 문장 형식 / 동사 써먹기 / 문법 써먹기 / 구문 써먹기 — 서술형 기초 세우기와 문법 다지기
- 올씀 1 기본 문장 PATTERN — 내신 서술형 기본 문장 학습

쓰기
- 개정 천일문 중등 WRITING LEVEL 1 / 2 / 3 *거침없이 Writing 개정 — 중등 교과서 내신 기출 서술형
- 중학 영어 쓰작 1 / 2 / 3 — 중등 교과서 패턴 드릴 서술형

어휘
- 천일문 VOCA 중등 스타트/필수/마스터 — 2800개 중등 3개년 필수 어휘
- 어휘끝 중학 필수편 — 중학 필수어휘 1000개
- 어휘끝 중학 마스터편 — 고난도 중학어휘 +고등기초 어휘 1000개

독해
- ReadingGraphy LEVEL 1 / 2 / 3 / 4 — 중등 필수 구문까지 잡는 흥미로운 소재 독해
- Reading Relay Starter 1, 2 / Challenger 1, 2 / Master 1, 2 — 타교과 연계 배경 지식 독해
- READING Q Starter 1, 2 / Intermediate 1, 2 / Advanced 1, 2 — 예측/추론/요약 사고력 독해

독해전략
- 리딩 플랫폼 1 / 2 / 3 — 논픽션 지문 독해

독해유형
- Reading 16 LEVEL 1 / 2 / 3 — 수능 유형 맛보기 + 내신 대비
- 첫단추 BASIC 독해편 1 / 2 — 수능 유형 독해 입문

듣기
- Listening Q 유형편 / 1 / 2 / 3 — 유형별 듣기 전략 및 실전 대비
- 쎄듀 빠르게 중학영어듣기 모의고사 1 / 2 / 3 — 교육청 듣기평가 대비

쎄듀 고등 커리큘럼

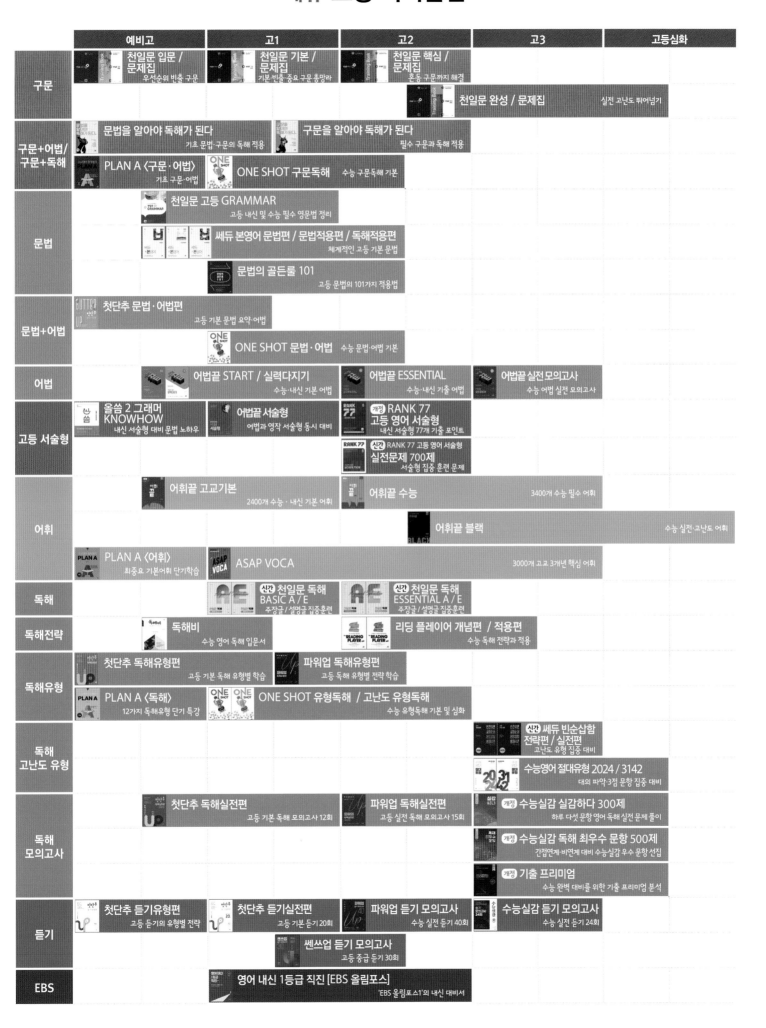

예비고 | 고1 | 고2 | 고3 | 고등심화

구문
- 천일문 입문 / 문제집 — 우선순위 빈출 구문
- 천일문 기본 / 문제집 — 기본·빈출·중요 구문 총망라
- 천일문 핵심 / 문제집 — 혼동 구문까지 해결
- 천일문 완성 / 문제집 — 실전 고난도 뛰어넘기

구문+어법/구문+독해
- 문법을 알아야 독해가 된다 — 기초 문법·구문의 독해 적용
- 구문을 알아야 독해가 된다 — 필수 구문과 독해 적용
- PLAN A 〈구문·어법〉 — 기초 구문·어법
- ONE SHOT 구문독해 — 수능 구문독해 기본

문법
- 천일문 고등 GRAMMAR — 고등 내신 및 수능 필수 영문법 정리
- 쎄듀 본영어 문법편 / 문법적용편 / 독해적용편 — 체계적인 고등 기본 문법
- 문법의 골든룰 101 — 고등 문법의 101가지 적용법

문법+어법
- 첫단추 문법·어법편 — 고등 기본 문법 요약·어법
- ONE SHOT 문법·어법 — 수능 문법·어법 기본

어법
- 어법끝 START / 실력다지기 — 수능·내신 기본 어법
- 어법끝 ESSENTIAL — 수능·내신 기출 어법
- 어법끝 실전 모의고사 — 수능 어법 실전 모의고사

고등 서술형
- 올씀 2 그래머 KNOWHOW — 내신 서술형 대비 문법 노하우
- 어법끝 서술형 — 어법과 영작 서술형 동시 대비
- 개정 RANK 77 고등 영어 서술형 — 내신 서술형 77개 기출 포인트
- 신간 RANK 77 고등 영어 서술형 실전문제 700제 — 서술형 집중 훈련 문제

어휘
- 어휘끝 고교기본 — 2400개 수능 · 내신 기본 어휘
- 어휘끝 수능 — 3400개 수능 필수 어휘
- 어휘끝 블랙 — 수능 실전·고난도 어휘
- PLAN A 〈어휘〉 — 최중요 기본어휘 단기학습
- ASAP VOCA — 3000개 고교 3개년 핵심 어휘

독해
- 신간 천일문 독해 BASIC A / E — 주장글 / 설명글 집중훈련
- 신간 천일문 독해 ESSENTIAL A / E — 주장글 / 설명글 집중훈련

독해전략
- 독해비 — 수능 영어 독해 입문서
- 리딩 플레이어 개념편 / 적용편 — 수능 독해 전략과 적용

독해유형
- 첫단추 독해유형편 — 고등 기본 독해 유형별 학습
- 파워업 독해유형편 — 고등 독해 유형별 전략 학습
- PLAN A 〈독해〉 — 12가지 독해유형 단기 특강
- ONE SHOT 유형독해 / 고난도 유형독해 — 수능 유형독해 기본 및 심화

독해 고난도 유형
- 신간 쎄듀 빈순삽함 전략편 / 실전편 — 고난도 유형 집중 대비
- 수능영어 절대유형 2024 / 3142 — 대의 파악·3점 문항 집중 대비

독해 모의고사
- 첫단추 독해실전편 — 고등 기본 독해 모의고사 12회
- 파워업 독해실전편 — 고등 실전 독해 모의고사 15회
- 개정 수능실감 실감하다 300제 — 하루 다섯 문항 영어 독해 실전 문제 풀이
- 개정 수능실감 독해 최우수 문항 500제 — 간접연계·비연계 대비 수능실감 우수 문항 선집
- 개정 기출 프리미엄 — 수능 완벽 대비를 위한 기출 프리미엄 분석

듣기
- 첫단추 듣기유형편 — 고등 듣기의 유형별 전략
- 첫단추 듣기실전편 — 고등 기본 듣기 20회
- 파워업 듣기 모의고사 — 수능 실전 듣기 40회
- 수능실감 듣기 모의고사 — 수능 실전 듣기 24회
- 쎈쓰업 듣기 모의고사 — 고등 중급 듣기 30회

EBS
- 영어 내신 1등급 직진 [EBS 올림포스] — 'EBS 올림포스1'의 내신 대비서

서술형 대비는 이제,

올씀 서술형 시리즈

서술형 시리즈 1

ALL씀 기본 문장 PATTERN

- 16개 패턴으로 문장 구조 완전 정복
- 단계별 영작 학습으로 초보자도 쉽게
- 패턴별 꼭 나오는 문법 정리 수록!

서술형 시리즈 2

ALL씀 그래머 KNOWHOW

- 서술형 감점 없애는 문법 노하우 공개!
- 먼저 쓰고 나서 익히는 능동적인 학습
- 문법 포인트별 빈출 유형으로 실전 감각 Up!

서술형 시리즈 3

RANK 77 고등 영어 서술형

- 고난도 연습문제로 심화 기출 문항 대비
- 기출 포인트 출제 빈도순 학습
- 답이 보이는 단서·해결 프로세스 제시
- 서술형 대비를 위한 기본 표현 수록

RANK 77 고등 영어 서술형 실전문제 700제

- <RANK 77 고등 영어 서술형>과 동일한 목차 구성으로 병행학습 가능
- 풍부한 문제로 실전 완벽 대비
- 서술형 PLUS 표현 복습 및 암기

AI 영어 온라인 클래스 쎄듀런 www.cedulearn.com

어휘리스트·테스트/영작·해석연습지 무료 제공 www.cedubook.com

문의사항은 지역총판
또는 book@ceduenglish.com

ISBN 978-89-6806-386-2
978-89-6806-385-5(SET)

제1개정판 4쇄

정가 21,000원

54740
9 788968 063862
ISBN 978-89-6806-386-2
ISBN 978-89-6806-385-5 (세트)

RANK 77

77개 랭크별 풍부한 문제로 내신 완벽 대비

- <RANK 77 고등 영어 서술형>과 동일한 목차 구성으로 기출 포인트 집중 훈련
- 실전 모의고사 7회분 포함 총 700문제 수록

ALL 씀

고등 영어 서술형

실전문제 700제

김기훈 | 쎄듀 영어교육연구센터

쎄듀 | 쎄듀런